JN151387

編集復刻版

「秋丸機関」関係資料集成

第19巻

牧野邦昭 編

不二出版

〈編集復刻にあたって〉

一、使用した底本の所蔵館については、「全巻収録内容」に記載しております。ご協力に感謝申し上げます。

一、本編集復刻版の解説（牧野邦昭）は、第5回配本に別冊として付します。

一、資料の収録順については、牧野邦昭と不二出版の判断により分類毎に分けた上で、資料のシリーズ、作成年月日を元に整序しました。

一、本編集復刻版は、原本を適宜縮小し、白黒、四面付方式にて収録しました。ただし資料中、色がついていないと内容を理解することが出来ない部分に関してはカラーで収録しました。

一、本編集復刻版は、できるかぎり副本を求めましたが、頁の欠落、破損などを補充できなかった部分があります。また、より鮮明な印刷になるよう努めましたが、原本自体の状態によって、印字が不鮮明あるいは判読不可能な箇所があります。判読不可能な箇所については、不二出版の組版によって内容を補った場合があります。

一、資料の中には、人権の視点から見て不適切な語句・表現・論もありますが、歴史的資料の復刻という性質上、そのまま収録しました。

（不二出版）

［第19巻　収録内容］

資料番号――資料名●発行年月――復刻版頁

九一――経研資料調第三〇号　南方諸地域兵要経済資料●一九四一・一二――1
九二――経研資料調第五一号　占領地幣制確立方策●一九四二・二――254
九三――経研資料工作第二三号　南方労力対策要綱●一九四二・六――278
九四――経研資料調第七九号　昭和十七年度に於ける南方物資流入による帝国物的国力推移の具体的検討●一九四二・六――322

［全巻収録内容］

Ⅰ　機関動向・総論

配本	巻	資料番号	資料名	分類	発行年月	底本所蔵館
第１回配本	第１巻	一	秘　経研目録第一号　資料月報	機関動向	一九四〇年四月	福島大学食農学類
第１回配本	第１巻	二	経研目録第三号　資料目録	機関動向	一九四〇年六月	福島大学食農学類
第１回配本	第１巻	三	経研目録第四号　資料目録	機関動向	一九四〇年七月	福島大学食農学類
第１回配本	第１巻	四	経研目年第一号　資料年報	機関動向	一九四〇年一二月	牧野邦昭所有
第１回配本	第１巻	五	秘　班報　第一号	機関動向	一九四〇年八月	福島大学食農学類
第１回配本	第１巻	六	秘　班報　第二号	機関動向	一九四〇年九月	福島大学食農学類
第１回配本	第１巻	七	班報　第三号	機関動向	一九四〇年一〇月	福島大学食農学類
第１回配本	第１巻	八	秘　経研訳第四号　マックス・ウエルナア著　列強の抗戦力	総論	一九四〇年七月	牧野邦昭所有
第１回配本	第２巻	九	経研資料工作第二号　第一次欧州戦争ニ於ケル主要交戦国経済統制法令輯録	総論	一九四〇年八月	東京大学経済学部資料室
第１回配本	第２巻	一〇	経研資料工作第二号　第二次欧州戦争ニ於ケル交戦各国経済統制法令輯録	総論	一九四〇年八月	東京大学経済学部資料室
第１回配本	第２巻	一一	極秘　第一　物的資源力ヨリ見タル各国経済抗戦力ノ判断	総論		福島大学食農学類
第１回配本	第２巻	一二	経研資料工作第一号　第二次欧州戦争に於ける経済戦関係日誌　第一年度（自一九三九年九月一日至一九四〇年八月三一日）	総論	一九四〇年九月	東京大学経済学図書館
第２回配本	第３巻	一三	経研資料工作第一号ノ二　第二次欧州戦争に於ける経済戦関係日誌　第二年度（自一九四〇年九月一日至一九四一年八月三一日）	総論	一九四一年九月	東京大学経済学図書館
第２回配本	第３巻	一四	経研資料工作第一号ノ三　第二次欧州戦争に於ける経済戦関係日誌　第三年度（自一九四一年九月一日至一九四二年八月三一日）	総論	一九四二年九月	東京大学経済学図書館
第２回配本	第３巻	一五	経研資料調第四号　主要各国国際収支要覧	総論	一九四〇年一二月	国立公文書館
第２回配本	第３巻	一六	秘　経研報告第一号（中間報告）　経済戦争の本義	総論	一九四一年三月	防衛省防衛研究所
第２回配本	第３巻	一七	重要記事索引上ノ準拠項目一覧表（七、二九）	総論		防衛省防衛研究所
第２回配本	第４巻	一八	極秘　経研資料調第十一号　抗戦力より観たる各国統治組織の研究	総論	一九四一年四月	東京大学経済学部資料室
第２回配本	第４巻	一九	秘　抗戦力判断資料第一号　抗戦力より観たる列強の統治組織	総論	一九四一年四月	北海道大学附属図書館
第２回配本	第４巻	二〇	部外秘　経研情報第一七号　海外経済情報　昭和十六年四月十五日	総論	一九四一年四月	国立公文書館
第２回配本	第４巻	二一	部外秘　経研情報第二二号　海外経済情報　昭和十六年六月三十日	総論	一九四一年六月	国立公文書館
第２回配本	第４巻	二二	部外秘　経研情報第二三号　海外経済情報　昭和十六年七月十五日	総論	一九四一年七月	国立公文書館
第２回配本	第４巻	二三	経研資料調第二十七号　レオン・ドーデの「総力戦」論	総論	一九四一年九月	東京大学経済学部資料室
第２回配本	第４巻	二四	経研資料調第三七号　経済戦争史の研究	総論	一九四一年一二月	防衛省防衛研究所

Ⅱ　連合国

配本	巻	資料番号	資料名	分類	発行年月	底本所蔵館
第3回配本	第5巻	二五	英国の農産資源力	イギリス		福島大学食農学類
		二六	経研資料工第五号　第一次大戦に於ける英国の戦時貿易政策	イギリス	一九四一年一月	東京大学経済学部資料室
		二七	極秘　経研資料調第十四号　英国に於ける統帥と政治の連絡体制	イギリス	一九四一年五月	東京大学経済学部資料室
		二八	秘　抗戦力判断資料第二号（其一）　経済的抗戦要素としての印度及緬甸	イギリス	一九四一年八月	防衛省防衛研究所
	第6巻	二九	秘　抗戦力判断資料第二号（其二）　経済的抗戦要素としての印度及緬甸	イギリス	一九四一年八月	防衛省防衛研究所
		三〇	秘　抗戦力判断資料第二号（其三）　経済的抗戦要素としての印度及緬甸	イギリス	一九四一年八月	防衛省防衛研究所
		三一	秘　抗戦力判断資料第二号（其四）　経済的抗戦要素としての印度及緬甸	イギリス	一九四一年八月	防衛省防衛研究所
		三二	極秘　第一部　物的資源力ヨリ見タル英国ノ抗戦力	イギリス	一九四〇年一一月	福島大学食農学類
		三三	［英国　綿花・大麻・亜麻・黄麻・ヒマシ油・桐油・生綿・生護謨］	イギリス		福島大学食農学類
	第7巻	三四	秘　抗戦力判断資料第四号（其一）　第一編　物的資源力より見たる英国の抗戦力	イギリス	一九四一年一二月	東京大学経済学部資料室
		三五	秘　抗戦力判断資料第四号（其二）　第二編　人的資源より見たる英国の抗戦力	イギリス	一九四二年二月	東京大学経済学部資料室
		三六	抗戦力判断資料第四号（其三）　第三編　資本力より見たる英国の抗戦力	イギリス	一九四二年九月	北海道大学附属図書館
第4回配本	第8巻	三七	抗戦力判断資料第四号（其四）　第四編　生産機構より見たる英国の抗戦力	イギリス	一九四二年一月	北海道大学附属図書館
		三八	部外秘　抗戦力判断資料第四号（其五）　第五編　貿易及び配給機構より見たる英国の抗戦力	イギリス	一九四二年七月	防衛省防衛研究所
		三九	抗戦力判断資料第四号（其六）　第六編　交通機構より見たる英国の抗戦力	イギリス	一九四二年八月	北海道大学附属図書館
	第9巻	四〇	秘　経研資料調第三九号　濠洲の政治経済情況	イギリス	一九四二年一月	国立公文書館
		四一	秘　経研資料調第四〇号　生産機構ヨリ見タル濠洲及新西蘭ノ抗戦力	イギリス	一九四二年一月	国立公文書館
		四二	秘　経研資料調第六九号　南阿連邦経済力調査	イギリス	一九四二年四月	国立公文書館
		四三	秘　経研資料調第七〇号　南阿連邦政治経済研究	イギリス	一九四二年四月	東京大学経済学部資料室
		四四	アメリカ合衆国の農産資源力	アメリカ		福島大学食農学類
		四五	極秘　経研資料調第十六号　一九四〇年度米国貿易の地域的考察並に国別、品種別	アメリカ	一九四一年五月	東京大学経済学部資料室
		四六	極秘　第一部　物的資源力ヨリ見タル米国ノ抗戦力	アメリカ	一九四〇年一一月	福島大学食農学類
		四七	抗戦力判断資料第五号（其一）　第一編　物的資源力より見たる米国の抗戦力	アメリカ	一九四二年三月	東京大学経済学部資料室
	第10巻	四八	抗戦力判断資料第五号（其二）　第二編　人的資源より見たる米国の抗戦力	アメリカ	一九四二年三月	東京大学経済学部資料室
		四九	秘　抗戦力判断資料第五号（其三）　第三編　生産機構より見たる米国の抗戦力	アメリカ	一九四二年四月	防衛省防衛研究所
		五〇	抗戦力判断資料第五号（其四）　第四編　資本力より見たる米国の抗戦力	アメリカ	一九四二年六月	北海道大学附属図書館
		五一	抗戦力判断資料第五号（其五）　第五編　配給及貿易機構より見たる米国の抗戦力	アメリカ	一九四二年六月	北海道大学附属図書館
		五二	抗戦力判断資料第五号（其六）　第六編　交通機構より見たる米国の抗戦力	アメリカ	一九四二年八月	北海道大学附属図書館
		五三	経研報告第一号　英米合作経済抗戦力調査（其一）	英米	一九四一年七月	東京大学経済学部資料室
		五四	極秘　経研報告第二号　英米合作経済抗戦力調査（其二）	英米	一九四一年七月	東京大学経済学部資料室
		五五	極秘　経研報告第二号別冊　英米合作経済抗戦力戦略点検討表	英米	一九四一年七月	大東文化大学図書館

区分	配本	巻	資料番号	資料名	分類	発行年月	底本所蔵館
Ⅱ　連合国	第５回配本	第11巻	五六	極秘　ソ連経済抗戦力判断研究関係書綴	ソ連	一九四一年二月	防衛省防衛研究所
			五七	極秘　経研資料工作第十三号　極東ソ領占領後ノ通貨・経済工作案	ソ連	一九四一年八月	防衛省防衛研究所
			五八	極秘　経研資料工作第一八号　東部蘇連ニ於ケル緊急通貨工作案	ソ連	一九四二年三月	防衛省防衛研究所
			五九	極秘　経研資料調第七二号　蘇連邦経済力調査	ソ連	一九四二年五月	防衛省防衛研究所
			六〇	極秘　経研資料調第七三号（其二）　蘇連邦経済調査資料（下巻）	ソ連	一九四二年四月	石巻専修大学図書館
			六一	部外秘　経研資料調第七四号　ソ連農産資源の地理的分布の調査	ソ連	一九四二年五月	防衛省防衛研究所
		第12巻	六二	経研資料工作第四号　支那事変経済戦関係日誌　第一輯	中国	一九四一年三月	一橋大学経済研究所資料室
			六三	経研資料工作第一六号　支那事変経済戦関係日誌　第二輯	中国	一九四二年一月	静岡大学附属図書館
			六四	極秘　経研資料調第十二号　支那民族資本の経済戦略的考察	中国	一九四一年四月	東京大学経済学部資料室
			六五	秘　経研資料調第二〇号　支那沿岸密貿易の実証的研究	中国	一九四一年六月	国立国会図書館
			六六	秘　経研資料工作第一七号　上海市場ノ再建方策	中国	一九四二年三月	防衛省防衛研究所
Ⅲ　枢軸国	第６回配本	第13巻	六七	極秘　[「独逸組」研究項目、分担者、委嘱者の表]	ドイツ		福島大学食農学類
			六八	独逸の農産資源力	ドイツ		福島大学食農学類
			六九	極秘　第一部　物的資源力ヨリ見タル独逸ノ抗戦力	ドイツ	一九四〇年一一月	福島大学食農学類
			七〇	抗戦力判断資料第三号（其一）　第一編　物的資源力より見たる独逸の抗戦力	ドイツ	一九四一年一〇月	東京大学経済学部資料室
			七一	秘　抗戦力判断資料第三号（其二）　第二編　人的資源力より見たる独逸の抗戦力	ドイツ	一九四一年一二月	東京大学経済学部資料室
			七二	秘　抗戦力判断資料第三号（其三）　第三編　資本力より見たる独逸の抗戦力	ドイツ	一九四二年一月	牧野邦昭所有
			七三	秘　抗戦力判断資料第三号（其四）　第四編　生産機構より見たる独逸の抗戦力	ドイツ	一九四二年二月	東京大学経済学部資料室
		第14巻	七四	秘　抗戦力判断資料第三号（其五）　第五編　配給及び貿易機構より見たる独逸の抗戦力	ドイツ	一九四二年一月	東京大学経済学部資料室
			七五	秘　抗戦力判断資料第三号（其六）　第六編　交通機構より見たる独逸の抗戦力	ドイツ	一九四二年三月	東京大学経済学部資料室
		第15巻	七六	経研資料調第一七号　独逸食糧公的管理の研究（要約篇）―戦時食糧経済の防衛措置―	ドイツ	一九四一年六月	国立公文書館
			七七	経研資料調第一八号　独逸食糧公的管理の研究	ドイツ	一九四一年六月	東京大学経済学図書館
			七八	経研資料調第二一号　独逸の占領地区に於ける通貨工作	ドイツ	一九四一年七月	東京大学経済学部資料室
			七九	極秘　経研報告第三号　独逸経済抗戦力調査	ドイツ	一九四一年七月	静岡大学附属図書館
			八〇	経研資料調第二十八号　独逸戦時に活躍するトツド工作隊	ドイツ	一九四一年一〇月	東京大学経済学部資料室
			八一	経研資料調第三五号　第一次大戦に於ける独逸戦時食糧経済	ドイツ	一九四一年一二月	東京大学経済学部資料室
			八二	秘　経研資料調第六五号　独逸大東亜圏間の相互的経済依存関係の研究　―物資交流の視点に於ける―	ドイツ	一九四二年三月	東京大学経済学図書館

Ⅲ　枢軸国

配本	巻	資料番号	資料名	分類	発行年月	底本所蔵館
第７回配本	第16巻	八三	部外秘　経研資料調第六八号（其一）　独逸に於ける労働統制の立法的研究（上巻）	ドイツ	一九四二年　四月	東京大学経済学図書館
		八四	部外秘　経研資料調第六八号（其二）　独逸に於ける労働統制の立法的研究（下巻）	ドイツ	一九四二年　四月	東京大学経済学図書館
	第17巻	八五	部外秘　経研資料調第八九号　ナチス独逸に於ける人口並に厚生政策立法の研究	ドイツ	一九四二年一一月	昭和館
	第18巻	八六	秘　経研資料調第三三号　伊国経済抗戦力調査	イタリア	一九四一年一二月	国立国会図書館
		八七	経研資料調第八八号　ファシスタイタリアの国家社会機構の研究　第二部　政治編	イタリア	一九四二年一一月	東京大学経済学図書館
		八八	経研資料調第二三号　全体主義国家に於ける権利法の研究	独伊	一九四一年　七月	東京大学東洋文化研究所
		八九	経研資料調査第一号　貿易額ヨリ見タル我国ノ対外依存状況	日本	一九四〇年　九月	東京大学経済学部資料室
		九〇	秘　経研資料調第二四号　日米貿易断交ノ影響ト其ノ対策	日本	一九四一年　七月	東京大学経済学図書館
第８回配本	第19巻	九一	経研資料調第三〇号　南方諸地域兵要経済資料	日本	一九四一年一二月	防衛省防衛研究所
		九二	極秘　経研資料調第五一号　占領地幣制確立方策	日本	一九四二年　二月	東京大学経済学図書館
		九三	部外秘　経研資料工作第二三号　南方労力対策要綱	日本	一九四二年　六月	東京大学東洋文化研究所
		九四	極秘　経研資料調第七九号　昭和十七年度ニ於ケル南方物資流入ニヨル帝国物的国力推移ノ具体的検討	日本	一九四二年　六月	防衛省防衛研究所
	第20巻	九五	経研資料調第九〇号ノ一　東亜共栄圏の政治的経済的基本問題研究（上巻）	日本	一九四二年一二月	一橋大学附属図書館
		九六	経研資料調第九〇号ノ二　東亜共栄圏の政治的経済的基本問題研究（下）	日本	一九四二年一二月	一橋大学附属図書館
		九七	経研資料調第九一号　大東亜共栄圏の国防地政学	日本	一九四二年一二月	昭和館
		九八	経研資料調第三四号　戦争指導と政治の関係研究	全体	一九四一年一二月	専修大学図書館

※極秘、秘等の表記については、底本とした資料の記載に拠りました。
※収録順は、牧野邦昭と不二出版の判断により分類毎に分けた上で、資料のシリーズ、作成年月日を元に整序しました。
※第五回配本、第六回配本の巻割りに一部変更がございます。
※刊行開始後に発見された資料を資料番号九八として追加収録しました。

經研資料調第三〇號

南方諸地域兵要經濟資料

昭和十六年十一月
陸軍省主計課別班

例　言

一、本編は東亜共栄圏に包括せらるべき南方諸地域に於ける英米の経済戰略的地位を検討し以つて我が對南方方策の参考資料たらしむる目的の下に編纂したる各地域別暫定稿の輯録である。

二、調査目標を主として該地域に於ける英米の権益・貿易・海運・投資・金融の諸部面に向けたが資料的準備を欠き且つ短時間の仕事であるだけに粗笨脱漏の感を免れないことを自認するも、當面の要請に應へんため兎に角も一應の概括的資料として御参考に供する次第である。

昭和十六年十一月

陸軍省主計課別班

南方諸地域兵要經濟資料

總目次

其一　佛領印度支那篇

佛領印度支那篇

目次

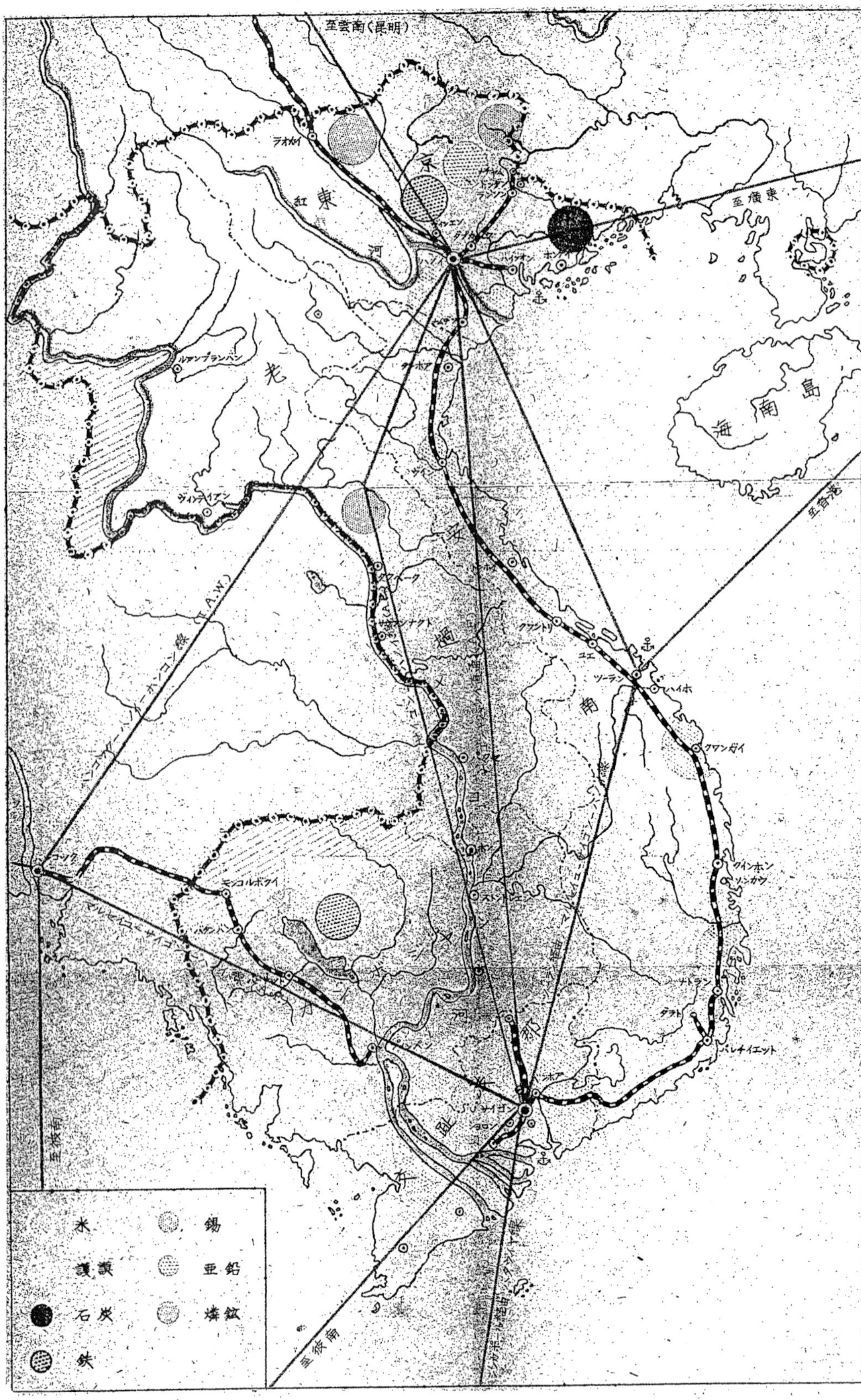

(佛領印度支那)

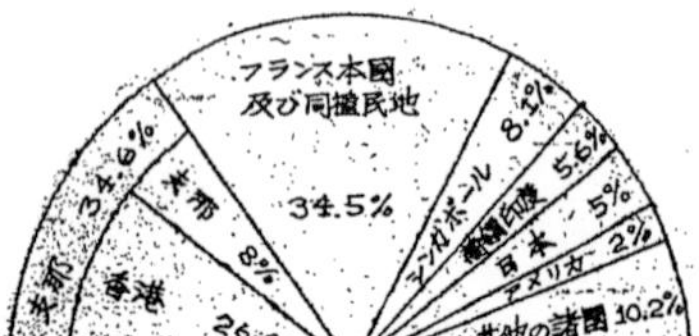

佛印貿易中に占むる各國の地位
(1913〜35年平均)

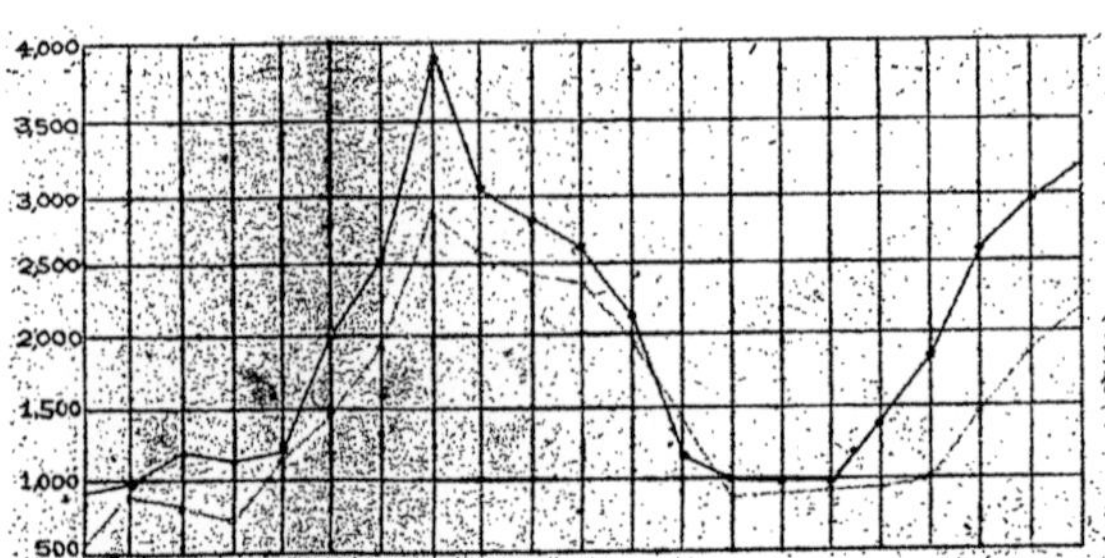

(……輸入)
(——輸出)
(單位＝百萬法)

第一　概観

自然的地理的條件

佛領印度支那は東洋に於けるフランス唯一の植民地であつて、佛領北アフリカと双璧をなしてゐる。英國に次ぎ世界第二の植民地領有國たりしフランスもその植民地が概して不毛の地であつて面積の大なる割合に人口稀薄なる中にあつて印度支那は唯一の例外を為し、フランス植民地中人口最も多く佛領北アフリカの全人口の二倍に達し、佛本國の半分以上の人口を有してゐる。

(1) 地域

印度支那半島の東部北緯八度三〇分より二三度二〇分、東経一〇〇度より一〇九度三〇分の間にあり、北は廣東・廣西・雲南の南支三省に接し、東部及び東南部は東京湾及び南支那海に面し、西方は北端の一部が緬甸に接し、他はタ

一

イ國及びタイ湾に面してゐる。

全領域は五地域に分たれてゐる。即ち(一)交趾支那(二)東京(三)安南(四)東埔寨(五)老撾でその中佛本國の直轄植民地は交趾支那のみであつて他の四地域は形式上は保護領として土侯の内政権を認めてゐるが実質的には直轄植民地と異るところがない。

(2) 面積

総面積は約七四〇、四〇〇平方粁で、佛本國の約一倍半、フランス植民地総面積の六・二%に當り、我國総面積よりも六五、五〇〇平方粁ほど大きい。各地域別面積は次の如し。（単位平方粁）

安南	一四七、六〇〇
東埔寨	一八一、〇〇〇
交趾支那	六四、七〇〇
老撾	二三一、四〇〇
東京	一一五、七〇〇
計	七四〇、四〇〇

二

而して昭和十六年三月我國の居中調停によつて成立せる泰佛印協定により老撾及東埔寨の一部を泰國に割譲した結果、老撾は約一六九、〇〇〇平方粁に、東埔寨は一三〇、〇〇〇粁となり佛印の全面積は結局六三〇、〇〇〇平方粁見當となつた。泰國の恢復せる失地は老撾の内ルアンプラバン及びパクセ地域並に東埔寨北部地区とバッタンバン州等である。又割譲されたパクセ地区の東南部のメコン河中にある無数の島の帰属は國際法の規定通り河の最深部を以つて國境としたが、特にコン及びそれと並ぶコーンの二島は共同管理となつた。

(3) 地勢

北より南に縦走する大きなS字形の山系が脊稜をなしてゐる。此のS字形山系の上半部にトンキン平野、下半部にカムボヂヤ平野を抱いてゐる。山系両端が低下して海に入らんとするところが交趾平野である。カンボヂヤ・交趾両平野は連互してメコン河下流の大平原となり當領内の主要農産地帯をなしてゐる。雲南省に発してトンキン平野を貫流する紅河（ソンコイ河）と支那西域に発し

三

て雲南省を貫き更に佛印と緬甸、泰の國境山嶽地帯を蜿々流下し山岳盡きて後前記の大平原に入りてこれを縦貫するメコン河とは佛印の南北に於ける文化経済の中心地帯を形成してゐる。安南とラオスとはその中間の細長い山岳又は丘陵地帯を占め産業の発達之に及ばない。

(4) 人口及種族

地理的條件の不良のため調査困難にて國勢調査の如きも一九二一年に初めて調査が実施せられ、其の後一九三六年七月一日に至つて第二回の調査が聯邦各國行政長官の監督下に各行政区長官の責任に於て地方官公吏を以て実施されたが、何れも概数に止まり且つ單に地方及人種別人口を発表したに過ぎず、甚だ不完全である。第二回國勢調査に基く結果及び一九三三年度印度支那統計年鑑が示す所は次の如くである。

一九二一年度	一八、九八二千人
一九三一年度	二一、四五二〃
一九三六年度	二三、〇三〇〃

四

即ち一九二一年から三一年まで十一ケ年間に於ける増加人口数は二四六九千人で、一九三一年から三六年に至る六ケ年間の増加数は一五七八千人である。前記十六ケ年間の総増加数は四〇四七千人となり一九二一年に対する一九三六年の増加率は二一・四%、又年平均増加数は二五三千人、即ち一年間の人口千人に対する増加数は一三・三三人である。

次に各聯邦國に就て一九三六年七月一日現在の人口は

安南	五、六五六千人
東埔寨	三、〇四六〃
交趾支那	四、六一六〃
老撾	一、〇一二〃
東京	八、七〇〇〃
計	二三、〇三〇〃

一、印度支那の人口密度は一平方粁當り僅かに三一・〇人で之を昭和十年十月一日現在の我國國勢調査による総平均密度一四五に比較すれば五分の一に過ぎな

五

い。殊に老撾の如きは我が樺太の密度九人の半ばである四・三七に過ぎぬ状況である。

而して本年三月佛印から泰國に割譲せる地域の人口はカンボヂヤ二九〇万、ラオス九四万人で計三八四万と推算せられるが、一ケ年平均増加人口二五三千人と見れば差引して現在人口は一九三六年度調査の二千三百万と大差なしと見て差支へない。人口の大部分を占むるものは各種の土人であるが、それ以外には

支那人	三二六千人
フランス人（軍人を含む）	四〇〃
其の他	六・四〃

であつて、支那人の外に支那人安南人の混血七三千人、支那人カムボヂヤ人の混血七〇千人と数へられてゐる。邦人は従来より佛印にはあまり在住してゐないが、しかも其数が漸減の傾向にあり、昭和五年の三四六人が昭和十二年には二四一人となつてゐた。然し昭和十五年の皇軍進駐に伴ひ本邦人在留者数も急

六

増してゐるものと推測せられる。

次に土人種族別人口に就て見れば

安南人		一六、六七九千人
東埔寨人		二、九二五〃
タイ人	老撾人	五八九〃
	其他	七八六〃
インドネシアン		一、〇一七〃
ムオン人		二一一〃
マン人、メオ人		二一四〃
馬來及チャム人		一〇四〃
ミン・フオン（支那人安南人混血）		七三〃
其他		五七〃
計		二二、六五五〃

で安南人が全人口の七二・四%、カンボヂヤ人が一二・七%、タイ人系に属するラ

七

オス人其他が六%を占め其他は多数の少数種族である。

二　社會的歴史的條件

佛蘭西の印度支那経略の動機及経過

フランスが印度支那に勢力を張らんとした動機は印度に於て英國との争覇戦に敗退した償ひとして新らたに東洋経略の根據地を求めるにあつた。一七八七年當時敎王代理の命を受けて交趾支那に渡來せる佛人宣敎師ピニヨー・ベーヌは安南の黎王朝の権臣鄭、阮両派が對立して勢力を爭ひ王位の争奪が繰返へされてゐると見て阮家の一族阮福映に勧説してフランス王ルイ十六世との間に攻守同盟を締結せしめ、ベーヌの指揮せるフランス義勇軍は一八〇二年南北安南の統一を実現せしめて阮福映を安南王の位につかしめた。これがフランスの印度支那攻略の発端である。だが阮福映の後継者（現安南王朝の始祖嘉隆帝）は當領へのフランス勢力の侵入と基督敎の普及を喜はず、特に第四代嗣徳帝は禁

八

敎と鎖國とを号令して基督敎徒を假借するところなく彈圧した。この間フランスに於ては安南經営に熱意なく、アドラン司敎の計画も一時画餅に帰したかに見えたが、一八五八年ナポレオン三世の帝國主義熱によつてこの停頓は破られた。佛軍はこの年スペインとの聯合艦隊を以つてツーランを占領し、次いでサイゴンに據つた。一八六二年安南王は遂に屈して交趾支那の東部三省と崑崙島（プロコンドール）を割譲し、布敎の自由、償金、自由通商権、領土不割譲の約を西貢條約に於て締結せしめられた。右條約締結後安南はフランスがメキシコ遠征に軍を出して極東進出の余裕なきに乗じて割譲地の有償還附を要求したが容れられず、一八六三年交趾支那の総督ブランディエールは泰國と安南との圧迫によつて滅亡に瀕しつゝあつたカムボヂヤの求めに應じてこれを保護國とした。同年更らに反佛叛乱の策源地となつてゐた交趾支那西部の三州をも奪取して交趾支那の全部を掌握するに至つた。其後フランスは軍艦を派遣して、清國の雲南省に通ずる貿易路を求むべくメコン河の探険を試みたが、同河の遡航は不可能で紅河によることの便利なるを発見し、かくてフランスの目は北部東京（トンキン）に移され、西貢より河内へ注がれるに至つた。偶々フランスの一商人ジヤン・デュプユイと云ふものがあつて紅河遡航を順化政府に願出たが聴入れられなかつたので、これを交趾支那総督に訴へた。時の総督デュプユイはこれを現地に解決すべく海軍大尉フランシス・ガルニエを河内へ派遣した。ガルニエは一挙高圧的に安南を屈服せしめんとして戰端を開きトンキンの主要諸都市を占領した。この戰闘に於いてガルニエは戰死し、安南は清國の黒旗軍の救援によりてよく戰ひ、フランス側は必ずしも有利ではなかつた。が結局一八七四年の第三回佛安條約によつてフランスは安南に對する保護権の確認、紅河航行及び通商の自由を獲得した。

然し本條約締結後と雖もフランスの政治情勢は植民地政策に冷淡であつたため一八七四年條約は事実上破棄せられたかたちとなり、フランスの築き上げた経済的権益も殆んど停止ずるかに見えた。かゝる情勢を見て安南王は再びフランス勢力の駆逐を試み一八八二年支那と結んで東京の一部を占領した。交趾支那総督はアンリ・リヴイエールを同地に急派して叛軍を討たしめたが、リヴイエールは敗れて陣中に歿した。フランスでは東京遠征に熱意なく、一時はその

一〇

放棄説さへ抬頭した程であつたが、リヴイエール戰死の報に輿論は硬化して増援隊の急派となり海軍中将クールベの率ゆる遠征軍は文・安聯合軍を相手として苦戰をつゞけたが、遂に首都順化を占領して安南を屈服せしめた。その結果結ばれたのが一八八三年の第四回佛安條約である。本條約はアルマン豫備條約と云はれ翌一八八四年にパトノートル本條約の調印を見てフランスは從來トンキン及び安南に有してゐた権益を確保し、更に一ケ月後には順化に於ける安南との平和條約によりカムボヂヤに對する保護権をも一層強固ならしめた。

これで佛安問題は一應解決したが問題は更に残されてあつた。それは安南に宗主権を主張する清國を屈服せしめることであつた。フランスはそのために清國と戰ひ、一八八五年の天津條約によつて完全にその目的を遂げた。かくてフランスは一八八七年これ等の植民地及保護國を聯合して印度支那聯邦を組織した。

但しラオスはその國土の構成上、安南及カムボヂヤと異り、その全地域に亘つて権限を行使する独立した固有の政府は存在せず、國内は幾多の小土人公領

一一

から成立つてゐた。その内リュアンプラバン、ヴィエンチアン及びバザックの三つが主なるものである。安南・東京・東埔寨に保護権を設定したフランスは次いで此の地方にも指を染むるに至つたが、それには當領に宗主権を主張する泰國を屈服せしめる必要があつた。そのためフランスはイギリスの抗議にも拘らず、ラオス及びトンキン等メコン河左岸地帯へ侵入せる暹羅軍を撃退し、一八九三年の佛羅條約によつてそれ等の地方に對する泰國の宗主権を放棄せしめ、次いでイギリスと共同して國境設定に関する実地調査を行ひメコン盆地をもつて泰國國境から支那國境へ至る両國の版図の境界とする旨の共同宣言を発した。本年三月の泰、佛印協定によりて泰國に返還せる地帯はその後の條約によつて泰國からフランスへ譲渡されたものである。從つて右のラオスをも加へて現在の印度支那聯邦組織の確立されたのは一八九九年のことである。

以上の経過を通じて窺はれることはフランスの印度支那の経略が先づ南方に始まり、次第に重点が北方東京地方に移行したことである。此の事実はフランスが印度支那それ自身の價値を重視する以外に之を以つて支那奥地との通商の

一二

根據地と為さんとした意図を物語るものである。即ち香港を領有してフランスに先んじて南支に據点を築いた英國に對抗して先づメコン河を遡って支那奥地との連絡路を開がんとしたのであるが、調査の結果同河は水流長きに過ぎて到底目的を達し得ず、且これによつて支那に入るも西方辺陬の地に達し得るのみである。こゝに於て支那との連絡路としてメコン河よりも遥かに有利にして可能性ある紅河に着目し、トンキンに經略の中心を移したのである。フランスが印度支那に着目した動機の一半が支那との交通の要点確保にあつたことは印度支那領有直後一八九七年海南島の不割譲契約を支那より得、一八九八年には隣接支那諸省不割讓權、雲南省城への鉄道敷設権等を得、又同年廣州湾租借權を獲得したこと等によつても知ることが出來るのである。フランスの食指が更に西方奥地へ向つて動くやこゝに暹羅國との紛争が起つた。こゝでも幾多の繁雑なる事件を經て一八九三年までにフランスはメコン河左岸ラオスの凡ての暹羅附属の小土侯領を保護下に置き更にメコン河を越えて勢を伸張し一九〇四年の條約によつてルアン・プラバン及びパクセ地域を保護下に收め又一九〇七年カ

一三

ムボヂヤ北部の三州をも收めた。佛暹両國の紛争は暹羅に勢力を伸張せんとする英國を刺戟し、こゝに英佛両國の数回に亘る勢力関係の協議を生じたが、一八九六年の共同宣言によつて英佛はメコン河の盆地を以つて支那國境に至る両國の版図若しくは勢力範囲の境界たらしむることを約した。今回佛印より泰國へ返還せられた地域は前記一九〇四年、一九〇七年のタイの失地であつて此の英佛勢力範囲協定後フランスの獲得せるものであつて未だタイの主張する失地の四分の三は佛領に残つてゐるのである。

一四

部類別貿易

	一九二七	一九三三	一九三四	一九三五	一九三五％
輸出					
食料品	二、三〇五・六	七四六・二	七五八・四	九三六・七	七二・一
原料品	五六一・二	二三一・五	二六〇・七	三二二・八	二四・九
完製品	一一四・五	三六・八	四一・五	三八・七	三・〇
計	二、九八一・三	一、〇一四・五	一、〇六〇・六	一、二九八・三	一〇〇・〇
輸入					
食料品	五一一・一	一三五・六	一二四・七	一二四・九	一三・八
原料品	五〇三・三	二一六・一	二三四・六	二一〇・二	二三・四
完製品	一、六〇二・八	五五九・〇	五五五・〇	五六六・三	六二・八
計	二、六一七・二	九一〇・七	九一四・三	九〇一・四	一〇〇・〇

一〇〇〇（佛）

（註）本表は三菱経済研究所発行「太平洋に於ける國際経済関係」による。

第二　權益関係

當領は蘭領印度と異り佛本國の徹底せる第三國權益に對する封鎖主義のために本國以外の權益の複雑なる交錯無く、此の点は我國の進出に對して極めて有利であると云へる。但し最近西貢を中心としてド・ゴール派支持の佛人の英米側との策謀の露骨化しつゝあることは注目すべきである。

一五

第三　貿易関係

一　概説

當領の外國貿易も他の南方諸地域と同様にその産業的基礎事情を反映し原始生産物を多く輸出し、工業製品の大半を輸入に仰ぐ。又本國フランスの利益を中心とする貿易政策によつて左右せられ決定的に之に依存せしめられてゐる。大部分の土人は目に一丁字なくその生活程度も低く購買力も亦小である。一九三七年―三九年の三ヶ年平均一人當り百四十フラン内外の輸入を示すに過ぎず、それすら一九三〇年乃至三五年頃の二倍に増加してゐる。輸出は大体近年輸入の一倍半見當で例外なく出超を示してゐるが、此の出超額は佛人や華僑の本國送金、本國又は外國へ支拂はるゝ公債や事業益金其他となつて大半は外國へ流出し、土人の生活向上や國内投資のため留保せられる割合は僅少に過ぎない。

佛印貿易は前世界大戰を契機として進展し、一九二六年は輸出入合計六十七億法に達し黄金時代を現出したが、其後世界不況に伴ふ農産物價格下落のため減退を続け一九三三年は十九億法台にまで落ち込んだが爾後回復に転じ、殊に一九三七年以來の増加は著しいものがあり、一九三九年には五十八億六千万法に達し一九二六年の最盛期に接近せんとしてゐる。佛印の官廳貿易統計は一九四〇年初以來公表されてゐないが貿易事情の根本的変化を生じてゐることは事實である。

貿易のバランスでは一九三一年を唯一の例外とし由來佛印は出超國であるが、特に近年の貿易回復は主に輸出の増加によるのであつて、一九三三年より一九三九年までに輸出は殆んど三倍半になつてゐるが、輸入は二倍半の増加である。從つて出超は著しく増加し、一九三三年の一億法の出超が一九三六年には七億法、一九三九年には十一億法である。

数量に於ける出超は一層甚だしく一九三三年―三六年頃には輸出は輸入の十倍内外に達し其後少しく開きを縮めたが、それでも大体八倍見當である。蓋し

輸出品が、原始生産物であつて、價格に比べて嵩高のもの、輸入が主として工業製品であるからである。之は南洋全般に共通する現象であるが特に佛印に於て甚だしい。

二　貿易構成

次の諸表の如くである。

第一表　外國貿易の趨勢（單位百万法）

	総額	輸出	輸入	出超
一九二六年	五、三八六・四	三、一一二・四	二、二七四・〇	八四八・四
一九二七年	五、五九八・六	二、九八一・三	二、六一七・二	三六四・一
一九二九年	五、一八五・二	二、六一一・六	二、五七三・六	三八・〇
一九三二年	二、〇〇四・五	一、〇一六・九	九三七・六	七九・三
一九三三年	一、九二五・二	一、〇一四・五	九一〇・七	一〇三・八
一九三四年	一、九七四・九	一、〇六〇・六	九一四・三	一四六・三
一九三五年	二、一一九・七	一、二九八・三	九〇一・四	三九六・七
一九三六年	二、六六一・四	一、六八一・九	九七九・五	七〇二・四
一九三七年	四、一五五・〇	二、五九三・〇	一、五六二・〇	一、〇三〇・〇
一九三八年	四、七六〇・〇	二、八四四・〇	一、九一六・〇	九二七・〇
一九三九年	五、八六六・〇	三、四八四・〇	二、三八二・〇	一、一〇三・〇

（佛）

（註）本表は東亜経済調査局発行「佛領印度支那」及び浅香末起氏著「南洋経済研究」に據る。

第二表　國別貿易

	輸出 一九二七	輸出 一九三三	輸出 一九三四	輸出 一九三五	輸出 一九三六	輸入 一九二七	輸入 一九三三	輸入 一九三四	輸入 一九三五	輸入 一九三六
佛國	六〇六	四八一・二	五二三・〇	四三二・七	九二三・七	一、二六九	四八六・二	五二五・三	五〇〇・〇	五二三・三
佛領植民地	二八	二八・五	四四・三	五三・六	一〇三・六	七七	三三・五	二〇・〇	二七・三	二八・七
英國	六七	一一・五	一五・六	一七・九	一四・〇	四三	一二・七	一一・六	一四・六	二五・九
獨逸	二二	五五・九	五五・五	一三・二	二三・五	五	五・七	[illegible]	三・五	四・九
オランダ	一	五五・五	五・九	七・三	一二・八	九〇	一二・四	[illegible]	五・三	七・六
ベルギー	一五	五・四	一二・一	一三・七	八・六	一	一二・七	一四・六	一〇・九	九・九
其の他歐洲諸國	一七	三〇・五	五・〇	八・二	四・一	[illegible]	二〇・三	三・八	七・四	七・六
支那	四六八	四三・八	五八・三	一九七・三	五〇・六	[illegible]	[illegible]	三八・五	七〇・七	九〇・九
香港	九三五	二四二・〇	一四九・八	二二五・一	一四五・四	[illegible]	六・一	九〇・二	七二・〇	七・八
英領印度	九	[illegible]	[illegible]	三八・九	二八・九	[illegible]	七二・二	[illegible]	七・三	二九・二
蘭領印度	二七	[illegible]	一七・五	二八・五	八・三	[illegible]	一五・一	六五・六	一五四・四	五七・三
タイ國	[illegible]	[illegible]	八・七	六・九	六・一	[illegible]	四一・九	五五・五	一三・六	一五・一
シンガポール	三二一	[illegible]	八四・二	一〇二・〇	一〇八・五	[illegible]	一九・三	五一・八	六一・四	三八・一
比律賓	[illegible]	[illegible]	〇・七	五・〇	二八・四	[illegible]	一七・〇	[illegible]	〇・二	〇・九
日本	二九四	[illegible]	四〇・九	五四・二	一七八・三	[illegible]	[illegible]	一四・二	二六・三	三〇・八
其他アジア及太平洋諸國	一	[illegible]	一五・二	一二・四	一四・八	一	[illegible]	一	一三・三	一〇・八
レユニオン	一	[illegible]	一一・七	一五・四	一九・七	一	[illegible]	一	一	一
マダガスカル	[illegible]	[illegible]	一八・二	四〇・四	一〇・五	一	三二・四	四・四	一	一
其他アフリカ諸國	[illegible]	[illegible]	三七・九	五五・八	六三・〇	[illegible]	三三・二	一九・三	三・六	六・六
米國	[illegible]	[illegible]	四五・三	九三・七	一〇七・一	[illegible]	一	一	二一・一	二二・七
其他アメリカ諸國	一	[illegible]	[illegible]	[illegible]	一五・七	一	一四・六	七・九	一	一
アルゼリア	一	[illegible]	[illegible]	[illegible]	一一・五	一	[illegible]	[illegible]	一五・〇	二〇・三
合計(1)	二、九八一	一、〇四三・五	一、〇六〇・六	一、二九八・三	一、六八一・九	二、六一六	九〇八・六	九四二・九	九〇一・四	九七九・五

(註) (1) 國別不詳分を含む。
本表は三菱經濟研究所「太平洋に於ける國際經濟關係」四一六頁に據る。

第三表　主要商品別輸出額

	一九二七	一九三三	一九三四	一九三五	一九三六
米	一、九五一・〇	四七八・九	四五一・一	六四八・一	七六三・九
玉蜀黍	四〇・五	一五二・九	一九七・四	一四四・九	二九四・一
ゴム	一九二・五	五六・四	九四・一	一三六・九	二四四・三
石炭	九六・一	六二・七	五五・九	六八・八	八〇・二
魚類(1)	一三七・九	六二・五	五一・四	五三・一	五五・四
錫	一一・三	一〇・九	一五・一	一七・四	二三・八
錫鉱(2)	三・二	一五・六	二二・三	二六・一	二一・八
胡椒	七三・七	一四・五	一八・〇	一三・四	一一・七
コプラ	一七・四	四・七	三・四	九・〇	九・八
チーク材	一〇・四	九・一	一三・〇	一〇・五	九・六
セメント	一二・九	六・三	六・一	五・三	九・五
茶	九・五	三・八	七・四	七・九	九・二
ラック	三〇・二	九・八	一一・八	八・三	八・九

(註) (1) 乾製・塩漬・燻製
(2) タングステンを含む。
本表は三菱経済研究所発行「太平洋に於ける國際經濟關係」四一六頁による。

第四表　主要商品別輸入額

（佛）

	一九二七	一九三三	一九三四	一九三五	一九三六
綿織物	二九八・五	一五三・四	一六六・一	一五〇・二	一三二・九
麻織物	四二・六	四一・九	四九・五	五九・九	四六・〇
鉱油	一六二・二	七四・六	六五・四	五四・四	五六・七
金属製品	一二五・〇	四一・一	五一・五	四二・八	｜
機械類	一七七・〇	六〇・六	三二・二	三九・二	｜
鉄鋼	八四・一	二六・七	四六・八	三六・七	三八・九
棉花	三九・〇	一七・七	二五・九	二七・六	三三・九
紙類	四〇・三	二二・七	二四・七	二二・七	｜
自動車	六九・四	一〇・六	一六・三	二一・一	二八・一
葡萄酒	三九・七	二六・六	二四・七	一八・四	｜
化学薬品	三六・六	一七・〇	一三・六	一八・二	｜
人絹織物	｜	一八・七	一四・二	一七・七	二六・六
ミルク	二二・七	一六・九	一六・二	一六・六	一八・一
ゴム製品	七三・四	一四・九	一二・六	一四・二	｜
煙草	七三・七	一四・四	九・一	一三・六	二三・八
綿糸	三九・八	一三・五	一一・七	一一・六	｜
小麦粉	五四・六	一一・一	九・五	一一・六	一二・一

（註）　本表は三菱経済研究所発行「太平洋に於ける國際経済関係」四一六頁による。

第五表　主要商品國別輸出額

（佛）

	一九三三年	一九三四年	一九三五年
米	四七八・九	四五一・一	六四八・一
支那	一〇・〇	三八・〇	一七一・七
香港	一七六・五	九二・〇	一五八・五
佛國	二一一・七	二〇五・三	一四四・三
玉蜀黍	一五二・九	一九七・四	一四四・九
佛國	一五二・七	一八九・四	一三二・四
ゴム	五六・四	九四・一	一三六・九
佛國	二二・九	三三・五	四八・三
米國	二・〇	二七・一	四五・一
日本	一二・六	一〇・一	一三・七
シンガポール	一三・二	一四・五	八・五
石炭	六二・七	五五・九	六八・八
日本	一八・三	二九・〇	四四・一
佛國	一八・〇	一八・四	二三・四
支那	一九・五	一〇・〇	八・三
魚類	六二・五	五一・四	五三・一
シンガポール	四一・六	三六・二	三八・七
香港	一四・〇	八・五	一〇・五
錫	一〇・九	一五・一	一七・四
米國	四・四	七・三	八・六
佛國	五・九	五・七	四・六
錫鉱	一五・六	二二・三	二六・一
シンガポール	一三・六	二〇・四	二二・九

（註）　本表は三菱経済研究所発行「太平洋に於ける國際経済関係」による。

第六表　主要商品國別輸入額

	一九三三年	一九三四年	一九三五年
綿織物	一五三・四	一六六・一	一五〇・二
佛國	一三七・三	一五四・〇	一三七・五
佛領植民地	一二・〇	七・二	六・四
支那	一・七	三・二	三・一
麻織物	四一・九	四九・五	五九・九
香港	八・二	九・〇	一三・一
シンガポール	三一・七	三九・七	四四・一
鉱油	七四・六	六五・四	五四・四
蘭領印度	五八・一	五六・九	四八・〇
米國	一〇・三	六・七	六・二
金属製品	四一・一	五一・五	四二・八
佛國	三五・四	四五・二	三七・四
英國	〇・六	〇・五	一・六
米國	二・二	〇・七	一・〇
独逸	一・一	〇・三	〇・九
日本	〇・四	〇・三	〇・六
機械類	六〇・六	三二・二	三九・二
佛國	五三・八	二七・〇	三一・〇
米國	一・九	〇・八	二・一
英國	一・一	一・〇	一・三
鉄鉱	二六・七	四六・八	三六・七
佛國	一九・二	三七・九	二八・九
英國	四・六	三・九	四・二
ベルギー	二・六	三・九	一・七

(佛)

（註）本表は三菱経済研究所「太平洋に於ける国際経済関係」による。

第七表　佛領印度支那の主要農産物輸出高

	一九三二	一九三三	一九三四	一九三五	一九三六
米（千瓲）	一、〇八一	一、一三一	一、三七二	一、五三〇	一、五七五
玉蜀黍〃	一七六	二九八	四七一	四一三	四七一
胡椒（瓲）	三、一三五	三、六七八	四、〇〇二	三、四四四	三、九〇二
コーヒー〃	三三三	二八一	五五四	九八九	四四一
茶〃	六一八	六六五	一、二六四	一、一六八	一、三〇六
落花生〃	一五八	四九	九六	三九二	一、四三八
落花生油〃	五	〇・四	二	二二〇	二五三
豆類〃	一、四四八	一、四四七	五七九	一、一一九	五八七
肉桂〃	九三三	七三〇	八一七	一、〇七二	一、四二一
生ゴム〃	一四、六〇七	一八、六八七	二〇、四五三	二九、七二八	四一、三一四
コプラ〃	四、四三九	七、三七二	五、八二三	一二、一二八	一〇、六八一
大茴香〃	六九八	二九一	五三四	二六九	六三六
大茴香油〃	八一	九五	一四五	九七	一〇〇
棉花〃	四八〇	九五五	一、一八九	七七五	三七三
カポック〃	一、一九一	一、五七二	二、一三六	二、四四六	三、〇七四
胡麻〃	九三八	八五五	五八一	三八六	九六〇
蓖麻子〃	六一	四二八	―	一六三	一一七
蓖麻子油〃	二七五	二九五	二三四	二四六	二四七
漆〃	一、二一〇	一、一九四	一、五三一	一、六〇四	一、九三三

(佛)

（註）本表は三菱経済研究所発行「太平洋に於ける国際経済関係」による。

第八表　主要鑛産物生産高（佛）

	数量 一九三四	数量 一九三五	数量 一九三六	金額（千ピアストル） 一九三四	金額（千ピアストル） 一九三五	金額（千ピアストル） 一九三六
石炭（千瓲）	一、五九二	一、七七五	二、一八六	七、〇〇〇	八、二四〇	九、三六七
煉炭〃	六二・二	七一・一	一〇五	五一〇	五八〇	八五七
骸炭〃	〇・三	〇・三	〇・一	八	一〇	二
亜鉛（瓲）	一一、九六〇（四九六〇）	一一、六〇二（五〇四六）	一一、三三六（五二二一）	一一六	一三二	二三一
鉛〃	一〇（七）		四六（三二）	一		六
錫〃	二、〇八八（一、一五二）	二、三五九（一、三三〇）	二、四一六（一、四〇三）	一、八三三	一、九九二	二、四一二
タングステン〃	二七六（一八六）	三八三（二六五）	三八三（二五〇）	二四八	三一七	三九九
鉄鉱〃	一、五四〇（六〇〇）	六三五（二七五）	一〇、〇一七（四、八七〇）	四	一	二一
マンガン鉱〃		一、五六八（六五三）	三、四二九（一、六一三）		八	二七
アンチモン〃		三三（二〇）	一、〇八〇（五二七）		二	九二
金（瓩）	二二一	二六六	二〇四	三二九	四〇〇	三四七
銀〃	一一二	一一三	一七四		二	四
燐礦石（P_2O_2 15～100%）（瓲）	四、〇六〇	五、八八八	一〇、三三六	六〇	八八	一五三
黒石〃	一二・六	二四・三	二四・三	九	一七	一七
青サファイア〃	四四四	三一二	一〇四	四・五	三・一	一・四
白サファイア〃				一・五	〇・五	〇・五

（註）括弧内の数字は金属含有量、
本表は三菱経済研究所「太平洋に於ける國際経済關係」による。

第九表　石炭産出及輸出高（千瓲）（佛）

	一九三二	一九三三	一九三四	一九三五	一九三六
産出高	一、七一三	一、五九一	一、五九二	一、七七五	二、一八六
輸出高	一、一六二	一、二六三	一、一七九	一、五一三	一、七二五
日本向	三四五	五二八	五四七	五七八	—
支那向	五〇九	四一六	二七七	二一九	—
佛國向	一〇七	一八三	一九六	二五二	—

（註）本表は三菱経済研究所発行「太平洋に於ける國際経済關係」による。

第十表　佛領印度支那の林産物生産高及輸出高（佛）

林産物生産高	一九三三	一九三四	一九三五	一九三六
木材（千立方米）	三六八	四二四	五一七	—
薪炭（千ステール）	一、〇九二	一、二四七	一、三六六	—
木炭（瓲）	五、〇〇八	四、四七六	四、七〇四	—
主要林産物輸出高（瓲）				
チーク材	一一、七四〇	一四、七九八	一二、七五四	一二、四八七
リム材	一六〇	五三二	四三一	—
トラフ材	二七六	五六九	二〇七	—
其他高級材	七五六	四四二	一、〇五九	—
香木	五二	四九	七二	五八
普通材	一、一二八	一、二七五	九七〇	一、三三二
木炭	八、七八六	六、〇五八	三、〇六〇	二、五五〇
白荳蔻	三〇二	四〇九	三七三	六五四
キユナオ	二、七七四	二、〇〇八	二、三七七	二、〇七九
蓋木亀	五三二	五三六	七八一	七五五
ステツク・ラツク	一四四	六八七	二五一	三一八
藺・藤及竹	一、四七二	五三六	六〇九	三七〇

水産物輸出高（瓲）

	一九三三	一九三四	一九三五	一九三六
鮮魚	三九〇	三〇五	三二〇	一七八
乾、塩、燻製魚	二六、六五七	二四、六七〇	二四、五八五	二五、七九五
乾蝦	一、四〇八	一、三一七	一、一〇七	一、〇〇八
魚脂	四六九	二三四	四二八	一、八二〇
魚粉	一六六	三二五	三〇六	三七九

（註）本表は三菱経済研究所発行「太平洋に於ける國際経済関係」による。

三、貿易機構

一九

當國に於ける商権を握るものは一部のフランス人を除いては殆んど華僑である。殊にアジヤ人の生活必需品たる米・玉蜀黍・魚類・鶏卵・乾大豆等の食糧品や、織物類の取引は全く彼等の手中に收められてゐる。彼等は農民達からこれ等の商品を買集め、アジア諸國及びヨーロッパに輸出し、また精製して領内の需要者に販売する。從つて彼等の中には仲買人として有力な者があるばかりでなく、工場経営者も多く見られる。殊に精米業は支那人の経営にかゝるものが極めて多い。又支那商人には單なる商品の仲買人に止らずして金貸業をも兼ね営んでゐる者が多い。彼等は領内の農民・手工業者に金銭を貸付け、高利を收取して利益を挙げてゐる。殊に農民等に對しては一定額の金銭を前貸し、穀物類の收穫期まで待ち、收穫物を以つて辨済せしむる方法によつて金銭の利息と商品販売の利益とを二重に取つてゐる者が多い。

二〇

貿易品の仲買は若干の欧人商人、印度商人及び會社の手を通ずる外、凡て支那人仲買人によつて営まれる。而してフランスより輸入される商品も過半は支那商人の手を通ずるものが少くない。取引決済の方法は未だ対人信用によるものが多く、物件擔保をとること少く一定期間後の支拂を人的に保證する商慣習が多く残つてゐる。

銀行等の金融機関は近來著しく整備してきたが、取引所及び倉庫の設備は未だ完全とは云ひ難き狀態にある。

當國に於ける華僑総数は一九三四年國民政府僑務委員會の報告によれば三八一千人であり、佛國政府の調査では三二六千人であるから、印度支那の全人口二三、〇〇〇千人、面積七四〇平方粁に對して華僑数は住民一、〇〇〇人に對して一四人、一〇〇平方粁につき四四人となる（華僑数に就ては諸説ありて一定せず）。

第四、海運関係

一、概説

當國に於ける海岸線は延長二、五〇〇粁に及ぶも東京湾及びラクジヤ湾を除く外其他は総て平易简直にして良港に乏しい。海岸は至るところ絶壁を為して居り、只三角洲の地方のみが比較的平坦であるに過ぎない。従ってデルタの地位は當領では非常に重要である。

而して商港としては南部の西貢と、北部では海防のみである。

二、港湾設備

西貢は二万噸級の船舶を自由に出入せしめ得る施設を有する。岸壁には中型

二一

級以上の船舶二十余隻を碇泊せしめ、河中には二十余ヶ所の繋船施設を有し、河岸港市としては支那の上海に優るとも劣らざる好條件を有してゐる。

遠洋航路に於ける西貢港出入船舶は一九三四年度に於て一、二五一隻（入六四四隻、出六〇七隻）、その噸数は五、九一四、五九三噸（入三、一二四、七八一噸、出二、七八九、八一二噸）、貨物砘数は二、二三九、九八六砘（入二六七、八七七砘、出一、九七二、一〇九砘）でその積載貨物噸数は佛印遠洋航路出入積載総貨物噸数の約五七％に及び、西貢港が佛印に於て占めてゐる商業上の地位が第一位にあることを示してゐる。

交趾支那の三角州の中央に位置し、サイゴン河を通じて海と連絡する（四五浬）。交趾支那唯一の河港兼海港で米の主要積出港である。人口約十五万（欧人約八千）、佛印南部の政治、商工業、海陸両交通の中心地をしてゐる。佛領後に発展した都市で多分にフランス化が行はれてゐる。港市としては大航路線よりは稍々離れて不便はあるが、前述の如く港湾設備としては當領第一である。

二二

第二位は海防港であって、出入船舶数を一九三四年度に就て見れば五六六隻（入二五〇隻、出三一六隻）、その噸数は一、九一三、八五一噸（入七八三、四二七噸、出一、一三〇、四二四噸）で貨物噸数は六八四、二六二砘（入一五二、二六四砘、出五三一、九九八噸）にしてその貨物噸数は佛印遠洋航路船舶積載貨物総噸数の一七％を占めてゐる。

海防は東京の三角州、紅河の河口に位置し東京湾最要の海港である。雲南鉄道の起点として海陸重要な交通路を占めると共に東京の首都河内とは鉄道、河川及び國道等によって頻繁に連絡し附近の無煙炭礦からは石炭が安價に運ばれる。雲南鉄道の開設によって本港の重要性がとみに増加し、前記の如く雲南と支那諸海港及び外國諸港とを連絡する最重要な地位を占めるに至った。然し下らす河水の沈澱による埋塞が水路を脅かすため不断に浚渫作業によって辛じて吃水五・五米の船舶を入港せしめ得ると云ふ不便がある。最近フランスはこの近くのアロン湾に軍港構築を計画しつゝあった。人口約十三万人で河内、西貢と同様に第一級都市に指定せられ特別市制が施行されてゐる。

二三

鴻基（ホンゲイ）・ツーラヌ・カンフア・ワリユート其他の諸港——鴻基港は東京炭礦會社の投資により出来た港で石炭輸出港としその重要性を持つ。アロン湾のカンフアも小さな石炭港であり、更に東方のケバオ島にあるワリユートも同様である。ツーラヌ港はハン河に面し同名の湾に沿ふ安南第一の商港である。人口約二・三万人で附近に軍港がある。近接地方の農産物の集散地であるが、同港へ通ずる運河は堆砂に脅かされ小型船舶も湾入深く投錨出来ない。附近に往時貿易盛んであったフエフオーがある。フエフオーは往時邦人活躍の跡を偲ばしめる日本橋の異稱ある来遠橋がある。外にモンカイ・ヤノン・ヴイン、更に漁港としてつくられたファンチエの小港もあるが、これ等は海上交通上には殆んど重要性を持たぬ。

三、主要港湾別出入船舶の國籍別噸数

次の諸表の如くである。

二四

第十一表

西貢港出入船舶隻数・噸数表（自一九三三至一九三五）

年次	入港				出港			
	船舶数		同噸数		船舶数		同噸数	
	遠洋航路	沿岸航路	遠洋航路	沿岸航路	遠洋航路	沿岸航路	遠洋航路	沿岸航路
一九三三	六一八	(イ) 三六四 (ロ) 二、三七三	二、八五三、四一五	(イ) 八三三、三一二 (ロ) 六四八、三一一	五八一	(イ) 三三七 (ロ) 二、三三六	二、四八九、〇一五	(イ) 七一七、八九五 (ロ) 五九、二〇四
一九三四	六四四	(イ) 三四四 (ロ) 二、三〇七	三、一三四、七八一	(イ) 七九八、八四五 (ロ) 三八、四八六	六〇七	(イ) 三三三 (ロ) 二、一八〇	二、七八九、八一二	(イ) 六八五、五〇一 (ロ) 三九、六六〇
一九三五	七五三	(イ) 三三五 (ロ) 一、九七二	三、四七六、六〇九	(イ) 七八八、六六五 (ロ) 三九、三五八	七一五	(イ) 三一四 (ロ) 一、八三七	三、一三二、七三〇	(イ) 六九三、六七五 (ロ) 三五、一二〇

（註）(イ)は汽船、(ロ)は帆船、指示無きは凡て汽船である。
本表は南洋年鑑第三回版による。

第十二表

海防港出入船舶隻数、噸数表（自一九三三至一九三五）

年次	入港				出港			
	船舶数		同噸数		船舶数		同噸数	
	遠洋航路	沿岸航路	遠洋航路	沿岸航路	遠洋航路	沿岸航路	遠洋航路	沿岸航路
一九三三	二七〇	(イ) 五、四三〇 (ロ) 一、八七〇	七九四、九五九	(イ) 一、六〇六、三五九 (ロ) 三三、五五三	(イ) 三六八 (ロ) 一九	(イ) 五、四一〇 (ロ) 一、八七〇	(イ) 一、一八〇、四三四 (ロ)	(イ) 一、三〇一、一九五 (ロ) 三三、五五三
一九三四	二五〇	(イ) 五、三七六 (ロ) 二、一六九	七八三、四三七	(イ) 一、四六八、五七五 (ロ) 三三、四五九	(イ) 二八一 (ロ) 三五	(イ) 五、三三九 (ロ) 二、一三四	(イ) 一、一三九、五三四 (ロ) 九〇〇	(イ) 一、〇六三、六三四 (ロ) 三三、五三九
一九三五	二七三	(イ) 六、五三九 (ロ) 三、三四〇	八九五、三一一	(イ) 一、五三三、九九〇 (ロ) 二八、〇四〇	(イ) 三一五 (ロ) 三一	(イ) 六、四八〇 (ロ) 三、三〇九	(イ) 一、三六五、三二一 (ロ) 八四七	(イ) 一、〇八七、三三七 (ロ) 二七、三五六

（註）第十一表に同じ。

第十三表　國籍別入港船舶隻数・噸数表

國籍別	一九三三 隻数	一九三三 噸数	一九三四 隻数	一九三四 噸数	一九三五 隻数	一九三五 噸数
（汽船）佛國	二六五	一、五四〇、二一〇	二五〇	一、五〇九、八八四	二五六	一、五一〇、三三九
英國	二九八	八二〇、九〇五	三三四	一、〇五〇、〇六六	三五一	一、一六一、九六五
独逸	二一	一五三、八五八	二三	一五六、七九二	二三	一六〇、三七八
諾威	一一七	三五一、四一〇	九八	二六二、一二二	一二一	三二二、六七二
和蘭	七六	二五三、四四一	六七	二四二、八八九	八〇	三四二、二二四
米國	一七	一〇一、六五三	一六	一〇二、三八六	一四	一〇〇、一二二
日本	二一〇	八八四、三四一	一五五	六八二、三三四	一八九	八六二、四二七
瑞典	―	―	八	四六、五三九	一	四、五六八
丁抹	一九	四九、七八七	一六	七〇、〇五五	二八	一三三、九九八
伊太利	一四	七四、四二〇	三四	一八二、五〇二	二一	一二〇、六六八
ポルトガル	一	四、三七九	―	―	―	―
支那	一九〇	二六九、八九八	一〇五	二三三、九二八	一八七	四〇七、七四八
泰國	五八	二一、四八八	六五	二五、三〇四	五一	一七、四〇一
ギリシヤ	―	―	一八	八八、三六二	四八	二二六、二三九
其他	一	三、五一一	一	六二七	二	七、九四八
計	一、二八七	四、五二九、二六一	一、一九〇	四、六五五、八〇〇	一、三七二	五、三七八、六九七
（帆船）土人	三〇	三二七	五	一〇三	四	四一
支那	五三一	一五、九六六	三六六	一一、九四六	三四〇	一〇、一五二
泰國	二四	一五四	一七	九八	一五	五九
日本	一	九	三	九五	四	一四八
計	五八六	一六、四五六	三九一	一二、二四二	三六三	一〇、四〇〇
総計	一、八七三	四、五四五、七一七	一、五八一	四、六六八、〇四二	一、七三五	五、三八九、〇九七

（註）本表は南洋年鑑第三回版による。

第十四表　國籍別出港船舶隻数・噸数表

國籍別	一九三三 隻数	一九三三 噸数	一九三四 隻数	一九三四 噸数	一九三五 隻数	一九三五 噸数
（汽船）佛國	二六二	一、五三五、三九九	二五四	一、五三〇、三六五	二五八	一、五一一、六二二
英國	三〇〇	八一三、四七七	三三五	一、〇六六、九九〇	三五一	一、一五四、九五四
独逸	二一	一五三、八六一	二三	一五六、七九二	二三	一六〇、三七八
諾威	一一五	三三七、九六九	一〇〇	二七〇、一二九	一二〇	三二〇、四四六
和蘭	七八	二六〇、一七二	六七	二四二、〇四二	八〇	三四二、二二四
米國	一七	一〇一、六五三	一四	九五、五三九	一五	一〇六、一九八
日本	二一一	八八八、五〇七	一五一	六六三、五七六	一八五	八四四、五五六
瑞典	―	―	八	四六、五三九	一	四、五六八
丁抹	一八	四七、〇〇八	一六	七〇、〇五五	二八	一三三、九九八
伊太利	一四	八七四、四二〇	三三	一七八、〇九七	二二	一二五、〇二三
ポルトガル	一	四、三七九	―	―	―	―
支那	一九〇	二七〇、三七五	一〇四	二三五、七〇七	一八七	四〇四、九一九
泰國	五九	二〇、〇九五	六三	二四、四八六	五一	一七、四〇一
ギリシヤ	―	―	一七	八二、六四三	四八二	二二六、〇五四
其他	一	三、五一一	二	六二七	二	七、九四八
計	一、二八七	四、五一〇、八二六	一、一八六	四、六五八、五八七	一、三七一	五、三六〇、二八九
（帆船）土人	一一四	一、一二〇	一一一	二八六	八一六	一、〇八二
支那	四八四	一四、二八〇	四三〇	一一、九六五	四八〇	一二、五一〇
泰國	二七	一四一	四五	二一二	八	二九
日本	一	九	―	―	―	―
計	六二六	一五、五五〇	五八六	一二、四六三	一、三〇四	一三、六二一
総計	一、九一三	四、五二六、三七六	一、七七二	四、六七一、〇五〇	二、六〇一	五、三七三、九一〇

（註）本表は南洋年鑑第三回版による。

四　船會社

當領には直接海運を営む船會社はなく、佛本國との間を第一とし、次いで日本・泰國・支那・蘭印との間に航路が開かれてゐる（第十五表）。

(1) 歐洲航路

歐洲航路はフランスの独占するところで、次の二社がこれに當つてゐる。

(イ) メッサヂェリー會社

(ロ) シャルヂュール・レユニ會社

メッサヂェリー會社は佛本國と佛印との定期連絡及び航海の第一位を占めマルセイユ＝横浜間に二週一回の航路を開き貨客船十隻を配し、一九三五年にはサイゴン・ハイフォン発マルセイユに行き更にトンキンへの帰路も開いてゐた。其他ダンケルク―上海間に週一回の貨物船、マルセイユ―海防間に二週一回の貨客船、ダンケルク―西貢間に月一回の貨物船を配してゐた。同

二五

會社は割引運賃による佛蘭西―佛印間の巡航を保証し、その船舶も大規模に装備されたものである。

シャルヂュール・レユニ會社はボルドー―海防間に四週一回の貨客船五隻、更にダンケルク―海防間に四週一回の貨物船を配し、その船舶は前記メッサヂェリー會社の船舶程には大規模なものではない。

(2) 支那航路

支那航路にはフランスの四社とイギリスの一社とが當り、フランスの三社は海防―香港間及び海防―広東間に配船しイギリスのチャイナ・ナヴィゲーション會社が二週一回の貨客船を配してゐた。

(3) 日本航路

日本航路には前記のメッサーヂェリー會社の外に大阪商船會社が横浜―盤谷間に月一回の貨物船一隻を配し、又基隆―海防間に二週に一回の貨物船を配してゐた。

(4) 泰國航路

二六

第十五表

主要外國航路一覽表

(續)

會社名	國別	航路線	配船数	回数	寄港地	摘要
La Compagnie des messagerie maritimes	(佛)	Marseille-横濱 (Ligne de la chine du japon)	一〇	二週一回	Port-said, Djibouti, Colombo, Singapore, Saigon, Hongkong, Shanghai、神戸	定期、客、貨
〃	(〃)	Dunkerque-Japon-Chine (Ligne d'Extrême-Orient)		月一回	Anverse, Middlesbrough、ロンドン、ポートサイド、シンガポール、サイゴン、香港、上海、神戸、横濱、大連、ウラジオストック	定期、貨
〃	(〃)	Marseille-Haiphong (Ligne de I. Indochine)	六	四週一回	ポートサイド、Djibouti, Colombo, Pondichery, Madras、シンガポール、サイゴン、ツーラン	定期、客、貨
〃	(〃)	Dunkerque-Haiphong (Ligne de I. Indochine)		四週一回	ポートサイド、シンガポール、サイゴン、ツーラン	定期、貨
La Compagnie des Chargeuis Reunis	(〃)	Bordeaux-Haiphong (Ligne de I. Indochine)	五	四週一回	マルセイユ、ポートサイド、コロンボ、Djibouti、シンガポール、サイゴン、ツーラン	定期、客、貨
〃	(〃)	Anvers-Haiphong	三	四週一回	ダンケルク、ルアーヴル、マルセイユ、ポートサイド、Djibouti、コロンボ、シンガポール、サイゴン、ツーラン	定期、貨
大阪商船會社	(日)	横濱-Buenos-Aires (Japan-South America Line)	五	月一回	神戸、長崎、香港、西貢、シンガポール、コロンボ、ダーバン、ケープタウン、リオデジャネイロ、サントス、ブエノスアイレス	定期、客、貨
〃	(〃)	横濱-盤谷 (Japan-Bankok-Line)	二	月一回	名古屋、大阪、神戸、香港、海防、サイゴン、バンコック	不定期、貨
La Société des Affreteurs Indochinois	(佛)	Saigon-Bankok (Ligne Saigon-Bankok)	一	月一回又は二回交互	Ream, Phu-quoc, Poulo-condore	定期、客、貨
Siam Steam Navigation Co. Ltd	(暹)	Bankok-Réam (Ligne Réam-Bankok)	一	一週一回	Chantabum, Réam	〃
La Compagnie Indochinoise de navigation	(佛)	Haiphong-Hongkong (Ligne Haiphong-Honkong)	一	一月三回	直航	客、貨
La maison J. Pannier et Cie	(〃)	〃	二	二週約一回	Pakhoi, Hoi-hao, K.T.Wan	不定期、客、貨
La compagnie de Commerce et de navigation d'Extreme-Orient	(〃)	〃	五	二週約一回	〃	〃
China Navigation Co. Ltd.	(英)	〃	一	二週一回	海防、Pakhoi, Hoi-hao、香港	定期、客、貨
〃	(〃)	〃	二	週約一回	〃	不定期、客、貨
La maison J. Pannier et Cie	(佛)	Haiphong-Canton (Ligne Haiphong-Canton)	五―六	年十三回	Haiphong, Hoi-hao, Hongkong Canton	〃
Java China Japan Lijn	(蘭)	Java-Saigon Lijn	一	四週一回	Batavia、サイゴン、ドンベイ	定期、客、貨
La Société des Affreteurs Indochinoise	(佛)	Saigon-Singapore (Ligne Saigon-Singapore)	一	二週約一回	直航	〃
La compagnie des messagerie maritime	(〃)	Swato-Touriane Singapore-Poulocondore			香港、海防 直航 } La Société des Affreteurs Indochinois 會社と共同經營	〃 〃
La Société maritimes Indochinoise	(〃)	Saigon-Bankok Saigon-Hongkong Saigon-Singapore Saigon-Sourabaja		四週一回 〃 二週一回 四週一回	崑崙島 往航―汕頭路、歸航―海防	〃 〃 〃 〃
Compagnie navale de l'Océanie	(〃)	Saigon-Nouméa		四月一回	Batavia, Samarang, Port moresby, Samerei	定期、客、貨
K. P. M	(和蘭)	Saigon-Java-Nouméa			Rabaut, Port	
〃	(〃)	Orient-Java-Afrika		月二回	Vila, Noumea, Sydney, Port moresby, Batavia, Shanghai Manila, Saigon, Bangkok, Singapore, Java、アフリカ諸港	定期、客、貨

(註) 本表は南洋年鑑第三回版による。

泰國航路には左の二社が當つてゐる。

(イ)　印度支那傭船會社（La Société des Affréteurs Indochinois）

(ロ)　暹羅汽船航海會社（Siam Steam navigation Co. Ltd）

・フランス本國會社として前者が、西貢―盤谷間に月一回貨客船を配し、シヤム汽船會社は盤谷―レアム間及び盤谷―ハチエン間に週一回貨客船を配してゐる。

(55)

蘭印航路

蘭印航路はオランダ會社によつて独占せられ、瓜哇―西貢間に四週一回貨客船一隻を配し、又瓜哇―香港―西貢間に貨客船一隻を配してゐる。

以上の外に新嘉坡へはフランス會社が二週一回貨客船を配してゐた。

二七

第五、投資関係及産業

一、概　説

當國は現在に至るまでは純然たる農業國であつて、このことは輸出貿易に於ける約四分の三が農産物であることによつても明らかである。農産物の外鉱物資源も亦豊富で欧洲人特に佛國人の投資が先づ鉱山の開発に注がれた関係上、鉱業は一般事業に於て比較的著しき発展を示してゐる。更に印度支那全面積の大部分が森林地帯であり氣候の地方的差異の為めに其の植物の分布も多様である。従つて林産資源極めて多種多様豊富であつて林業は重要産業の一になつてゐる。其他沿海・河川・湖沼等に水産物を豊富に藏してゐるが、土人の原始的な漁獲方法によること多く未だ水産業の発達を見るに至らない。工業に至つては殆んど見るべきものゝない現状である。

二八

佛國の領有となつて以来既に約半世紀を経たが其の間佛國の手によつて不断の開発工作が続けられて来たに拘らず、領内諸般の事情は依然として未開拓の儘残される処多く、今尚ほ所謂原始産業國の域を脱しない。

而して印度支那に投下せられたる佛國資本は土人の投資額二百億フランに對し、大約八十億法と稱せられてゐる。右の投資額中実際に國土の開発に使用せられた額は約半分にして其の他の一半は仲介者へのコンミツシヨン其他浪費に屬すると云はれてゐる。土人の投資は大部分農業を對象とし、次いで土地・建物・牧畜等であるが、之に對して佛國人の投資は採鉱業、ゴムを始め茶及コーヒー等の栽培業・重要工業・公共事業等に向けられてゐる（三菱経済研究所「太平洋に於ける國際経済関係」一四〇九―四一〇頁）

二、農　業

二九

(一)　概　説

佛印農業は當領産業の首位を占めるものであるが投資関係は護謨事業を除いて明らかでない。故に各産物に就いてその概略を記述するに止める。尚ほ主要農産物全般の生産数量其他の状況を第十六表に示す。

(二)　米

米は當領物産の大宗であつて、單に農業に於て許りでなく、佛印の全産業中最も重要な地位を占めてゐる。

栽培面積は一九三三年―三九年の七ケ年平均によれば約五五四万陌で、此の中最も廣い植付面積を有するは交趾支那の約二二五万陌であつて、同領総面積の約三五％は米田である。次は東京の約一三〇万陌が大きく、之は同領総面積の一〇％が米田である。安南と東埔寨との植付面積はそれぐ八〇万陌で、安南は総面積の五％、東埔寨は総面積の四％に相當してゐる。山獄地帯たる老撾に至つては僅かに四〇万陌、同領総面積の一％にしか當らない。而して之等米

三〇

第十六表　主要農産物生産状況表　一

種別	栽培面積	收穫量	栽培中心地 東京	栽培中心地 安南	栽培中心地 老撾	栽培中心地 東埔寨	栽培中心地 交趾支那
米	五、九九〇	六、六九六	東京平野	北部地方		東南部	デルタ一帯
護謨	一二九	六五		ファンチ		カンポンチアン	ツードモ、シロモンジヤデン、ビエンホア
玉蜀黍	五〇〇	六〇〇	フト、バツキン	タンホア、ゲアン		カンダル、ダケオ、カンポンチアン	
珈琲	一〇	二・五	ホアビン、フト、ニンビン、ハドンフンタイ	ドンホイ、ダラツト、カンビン			
胡椒	一・五	三・五				タケオ、カンポ	フコク島、ハチエン
茶	二〇	一五	フト、ハドン	ダラツト、コントム			
熱草	二二	一五	キエンアン、タイビン、ハイジョン	ツーノン、ユエ、ハイフオ	クラチエ、ビエチアン、ザウタナケツト	カンポンチアン、カンダル	チヤデイン、ツードモ
甘蔗	四〇	六〇	ハドン、ソンタイ	カンゲイ、カンナム、ビンゲン、ゲアン、フエ		カンポンスプ、プノンペン	西貢、ドンナイ河沿岸
棉花	一五	一・二	ナンディ、タイピン、ニンビン	タンホア、カンゲイ	パクセ	プノンペン一帯	バリア、ベンチエ
古々椰子	三〇	三〇	ハドン	ビンヂン、フエン			ベンチエ、ミトヴイセン、カント
カポック	四	三・二					カドツク、セデツク、ロンクエン
養蠶	三	〇・二	タンホア			プノンペン	
漆	六・八	二・五	フトルミ、フナン	フインホン			

（註）一九三七年度、單位（千陌、千噸）
但し米及護謨は一九三九年度、

田の総面積の佛印総面積に對する比率は僅かに七%で、佛印に於ける米作の為の土地利用度は高い方ではない。

生産高は一九三六－三七年度に於て六、二五六万キンタルにして、此の中交趾支那の收穫高は三〇五〇万キンタル、東京は一五九六万キンタルで此の両地方が主要生産地である。

收穫高に就て我國との比較を見れば一九三六年－三七年に於ける植付面積は、我國の三一九万陌に對して佛印は五六〇万陌なるに拘らず、同年度に於て我國は一二四九八万キンタルの收穫に對して佛印は僅かに六、二五六万キンタルの收穫を見たるのみである。從つて一陌當りの收穫量は我國の三九・三キンタルに對して佛印は一一・二キンタルであるから佛印の一陌當り收穫量は我國の約三分の一に過ぎない。

當領の收穫量が斯くも低いのは一面気候の変化多く、水量に過不足を生じ易い自然的原因の外に、他面農業技術が極めて低く、品種の選擇、耕耘の方法、施肥の普及等の未発達の結果であつて、若し佛印にして施肥、耕作方法等に於

て一層の改善を行ひ、我國の米作程度にまで集約を行ふならば現在の農業機構を根本的に変革せずとも現在收穫量の約三倍にまで増加せしむることは決して不可能ではない。而して當領米作地帯はメーコン河流域地方とソンコイ河流域地方とに偏在してゐるがこれ等の地方とても未だ開拓の手の届かぬ部分が広く今後の開拓によつて耕地の拡張は更に増加せしめられる。

米の國内及び國外に対する経済的地位を見るに前掲表の生産高を籾生産高を以つて示せば平年に於て約六〇〇万瓲と推定されるのであるが、此の中食糧用、家畜飼料用・醸造用及び種子用として約四〇〇萬瓲消費せられ、残り二〇〇万瓲、即ち白米及び副産物（玄米・碎米・粉米等）として約一五〇万瓲が年々輸出されてゐる。

かくの如く佛印の米は、其の生産額・貿易額に於て最も重要なる産業であるため、又工業一般の発達が未だ低度なる為め、佛印工業界に於て精米業の地位を支配的なものたらしめ、尚又アルコールの原料として豊富なるを以つて最近醸造業の顕著なる発達を促してゐる。

次に其の輸出状況は一九三七年度に於ける佛印輸出総額の実に四二%を占めてゐる。輸出米の大部分は交趾支那米であつて、全輸出数量の約九六%を占め、東京米は僅かに三・四%に過ぎない。又之を世界の米輸出量に對比するにその約四分の一を占め、緬甸、泰國と共に世界三大米輸出國の一に数へられてゐる。以上三國の輸出米量を合すれば世界米穀輸出量の約九五%を占める。

輸出仕向先に就て見れば一九三〇年頃までは極東市場が主であつた。即ち一九三〇年の輸出米の約五八%は極東諸國(支那及香港・四四・八%、蘭印一一%、新嘉坡九・四%、日本三%)で佛本國及び同植民地の占める割合は約二一%に過ぎなかつた。然るに一九三八年に於ては此の地位は逆轉し、極東諸國の占める割合は僅かに一九%(支那及び香港一四・六%、蘭印二・三%、新嘉坡二・四%、日本〇・〇二%)となり逆に佛本國及び同植民地の占める地位は約六四%となり、佛印米は全く佛本國への依存を主とする状態と為つた。今次大戰勃発による欧洲情勢の変化がかゝる佛印の對欧洲貿易の状況に大いなる変化を受けたことは勿論である。

(三) 護謨

佛印に於て護謨栽培が重視せらるゝに至つたのは一九〇七年以後のことで當時英領馬來・蘭印・錫蘭等の斯業の好況は之等の地方と氣候・風土を同じくする佛印に著しく影響を與へ、最初は僅かに個人的栽培が行はれたに過ぎなかつたのであるが、其後政府の保護奬励を受けて漸次発達し、今日では米・玉蜀黍と共に佛印に於ける三大農産物の一になつてゐる。

栽培地は交趾支那を主とし、安南の南部・柬埔寨地方にも見られるが、當領のこれ等の地方はその土壌が、所謂紅土で新鮮であつて馬來で見られるような土壌の流出が甚しくないことゝ、根敗病等の病害がないこと及び、降雨状態も護謨栽培に適してゐると云ふ好條件に恵まれその発達を促進しつゝある。

植付面積について見るに一九二六年には僅かに五四、一八二陌であつたのが、其後逐年増加し一九三七年には一二七、一四七陌に達し、一九三九年には一二八、七四〇陌に増加してゐる。此の中交趾支那が九八、一六八陌、柬埔寨二七、二六六陌、安南一、六七九陌である。

一九三六年度に於ける護謨園の数は八四三、その大部分は佛人経営に属してゐて、蘭印に多く見る如き土人護謨園は佛印に於ては殆んどない。

護謨生産の発達は著しく、一九二六年僅か八、〇〇〇噸余を産出したに過ぎなかつたものが、一九三九年には六八、〇〇〇噸に増加してゐる。之等は殆んど全部佛本國・米國及び日本に向け輸出されてゐる。

一九三九年度輸出仕向國に就いて見れば

米國	二九、三八三噸
佛本國	二三、一八三噸
日本	二八五噸

である。一九三五・六・七年頃迄は大体佛本國・米國・日本と云ふ順に輸出されてゐたが、一九三六年度より對米輸出が急激に増加し、之に次いで對佛本國及び新嘉坡向輸出が激増を示し、對日輸出は一九三八年より急減してゐる。

(四) 其他の農産物

(a) 玉蜀黍

玉蜀黍は米に次ぐ土人の主要穀物として又米の補充用として佛印各地に普遍的に栽培せられ輸出作物としても又米に次ぐ重要性を有する。

主たる産地は東京及北部安南で交趾支那でも広く栽培され特に人口稠密な地方が盛んである。此の中東京地方が約三%を占めてゐる。其の栽培面積は約三五万陌にして地方別に見れば

東京	一五万陌
安南	八万陌
交趾支那	五万陌
柬埔寨	五万陌

である。

産額は一九三七年度に於て約六十万瓲、此の中約五六万瓲(佛印総輸出額の約一六%)が輸出される。

輸出先は総輸出量五六万瓲の中、五四万瓲を佛本國、他を佛領植民地及び日本に仕向けた。

(b) 繊維作物

繊維生産物としては植物質のものでは棉・カポツク及び最近黄麻の代用品としで有望視せらるゝポロムポムがあり、動物質のものでは繭を挙げることが出來る。之等の生産額は現在未だ微々たるものであるが、棉質の優秀を誇る東埔寨棉の将来は有望である。

(1) 棉

棉は當領至る処で栽培されてゐるが現在の産額の五分の四を占めてゐる東埔寨を除けば雨期の不規則なるため集約的経営は困難である。

一九三七年度に於ける栽培面積は一五、〇〇〇陌、その生産高は一八、〇〇〇瓲であつた。その大半は地方消費に當てられるが、一九三七年度一八、〇〇〇瓲の生産額中輸出は九〇三瓲で、その中五六八瓲が日本向け輸出せられてゐる。

(2) カポツク

カポツクは交趾支那ロンクエンを中心として生産せられ、一九三七年に於ける栽培面積は四、〇〇〇陌、生産高は三、〇〇〇噸で、その大部分が佛本國に輸出せられてゐたものである。

(3) 養蚕－繭

繭の生産額は最近年約二〇〇噸で、土民の家内労働による製糸の原料となつてゐる。

桑樹の植付は、東京州南部地方約二、五〇〇陌、安南州南部ビンディン地方約二、五〇〇陌、東埔寨のプノンペン地方約七、〇〇〇陌の三地方に多い。

(C) 甘　蔗

一九三八年度に於ける生産高は六五、五〇〇瓲で、内五一、〇〇〇瓲は安南土人農業に属し、之を地域別に見ると安南三〇、〇〇〇瓲、交趾支那一八、〇〇〇瓲、

東京三、〇〇〇瓲になる中、欧洲人企業によるものは一四、五〇〇瓲で、交趾支那から一一、〇〇〇瓲、安南から三、五〇〇瓲を産する。

然しその栽培法は極めて粗笨で安南地方の陌當り甘蔗收穫量は瓜哇の六分の一に過ぎず、我台湾のそれに比較して三分の一にしか當らない。

(d) 茶

從來は土民茶の域を出なかつたが第一次欧洲大戦終了後、佛印総督府は所謂モイ族の高原と云はれる高原地方一帯に大規模な拓植栽培を開始し、瓜哇から栽培方法を輸入した結果佛印茶業は近代化され現在では佛印茶は錫蘭茶・ダージリン茶と比肩し得る。

主要産地は安南のコントーム州、ダルラツク州、東京のハドン州であつて、一九三七年現在の栽培面積は約二〇、〇〇〇陌、生産高は一五、〇〇〇瓲である。

(e) 珈　琲

一九三七年度に於ける栽培面積は約一〇、〇〇〇陌にしてその年産額は二五〇〇瓲に上つてゐる。

(f) 煙　草

栽培総面積は一九三七年度に於て二二、〇〇〇陌であつて、その收穫高は一五、〇〇〇瓲である。收穫の約九〇%は土民用煙草である。

栽培地域は(1)紅河デルタ地方を中心としたキエンアン・タイピン・ハイジヨンに約六千陌、(2)東埔寨・交趾支那方面ではメコン河流域の沖積土地方に約五千陌、(3)老撾ではメコン河上流地方殊にビエンチヤン・クラチエ・サヴアナケトの諸州に見られる。

(g) 胡　椒

當領の胡椒は一時世界産額の七分の二に及んだこともあるが、最近は稍減産

してゐる。

生産高は大体年平均六五〇〇瓲位であつて、その中約四五〇〇瓲を輸出してゐる。仕向地は佛本國・其の　植民地・米國等であつて、當領生産は輸出を主として、その栽培者は殆んど華僑である。

(九) 漆

佛印に於ける漆の栽培は野生林地の採漆と造林地域の採漆とに分れ、前者は土人の副業として主に柬埔寨及び交趾支那に盛んであり、後者は東京に限られ中でもソンコイ河・清河の沿岸地帯に至るフト州が最も多い。一九三七年度に於ける造林地面積は六八〇〇陌と云はれてゐる。

現在漆の生産高は年産約二五〇〇瓲であつて、一五〇〇瓲内外が毎年輸出されてゐる。輸出先は日本・支那・香港であるが、その八割は日本向輸出である。一九三九年度に於ける輸出は農産物中第九位を占めてゐる。

(十) 古々椰子

栽培地は海岸低地に限られ交趾支那ではベンチエ・ミト・ヴィンロ等の海岸丘陵地方では一万五千陌の面積に栽培され、東京はハドン附近、安南のビンデン・カムラン湾沿岸地方では約十万陌の土地が椰子栽培に當てられてゐる。

生産高は一九三七年に於て三万噸、コプラとして約一万噸が輸出せられてゐる。最近東京地方では各地に椰子纖維を原料とするエスパルト製造が行はれつゝあり、一九三八年度にはエスパルト纖維性敷物の輸出は七四七瓲、エスパルト纖維性網具九七七瓲に達してゐる。

三、鑛業

(一) 概説

現在鉱産中の第一位を占めるものは石炭のみで、他は未だ開発されて居ないと云つてよい程度である。石炭は當領鉱産物中の重要品で大半は無煙炭で、そ

の主要産地が東京の鴻基附近にあるので鴻基炭として著名である。

其他近年老檛で採掘せられつゝある錫、我國の需要に刺戟せられて産出を見つゝある鉄鉱及び産額は極めて僅少であるが、亜鉛・鉛・タングステン・金・銀・アンチモニー・燐礦石等がある。

當領鉱業の未発達も他産業と同様に佛本國の極端なる閉鎖方針に原因するものである。即ち佛印鉱業法を設け、鉱業は佛人企業家及び投資家のみに許可して、外國資本家、企業家の進出を許さなかつたこと、他の原因は鉱物資源埋蔵地域が概して交通不便な地であること、鉱物資源を利用し得るまでに工業が発達してゐないこと等がその原因である。主要鉱産物の生産高に就て第十七表に示す。

(二) 石炭

石炭は當領鉱業に於て最も重要なる地位を占めその全鉱業中に於ける地位は農業に於ける米の地位に匹敵する。大部分は無煙炭にして産地は東京の東部に

限られ、海防の東北方を延長一二五粁、幅約一〇粁の巨大な炭田が西より東に延びて海に入りケバオ島に至つてゐる。その埋蔵量は二〇〇億瓲と称せられ品質は極めて優秀である。

其他には東京では河内の北方、南部の安南隣接地方に瀝青炭と褐炭が少量産出せられ、東京地方以外では中部安南の沿岸ユエ港の南部一帯に無煙炭、北部老檛のルアン・プラバン附近に二三の褐炭田がある。

生産高に就いて見れば

一九三五年	約	一八〇万瓲
一九三六年	〃	二〇〇
一九三七年	〃	二〇八
一九三八年	〃	二二四
一九三九年	〃	二四五

である。採炭技術が未発達のために産出不振であるが将来技術の改良・輸入に

第十七表 主要鑛産物生産高（一九三五－三七年）（佛）

	一九三五年	一九三六年	一九三七年
石炭	一、七七五、〇〇〇	二、一八七、〇〇〇	二、三〇八、〇〇〇
煉炭	七一、一〇〇	一〇五、〇〇〇	－
コークス	三、〇〇〇	三、〇〇〇	－
亜鉛	一一、六〇二	一一、三三六	一一、一〇〇
錫	三、三五九	二、四一六	二、八〇二
タングステン	三八三	三八三	五八〇
鉄鉱	六三五	一〇、〇一七	三八、五七〇
満俺鉱	一、五六八	三、四二九	二、五三六
金（瓩）	二六六	二〇四	一一二
燐鉱石	五、八八三	一〇、三三六	燐鉱 二二、三〇〇 粉末燐酸塩 二〇、三〇〇
合計	一、八七二、七九六	二、三三三、一二一	二、四〇六、二〇〇

（註）單位 噸
本表は台湾拓殖會社編「佛印の性格と環境」による。

よつて増産が期待せられる。

産出炭の殆んど総ては輸出に向けられてゐる。輸出高は

	千瓲
一九三五年	一、五〇五
一九三六年	一、七一八
一九三七年	一、五四七
一九三八年	一、六二八
一九三九年	一、七六二

であつて、主要仕向國は亜細亜諸國を主とし、就中我國が最大顧客である。次いで支那・香港・佛本國であつて一九三七年度輸出狀況は

	千瓲
日本	八〇七
支那	二五六
香港	一一二

佛本國	二四九
計	一、四二四

である。

此の輸出高は年平均産出高の大体八〇%に相当し、残り二〇%が國内消費に當てられることになる。國内工業の漸進的発展に伴ひ消費高も逐年増加の傾向にある。即ち

	千瓲
一九三五年	五〇〇
一九三六年	五六〇
一九三七年	六九〇

となつて居り、國内消費は我國より若干の輸入を行つてゐる。

(三) 錫

錫の産出は近年頓に活潑となり、石炭に次ぐ重要鉱産物となつた。

主要産地は東京及老撾である。東京は廣西省國境近くのカオバンの西方五〇粁の地点にあるピア・ワク地方に産しウオルクラムの含有率が高い。老撾ではメコン河の支流ナム・パテーヌ河沿岸のカンモン地方一帯のヒン・ボオ鉱山に産し、ピア・ワク鉱山より産出量は大きい。

産出高は錫鉱にして

	瓲
一九三五年	二、三六〇
一九三六年	二、四一六
一九三七年	二、六〇二

であつて、右鉱石中の錫の含有高は約半額である。

佛印産出錫は殆んど全部新嘉坡に原鉱のまゝで輸出せられ、同地の海峡貿易會社の手によつて精錬せられる。且つてカオバン並に海防に精錬所があつて二、三百瓲を精錬してゐたが採算上一九三二年以來中止し、殆んど全部新嘉坡向け輸出するに至つた。

（四）ウォルフラム

ウォルフラム鉱は蘭印と同様に錫鉱床中に含まれ錫採掘と同時に産出される。従つて錫の産出量如何によつてウォルフラムの産出も影響せられる。

産出高に就て見れば

一九三五年	鉱	三八三瓲
	含有高	二五〇
一九三六年	鉱	四二七
	含有高	三〇二
一九三七年	鉱	五八〇
	含有高	三八九

であつて、右産出高の内七〇％近くまでは東京のピアワク錫、ウォルフラム両発會社の産出にかゝり、其他の産出も全部南支國境近くの東京のピアワク錫鉱山地帯から採掘されてゐる。

四八

之等の産出ウォルフラムは殆んど國外に輸出されて居り、主なる輸出先は佛本國及び白耳義である。

輸出高は

一九三五年	鉱	三八三瓲
	含有高	二五〇
一九三六年	鉱	五二二
	含有高	三三九
一九三七年	鉱	四九八
	含有高	三三八

であつて、産出高よりも輸出高の多きは支那・雲南其他のものを當領輸出通過せしめたものである。

四九

（五）亜　鉛

亜鉛鉱は東京では中部のショデイエン・タングエシ・チユウエンクワンを中心に採掘せられて居り、其他にも鉱脈の発見せられてゐる所がある。其他の産地としては安南の東北方カン・ソン鉱床があり、それより南部に下つてドン・ホイ附近、又更に沿岸を南下してハイフオの西南にドウクボ鉱床等があり、安南北端のモハでは含銀鉛鉱及び硫化亜鉛鉱を産する。

亜鉛鉱業は往年盛んであつたが、一九三〇年頃以来價格の暴落のため閉鎖されたるもの多く、現在採掘中の鉱山は東京北部中央の明江一帯のトランダ・ランヒツト・シヨ・デイエン・エンリン等である。

産出及び輸出は次表の如くである。

自一九三五年至一九三七年　産出高　（單位千瓲）

種別＼年度	一九三五	一九三六	一九三七
鉱	一二	一一	一一
含有金屬	五	五	五
金屬亜鉛	四	四	四

（註）本表は南洋協會編「南洋鉱産資源」に據る。

五〇

自一九三五年至一九三七年　輸出高　（單位千瓲）

種別＼年度	一九三五	一九三六	一九三七
異極鉱	—	一・五	〇・三
金屬亜鉛	四・二	五・六	三・六

五一

（註）　本表は南洋協會編「南洋鉱産資源」に據る。

輸出は悉く佛本國に向けられてゐたものである。

(六) 鉛

鉛の生産は極めて僅少で殆んど亜鉛精錬の副産物である。従って一九三〇年以後の亜鉛の生産減少によって鉛も又減少し現在では僅かに印度支那鉱業冶金會社がカンエン精錬所に於て約十万瓲前後を産出するに過ぎぬ。

鉱床の所在地としては東京ではガンソン及ランソン地方、安南ではヴイン州のモ・ホアダラット地方であるが、昔採掘されたのみで現在は稼行してゐない。

(七) 金及銀

當領に於ては到る処に金鉱多く、往時から土民の手で採集されてゐたが、一九〇〇年以來佛國資本の投資が盛んとなり、多数の佛國採金會社の設立を見る

に至ったが、今日では殆んど見るべきものなく、目下採金稼行してゐるのは土人の砂金採取のほか東京錫ウオルフラム會社及び印度支那鉱山農業開発會社の二社のみである。

産地は主として東京地方で、パクラン・ベクカン州のナシツ附近であるが、ライ・チャウ・ラオカイ・カオバン・タイグエン・ランソン・ホアビン・ソアラ・ハドン地方に於て土人の手で採金されてゐる。

安南ではツーランの南々西約百粁の地点にある印度支那鉱山農業開発會社経営のボンミエン鉱山の外、カンナン州のヴインフイ・ブミヴインミン及びビンデイン州のキムソン等も古くから知られてゐる。

老過ではルアンプラパン及びヴイアンチアヌ附近が産地であり、東埔寨ではバッタンバンのシソホンの北方五〇粁の地点にあるバルに於ても一時採掘されたことがある。

生産高は一九三四年以來急増してゐるが、二〇〇瓩前後に過ぎない。最近数箇年間の生産状況は

	安南	東京
一九三五	二五九瓩	七
一九三八	一九八瓩	八
一九三七	一八二瓩	

である。

(八) 鉄及満俺

鉄の分布は交趾支那及び東埔寨の沖積土地帯を除き殆んど全土に及び、其の埋蔵量も豊富であると観測せられてゐるが未だ充分なる開発を見るに至ってゐない。

鉄鉱區の所在地は大体次の三地域に大別せられる。

(1) 東京州紅河流域鉱床

紅河流域西岸及びその支流に沿ひ多数の鉱床があってその主なる系統は次の如きものがある。

バオハ西方鉱床

埋蔵量数千瓲と稱せられ含有量六五%、〇七乃至一・五%の満俺を含む良鉱石である。

タンマ鉱床

規模は東京第一と稱せられるも品位は良好でない。台湾拓殖會社が山元で買鉱してゐる。

イヴオン又鉱床

本鉱床は東京の太原地方紅河デルタの北部に在り、産鉱は赤鉄鉱又は磁鉄鉱である。埋蔵量二千万瓲を超へ、品位も又一般に六五%内外の良質鉱である。

本鉱区所在地は交通比較的便にして附近に鴻基・ドントリーの炭坑あること、及び熔解用石灰を産すること等立地的諸條件を備ふるを以って佛印政府は此の

鉱区を保留鉱区として将来此の地を製鉄工業地とすることに着眼しつゝある。

本鉱区内のクバン及びリナムの二鉱区は昭和十二年十一月より我國の手によつて開発することゝなつてゐる。

(2)　安南鉱床

タンノア州を貫流するリンマ河分流により形成せられた三角洲地方に褐鉄鉱があり、其の内又イバン鉱區の鉱石は品位五三%にして台湾拓殖會社が買鉱しつゝある。

ヴイン州の西南部には十数鉱区あり、又ハチン州内にも注目を要する赤・磁鉄鉱の大鉱床がある。通稱タンキー鉱山と稱せられ、品位六五%以上の良質鉱である。

尚ほツーラン地方にも小鉱山が多数存在してゐる。

(3)　東埔寨丘陵地帯鉱床

コンポントムの北方プノムデツク鉱区が最も著名にして一九二八年東埔寨鉄鉱會社が日本向輸出を目的として試掘を開始したが交通の関係にて未だ充分なる発展を見てゐない。本鉱区の採掘權は現在台湾拓殖會社が所有してゐる。

當須の鉄鉱生産は一九三四年までは主として土人の手で行はれ、年産四〇〇瓲程度であつたが、三四年以降は次の如く増加してゐる。

種別＼年度	一九三四	一九三五	一九三六	一九三七
原・鉱	一、五七〇噸	二、二〇〇噸	一三、四五〇噸	三八、五七〇噸
含有金属量	—	三一〇	四、八七〇	一六、三七〇

（註）　本表は南洋協會編「南洋鉱産資源」に據る。

マンガン鉱は主として前記安南のヴイン地方のマンガン含有鉄鉱床から産出され一九三五年九月より経営されたエンクー鉱山は含有量四三・七%の原鉱一、四二二瓲を日本に輸出しその輸出取扱ひは岸本商事會社であつた。一九三四年より三七年に至る産出量は次表の如くである。

種別＼年次	一九三四	一九三五	一九三六	一九三七
マンガン含有鉄原鉱	一、五四〇瓲	二、二〇〇瓲	一三、四五〇瓲	三八、五七〇瓲
マンガン含有量	六〇〇	六二〇	一、六一三	二、五三六

（註）　本表は南洋協會編「南洋鉱産資源」に據る。

(九)　燐　鉱

主要産地は東京地方では老開地方、タンモア・ショフオン・エンバイ・チエエンカン・リエカンセウの地方で、安南では北部のタンホア及びヴイン地方で前記老開を除く鉱床は何れも一九二四年に資本金一千百万法で設立せられた東京新設燐酸塩會社の経営にかゝるものである。

東埔寨ではバツタンバン近郊のフーンサンブー及びカムポト州内で燐灰土鉱脈が発見されて東埔寨鉱業會社によつて所有せられてゐる。

産出高は次表の如くである。

種別＼年次	一九三五	一九三六	一九三七
燐鉱	—千瓲	九・三千瓲	二二・二千瓲
粉末燐酸塩	五・九	一〇・〇	二〇・三

（註）　本表は南洋協會編「南洋鉱産資源」に據る。

之等は殆んど前記の東京新設燐酸塩會社によつて採掘されて居り、同社は一九三七年には一万八千九百瓲を産出してゐる。而して以上の産出は肥料として殆んど佛印に於ける需要にあてられてゐる。

尚ほ前述の東京の老開鉱床は佛印最大のもので、現在その埋藏量は六千万瓲であると云はれてゐる。最近我國の燐鉱石不足のため老開鉱床開発が計画せられ目下台湾拓殖會社、南洋拓殖會社、大日本燐鉱會社等進出して佛印側鉱業権者と提携して着手しつゝある。

(ロ)　硅　砂

硅砂の産地は東京アロン湾南方数粁の地点にあるテーブル島及びコアンラン島並に安南カムラン湾附近の沿岸のカンホア及びカンナムである。

コアンラン島では三井物産が一九一五年以来採掘に従事して居り、埋藏量は三百万瓲と云はれてゐる。三菱商事はテーブル島で採掘して居り、之等東京産硅砂は品質優良で硅酸九十九%に達するものと云はれてゐる。

カンホア及びカンナムの鉱區の採掘も邦人の手に帰して居り、佛印の硅砂事業は我國硝子工業の原料供給地として又佛印鉱業に於ける邦人の参加企業として最も嘱目せられつゝある。

以上の如く硅砂事業には邦人の参加があるので佛印硅砂の對日輸出は石炭に次いで佛印對日鉱産輸出物中第二位を占め、一九三六年度の如きは硅砂総輸出数量の七八・四%が日本に向けられてゐる。

産出数量は明らかでないが輸出高及び價格表は次の如くである。

仕向地輸出高及價格表　(一九三二―三五年)

	一九三二		一九三三		一九三四		一九三五	
	数量	金額	数量	金額	数量	金額	数量	金額
支那	一三、六〇四	一五四	一一、七八二	一一八	八、六一〇	八六	二、五二〇	二四二
香港	三九一	六	一〇	〇	五四	二	二八	一
日本	五一、〇〇〇	五一〇	五四、〇二五	五四〇	七一、六〇〇	七一六	九一、二二六	九一七
計	六四、九九五	六七一	六五、八一七	六五八	八〇、二六四	八〇四	一一六、一六三	一、一六一

(註)　本表は南洋協會編「南洋鉱産資源」に據る。

(二)　其他の鉱産物

鉱　油――一般に鉱油資源ありと見られてゐるだけで現在尚ほ開発の域に到つてゐない。南部安南地方ヴィンホアに鉱油開発會社がボーリングを行つてゐる。

岩　塩――ラオスのヴィエンチアン・サバアナケット地方で僅かに産出されるのみで年産額二〇〇瓲前後である。

石　墨――鉱脈は東京地方紅河及び Chaire 河流域にあり石綿の露出鉱脈は特にカオバン及びラオカイロ、又澁性剝片岩並に同石灰岩鉱脈はエンバイ及び Courbet 港底に存在する。一九三六年の石綿生産高は僅かに五噸に過ぎない。

第十八表　佛領印度支那鑛業會社一覧表

品名	會社名	創立年月日	資本金	採掘鉱区数
無煙炭	Société Française des Charbonnages du Tonkin (Hongay)	一八八八年・四月	三八,四〇〇千法	七
〃	Société des Anthracites du Tonkin (Mao-Khé)	一九二〇・一〇	一五,〇〇〇〃	四
〃	Société des Charbonnages du Dong-trieu (Dong-trieu)	一九一九・二	二八,〇〇〇〃	二
〃	Société du Domaine de Kébao (Kébao)	一九一二・二	二〇,〇〇〇〃	一
〃	Société des Charbonnages d'Along et Dong-dang (Dong-dang)	一九二四・九	一一,〇〇〇〃	二
〃	Société Annoyme Rainier (Trang-bach)	一九一七・六	七五ピアストル	三
〃	Société Beaugerand et Cie (Co-Kenh)	一九二八・六	九〇〃	一
〃	Charbonnages de Bicho	ー	ー	三
〃	Mine Printemps	ー	ー	一
有煙炭及半有煙炭	Société Indochinoise de Charbonnages et de mines métalliques (Pham-mé)	一九二四・一二	二〇,〇〇〇千法	二
〃	Société des Charbonnages de Ninh (Ninh-Binh)	一九二六・七	三五,〇〇〇〃	ー
褐炭	Société annoyme des Charbonnages de Tuyen-quang (Tuyen-quang)	一九二四・一二	八,〇〇〇〃	一
〃	Périmètre "Henri"	ー	ー	一
錫及ウオルフラム	高部東京錫山會社	一九〇六・ー	五三〇〃	ー
〃	東京錫ウオルフラム會社	一九一一・ー	一五,〇〇〇〃	ー
〃	印度支那鉱物調査開発會社	一九二〇・ー	一五,〇〇〇〃	ー
〃	印度支那錫會社	一九二六・ー	四二,〇〇〇〃	ー
〃	カンモン錫會社	一九二七・ー	三六,〇〇〇〃	ー
〃	ピアウアク錫會社	ー	ー	ー
亜鉛	印度支那鉱業冶金會社	ー	一六,〇〇〇〃	ー
金及銀	東京錫ウオルフラム會社（前出）	ー	ー	ー
〃	印度支那鉱山農業開発會社	ー	ー	ー
鉄及満俺	印度支那鉱業冶金會社（前出）	ー	ー	ー
燐酸塩	東京新設燐酸塩會社	一九二四・七	一一,〇〇〇〃	ー
鉱油	鉱油開発會社	ー	ー	ー
製塩	印度支那鉱業會社	ー	ー	ー

（佛）

（註）　本表は「南洋鉱産資源」（南洋協會発行）による。

第十九表　主要鑛産物生産高表

	数量 一九三四	数量 一九三五	数量 一九三六	金額（千ピアストル） 一九三四	金額（千ピアストル） 一九三五	金額（千ピアストル） 一九三六
石炭（千瓲）	一、五九二	一、七七五	二、二八六	七、〇〇〇	八、二四〇	九、三六七
煉炭 〃	六二・二	七一・一	一〇五	五一〇	五八〇	八五七
コークス 〃	〇・三	〇・三	〇・一	八	一〇	二
亜鉛（瓲）	一、九六〇（四、九六〇）	一、六〇二（五、〇四六）	一、三三六（五、三二一）	一一六	一三二	二三一
鉛 〃	一〇（七）	—	四六（三二）	一	—	六
錫 〃	二、〇八八（一、一五二）	二、三五九（一、三三〇）	二、四一六（一、四〇三）	一、八三三	一、九九二	二、四一二
タングステン 〃	二七六（二八六）	三八三（二六五）	三八三（二五〇）	二四八	三一七	三九九
鉄鉱 〃	一、五四〇（六〇〇）	六三五（二七五）	一〇、〇一七（四、八七〇）	四	一	二一
マンガン鉱 〃	—	一、五六八（六五三）	三、四二九（一、六一三）	—	八	二七
アンチモニー 〃	—	三三（二〇）	一、〇八〇（五二七）	—	二	九一
金（瓩）	二二一	二六六	二〇四	三二九	四〇〇	三四七
銀 〃	一二二	一一三	一七四	—	二	四
燐鉱石（P_2O_5 16～20%）（瓲）	四、〇六〇	五、八八八	一〇、三三六	六〇	八八	一五三
黒石 〃	一二・六	四四・三	四四・三	九	一七	一七
青サファイア 〃	一四四	三一二	一〇四	四五	三・二	一・四
白サファイア 〃	—	—	—	一・五	〇・五	〇・五

（佛）

（註）　括弧内は金属含有分。
本表は三菱経済研究所「太平洋に於ける国際経済関係」四一三頁による。

第二十表　地域別鑛産物生産高表（単位千ピアストル）

年次	トンキン	ラズオ	安南	カンボヂヤ	計
一九二三年	一五、六八四	七八八	七	三四	一六、五一三
一九二七年	一七、二六二	一、〇七七	八一	四〇	一八、四六〇
一九二八年	一七、三七八	九五六	二四二	三四	一八、六一〇
一九二九年	一五、五七〇	八六〇	三四五	二五	一六、八〇〇
一九三〇年	一二、五〇〇	五〇〇	一三〇	二〇	一三、一五〇
一九三一年	一二、五〇〇	五〇〇	一三〇	二〇	一三、一五〇
一九三二年	一一、一一九	六五一	一二	一八	一一、八〇〇
一九三三年	九、〇五四	九六三	—	五	一〇、〇二二
一九三四年	八、一五〇	六、一二七	三二二	一五	九、六一四

（佛）

（註）　本表は東亜経済調査局発行「佛領印度支那」一二〇頁による。

鑛山會社資本金額表

	公募額面高	実際の拂込高
一九二四年	一五・四（百万法）	一五・四（百万法）
一九二五年	二二・六	二三・六
一九二六年	六二・六	八四・一
一九二七年	五六・五	六三・五
一九二八年	二一〇・五	一二二・〇
一九二九年	九四・三	一一八・八
一九三〇年	六一・八	七八・〇
一九三一年	三六・九	三六・五
一九三二年	一・〇	一・〇

（註）　本表は東亜経済調査局発行「佛領印度支那」一一八頁による。

第二十一表　鑛區数及鑛區面積表（一九三六年一月一日現在）

主要鉱物	鉱区数	鉱区面積（ヘクタール）
燃料用鉱物	一五三	一六二・五
亜鉛又は鉛と銀の合金	一〇八	七四・〇
錫及タングステン	一二一	五七・二
金	三九	二四・八
銅	一八	一五・九
鉄及チタン鉄	一二	六・七
クローム	一四	七・二
アンチモニー	二	一・三
燐鉱石	二八	一二・一
黒鉛	五	三・五
計	五〇〇	三六五・二

（註）本表は東亜経済調査局発行「佛領印度支那」一一八頁による。

（佛）

第二十二表　鑛區試掘許可現在数（各年とも一月一日現在）

	トンキン	ラオス	安南	カムボヂヤ	交趾支那	計
一九二七年	一、八九〇	八九五	五五六	一〇三	一〇	三、四五四
一九二八年	二、二四五	一、五一五	七五九	二二九	三〇	四、七七六
一九二九年	二、三三七	三、八九〇	一、六三八	二六六	五四	八、一八五
一九三〇年	三、八四七	七、四三六	三、三一九	二、七九二	二九一	一七、六八五
一九三一年	三、四八九	七、〇一三	三、三一六	二、七二六	二七四	一六、八一六
一九三二年	二、八八一	四、九三七	二、三六八	二、六六九	二四六	一三、〇九九
一九三三年	七三三	七〇九	三六一	一六七	三	一、九七三
一九三四年	四六四	六一二	一二九	一一二	一	一、三一七
一九三五年	四三九	二八〇	一三四	一〇四	一	九五七
一九三六年	五一八	二一九	一五七	一二	一	九〇六

（註）本表は東亜経済調査局発行「佛領印度支那」一一六頁による。

（佛）

第二十三表　石炭産出状況表（単位千瓲）

	一九三一	一九三二	一九三三	一九三四	一九三五	一九三六
無煙炭	一、六七三	一、六六八	一、五四二	一、五五五	一、七四一	―
其の他の石炭	五三	四六	四九	三七	三四	―
計	一、七二六	一、七一四	一、五九一	一、五九二	一、七七五	二、一八六

（註）本表は東亜経済調査局発行「佛領印度支那」一二頁による。

（佛）

第二十四表　會社別石炭生産高表　（單位千トン）

會社名	一九三三	一九三四	一九三五
1. 無煙炭			
Société française des charbonnages du Tonkin	一、〇七二・九	一、〇一五・四	一、〇五九
Dông-Trieu	三二〇・三	三六三・二	五〇三
計	一、三九三・二	一、三七八・六	一、五六二
Société Pannier	四六・八	三一・〇	二一
Along et Dong-Dang	五〇・三	三二・三	四〇
其他五社	五一・九	一〇五・二	一一八
無煙炭合計	一、五四二	一、五五四・一	一、七四一
2. 其他石炭			
Tuyen-Quang et Phan-me	四八・九	三七・二	三四
石炭合計	一、五九一・三	一、五九一・三	一、七七五
3. 煉炭			
Charbonnages du Tonkin	七三	六二	
Charbonnages d'Along et dong-dang	—	—	—
4. コークス			
Phan-me	〇・四	〇・三	〇・三

（註）　本表は東亜経済調査局発行「佛領印度支那」一二一頁による。

凍　石——東京の木アビン及び紅河流域のフトウ附近から産出するが、一九三六年は六三〇瓩、一九三七年は四二八瓩である。一九三七年度生産量のうち一七八瓩はフトウ、二五〇瓩は木アビンで産出した。

黒　玉——カンボヂヤのコンポントン地方から専ら産出する。一九三五年及び三六年は各二四・三噸を産出、價格一万七千ピアストルをあげた。一九三七年度の産出量は九二七四瓩である。

天然硫酸バリウム——東京のカンエン州から産出するが一九三六年の産出量は僅かに四〇瓩のみである。

塩——生産は関税、税務局がこれを監督してゐるが、印度支那鉱業會社の外は殆んど全部が土民の手で生産せられてゐる。最近の生産高は次表の如くである。

六三

六四

自一九三〇年至一九三七年　佛印製塩生産高表　（單位千噸）

一九三〇	一九三一	一九三二	一九三三	一九三四	一九三五	一九三六	一九三七
二三七・三	二四九・七	二五一・二	一四五・五	一六〇・五	二〇六・八	一九二・二	一四二・二

（註）　本表は南洋協會編「南洋鉱産資源」に據る。

尚ほ各地方別生産高は次の如くである（單位千瓩）。

年次	一九三四	一九三五	一九三六
安南	九四・八	一一[illegible]・五	一一〇八・五
カンボヂヤ	—	—	—
交趾支那	四一・八	六五・九	五[illegible]・二

東京	二三・八	三一・四	三二・五
合計	一六〇・四	二〇六・八	一九二・二

（註）本表は南洋協會編「南洋鉱産資源」に據る。

寶石類――宝石類のうち青玉（Saphir）及び紅玉（Rubis）は主としてカンボヂヤのパアイリン及びボケオの沖積土に包藏されてゐる。黒玉はコンポントン地方から産出する。又ラオスのキエンコンには青玉の鉱脈あり、一九三五、六年度の生産量及び價格は次表の如くである。

種類＼年次＼内譯	数量 一九三五	数量 一九三六	金額 一九三五	金額 一九三六
黒玉	二四・三 瓩	二四・三 瓩	一七・〇 千比弗	一七・〇 千比弗
青玉（パイリン）	三一二 カラット	一〇四 カラット	三・一	一・四
青玉（ボケオ）	一	一	〇・五	〇・五

六五

（註）本表は南洋協會編「南洋鉱産資源」に據る。

四、工業

(一) 概説

當領の工業は未だ発達の域に達してゐない。大部分手工業的規模に於て営まれ土民需要の一部を充す程度である。第一次欧洲大戰中ヨーロッパ諸國よりの輸入困難の事情に促がされて近代的工場建設が着目せられるに至った。現在の印度支那工業は遙るかに後れた狀態にあるが、フランス本國の育成と土着資本

六六

第二十五表　据付電力並に發電量（自一九二九至一九三五年）

	据付電力（一九三五年）（キロワット）	発電量（千キロワット時） 一九二九	一九三〇	一九三一	一九三二	一九三三	一九三四	一九三五
安南	五、〇七九	四、二九三	四、九七二	五、三八九	五、〇二四	四、九一二	五、一一三	五、四二七
カムボヂヤ	三、三二〇	六、四四〇	六、八七一	七、〇九五	六、七九三	六、〇三四	五、八八八	五、七七二
交趾支那	二九、九二六	三四、二九二	四一、四〇九	三六、五八三	三四、四八七	三三、二七六	三一、九五三	三四、二八五
ラオス	四五三	三五〇	三六一	三九一	四一八	四五七	四三七	五二三
トンキン	二一、〇三三	一七、四五〇	一九、一八四	一九、五九三	一七、六三〇	一七、〇一四	一六、四四八	一八、一三五
全印度支那	五九、八一一	六二、八二五	七二、七九七	六九、〇四八	六四、三五二	六一、六九三	五九、八三九	六四、一四二

（註）本表は東亜経済調査局発行「佛領印度支那」一四二頁による。

（佛）

自一九二九年至一九三五年　電力消費量表（千キロワット時）

	一九二九	一九三〇	一九三一	一九三二	一九三三	一九三四	一九三五
安南	三、一四五	三、六二三	三、九三二	三、七二三	三、五九〇	三、七六〇	四、〇五二
カムボヂヤ	四、四六九	四、六九五	四、八四四	四、七一二	三、九二三	四、〇二三	四、四一四
交趾支那	二四、八三一	二八、八七一	二七、〇七〇	二六、二九三	二四、二〇九	二三、二六一	二五、〇二〇
ラオス	二六〇	二六一	二八八	三一四	三四一	三七〇	四一三
トンキン	一一、七〇四	一二、八五九	一二、六九一	一一、七〇二	一二、一五四	一二、二五九	一三、二二一
全印度支那	四四、四〇九	五〇、三〇九	四八、八二五	四六、七四四	四四、二一七	四三、六七三	四七、一二〇
サイゴン－ショロン	二一、一七二	二五、一五五	二三、五六四	二二、九二五	二〇、九六七	二〇、三〇五	二一、八九五
ハノイ	五、五二四	六、二三一	六、五一六	六、四二一	六、五四二	六、二二一	六、五三七
ハイフォン	三、九四四	四、〇九一	三、六五八	三、三五四	三、四三三	三、七〇二	三、五一九

（註）本表は東亜経済調査局発行「佛領印度支那」一四三頁による。

三五－六（佛）

第二十六表　電力配分状況（佛）

		安南	カムボヂヤ	交趾支那	トンキン	全印度支那
一九三四年	途用 官廳用	三一・八％	二三・三％	一四・三％	二三・一％	一九・三％
	家庭用	二二・六	三〇・二	二九・五	四一・六	三二・五
	工業用	四五・六	四六・五	五六・二	三五・三	四八・二
	計	一〇〇・〇	一〇〇・〇	一〇〇・〇	一〇〇・〇	一〇〇・〇
一九三五年	途用 官廳用	三二・〇％	二一・九％	一三・六％	二三・〇％	一八・九％
	家庭用	二三・六	二九・七	二九・〇	三九・五	三一・六
	工業用	四四・四	四八・四	五七・四	三七・五	四九・五
	計	一〇〇・〇	一〇〇・〇	一〇〇・〇	一〇〇・〇	一〇〇・〇

（註）　本表は東亜経済調査局発行「佛領印度支那」二四三頁による。

の近代的産業資本への轉化とによる今後の発展には相當の期待がかけられる。

（二）　電力事業

領内各地に水量豊富なる河川があつて水力の利用に恵まれ又石炭の埋藏量も大きいから将来に於ては充分に発達の可能性ありと考へられる。

次表（第二十五表）に示す如く発電量は一九三〇年に於ては七千二百余万キロワツトに達し、最高を示してゐる。其後累年減少し一九三四年には五千九百万余キロワツトに低下し、三五年より再び増加の方向にある。電力消費量も発電量と同様に一九三〇年に五千万キロワツトで最高を示し、其後一時減少したが、最近再び増加に向ひつゝある。更に電力の生産並に消費の地域的分布を見れば交趾支那がその過半を占めて居り、トンキン之に次ぎ、残りをカンボヂヤ・安南・ラオスで分つてゐる。

前表（電力配分状況表）の示す如く電力使用の目的用途別に於て一九三五年度には工業用が四九・五％を占めてゐる。全体的傾向としては工業用の割合が次

第に大きくなりつゝある、これは當領の工業発展を示すものと云ふことが出来る。

（三）　セメント工業

セメント工業はトンキン地方に優良なる原料石灰石が出るため比較的に発達を示してゐる。好況時代の一九二九年には十八万四千噸生産してゐるがその後累年減少し一九三三年には十一万五千噸となり一九三五年は十万七千噸と云ふ最低額に落ち、約八万噸の減産である。生産減退の原因として考へられるのは世界不況にもよるが、一方には日本のセメント工業の発展が海外進出となりそれが大きな打撃となつてゐる。

セメントの輸出は一九三二年の九万一千噸を最高としその後漸減少少してゐる。生産の縮少と軌を一にし、一九三五年には製造高の約三〇％を海外の市場に供給してゐる。

セメント製造會社としては印度支那・ポートランド人造セメント會社が独占して居つてその製品を以て領内消費を充し、残余は支那・香港・シンガポール等に輸出してゐる。

自一九二九年至一九三五年　セメント製造高表

年次	製造高（單位千噸）
一九二九	一八四・〇
一九三〇	一六八・〇
一九三一	一五一・〇
一九三二	一七〇・五
一九三三	一一五・〇
一九三四	一一五・〇
一九三五	一〇七・〇

（註）本表は東亜経済調査局発行「佛領印度支那」一三九頁に據る。

自一九三一年至一九三六年　セメント輸出高表

年次	輸出高（單位千噸）
一九三一	五二
一九三二	九一
一九三三	三八
一九三四	三八
一九三五	三二
一九三六	五九

（註）本表は東亜経済調査局発行「佛領印度支那」一三九頁に據る。

（四）製糖業

製糖原料たる當領の甘蔗栽培は未だ幼稚の域にあり、製糖も僅かに土民が自家消費用として行って來たに過ぎないが、最近安南及び交趾支那の甘蔗栽培業者間に近代的栽培法を採用するようになって來たので將來の發展が注目される。一九三〇年に於ける精製糖の生産高は三千百五噸であったが、その後逐年増加して一九三三年には六千四百五十五噸となり、更に一九三五年には九千三百四十四噸に達した。近年フランス政府は當領の製糖業の改善に力を注ぎつゝある。

砂糖生産の地域的分布は殆んど交趾支那と安南に限られ其他はさして見るべきものはない。甘蔗の栽培は安南が第一位であるが砂糖精製は交趾支那に最も旺んで一九三五年の製糖高九三四四噸のうち八一二一噸即ち約九〇％近くを製

造し、殘りを安南に於て製造してゐる（第二十七表）。

製糖工場の多數は至って小規模なもので、地方的消費を滿す程度で、原始的方法によって行はれてゐるに止る。近代的製糖工場としては僅かに印度支那製糖會社及び其他にラム酒製造を兼ねた會社があるに過ぎない。最近またカム・チャンに一社創立されてゐる。

（五）製油及石鹸製造業

西貢及ショロン地方に製油及石鹸製造業が行はれてゐるが、未だ幼稚である。經營は土民及び支那人の手にある。製品の主なるものは塗料油・燃料油、石鹸・食料油等である。輸出品としては石鹸が第一位である。

自一九三一年至一九三六年　石鹸輸出高表

年次	輸出高（單位噸）
一九三一	一一五
一九三二	九〇
一九三三	五四
一九三四	三九
一九三五	九七
一九三六	二三三

（註）本表は東亜経済調査局発行「佛領印度支那」一三五頁に據る。

（六）纖維工業

綿糸布紡織業――綿糸紡績及綿布紡織は未だ家内工業の域を脱せず、僅かに

二、三の工場が機械設備を以て作業してゐるに過ぎぬ。多量の綿糸・綿布は輸入に仰いでゐる。

綿糸紡織の原料である棉花の收穫には印度支那の氣候・温度等の自然的條件は有利でその栽培は將來有望である。

現存する比較的大規模の紡績會社としてはショロンにある Societe Khien-hung 及びトンキン紡績會社の二社がある。殊に後者はその經營規模大きくナム・ダン及びハイフオンに近代的工場を持つて操業してゐる。その他小規模の工場としてはハノイに二十六台の織機を有する蚊帳専門の土民經營工場があり、ハイフオンには安南人の經營する布巾製造の小工場がある。

絹糸布紡織業——製糸業は發達して居らず、到るところ家内勞働による製糸が原始的方法によつて行はれ自家消費に當てられてゐるが、稍工場らしい機械設備を有するものとしては佛安製糸工業會社があつて、ナム・ダン・ヴイーン・ラ・カンその他に五工場を有し、Societe des Etablissements Delignion は安南中部に三工場を經營し、ほかに佛印絹糸會社等がある。

第二十七表　砂糖製造高表（一九三〇－三五年）

（噸）

	安南	交趾支那	計
一九三〇年		三、一〇五	三、一〇五
一九三一年	一五〇	三、三四八	三、四九八
一九三二年	四〇九	三、七二一	四、一三〇
一九三三年	一、〇五〇	五、四〇五	六、四五五
一九三四年	九一四	七、六九〇	八、六〇四
一九三五年	一、二二三	八、一二一	九、三四四

（註）　單位精製糖トン。
本表は東亞經濟調査局發行「佛領印度支那」一一三頁による。

自一九三一年
自一九三六年　砂糖輸出高表（單位トン）

	粗糖	精製糖
一九三一年	一九	三
一九三二年	一	五
一九三三年	五	一三
一九三四年	三	二〇三
一九三五年	七九五	七
一九三六年	一、六八二	三二

（註）　本表は東亞經濟調査局發行「佛領印度支那」一三四頁による。

第二十八表　棉花生産状況表

	栽培面積（ヘクタール）					実棉收獲高（キンタール）				
	一九二六－一九二七／一九三〇－一九三一	一九三一－一九三二	一九三二－一九三三	一九三三－一九三四	一九三四－一九三五	一九二六－一九二七／一九三〇－一九三一	一九三一－一九三二	一九三二－一九三三	一九三三－一九三四	一九三四－一九三五
安南	六,四九二	八,〇〇〇	八,〇〇〇	七,六〇〇	七,六〇〇	一四,一〇〇	一一,八〇〇	一六,五〇〇	一五,〇〇〇	一四,〇〇〇
カンボヂヤ	六,四六二	五,九三二	五,〇五七	五,〇〇〇	五,〇〇〇	一二,八五〇	一三,七〇〇	一二,九〇〇	一二,九〇〇	一三,〇〇〇
交趾支那	四六八	－	一〇〇	一〇〇	八〇	一,〇五〇	－	一八〇	一八〇	一五〇
ラオス	一,四四八	一,〇〇〇	三,二〇〇	一,四〇〇	一,〇五〇	二,七〇〇	一,五〇〇	四,九〇〇	二,二五〇	二,一〇〇
トンキン	一,六二一	九九七	一,三一〇	一,三三五	六七三	四,八〇〇	四,〇〇〇	五,三〇〇	五,〇〇〇	二,〇〇〇

（註）本表は東亜経済調査局発行「佛領印度支那」一三六頁による。

棉花生産状況（第二十八表）及び絹製品輸出高を示せば次表の如くである。

自一九三一年至一九三六年　絹製品輸出高表（單位噸）

年次	絹布	安南絹糸
一九三一	二・七	二一・〇
一九三二	〇・三	八・〇
一九三三	四・七	一三・〇
一九三四	三・五	九・五
一九三五	一・一	五・八
一九三六	〇・三	九・〇

（註）本表は東亜経済調査局発行「佛領印度支那」一三八頁に據る。

七五

七六

(七) 煙草製造業

煙草は殆んど総ての地方に栽培せられてゐるが、これ等の煙草は二種に大別される。一は強い煙草であり、その二は弱い煙草である。

強煙草――須内の煙草採取の約九十％は土民が好んで用ひるこの刺戟の強い煙草である。その栽培は全く舊式の幼稚な方法で行はれてゐる。

弱煙草――これは植民地にゐる欧羅巴人及び亜細亜人の一部の需要に應じるためのもので現在のところ未だ不充分で外國からの輸入をも仰いでゐる。

現在煙草製造會社としては次の二社が支配的である。

印度支那煙草製造會社

佛安煙草會社

前者の資本金は一千八百万法で、英米タバコ（British American Tabaco）の金融的支援を得て充実した経営を行ってゐる。後者は資本金六百万フランで前者に比してその規模は遥かに小さい。煙草製造は最近非常な勢ひで増加しつゝあるが、次表によりその状况を示す。

自一九三一年至一九三五年 煙草製造高及原料使用高表

（單位噸）

年次	製造高		原料使用高		
	製造煙草及巻煙草	支那煙草	輸入葉煙草	國産煙草	計
一九三一	一四六		三〇三	七七	三八〇
一九三二	一九三		一二二	二七二	三九四
一九三三	一、一二七	一五	六一	一、一五六	一、二一七
一九三四	二、一六七	二	五六	二、三〇八	二、三六四
一九三五	一、九四七	六	一一八	二、〇三五	二、一五三

（註）本表は東亜経済調査局発行「佛領印度支那」一四一頁に據る。

七七

七八

(八) 精米業

工業一般の発達が未だ低位なるため又米穀生産が生産額・貿易額に於ても最も重要なる産業であるため精米業の地位が支配的である。

最大の精米業都市は交趾支那のショロンであつて、その工場は何れも百馬力又はそれ以上の規模の比較的大工場であつて、工場数に就て見れば

一九三二年	二一
一九三三年	二三
一九三四年	二五
一九三五年	二六

となつて漸次増加しつゝある。その他交趾支那・柬埔寨・東京等に大小規模を合して二十以上の精米工場がある。尚ほ一日當り精米能力一噸乃至二十五噸程度の小工場は農村の各地方に多数散在する。ショロン市には一日五百噸から千三百噸の米穀精白能力を有する大工場十ヶ所以上あり、一日百噸の精米能力を有する工場が六十以上ある。但し完全なる近代的機械設備を有するものは交趾支那に十二、柬埔寨に四、東京に二、サヴアナケ（老撾）に一工場あるに過ぎぬ。

而して一日當り五百噸乃至千三百噸の能力を有する大工場の中二工場は佛人の會社又は個人の所有に屬し、爾余の八工場は支那人の所有するところである。小精米所もその大多数を支那人が所有し、その他は佛人が若干と極めて少数の安南人が有するに過ぎぬ。印度支那精米業に於ける支那人の經済的地位は牢固として抜くべからざるものがあることは他の南洋一般の華僑と共に注目を要する点である。

自一九三二年至一九三五年 ショロン市精米業状況

月平均	工場数（百馬力以上）	作業日数
一九三二年	二一	四一一
一九三三年	二三	四三四
一九三四年	二五	五四八
一九三五年	二六	五一七

七九

八〇

（註）本表は東亜経済調査局発行「佛領印度支那一一八頁」に據る。

(九) 醸造業

醸造業は最近頗る発達しつゝある。その原因はアルコール原料たる米穀及び砂糖が豊富に生産されることが大いなる原因を為してゐる。醸造業は老撾を除いては全部許可制をとり、新設・拡張は全部監督官廳の許可を必要とするに至り、此の許可制の施行によつて當局は多くの收入を挙げ、重要な財政收入源となつてゐるが、一九三四年総督府は醸造業に對する極端なる干渉を緩和するに至つた。

醸造會社中特に有名なのは印度支那醸造會社であつて、同社の醸造工場の設

備は最新式の優秀なものである。工場はハノイ・ハイドン・ナムダン（トンキン）・ショロン・プノンペンの五ケ所である。年製造能力は概算一〇〇％のアルコール十六万ヘクトリットルと評價されてゐる。同社はアルコールの外葡萄糖、澱粉等をも製造し、又ハノイに年産能力二千五百ヘクトリットルを有するラム酒醸造工場をも兼営してゐる。

其他の醸造工場としては安南中部及び南部にフランス系資本の工場が八工場ある。又以上の如き大工場ではないが、交趾支那には支那人経営と安南人経営のものと合せて七工場あり、更にショロンには欧洲人経営のものがある。最後にカンボヂヤにも支那人経営のもの十一工場とバッタンバンに欧洲人経営のものが一工場ある。

醸造高は一九三五年度に約二十九万ヘクトリットルで、地方別に就いて見れば

交趾支那　一四万ヘクトリットル　五〇％
東　京　一一万ヘクトリットル　四〇％

を生産し残り一〇％を柬埔寨及安南で製造してゐる。

これ等のアルコール製造原料の使用高は次表の如くであるが

一九三四年　米穀　四一・六
　　　　　　糖蜜　七・一
一九三五年　米穀　六九・八
　　　　　　糖蜜　七・八

尚ほ主要なる酒類の輸出高も次表の示す如くである。

一九三五年度アルコール類醸造高表

（單位一、〇〇〇ヘクトリットル）

	安南	カンボジヤ	交趾支那	トンキン	全印度支那
飲料用アルコール	一一・〇	一七・〇	一〇〇・〇	一〇二・〇	二三〇・〇
工業用アルコール			一・二	一・〇	二・二
発動機用燃料アルコール	—	—	二六・〇	一三・〇	三九・〇
ラム酒及焼酎	—	—	五・三	—	五・三
砂糖製アルコール	—	六・五	八・九	—	一五・四

（註）本表は東亜経済調査局発行「佛領印度支那」一三一頁に據る。

一九三四
一九三五 年度公認醸造所原料使用量表（單位噸）

		安南	カムボヂヤ	交趾支那	トンキン	全印度支那
一九三五年	米	三、七五一	六、三二二	三一、七一七	二八、〇八六	六九、八七六
	砂糖糖蜜	二〇三	一、七六〇	五、九三四		七、八九七
一九三四年	米	二、八二〇	四、三二六	一七、二四〇	一七、三六四	四一、六六〇
	砂糖糖蜜	一八七	一、七一四	五、二一九		七、一二〇

（註）本表は東亜経済調査局発行「佛領印度支那」一三一頁に據る。

自一九三一年
至一九三六年 酒類輸出高表（單位噸）

年次	ラム酒	ビール
一九三一	九八三	三一
一九三二	九六一	六二
一九三三	九四三	八〇
一九三四	一、〇五四	一一六
一九三五	九九二	一四三
一九三六(1)	一、〇〇三	一四九

（註）(1) 暫定数。
本表は東亜経済調査局発行「佛領印度支那」一三

二頁に據る。

(ロ)　其他の工業

以上の外將來の發展を期待せられつゝある工業は製陶業・煉瓦工業を営む工場が安南に三、交趾支那に二工場ある。

又マッチ・火薬の工場も多くその製造高は最近次表の如き数量に達してゐる。マッチ及火薬の製造は主として安南・ハノイ地方に於て行はれてゐる。

其の外パルプ製造工場がビエリトリにあるが未だ大規模ではない。土民の家内工業としては北部東京地方に籐細工・籠細工・唐木細工・漆器・花筵・織物等があり、安南地方に於ては絹織物がある。柬埔寨地方にも絹織物・花筵等を産し、交趾支那では各種の地方酒・花筵及び織物を生産してゐる。

八五

自一九三一年
至一九三五年　マッチ・火薬製造高表

年次	マッチ	火薬
一九三一	二〇、五三五 十箱入千梱	四二 噸
一九三二	一七、二四九	七五
一九三三	一四、七七〇	二六九
一九三四	一三、二四九	二一五
一九三五	一三、一四〇	二八六

(註)　本表は東亜経済調査局発行「佛領印度支那」一四四頁　に據る。

八六

五、商　業

概　要

佛國の政策が、独占的・排他的経済政策を実施したるためその発達は著しく遅々たるものあり、加ふるに交通の不便と土民の生活水準低きこと、商取引に対する能力及企業的精神に欠除してゐることのため商取引は極めて不活発である。

一般的に見て蕃族間では未だ単純なる物々交換を行ってゐるに過ぎない。たゞ海岸地方、殊に東京及交趾支那の三角洲地方に於ては主として米の取引を中心として海路外國との取引も比較的早くから行はれた。殊に後者の國際的取引には支那人の勢力が早くから喰ひ込み、支那商人は當領内の主要取引中心地方に「定期的出張取引」を開始し、その結果生産者との間に恒常的連絡を成立し、商取引に於て行商及商品仲立の二分野を開拓し、やがて「支那人仲介業者」の成立を見、全領域に亘って殊に遠隔地の取引に必要不可欠の機関となった。殊

八七

に従来の現金取引に代へるに信用取引を以てし、當領に於ける経済生活に隠然たる勢力を形成してゐる。

即ち當領に於ける支那商人は他の南方諸地域に於ける華僑と同様に、佛人商社と土人との中間に在って強大にして實質的な勢力を占めてゐることが當領商業の特質である。

次に貿易及國内商業の中心地たる西貢及ショロン市に於ける國籍別営業者数を示す。

八八

西貢・ショロン市國籍別営業者数表

國籍別	一九三〇年	一九三一年	一九三二年	一九三三年
歐洲人	七二三	七〇八	七四一	八〇九
土人	五、八〇二	五、六三四	五、七三八	六、〇三九
亜細亜外國人	七、四二三	七、一二九	六、五〇三	五、七四三

計	一三九四八	一三四七一	一三四七一	一二五九一

（註）　本表は「南洋年鑑」第三回版に據る。

商業投資は不明であるが、當領に本社を有する商事會社の社債発行額の状況は左表の如くである。

商事會社社債發行額表（単位千法）

年次	商業投資額		印度支那総投資額	
	額面	應募	額面	應募
一九二九	二七・四	三八・九	五六〇・一	七一六・八
一九三〇	八四・一	八三・九	四九三・二	五六七・七
一九三一	七・四	七・四	一七八・七	一八七・七
一九三二	二一・七	二一・七	一二九・二	一二七・七
一九三三	二・〇	二・〇	一二四・三	一四二・四

（註）　本表は南洋年鑑第三回版－出所、印度支那統計年鑑－に據る。

九

九〇

商業其他助成機関

當領には倉庫會社は未だ存在してゐない。輸出入商及問屋は商品を自己の店舗内に保管する。

海防港には税関、M・M、及びC・R両汽船會社所屬倉庫各一棟、商業會議所々屬倉庫一二棟及支那人所有バラック式倉庫の設備がある。西貢港には税関所屬倉庫一三棟がある。

興信所の設備はなく、日常取引に就ては買辧及支那人使傭人をして調査を爲さしめてゐる状況にある。株式會社と雖も決算を公表するの義務を有せず、銀行と雖も取引関係にある會社に對して貸借対照表の提出を求むるを得ないため信用調査は極めて不正確たるを免れない。

東京には河内及海防に商業會議所がある。河内商業會議所は一九二二年以来年々河内見本市を主催し、當領物産の紹介に努め相當の聲價を得てゐる。海防商業會議所は税務局に代り、税関附屬陸揚倉庫の經營に當る外、別に所有陸揚倉庫を利用し、海防港の發展を圖りつゝある。右の外東京には東京農業會議所、安南ヴイン市には北部安南農商混成會議所、安南ツーラン市には安南農商混成會議所がある。西貢には西貢商業會議所があり、一九二六年以降毎年西貢見本市が開催されてゐる。

此の外柬埔寨プノンペン市、老撾ヴイエンチアンにも農商混成會議所がある。

我が邦商間にも昭和十年西貢日本人商業會議所が開設せられて居り、正會員十一、賛助會員十三を擁して活發に活動しつゝある。

九一

印度支那商・農會議所一覧表

名稱	議員数	設立年月	所在地
西貢商業會議所	佛 一一名 土 四 補欠(佛) 四	一八六八年九月	西貢
河内商業會議所	佛 一一 土 四	一八八六年六月	河内
海防商業會議所	佛 九 土 四	一八八六年六月	海防
交趾支那農業會議所	佛 一〇 土 四	一八九七年四月	西貢

九二

名稱	構成	設立	所在地
	補久 四		
東京農業會議所	佛 一〇 土 四	一八九四年二月	河内
ヴィン商農混成會議所	佛 六 土 三		ヴィン
安南商農混成會議所	佛 商 七 農 二 土 商 五 農 二	一八九七年五月	ツーラン
柬埔寨商農混成會議所	佛 七 土 三 亜細亜外国人 二	一八九七年四月	プノンペン

九三

名稱	構成	設立	所在地
老檛商農混成會議所	佛 商工 二 補二 農 二 補二 土（商工農） 二		ヴィンティアン

九四

主要邦人商社

名稱	営業種目	所在地
菊地漆行	雑貨輸入	河内
宮崎商店	輸出入及仲介	〃
田島洋行	漆	〃
重商、品	雑貨	〃
保田洋行	輸出入雑貨	海防
長島商店	雑貨・理髪	〃

名稱	営業種目	所在地
右山ホテル	旅館	〃
下村洋行	雑貨	ツーラン
中一洋行	雑貨・薬剤	西貢
塩田商店	雑貨輸入	〃
大林洋行	雑貨	シヨロン
下村洋行	雑貨・漆	河内
大南公司	雑貨卸小賣・漆	河内・西貢・プノンペン
渡邊洋行	漆	河内
山下洋行	雑貨	〃
池田洋行	雑貨・船舶代理	海防
山口商店	食料雑貨	〃
田中商店	食料雑貨	ヴィン
二宮商店	雑貨	ツーラン
森瀬商會	雑貨輸入	西貢

九五

名稱	営業種目	所在地
森瀬塗装店	塗装品	西貢
福泉盛	茶	ツーロン
山田商店	雑貨	河内
斉藤漆店	漆・雑貨	〃
高麗蔘業社	人参	〃
小田ホテル	旅館	〃
水谷商店	輸出入及仲介	海防
井本商店	食料雑貨	〃
中山商店	雑貨	順化
高谷商店	雑貨	ニヤチヤン
水谷商店	輸出入商	西貢
赤塚商店	雑貨	〃
錦記	茶	シヨロン

九六

大阪商船會社	代理店	海防・西貢
東洋汽船會社	〃	西貢
東京海上火災	代理店	西貢
横濱海上火災	〃	〃
三井物産會社	貿易	西貢・鴻基
三菱商事會社	〃	ニヤチヤン
日本郵船會社	代理店	海防・西貢
國際汽船會社	〃	西貢
三菱汽船會社	〃	〃
山下汽船會社	〃	〃

（註）　本表は南洋年鑑第三回版に據る。

六、交通・運輸

佛印は未開の地尚ほ多く一般的に交通機関は発達してゐるとは云へない。然し佛印政廳が交通事業のために多くの努力を拂ひつゝあることは次表によつても明らかである。即ち過去三十五年間（一九〇〇－一九三五年）政府が一般予算及び公債をもつて行つた公共事業に就て見ればその総支出中、

鐵　　道	四二％
道　　路	一七％
治水工事及航路	一九％

であつて、公共事業豫算の大部分は交通機関の整備に支出せられてゐる。一般公共事業に於ける支出割合をその内譯に就ては次表の如くである。

（單位百万比弗）

國別＼種目	鉄道	道路	治水及航路	其の他	計
安南	七七・六	一九・五	一七・二	二三・四	一三七・七
柬埔寨	二二・一	一四・五	一・六	七・八	四六・〇
交趾支那	二二・〇	八・一	二七・〇	二七・八	八四・九
老檛	〇・二	一一・三	一・六	二・五	一五・六
東京	四六・二	一七・三	二八・六	二八・六	一二〇・七
計	一六八・二	七〇・七	七六・〇	九〇・一	四〇四・九
百分比	四二％	一七％	一九％	二二％	一〇〇％

（註）　本表は *Paul Bernard, - Nouveaux Aspects du Problème Economique Indochinoise,* 1937, P22, に據る。

鉄　道――鉄道の大々的計画は一八九七年時のポール・デューメルによつて着手されたもので、南北両地帯を縦に連結する印度支那縦貫鉄道工事は、四十年の長年月に亙り、十三代の総督を経て一九三六年九月に竣工を見た。河内－西貢間を連結し安南の東海岸を縦走する総延長一、七五九粁を國営で経営してゐる。當領の最重要國内幹線である。

雲南鉄道（滇越鉄道）は援蔣ルートとして世界的に著名になつたが、この鉄道も縦貫鉄道と同じくデューメル総督の時にフランスが西南支那へ勢力を伸長せんとする目的で計画したもので一九一〇年に開通を見た。特設會社「印度支那・雲南鉄道フランス會社」の経営に屬し、佛印の領域である海防－老開間三八四粁、支那領域である老開－昆明（雲南府）間四六四粁の二部分を含み、殊に支那領域を蛇行する部分は断崖絶壁を縫つて走り難工事で有名である。

東埔寨鉄道は柬埔寨の首府プノンペンを起点として泰國々境に近いモンコルボレイを結ぶ総延長三四〇粁の重要幹線の一つである。「南部印度支那鉄道會社」の経営する私営線であつたが、一九三六年以後國有となつた。此の線は泰

第二十九表　鐵道投下資本額表（一九三五年末現在）（単位百万法）

鉄道名	営業粁程	駅数	第一回建設費	追加支出 一九三三年末迄	追加支出 一九三四年	追加支出 一九三五年	総額 単位百万法	総額 一九二八年当時の金法換算
ハノイ－ナシヤム線	一七九	四一	四五	四	－	〇・一	四九	二二〇
ハノイ－ツーラン線及支線	一、一三五	二五八	一八三	(2)二九	七・七	(3)三・六	二二三	五四二
サイゴン－ナトラン線及支線	五一三	七〇	六七	二六	三・〇	一・三	九七	三六六
サイゴン－ミト線	七〇	二四	一二	二・五	〇・二	－	一五	六〇
ハイフォン・昆明線（雲南鉄道） トンキン内	(1)三八四	七三	七八	－	－	－	七八	三九〇
同 雲南省内	四六四	四九	一六五	－	－	－	一六五	八二七
プノンペン・バッタンバン・モンコルボレイ線	三六〇	四二	二二五	－	－	－	二二五	二二五
ベンドン－ロクニン線	六九	五	三五				三六	三五
合計	三、一五四	五六三	八一〇	六一	一一	五	八八七	二、六六五
佛印内計	二、六九〇	五一三	六四五	六一	一一	五	七二二	一、八三八

（註）(1) 既にハノイ－ナシヤム線に含まれたる Hanoi-Yen-Vien 線（一一粁）を除く。
(2) ハノイ－ナシヤム線及びハノイ－ツーラン両線に對する支出合計一千六百万法＝一千五百万法（一九二八年）を含む。
(3) ツーラン－キノン第一回建設費を除く。
本表は太平洋協會編「佛領印度支那」二八八頁による。

國との関係に於て特に重要である。最近佛印は、佛・泰鉄道協定を結びモンコル・ボレイ――アランヤ・プラテートへ本線を延長せんとしてゐる。本線は東埔寨の広大な米作地の開発に利用せられ、収穫物をメコン河のプノンペン河港へ向けて輸送してゐる。更にプノンペンから水路西貢へ継送される。木材・油・樹脂その他の東埔寨及老撾の産物もこの線によつて海港へ運ばれる。

外に「ロクニン及び中部印度支那鉄道會社」の私営線で西貢よりツードーモを経て北上し、東埔寨との國境に近いロクニンに至る六九粁の線がある。

道路――一九一二年サロー総督時代より積極的な道路建設計画が樹立せられ毎年総予算より巨額の支出を行つてゐる。一九三五年度に於ける道路・橋梁所要経費は次表の如くである。

一九三五年度道路橋梁豫算表（単位百万法）

地方別＼項目	借入基金	一般豫算 新規設備費	一般豫算 維持費	地方豫算 新規設備費	地方豫算 維持費	市町村豫算 新規設備費	市町村豫算 維持費	合計
安南	－	二七	六四一	三	－	七四	二三八	九八三
東埔寨	－	三〇〇	三六三	四五	一四四	一九〇	一七四	一、二一六
交趾支那	二三	二	一六〇	二一一	五四八	四〇三	七五二	二、〇九八
老撾	－	三二五	一三七	四六四	一〇〇	－	－	一、〇二六
東京	－	一六	二一八	八〇	一六〇	一八	二四二	七三四
計	二三	六七〇	一、五一九	八〇三	八五二	六八五	一、四〇五	六、〇五八

（註）本表は太平洋協會編「佛領印度支那」三〇二頁に據る。

一九三九年九月発表によれば國道及び地方道を合して三五、八九〇粁であつて、その中アスファルト道路・マカダム式道路・土盛りした道路の延長粁の各邦別配分は次表の如くである。

（単位粁）

邦別＼種別	アスファルト道路	マカダム式道路	土盛した道路
東京	一、二七五	二、六四五	一、八五四
安南	七八五	三、二〇〇	二、九六一
交趾支那	一、五八六	四、五六五	一、五六九
東埔寨	二、二四五	二、二四五	三七七
老撾	一、四五五	一、四五五	一、五一五
合計	七、三四六	一四、一一〇	八、二七六

（註）本表は太平表協會編「佛領印度支那」二九六頁に據る。

一〇四

マカダム式道路とは割栗石を敷いた道路である。尚ほこの外にローラーを施してゐない道路が安南に四五二粁、老撾に一九六粁がある。

自動車及電車――道路網の拡張・改善に伴ひ自動車による交通は比較的発達利用せられてゐるが併しその程度は未だ極めて低度である。

當領に於ける自動車数は不明である。一九三八年度分として登録せられた新自動車は一、一一六台にて、その内九二七台は佛蘭西製で、一〇〇台はフォードである。當領自動車登録数を示せば次の如くである。

一九三三年	五四五台
一九三四年	一、〇〇六
一九三五年	一、三五八
一九三六年	一、七四三
一九三七年	一、七三四
一九三八年	一、七七四

電車交通の発達してゐるのは僅かに河内・西貢・ショロンの三都市のみであつて、その総延長は一九三五年度に於て一〇六粁に過ぎない状況にある。住民の多数は都市交通にも自動車、又は人力車を用ひてゐる。河内市に於ける電氣鉄道は延長二九粁、西貢―ショロン間は六粁、ショロン―ホク・モン間及びその支線八一粁で新規事業は久しく企業せられてゐないし、以上の市街電車は僅かに西貢―ショロン線のみが收益を上げてゐる外は数年来欠損をつゞけてゐる状況にある。

空運――主なる航空會社は次の五社である。

佛國　エール・フランス會社

英國　アムピリアル・エヤウェーズ會社

一〇五

和蘭　K・N・I・L・M會社

支那　欧亜航空公司・中國航空公司

であつて、我が日本航空會社も泰國との定期航空路の開設と共に河内を中継地としてゐる。

主なる定期航空路は

(1) エール・フランス會社

マルセイユー西貢線

バンコツクー河内線

廣東―河内線

マルセイユー香港線

(2) インピリアル・エヤウエーズ會社

バンコツクー香港線

(3) K・N・I・L・M會社

バタヴイヤー西貢線

一〇六

(4) 欧亜航空公司

重慶―昆明―河内線

等である。尚ほ燃料會社及びその所在地は

(1) 佛亜石油會社　本社　西貢　支店　河内・ツーラン・海防・プノンペン・ダラト

(2) ソコニーヴァカム會社　本社　河内

(3) スタンダート石油會社　河内・西貢

(4) テキサス石油會社　西貢・河内

航空施設に就て見れば

(1) 飛行場

公共用陸上飛行場	四
公共及び軍用陸上飛行場	一
軍用陸上飛行場	三

一〇七

不時着陸場	八三
陸上飛行場合計	九一
水上飛行場	一九
総計	一一〇

(2) 無線局

一九三九年五月現在、航空無線局六局、海岸無線局十一局を有してゐる。

(3) 氣象台

トンキン氣象局と西貢氣象局との二局がある。佛印全國には約五〇ヶ所の測候所があり、その中高層気象觀測をなす局が七ヶ所ある。

第六　國際金融関係

一、通貨制度

當領の幣制は歴史的に見て之を四期に分つことが出來る。即ち

第一期（十九世紀前半）土着貨幣時代

第二期（十九世紀後半）メキシコ銀時代

第三期（二十世紀最初の三十年）フランス、ピアストル時代

第四期（一九三〇年以後）金本位時代

第四期金本位時代は又、これを一九三六年十月迄の相対的安定期と其後とに分けられる。後期は即ちフラン貨切下に伴ふピアストル貨の再改訂期に相當し、新貨幣法は実質上停止されるに至つた。

第一期　土着貨幣時代

第一期は十九世紀前半、即ちフランス統治の初期に當り、當時は尚ほ土着貨幣が支配的に行はれた。所謂亜鉄サペーク及び両がそれである。このほか國際貨幣として外貨たるメキシコ銀も既に海港市で通用してゐた。

サペーク（Sapeques）には銅及び錫の二種があり、卑金属銭として土民間に一般的に流通してゐた。

両（nen）には金及び銀の二種がある。貴金属貨幣が、土着貨幣として発生し流通するに至つたのは此の時期である。當初は棒状又は塊状の原形の儘で使用されたが、安南政府が先づ鋳貨として之を発行した。

「両」は安南に於ける金属秤量の標準で、それがそのまゝ貨幣単位となりたるものである。支那に於ける量目且つ貨幣単位たる両に相當する。量目としての両は三七・七五グラムに當る。安南政府は鋳造にかゝはるものは金貨は百両、五十両・四十両・三十両；十両金を大判（Nen-Vang）と稱へ、五両及び二両半を小判（Nua-nen, Vang）又は葉金（Thoi-Vang）と稱へ、外に一両粒（Luong Vang）、一両又は半両釘金（Dinh-Vang）、四分、三分、四半、二分、一分金の小金貨があり、銀貨には百、四十、三十、二十又は十両大判（Nen Bac）、五両、二両半、一両釘銀、半両、又は四半両、銀両の各種がある。金銀両貨の間には比率なく、自由鋳造を認められたゝめ一般には量目及形状共に區々であつた。

この第一期を特徴づけるものは先づ土着貨幣が一般に行はれたことであるが而もこの土着貨幣に三種の貨幣がそれぞれ独立に、そして相互に交錯して行はれたことである。サペークは勿論補助貨ではなく、寧ろ全般的には低級なる土民生活に適應するものとして広く行はれ當時の標準貨幣であつた。両貨は大量取引に使用されたが、自由鋳造を認められたゝめ形状量目の混乱を來し、單に計算貨幣としての役割を演ずるに過ぎぬ状態となり、漸次悪質貨するに伴ひ、メキシコ銀に駆逐されるに至つた。而して遂に一八六八年交趾支那政府はその公貨としての通用力を禁止するに至つた。又同政府は同年にサペーク貨に対しても同様の処置をとつたが、その根強い傳統の故に其後も可成り行はれ今日も

尚は実地に流通してゐる。

第二期　メキシコ銀時代

第二期は十九世紀後半に當り、メキシコ銀の全盛時代である。尤も一八八九年以後は、フランス・ピアストルが鑄造されるに至り、何れも法貨として表面上、二個の本位貨幣が対立することゝなり、その品位差に基く混乱を免れ得なかつた。

メキシコ銀はフランス・ピアストルに対し之をメキシコ・ピアストル（Piastre mexicaine）と呼ぶ。印度支那へは支那を通じて流入し、フランス遠征軍の派遣が之を決定的のものにした。遠征軍は自國のフランをも、又土着のサペークをも使用せず、專らメキシコ銀を使用したのである。一八六二年の総督令は先づ交趾支那に於て同貨を法貨とし、單位弗を純銀二六・九四グラムとした。

併し乍ら、一九〇三年の幣制委員會に於てフランス・ピアストルを以て單一

の本位貨幣とするとの決定が行はれ銀貨輸入禁止となるに及んでメキシコ銀は印度支那から消失するに至つた。

第三期　フランス・ピアストル時代

第三期は二十世紀最初の三〇年間でフランス・ピアストルの單本位制時代である。前述の如く、フランス・ピアストルは一八七八年の大統領令に基き一八八五年より鑄造が開始され、法定通用力を賦與せられ、本位貨幣としてメキシコ銀と対立するに至つた。一九〇五年のメキシコ銀禁止により、一九三〇年の幣制改革までピアストル單本位時代を現出した。

フランス人はピアストルを商業ピアストル（Piastre de Commerce）と呼びメキシコ・ピアストルと呼んで兩者を区別した。フランス・ピアストル（以下單にピアストル）は二七・二一五グラム、品位千分の九百の銀である。補助貨として五十仙・二十仙・十仙の銀貨と、一仙銅貨を作つた。

第四期　現行制度

現行制度は第四期に當る。純然たる金塊本位制にして金貨は存在せず、市場にはピアストル銀貨が代表貨幣として流通するに過ぎない。

本位貨幣

金ピアストル――新幣制に於ける本位貨幣たる金ピアストルは量目六五三ミリグラム、品位千分の九百であるが、名目的のもので実際には存在しない。

銀ピアストル――銀ピアストルは本位貨たる金ピアストルの代表貨幣である。蓋し新制度は純然たる金塊本位制であるが、実際には金貨は存在しないからである。一九三〇年五月の貨幣條令によつて銀ピアストルに対して次の三ヶ條の規定が與へられた。即ち

(一) 無制限通用力を有すること
(二) 発券銀行は営業所に於て無制限に受け入れること
(三) 発券銀行の受入れたピアストル銀貨は政廳勘定として政廳に歸屬する。

補助貨

補助貨として銀貨及び銅貨がある。銀貨は五十仙・二十仙・十仙の三種である。銅貨は五仙白銅と一仙銅貨の二種に分れてゐる。

銀行券

中央銀行たる印度支那銀行は現在、百ピアストル・二十ピアストル・五ピアストル・一ピアストルの四種の兌換券を発行してゐる。印度支那銀行券は佛領印度支那聯邦内に限られ、太平洋佛領諸島、佛領印度諸州、並に佛領ソマリー沿岸州内に無制限通用力を有する。

尚ほ一ピアストルはフランとの比價十フランに定められてゐる。邦貨との比率は一ピアストルは九十八錢五厘となり、邦貨一円は一・〇一五二ピアストルに相當する。

二、金融機関

当領金融機関としては発券中央銀行として印度支那銀行があり、近代的金融機関としてフランス系銀行の外に、外國銀行として英・支等の銀行の支店又は代理店がある。更に庶民金融機関として市営質屋、支那人及び印度人の高利貸、信用局等が存在する。

当領金融機関の特色としてその多くが不動産銀行とか、為替銀行と云つた特殊なものが多く普通商業銀行が尠い。フランス系銀行始め外國銀行の多くは支店又は代理店の形で存在し、我が正金銀行は西貢に、台湾銀行の子會社華南銀行は海防に且つて支店を設けてゐたが正金銀行は一九三一年三月、後者は一九二八年に一度閉鎖したが、今回の日・佛印通商協定の成立により再び正金・台銀の支店開設を見ることゝなつてゐる。主要金融機関一覧表は第三十表及第三十一表に示す如くである。

第三十表

印度支那に於ける主要金融機関（一九三五年現在）

（佛）

銀行名	本店設立年度	資本金	積立金	本店	支店所在地
印度支那銀行	一八七五	公稱一億二千万法 全額拂込	一億三千六百十八万一千三百九十四法	巴里	ハノイ、サイゴン、ハイフォン、ツーラン、ジャイン、ユエ、タニホア、バッタンバン、カントー、プノンペン、ナムディン
佛支商工銀行	一九二二	五千万法全額拂込	三百八十三万七千法	巴里	河内、海防、西貢、バンコック、プノンペン、ジャイン、ツーラン、バン[illegible]、ユエ、[illegible]
印度支那動産銀行	一九三〇	一千万法		西貢	
印度支那不動産銀行	一九二三	一億一千万法	一千五百八十七万法	巴里	河内、海防、西貢、バンコック、プノンペン
佛國及植民地金融會社	一九二〇	九千六百万法	一億五千万法	巴里	西貢、海防、河内、プノンペン
中法実業管理公司	一九一三	一千万法	一千七十九万四千法	巴里	河内、西貢、海防
西貢銀行	一九二六	五千万法		西貢	
富滇銀行	一九一二	五百万元	二百万元	雲南府	海防
香上銀行	一八八三	公稱五千万弗	金貨六五〇万磅、銀一〇〇〇万弗、準備金二〇〇〇万弗	香港	西貢、海防
東亜銀行		公稱一千万弗	百三十万弗	香港	西貢、海防
チャータード銀行	一八五三	三百万磅全額拂込	四百万磅、準備金三百万磅	倫敦	西貢、海防
護謨金融會社	一九〇九	二億万法		ブラッセル	西貢
商業金融印度支那會社	一九一九	一千万法		巴里	西貢

（註）本表は南洋年鑑第三回版及び東亜経済調査局発行「印度支那」による。

第三十一表　印度支那に於ける主要金融土地會社（一九三五年現在）

（佛）

會社名	設立年度	資本金	目的	本店所在地
印度支那都市土地會社	一九二三	六四万比弗	不動産賣買、動産貸借及賣買	西貢
印度支那土地會社	一九二二	二、〇〇〇万比弗	不動産賣買及附帯業務	西貢
コントワアール・ゼネラル	一九二六	二、〇〇〇万比弗	銀行業	西貢
印度支那不動産會社	一九二八	一、五〇〇万法	不動産賣買及関係業務	西貢
老撾不動産會社	一九二八	三〇〇万法	〃	タケク
佛印支不動産土地會社	一九二八	五〇〇万法	不動産賣買及貸付業務	西貢
極東貸付銀行	一九二八	八四〇万法	銀行業	西貢
西貢不動産會社	一九二八	一、五〇〇万法	不動産及土木賣買業務	西貢
極東金融會社	一九二八	一、五〇〇万法	一般金融業務	西貢
西貢堤岸不動産會社	一九二八	八五〇万法	不動産賣買及附帯業務	西貢
安南土地會社	一九二九	一〇〇万法	金融及不動産賣買	西貢
西貢不動産會社	一九二九	一、五〇〇万法	開拓、建築、不動産貸借及賣買	西貢
東京・安南土地會社	一九二九	一五〇万法	土地関係業務	河内
ナベ不動産會社	一九二九	二〇〇万比弗	不動産関係業務	西貢
印度支那不動産金融會社	一九二九	四〇万法	不動産金融	河内
東埔寨土地會社	一九二九	二、〇〇〇万法	不動産関係業務	プノンペン
印度支那信託會社	一九三〇	三〇〇万法	動産、不動産信託業務	河内

（備考）　本表は南洋年鑑第三回版及び東亜経済調査局発行「佛領印度支那」による。

三、借款

當領は佛蘭西本國の極端なる閉鎖主義のため佛本國以外の第三國との間に借款関係は存在しない。香港上海銀行・チャータード銀行の英系銀行の貸附業務が若干あるにすぎない。

一一七

一一八

第七　結び

一、経済戦略上着目すべき當領の経済重要地点は次の五地点である。

(1) 西貢
(2) 海防
(3) 河内
(4) シヨロン
(5) 鴻基

就中西貢は輸出入の約六〇％を取扱ひ佛印経済の最中枢地点である。當領最重要輸出品としての米穀も大部分を西貢にて取扱ひ、故に市場にては佛印産米を西貢米と稱してゐる程である。

海防は北部第一の海港で首都河内を控へてその重要性を加へてゐる。

河内は首都にして政治的心臓部である。

ショロンは西貢を控へ華僑の町として有名で所謂西貢米と呼ばれる交趾支那米の殆んど全部が當市の華僑経営の精米所に於て精米せられてゐるから米穀取引上の重要性を有する。

鴻基は石炭積出・産出地として有名である。

以上五地点、就中西貢の完全なる掌握が出來れば佛印一切の経済運営を左右し得ることゝなる。

二、華僑の動向が経済工作上重要である。當領に於ては三〇―四〇万の華僑が存在して経済構造の下部組織は勿論、各領域に渉つて各社の社會層に活動しつゝある。故に華僑経済力をあらゆる角度より把握することによつて経済工作上の成功を期待し得る。

三、當領に於ては土人投資二百億フランに対し、佛人投資は僅々八十億フランに過ぎず、しかもその半額は仲介者へのコンミツシヨンとして費されてゐる

と云はれてゐる。從つて土着種族の民族意識の昂揚によつて土着資本の活用を圖り、土人産業を振興して、民心の把握と産業建設に着目すべきである。

四、當領はフランス本國の統治政策が極端なる閉鎖主義であつたために経済構造は極めて單純・原始的であつて、産業も未だ開発せられざる状態にあつた。かゝる状態に於て今次欧洲大戰となつて、當領はその極端なる本國依存貿易政策も、産業開発も全面的に行詰らざるを得ないことゝなつた。佛印の豊富なる資源がかゝる状況に置かれつゝあつたことは我國の企圖する東亜共栄圏の確立のため積極的経済工作に極めて有利である。

其二　タイ國篇

タイ國篇

目次

（タイ國）

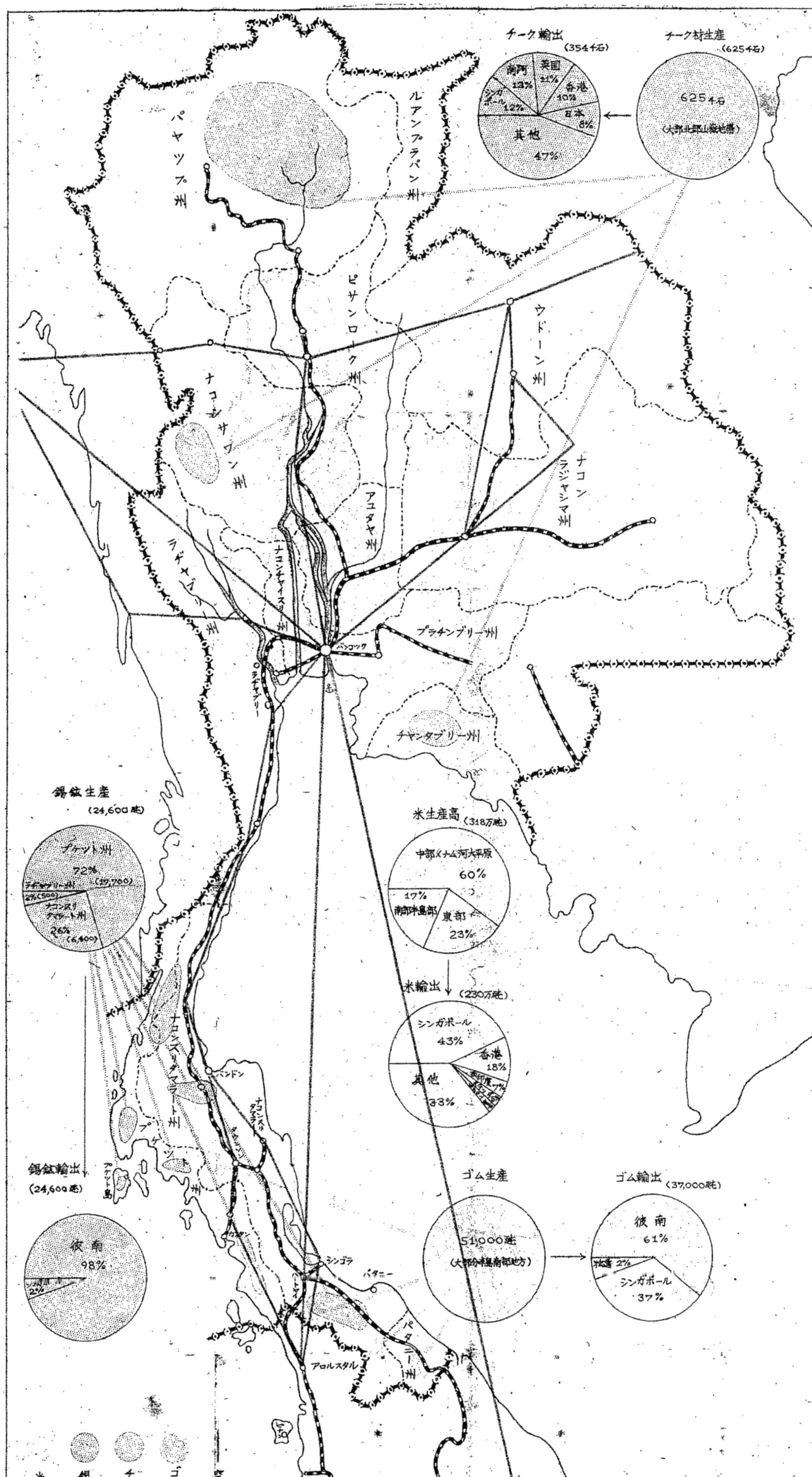
チーク輸出
（354千石）
南阿 12%
英国 11%
香港 10%
日本 8%
シンガポール 12%
其他 47%
チーク材生産
（6254石）
6254石
（大部北部山嶽地帯）
パヤップ州
ルアンプラバン州
ピサンローク州
ウドーン州
ナコンサワン州
ナコンラジャシマ州
アユタヤ州
ラチャブリー州
ナコンチャイスリ州
バンコック
プラチンブリー州
チャンタブリー州
錫鉱生産
（24,600瓲）
プケット州
72%
（17,700）
2%（500）
ナコンスリタマラート州
26%
（6,400）
米生産高（318万瓲）
中部メナム河大平原 60%
17% 南部半島部
東部 23%
米輸出（230万瓲）
シンガポール 43%
香港 18%
其他 33%
ナコンスリタマラート州
プケット州
プケット島
錫鉱輸出
（24,600瓲）
彼南 98%
2%
シンゴラ
パタニー
パタニー州
アロルスタル
ゴム生産
51,000瓲
（大部分半島南部地方）
ゴム輸出（37,000瓲）
彼南 61%
2%
シンガポール 37%
米
錫
チーク
ゴム

第一、概観

一、自然地理的條件

位置

印度支那半島の中央に位し、その尾を南方馬來半島に細長く曳いてゐる。北緯五度半より二〇度、東経九七度より一〇五度半に亘る。

面積

國土の幅員南北は一六四〇粁、東西は最廣部に於て七七〇粁、総面積は約五一三千平方粁にして、日本帝國（朝鮮・台湾及樺太を含む）総面積の略ぼ四分の三に當り、佛蘭西・西班牙の各本國と相伯仲してゐる。

地勢

一般に北部の山嶽丘陵地帯は南方に向つて緩漫な傾斜を見せて沃野千里の大平原をなしてゐる。耕地は主として中部のメナム河の流域にしてタイの穀倉と呼ばれる。南部半島部はヂャングル地帯である。

海岸線は比較的短かく、延長僅かに二一〇〇粁に過ぎない。

氣候

所謂常夏の國にして其の平均氣温は北部二六度、中部二七度、南部二八度である。北部は中部に比し日中稍高く、夜間は低い。東部は山嶽に圍まれてゐるため氣候甚だ大陸的で、涼氣の夜間の外は總じて酷暑が甚しい。之に反して半島部は東西の海風が交互に吹き通して年中比較的温和である。タイの氣候は一年の内雨季と乾季の區別が截然としてゐる。雨季は五月ー十月で殆んど毎日一時間乃至二、三時間の驟雨がある。乾季十一月ー四月にして降雨を見ること稀にして此の期に於ける盤谷の降雨日数は月平均僅かに四日である。十一月頃から北東モンスーンの涼風が吹き初め、日本の仲秋の候を思はしめる。五月に入ると今度は西南モンスーンが訪れ雨期に入り漸次暑熱を加へる。

人口

一九三八年中間推定人口に據れば、一五三五万人となつてゐる（衛生局発表）。今一九三三年の國勢調査により國籍別人口を見れば左の如し。

タイ人	一三、八四一、三〇四人	九四・七%
支那人	五二四、〇六二	三・六
英國人	五五、五七七	〇・四
佛蘭西人	三八、七三六	
和蘭人	三、〇六六	
日本人	五一四	
丁抹人	一八八	
独逸人	一一六	
米國人	一二〇	
葡萄牙人	八三	
其の他	四四八	
合計	一四四六四一〇五	一〇〇・〇

右の表中注意すべきは支那人五二萬となつてゐるが、実は支那政府の発表に據れば二五〇万と左つてゐる。之れはタイ政府の発表せる五二万の中には僑生華僑即ち海外居住地に於て出生したるものを除外してゐるためであつて、出生地主義國籍法を採用せるタイ國は之をタイ人と見做してゐる。隨つて支那人五二万は少きに失する嫌あることに留意すべきである。

二、社會的歴史的條件

新興タイ國は一九三二年の立憲政治革命により生誕した。然しながらそれ以前の舊きタイ國がその門戸を開放して世界経済へと発足を見たのは漸くにして十九世紀の初葉（一八二六年英暹通商條約）のことであつた。即ち當時重商主義下の風潮の裡に先進國として東印度會社を基地として頻りに東洋に雄飛を試又つゝあった英國により長年の鎖國が解かれたのであった。

當時のタイはチャクリー封建王朝の支配下に自然的自給自足の經済を営んでゐた。爾來内部は徐々にではあるが資本主義化の刺戟が與へられはしたが、これが促進に於る決定的條件をなす社會生産力の發展は熱帯性の地理的條件と氣力退化なる國民的資質と灌漑農業一般に固有なる自然的條件により制約され、資本の導入は完全に排除されてゐた。

斯る前資本主義的地盤の上に強力な外國資本の導入は從來その上に寄生的に成長を遂げつゝあった華僑高利貸資本の收取過程を通じて農村經済は畸形的な發展をなさしめ全体として一層半植民地性・半封建性を現出せしむるに到った。

今斯る事情を農村經済の實態調査に於いて見るに、

(i)　タイ米商品化率

タイの米作地帯は之をその自然的、社會的條件より大体次の如く二大別し、その両地域に於いてその商品化率を見るに

五

一、中部平野――資本が急激な浸透を見つゝあり、且つタイ經済の支柱をなし、農業が一箇の單一な産業部門に轉化されつゝある地帯（メナム河流域）

二、北部・東北部・南部――自然經済が支配的にして貨幣商品經済は低位にある地帯

商品化率

中部平野　六〇％

北部山嶽地帯　四〇％……盤谷市場に向けられ輸出されるものはこの一部である。

南部及北東部　二〇％……これは賣却はされるが輸出を構成するに至らず同一經済内で交易されるに過ぎない。

斯くて中部地帯の如く近代化され商品經済の進展を見つゝある所で六〇％、他は自給自足的傾向が強い。

六

(ii)　土地所有・負債関係

土地所有及び負債関係を次の表によって見るに

	自作農（％）	小作農（％）	地主（％）	土地無所有（％）
中部タイ	四五・五	二八・八	二五・六	三六・〇
北部タイ	七八・〇	一一・〇	一一・〇	二七・四
東北部タイ	六五・五	一七・三	一七・三	一八・〇
南部タイ	九〇・五	四・八	四・八	一四・五

（註）右数字は各地方の農家一〇〇戸に就き％を示す。

ヂンマーマン「シャム農村經済」に據る。

タイ農村全体として觀察すれば自作農が極めて大なる比率を占め支配的である。地代（小作料）を挾んでの地主対農民の問題は近代化されつゝある中部地帯に限られ、一般的には自給自足の自然經済が強い。

七

農家負債額及び戸数

	農家一戸當り負債額（一九三三年）	農家百〇〇戸中の負債戸数（一九三四年末）
中部タイ	二三三・八二銖	六一・五％
北部タイ	一七・一六	一七・五
東北部タイ	六・七七	一九・七
南部タイ	九・五九	一八・六

（註）ジンマーマン及アンドルーズ前掲書

斯る一聯の指標によりタイ國農村經済の近状は近代的灌漑施設の完成、商品經済の發展、貨幣經済の増大等資本主義的要因を強く感受しつゝある地域程一

八

方には地主への土地集中、他方には独立農民の小作農への轉化並に負債の累積、従って農村経済の緊迫化が進行しつゝあることを示すものである。然しこれは中部平野地帯に大体局限され、一般的な傾向としては封建的な自然経済が支配的であると云ふことを得る。

斯る生産関係に於ける事情はその米作の市場化乃至商品化の過程に於いて華僑高利貸資本の收取によりその利潤は凡て彼等の掌中に帰し、華僑の本國送金等により再びタイ國内に滞留しない性質のものである。かくて農村経済に於ける資本の蓄積、従って民族資本の發際は、此の國の一の特徴をなす米作のみに始終せしめたのである。随って他産業に於いては見るべきもの少なく僅かに錫業・チーク業に稍見るべきものはあるが、斯業の如き資本と技術を要する産業に於いては到底タイ人の及ぶところでなく、欧人資本の垂涎の対象として彼等欧人の強奪に委せ、投資・経営は一に彼等の掌中にあり、更にその労働事情に至ってすらタイ人の懶惰により支那人華僑に独占されてゐる状態である。産業に於ける斯る事情はその國内商業網の九九%は大半の華僑と一部の印度人、貿

易及び金融に至っては完全に欧人殊に英人の壟断する所である。「斯くてタイ國民経済の構造は三段段をなし最下層にタイ人、中層に華僑、最上層に欧人殊に英人と云ふ建築をなし、利潤は下から上に向って吸收される仕組である」。

斯てタイ人は自國の経済に對して全く自主権は迫奪されてゐる。従ってタイ経済の発展は前述の如く自國の國富の増大とならず、その利潤は凡て國外に流出する一の典型的な植民地型を現出してゐる。

斯る事情はその財政に集中的に表現されてゐるのであって、今世紀の初葉以来今日迄この國の開発は主として外債により賄って來たのであるが、その額はその経済規模に照して決して少額なものではなかった（約一六〇〇万磅）。その発行が主として英國（全体の八三%）に依存してゐることは必然的に隷属関係を誘致し易く、英國はタイ財政難を奇貨として政府財政顧問制を強要した。爾來この國の財政は一に英人顧問の牛耳る所であり、金融幣制に到っては完全に英國の支配下にある。それのみではなく彼等英人は政治の枢機に参劃する現状に於いては英國の一屬國と見るも決して過言ではない。

斯くて南洋諸國に於ける唯一の独立國として今日に到ってゐるが、これは永年の英佛闘争の緩衝地帯として名目上維持されたに過ぎない。又それは独立國家なるが故に本國・植民地の関係なきため南洋地方の如何なる地方よりもその開発は遅れたのである。又それだけに政治上の自主性なく常に日和見的な外交に始終してゐる所以も此処にあるのである。

第二、権益関係

タイ國の外國人権益中特に注意すべきは英人のものにして他は言ふに足りない。随って此処では主として英國の権益に就いて述べることにする。

一、貿易上の権益

歴史上から見て貿易上の権益が最も古いものでタイが近世的自由貿易に開放されたのは一に英人による所が大きい。斯くてタイに於ける諸々の諸権益とその優位性は斯る開國當時よりの歴史的因縁によると云ってよい。

即ち一八二六年の英暹通商條約、続いて一八五六年の同條約の改訂を基礎としその後の幾度かの條約は之れを確保強化せるものと云ふを得る。尚貿易上の精しい内容に就いては貿易の部に譲る。

二、金融上の権益

貿易の発達は當然に金融機関の設置を要請した。此処に於いて英國は一八八八年タイに於ける最初の銀行である香港上海銀行支店をタイ政府の特許を得て設立し、続いて一八九三年チャタード銀行支店の設立、少し遅れて有利銀行支店の設立を見た。これらの設立はやがてタイ財政経済の英人支配の端緒をなすもので精細は(六)の金融機関の項を参照せられたし。

三、財政上の権益

此の國の國内開発資本は主として外債に仰がなければならなかつたが、それは勢力関係上より英國に依存すること多く、外債の八三%は英國の所有する所である。それは又債権者として英國はタイ財政顧問制を強要する結果となり、

一三

一八九六年以来財政は一に英人顧問の掌握する所となつた。それは通貨権に於ける英國隷属関係を誘致したのである。詳細は第六の項目を参照せられたし。

四、産業上の権益

産業上の権益は主として錫採掘権及チーク伐採権であり、これはタイ産業中の特産物として、その英國の占むる地位は絶対優位にあることは、第五の投資関係の部を参照せられたし。

五、交通関係上の権益

海運上の権益――　第四　の海運関係参照。
陸運上の権益――主として外債を通しての鉄道借款投資。
航空上の権益――英本國と印度・シンガポール・濠洲を結ぶ定期航空路に於け、

一四

るタイ領空の通過権及バンコック空港着陸権。

六、英米密約説

次に権益と直接関係はないが間接的な影響あるものとしての「タイの英米密約説」である。最近のタイの対佛印失地回復要求を繞つてタイの國際的立場は微妙な動きを見せてゐたが、昨年十一月十日頃より英米公使と有力なるタイ親英米派巨頭との往来頻繁に行はれ、ルアン・プラヂット蔵相、ワンワイヂヤカラ外務省顧問等は連日英米公使と密議を重ねてゐた。確実なる方面の情報によれば英米両國はタイとの間に軍事的及経済的提携を畫策しタイ・英・米三國防衛の軍事密約締結の諒解成立せる模様である。尚該協定の内容として傳ふる所によれば次の如し。

1. タイ國は英米両國と共同利益の防護策を樹立す。
2. 英米両國はタイの失地回復運動を極力援助す。

一五

3. 英米両國は原則的にタイの中立を承認す。
4. 若し外國軍隊がタイを攻撃した場合英米両國は軍事的援助を與へる。
5. 米國はタイに對し借款に應じ更に飛行機・武器・弾薬・ガソリン等の軍需品及技術を提供す。
6. タイは在タイ華僑と密接なる提携を許すこと。

以上の通りであるが、(2)に関しては極力援助をなし一應の成功を見たし、(5)に於ても着々実行を見つゝあることから見て該協定の真実も一應首けるところである。

次に米國の権益はその東洋への進出が遅れたるため権益らしいものも大してない、僅かに貿易位なものである。

一六

第三　貿易関係

一、貿易額推移（チバート）

	輸出	輸入	合計
一九二七	二七六、二七〇	二〇一、〇八〇	四七七、三五〇
一九二九	二一九、七七〇	二〇六、七一〇	四二六、四九〇
一九三二	一五二、五二〇	八九、五〇〇	二四二、〇二〇
一九三三	一四四、〇八〇	九二、九六〇	二三七、〇四〇
一九三四	一七二、五九〇	一〇一、七三〇	二七四、三二〇
一九三五	一五八、二二〇	一〇八、七五〇	二六六、九七〇
一九三六			
一九三七			
一九三八			

（註）年度は佛暦にして四月－三月を示す、以下同じ。貨幣単位バートは平價にて本邦の一円六〇銭と等價である。

タイ貿易年報に據る。

貿易の推移を見るに過去の最高は一九二七－八年を最高とし一九三二年の革命を轉期として減少傾向にあるも、最近の世界的危機切迫により再び上昇に轉じつゝあり。

二、地域別貿易

輸出貿易

	一九三六年	一九三八年
東亜地域	七七・〇五 %	六九・九八 %
印度・濠洲地域	四・五五	二・八〇
米洲地域	九・四二	一五・三五
欧洲地域	六・六九	八・七六
阿弗利加地域	二・二六	三・〇八
総計	一〇〇・〇〇（実数一八四、三六一、二五三バート）	一〇〇・〇〇（実数二〇四、四二〇、八八バート）

輸入貿易

	一九三六－七年	一九三八－九年
東亜地域	六九・五四 %	五九・七〇 %
印度・濠洲地域	五・六七	七・〇九
米洲地域	三・七四	四・六八
欧洲地域	二一・〇一	二八・四六
阿弗利加地域	〇・〇二	、〇・〇四
総計	一〇〇・〇〇（実数二〇〇、四三六、四八バート）	一〇〇・〇〇（実数一三九、六三〇、七三一バート）

貿易総額

	一九三六年	一九三八年
東亜地域	七四・二五%	六五・九九
印度・濠洲地域	四・九七	四・四七
米洲地域	七・三〇	一一・二二
欧洲地域	一二・〇五	一六・四一
阿弗利加地域	一・四三	一・九一
総計	一〇〇・〇〇（実数二九四、四四八、〇一バート）	一〇〇・〇〇（実数三三四、〇五三、八一九バート）

（註）タイ貿易年報より作成

右地域的貿易分析により輸出入貿易共に東亜地域に著るしく偏在してゐるのであつて、その地位は大体七〇%である。此処に於いて農業國タイ貿易の異例

的な現象を看取し得る。即ち農業國貿易としての常例はその原料・食料を工業國に輸出し、反対に工業國より完成品の輸入を仰ぐのが一般的である。がタイに於いてはその輸出の七〇%（一九三八－九年）を東亜地域の諸農業國に輸出し、反つて欧米工業國へは僅に二四%に過ぎなく、その輸入に於いては東亜地域より六〇%、欧米より三三%となつてゐる。

斯る現象は次の諸点に由因するものと考へられる。

1. 貿出の六〇%が米であり、該品が東洋人一般の主食であること。
2. 他の南洋諸農業國が何れも工業國たる本國の植民地であるに反し、タイは独立國であり、本國・植民地の如き隷属関係なきこと。
3. タイがその地理的條件より世界交通の公道に添はないため、その貿易の著類が新嘉坡・香港等の仲継に仰ぐこと。
4. タイの輸出業者には精米所を兼る華商が多く、彼等は特殊の商取引と習慣より南洋一円に散在する華商同志と取引すること。

次に日支事変前（一九三六）と後（一九三八）とを比較すると東亜地域の地

位が低下し、之に反し欧米の地位が上昇してゐる。殊に東亜地域に於いては輸出より輸入の方がその低下に於いて著るしいのは本邦からの輸入の著減に依るものである。

三、政治ブロック別貿易

輸出貿易

	一九三六年	一九三八年
英帝國ブロック	七八・六七%	七二・八九%
東亜共栄圏ブロック	四・五三	二・三二
欧洲及近東ブロック	四・五〇	七・三四
米洲ブロック	一一・二五	一五・七六
其の他	一・〇三	一・六七
總計	一〇〇・〇〇（実数一八四、三六一、一五三バート）	一〇〇・〇〇（実数二〇四、四三二、〇八八バート）

輸入貿易

	一九三六年	一九三七年
英帝國ブロック	四九・八〇%	五四・七一%
東亜共栄圏ブロック	三五・二八	二三・六三
欧洲及近東ブロック	一〇・八六	一六・六九
米洲ブロック	四・〇四	四・九四
其他	一	〇・〇〇
総計	一〇〇・〇〇	一〇〇・〇〇

	一九三六年	一九三八年
総計	(実数二〇〇、四三六、四八バーツ) 一〇〇・〇〇	(実数一二九、六三〇、七三一バーツ) 一〇〇・〇〇

貿易總額

	一九三六年	一九三八年
貿易総額	六七・八八%	六五・八四%
英帝國ブロック	一六・〇三	一〇・五九
東亜共栄圏ブロック	六・八七	一〇・九七
欧洲及近東ブロック	八・五六	一一・五六
米洲ブロック	八・五六	一一・五六
其他ブロック	〇・六五	一・〇二
総計	(実数二九四、四〇四、八〇一バーツ) 一〇〇・〇〇	(実数三四〇、五三八、一九バーツ) 一〇〇・〇〇

（註）東亜共栄圏の中には蘭印・佛印・満洲・支那を含み、比律賓は米洲ブロックに包含せり。タイ貿易年報より作成。

右政治ブロック別の分析に於いて英帝國ブロックが輸出に於いて七〇%以上輸入に於いて五〇%と絶對的優勢なる地位を占め、東亜共栄圏ブロックは輸出に於いて三―四%、輸入に於て二〇―三〇%を占めるに過ぎない。随って先の地域的貿易に於いて東亜地域の占める優勢なる地位は実はその中の英帝國諸地域に帰せられるべきものであることを知り得るのである。その中でも特に新嘉坡・香港の仲継貿易が如何に重大なるかは次の分析により略々推察される所である。

香港・新嘉坡の総貿易額に占むる地位

	一九三六年	一九三八年
香港	一二・四一%	一〇・四四%
新嘉坡	二三・五四	二四・七五
彼南	一九・七一	一八・四九

四、國別貿易（%）

	輸出 一九三六	輸出 一九三八	輸入 一九三六	輸入 一九三八	総計 一九三六	総計 一九三八
白耳義	一・一五	〇・九八	〇・四二	一・四八	〇・八八	一・一七
英領馬來	一・一五	一・三八	〇・六四	〇・九八	一・一八	一・二三
セイロン	〇・六八	二・〇六	〇・〇八	〇・〇四	〇・五六	一・二八
支那	〇・八四	〇・一三	四・〇四	四・〇五	二・〇四	一・六四
独逸	〇・九一	三・〇一	五・四〇	六・五四	二・五九	四・三八
香港	一四・三〇	一〇・五七	九・二三	一〇・二三	一二・四一	一〇・四四
印度	三・三四	〇・六三	四・二六	五・九四	三・六八	二・六九
日本	二・七六	一・一七	二五・六八	一四・七六	一一・三三	六・四四
和蘭	一・七三	二・五五	一・五七	二・五三	一・六七	二・五四
蘭領印度	〇・四四	〇・三六	五・〇九	四・三四	二・一八	一・九一
彼南	二六・七六	二四・三九	七・九一	九・一八	一九・七一	一八・四九
比律賓	二・〇二	〇・四二	〇・三二	〇・二七	一・三八	〇・三六
新嘉坡	二七・九四	三〇・六七	一六・一七	一五・四一	二三・五四	二四・七五
英國	二・一五	一・四二	一〇・一五	一二・七五	五・一四	五・四三
北米合衆國	〇・四二	一二・〇九	三・七三	四・六八	一・六六	八・六〇
西印度	八・二二	三・一六	ー	ー	五・一五	一・九四

其他	四・八四	六・〇一	五・三一	七・八二	四・九〇	六・七〇
総計	一〇〇・〇〇	一〇〇・〇〇	一〇〇・〇〇	一〇〇・〇〇	一〇〇・〇〇	一〇〇・〇〇

五、商品別貿易

輸出

	一九三八年	一九三七年
米	五六%	四七%
護謨	一四	一四
錫	二八	二三
チーク	四	五

二九

三〇

	一九三八年	一九三七年
其他	八〇	一一
総額	一〇〇 (実数一七三、〇五二千銖)	一〇〇 (実数一六一、七八〇千銖)

（註）・輸出総額中には再輸出及金銀貨幣を除外せり。
タイ貿易年報に據る。

輸入

	一九三八年	一九三七年
食糧品	一二・九%	一四・九%
石油製品	七・九	八・九
機械類	八・二	八・七
金属類	九・九	九・三

	一九三八年	一九三七年
ガンニン袋	四・二	二・八
繊維製品	一二・七	二一・〇
車輌及同部分品	四・一	三・〇
総計	一〇〇・〇 (実数一三九、六三一千銖)	一〇〇・〇 (実数一二一、八二四千銖)

輸入に於いて注目すべきは繊維製品中綿製品一三百万バート（一九三八ー九年）の中、日本の占むる割合は六〇%で絶体的優位を保持してゐることである。タイの對日輸入は此の外に機械類あれどもその額は未だ大したものでない。對日貿易に於いて輸入は軽工業の占むる地位よりして見るべきものはあるが、對日輸出は言ふに足りない。これは一に同國の輸出の過半数が米にして、然かも本邦に於いては一九三三年以来米輸入を禁遏した、めである。

三一

三二

六、重要戦略資源生産及輸出

米

年次	生産額	輸出額	両比率
一九三六	二、八一三千瓲	一、一〇二千瓲	四六・七%
一九三七	二、八四六	一、五二四	四九・一
一九三八	二、八三四	一、八六二	六五・八
一九三九	三、一七七	二、三〇〇	七二・六
一九四〇	×二、〇〇〇	×一、〇〇〇	五〇・〇

（註）×印推定。國際農業統計年鑑による。

錫鉱

年次		
一九三六	一八、五九二瓲	一八、五一二瓲
一九三七	二一、九五六	二二、〇九一
一九三八	一九、一四〇	二〇、三六二
一九三九	二三、一六〇	二三、一六〇
一九四〇	二四、六〇〇	二四、六〇〇

（註）シャム統計年鑑及南洋経済研究所「研究資料」による。

三三

チーク

年次	伐採量	輸出高
一九三四	六〇七、一五九石	一八〇、五三〇石
一九三五	七八〇、六〇六	二二二、六五五
一九三六	六二五、二七一	三五三、五八五
一九三七		三三三、二〇五
一九三八		二九一、五三〇

（註）シャム統計年鑑及貿易統計による。

ゴム

三四

年次	生産高	輸出高
一九三五	二六、六九三瓲	二六、六九三瓲
一九三六	三二、〇四〇	三二、〇四〇
一九三七	四七、三二四	二八、三四〇
一九三八	五一、〇四六	三七、〇六〇
一九三九	五三、五八四	

（註）一九三七年以来輸出の減少は政府企業に於ける自國消費の増大の結果なり。
國際農業年鑑による。

三五

七、重要戦略物資輸出先（一九三八年）

米

新嘉坡	四一、八八七千バート	四三.〇%
香港	一七、六一七	一八.一
西印度	六、四四二	六.六
和蘭	四、八二二	四.九
セイロン	三、七五五	三.九
英領馬來	二、三一四	二.四
英領印度	八四〇	〇.九
日本	一、四一五	一.五

三六

錫鉱		
ピナン	三〇四三〇	九八・八
新嘉坡	三八一	一・二
護謨		
ピナン	一五二四一	六〇・七
新嘉坡	九二三〇	三六・八
独逸	六〇一	二・五
チーク材		
新嘉坡	七八一	一一・七
南阿	七八〇	一一・七
英國	七一八	一〇・七
香港	六七七	一〇・一
日本	五五九	八・四

三七

（註）　タイ貿易年報に據る。

斯くして米に於いてはその六〇%以上が新嘉坡、香港の仲継港に輸出され、更に南洋及欧洲に再輸出、一部は支那に向けられる。

錫は國内に精錬所なきため原鉱のまゝ全部ピナン・新嘉坡に輸出され、精錬された上再輸出される。

護謨も同じく原料用として大半右の仲継港に送られ主としてアメリカ・英本國・欧大陸に再輸出され、一部は日本にも輸出される。

チーク材も仲継貿易が重要なる地位を占めるが直輸出も重要である。これは主として國内に外人資本による製材所があるため仲継貿易はそれだけ運賃高となるためであらう。

三八

八、　重要輸入品國別表（一九三八）

（單位千バート）

	價格	全体の地位（%）
綿製品		
日本	一二、九四八	五九・〇
香港	二、三〇二	一〇・五
新嘉坡	二、二五八	一〇・三
英國	九五六	四・四
印度	七八八	三・六
支那	五六三	二・六
金属製品		
英國	四、一五六	三二・四
独逸	一、八二三	一四・二
彼南	一、四二九	一一・一

三九

新嘉坡	一、一六三	九・一
蘭印	五二二	四・一
機械類		
彼南	一、六六四	二一・七
日本	一、一八二	一五・四
英國	一、〇一六	一三・三
新嘉坡	九一三	一一・九
米國	七八八	一〇・三
独逸	六四一	八・四
電機機械器具		
独逸	六一八	二〇・二
米國	五八三	一九・一
彼南	三三五	一一・〇
英國	三一四	一〇・三

四〇

日本	二六九	八・八
礦油		
新嘉坡	六、九七一	六七・二
彼南	二、一八二	二一・〇
蘭印	五七六	五・五

九、貿易機構

上述歴史的社會的條件の項に於いてタイ國内商業機構の大半は華商によって掌握されてゐることを見た。同様外國貿易に於いても大手筋は欧人殊に英人により他は華商により独占されてゐる。殊に欧人貿易商と雖も、貿易品の集貨並に配給は國内商業網を握る華僑を相手としなければならない故、貿易に於ける華僑の占る地位は決して看過出来ないのである。更に海運荷役の労働が彼等華

僑に完全に依存してゐることは更にその重大性を添へる。

今輸出業者の主なるものを見れば左の如し。

アングロ・シャム商會（英國系）……本社倫敦
ボルネオ會社（英國系）……本店倫敦
エーラマン・アラキエーン・ライス・アンド・トレイデング會社（英國系）……本店倫敦
スチール・ブラザース會社（英國系）……本店倫敦
ダダ・シャリフ會社（英國系）……本店印度
パーテル會社（英國系）……本店印度
コンパー・ヂョンストン（　）……本店盤谷
イースト・アジヤチック會社（丁抹系）……本店丁抹
廣高隆（支那系）……本店盤谷
ナナ會社（　）……本店盤谷

其他群小の華僑貿易商あり。

第四、海運関係

一、輸出入船舶噸数

タイの外國貿易は主都盤谷の独占する所である。その貿易額の大半を占め一部は國境貿易の少額に過ぎない。

一九三六年盤谷に出入港したる船舶を國籍別に見ると

	入港	出港
諾威	二九%	二九%
英國	二二	二二
日本	一六	一六
丁抹	一〇	一〇
和蘭	一〇	一〇
タイ	五	五
独逸	四	四
総計	一〇〇（実数 一、三四五千噸）	一〇〇（実数 一、三五八千噸）

右航路に従事せる會社を國籍別に見ると

英國　五社
日本　二社
諾威　二社
支那　二社
タイ　二社

丁　　林	一社
和　　蘭	一社
独　　逸	一社
計	一六社

二、港湾設備

盤谷港はメナム河の河口より三五粁の地点にあり、港内深水は一八―二〇呎にして噸数の大なる遠洋航路の船舶の碇泊に差支へ無きも、河口に浅瀬があるため著るしき制限を受ける。

千噸以下の船は盤谷港河岸棧橋に横付して積荷し得るも二千噸以上の船にありては空船にて入港し幾分の積込をなし河口を出てコー・シーチャン島に假泊し艀船を以て積取を了す。四五千噸級の船舶にありては初よりコー・シーチャン島にて積取をなす。

四五

目下河口浅瀬の浚渫工事が行はれてゐるが遅々として進捗してゐない。盤谷港の拡張政策は目下進捗中にて一九四三年に完成と云はれる。その要点は大型船約九隻を横付けし得る埠頭と陸上施設として倉庫十三棟、埠頭には夫々引込鉄道を設け、税関其他関係官廳を附近に集合せしめると云ふことである。

四六

第五　投資関係

一、鉱業

錫投資が主要なものであるが、その採掘業に関し幾何の投資がなされてゐるか知るを得ないが、次の経営會社の数及び資本金よりして大体英國の絶對優位性が覗はれる。

採錫會社

	登録會社	資本金（平價換算）	同
イギリス系	三八社	六八、三〇〇千円	七九・〇%
アメリカ系	一四	一四、四〇〇	一九・〇
オランダ系	一	四〇〇	〇・五
タ　イ　系	七	三、四〇〇	一・五
計	六〇	八六、五〇〇	一〇〇・〇

四七

（註）　訪暹経済使節報告書に據る。

二、林業投資――チーク材

錫と同様な方法によりて之を見るに、英國系の優位を見る。

チーク伐採會社

四八

	會社數	資本金	同%
英國系	四社	二一,〇〇〇千銖	七六
佛國系	一	五,〇〇〇	一八
丁抹系	一	一,〇〇〇	四
支那系	一	五〇〇	二
計	七	二七,五〇〇	一〇〇

三、工業

タイの工業の主なるものは精米業・製材業にして他は言ふに足りない。精米業は九分通り華僑の所有と言って支障ない。製材業は前の「二」に於いて見た

四九

るチーク伐採に従事せる會社が同時に製材業を兼営してゐるもので投資関係は之によって覗ふ以外に仕方がない。英國の優勢が常識的となってゐる。

四、其他

農業に於ける直接投資は皆無、然るに灌漑施設に対する対外借款があるが之れは借款の部で述べることにする。交通も同様である。貿易・土地・建物に対する投資はあれども不明なり。

五〇

第六　國際金融関係

一　通貨制度

(一) 通貨制度の変遷

一九世紀の初葉迄タイには金銀貨が流通してゐた。一八六一年に宮中に小造幣所を創設し金銀貨を鋳造した。然し金貨は鋳潰され又は粧飾用に供せられて流通場裡から影を潜め、加之地金の輸入は困難であったから金貨の發行は停止された。銀貨は一般に流通したし又銀の輸入も容易でシンガポールより銀弗を輸入し之を三弗對五バートの割合にて改鋳すれば足りるためタイは東洋諸國並に銀本位制を採用した。

然るに十九世紀末葉より今世紀の初頭にかけて銀の暴落甚しくバート銀貨の購買力激減のため貿易上の損失莫大となったのみならず金貨國に対する債務甚

五一

しく膨脹し、國家財政上悪影響を及ぼしたので政府は銀の自由鋳造を禁止した。然して一九〇二年に始めて金為替本位を採用し、一九〇八年金本位令を公布した。

其頃からタイ國貿易は毎年出超を続けてゐたので在外資金を有つことが出来幣制は頗る円滑に運用された。然るに本制度は銀の暴落に對するバート貨を保護する事を目的とし反對に銀の暴騰に對する對策は殆ど等閑に附されてゐた。一九一九年銀の暴騰が最高潮に達したとき銀貨は鋳潰されて盛に外國に流出し磅に對する比價が従前の一磅＝一三バートから一磅＝一〇バート以下と云ふ高水準に達し輸出貿易は甚しく阻害された。幸にしてその後銀の反動的暴落と米の大凶作により銖貨は漸次軟調を呈し磅に對し一一銖に安定を続けた。

此処に於いて政府は一九二七年一磅＝一一銖の平價を確定し翌一九二八年新たに通貨條令を発布した。これが現行の幣制である。

五二

(二) 現行制度

現行制度に於いては政府の発行準備は金・金證券及び金貨國通貨を以てすべきことを定め貨幣單位は「銖」とする。一九三一年英貨磅の金本位離脱と共に政府は銖貨の約四割切下を断行し、次いで一九三二年金本位を離脱した。然るに磅との比率は舊率たる一磅＝一一銖（本邦一六円）は保持することゝなつた。一九三三年五月に準備の少部分を占めてゐた金帯及金法を英貨磅に賣換へ、終には金準備全部を悉く磅に売換へた。

(三) 最近の事情

現在の幣制は英貨磅為替本位である。随つて英貨磅への換價は自由である。尚通貨條例の規定によれば準備は発行高紙幣の二五％となつてゐるが、タイ國の準備は次表に見るが如く常に一〇〇％を越へるものでその幣制の基礎は鞏固である。これは通貨の健全性により自國債權の確保を希ふ英國の政策であらう。

その準備は國内に保有する少額の銀を除けば悉く倫敦に在外正貨として置かれてゐる。

準備率

	紙幣発行高（千銖）	準備高（千銖）	準備率（%）
一九二九年末	一四〇、〇六八	一六一、〇八三	一一五
一九三三年末	一一四、二八二	一二二、〇四六	一〇七
一九三四年末	一一一、五三二	一三一、一五三	一一八
一九三五年末	一三三、五三二	一五三、四四一	一一五
一九三六年末	一三一、三三二	一五一、二一一	一一五
一九三七年末	一四三、四三二	一六三、三五九	一一四

（註）　タイ國統計年鑑に據る。

銖貨が一對一一の比率にて磅に繫聯してゐることは言ふ迄もない。實際の運用を見るにタイ政府の紙幣発行に就いては同額の磅貨の準備をロンドンに預託しなければならないことである。此点タイの財政顧問たる英人に自國の幣制を牛耳られてゐると云つてよい。

二　金融機関

タイの金融機関はその貿易の発展に伴つて発展した関係上その開國以來貿易に強い根を張る英國の絶對優勢下にあることは贅言を要しない。

一八八八年貿易金融機関として初めてタイに英系の香港上海銀行が設置され、続いて同じく英系のチヤタード銀行が一八九三年に続いて佛系印度支那銀行が一八九七年に設立された。これら三銀行は一時タイ政府の特許を得て紙幣発行權を有してゐた程であつた。

一九〇六年初めてタイ商業銀行なる自國の銀行が設立されたが、その經營運用は一に香港上海銀行の勢力下にあり、現在に於いてもその支配人は一に香上銀行の銀行員である。タイ商業銀行は國立銀行なき現實のタイ政府の國庫事務を管掌してゐるのでタイの金融全体が英國勢力に牛耳られてゐると云つてよい。加之一八九六年以来タイ政府財政顧問の英人就任は金融財政に於いてタイは全く自主權なきものと言ひ得る。香上銀行は單に銀行業務のみならず對英借款の一據点であり、その勢力は金融財政のみならず政治に參與するものと言つて決して過言でない。タイに於ける英勢力の集中的表現と見てよい。

(一) 銀行

名稱	本店所在地	資本金	備考
(1) タイ系			
國庫貯蓄銀行	盤谷		郵便貯金と類似の業務をなす
タイ商業銀行	盤谷	拂込資本 三五〇万銖	
(2) 英國系			
香港上海銀行	香港	公称資本 五、〇〇〇万香港弗	一八八八年創設
チヤタード銀行	倫敦	払込資本 三〇〇万磅	一八九二年創設

有利銀行	倫敦	払込資本　一〇五	
(3) 佛國系			
印度支那銀行	巴里	全額払込　一二〇〇〇万法	一八九七年創設
印度支那不動産銀行	巴里	一一〇〇〇	一九二八年創設
(4) 日本系			
横濱正金銀行	日本	払込資本　一〇〇〇〇万円	一九三六年創設
(5) 支那系			
廣東銀行	香港		資本金不明なれども少額
四海通銀行	新嘉坡		
華僑銀行	新嘉坡		

(二) 特殊金融機関

(1) 餉當……一種の質屋、経営者支那人、中産以下を相手とするもの。

(2) 信局……支那人の副業として営む私設郵便局、華僑の本國送金業務をなす。

(3) 銀荘……支那人の高利金貸業。

(4) 高利貸……比較的裕福なタイ人官吏及印度人が営む農民相手の金融機関。

(5) 信用組合……政府の農民救済のため設立されたるもの。

斯くて銀行業に於いて英國の絶大なる勢力に對し特殊金融機関、即ち小口金融に於いては支那人華僑の勢力を見る。然るに小口金融はその規模少さく全体から見ると大したものでもない。

吾々は本文當初の概観に於いてタイ國民経済の三段階の構造を見た。即ち農民は華僑の利潤を收奪され、華僑は欧人に收奪される機構はその金融機構の面を通して行はれると云ってよい。即ち華僑はタイ農民よりその米作を廉價にて

買上げ（籾の第一線の聚貨は華僑仲買人にして、彼等は通常農村に雑貨商を営み、農民に雑貨を売付け、收穫時には籾を以て支拂はしめる。雑貨の売付は通常收穫豫想高の六割位と云はれてゐる。此處に商業高利貸的な機能を見るのである）。更に欧人輸出業者は彼等華僑より收取するのである。

斯かるタイ経済の機構下に於いて資源の開発は自國の國富の増進とはならず、凡て海外に流出し行くことは前に見た如くである。

三、外債

タイの経済開発は十九世紀末葉以来のことである。前述の如く資本的蓄積のないこの國に於ける資本は凡て借款の形を採らしめたのである。投資対象は鉄道敷設、農業灌漑、國道建設等であった。

今日迄のタイの外債発行高並に未償還残高を示せば次の如し。

	発行高	一九四〇年三月末未済額
一九〇五年 4½ % 債	一〇〇・〇万磅	（一九三八年全額償還）
一九〇七年 4½ % 債	三〇〇・〇	一、〇一二、四二〇磅
一九〇九年F.M.S 4% 債	四六三・〇	二、一五三、九一九〃
一九二二年 7% 債	二〇〇・〇	（一九三二年全額償還）
一九二四年 6% 債	三〇〇・〇	（一九三六年4%債に借換らる）
一九三六年 4% 借換債	二三四・三	二、一九四、一〇〇〃
計	一、五九七・三	五、三六〇、四三九〃

過去六回に渉る外債は凡て磅建にして起債地は倫敦・パリ及び馬來に於いて行はれてゐる。その八三%は英國の所有する所である。これは主としてタイに於ける英勢力の絶對優位性を物語ると同時に、又反射的に八三%の對英依存は

タイをして愈々財政に於ける英國の屬領性を強からしめるものである。

六一

第七、結び

斯くして吾々は「第一」―「第六」に於いてタイ國民経済の社會的歴史的推移並に現狀に就いて述べたのであるが、それは一言にして言へばタイ人は自國の経済に就いて全く自主權がない。それは一に英國の一屬領であると云ふことである。一九三二年の立憲革命の経済的意義は永年に渉る英國の不開発政策に対する反撥でもあつたのである。即ち英國の對タイ投資はタイの経済開発に對する善意のものでなく、タイをして自國の隷屬下に置かんとする意圖の下になされたのであつた。投資と云へば政治的借款以外に殆んど直接投資はなく、僅かに自己の世界海運支配に必要なる造船用のチーク、並に隣接植民地馬來の産業の延長に過ぎない錫投資に過ぎない。況んや錫精錬への投資なく未だもつて原鉱は凡て彼等の植民地彼南・新嘉坡に市場的に依存させる狀態なのである。

斯る狀態下に於いて三二年の革命政府の施策方向は「自國の経済を自國人の

六二

手へ」齎すべきものであつたが過去八年に及ぶ政策の実績はそれが日常生活に於ける敵華僑に對するものゝみに局限され、欧人に対しては一指も染め得ないのであつた。之れは所謂「樹を見て森を見ず」の類であつて本末顛倒した政策と云つてよい。華僑には本來政治的意圖はなく彼等は只タイ人の懶惰に代つて國内の高推を自然的に掌握したに過ぎず、又彼等こそ英人の收取を受けてゐることはタイ人と同様なる筈である。

斯くの如く絶對優勢な地位にある英國に對して本邦の勢力たるや現在迄の所大したものではない。これは本邦商社のタイに對する事情に暗く、貿易と云へば阪神華僑との取引か、香港による仲継貿易に過ぎなかつたのである。本邦の國際聯盟脱退に際して好意の棄權をなして以來聊か注目する所となつたが、昭和八年外米輸入禁止によりタイよりの輸入も少なく、僅かに輸出に於いて本邦の廉價良質の纖維品が売られたに過ぎない。直接産業投資とてなく僅かに三菱の錫山に対する投資あるも問題とするに足りない狀態である。

斯るタイを挾む日・英の勢力関係の現狀に於いて一世紀以上の歴史の上に牢

六三

固たる地盤を張る英勢力を向ふに廻して、これと對等する本邦の経済的進出は蓋し、百年河清の感に等しい。タイ政府を盛り立てゝの本邦経済の進出も最近の情勢に於いて実際行はれんとしてゐる模様ではあるが、此処には一定の限度がある。そしてその限度も見えすいてゐるのである。

此処に於いて結論は自ら明かである。斯かる経済的な劣勢を補ふ緊急な解決は武力あるのみである。

六四

其三　比律賓篇

比律賓篇

目次

(比律賓)

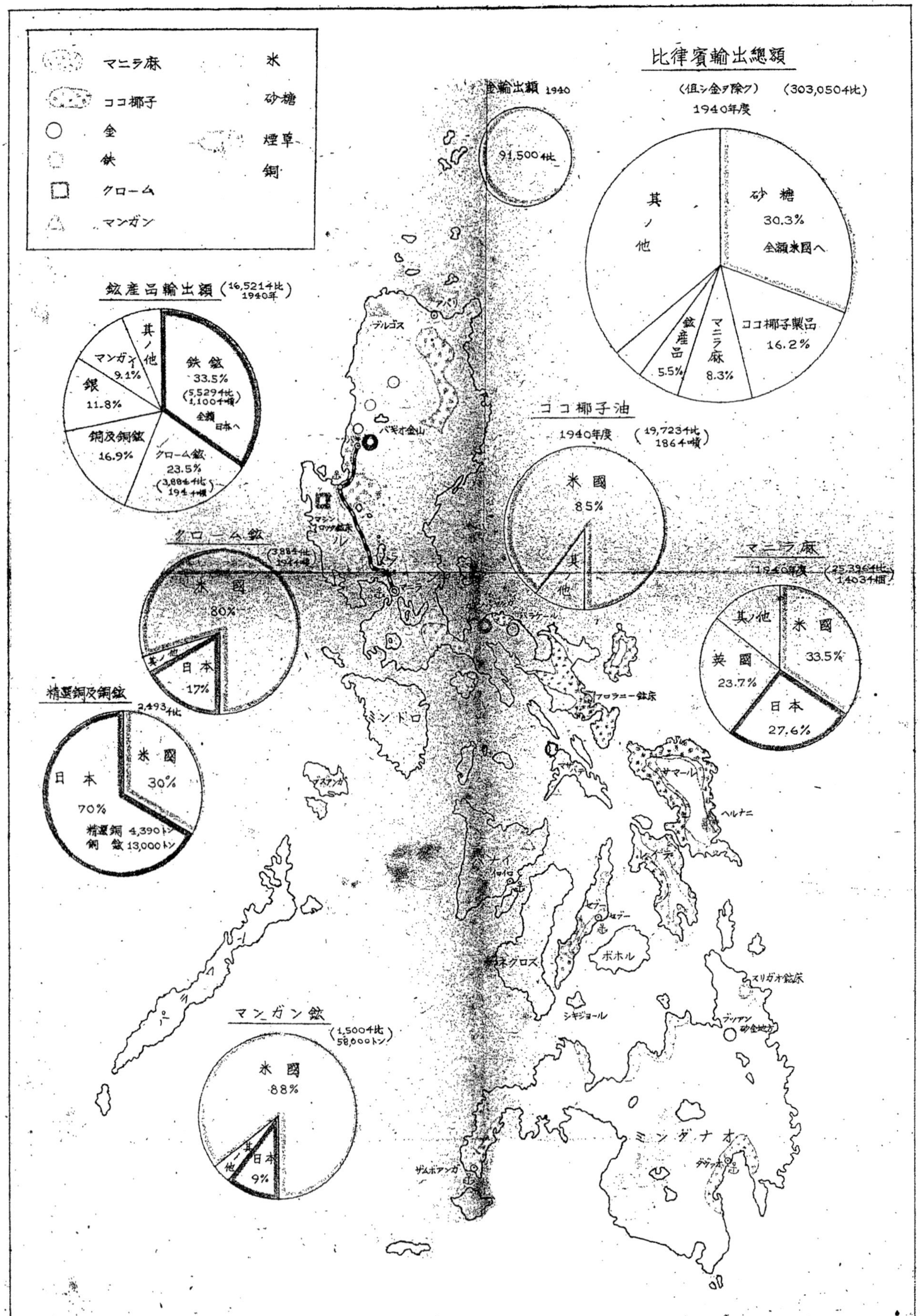
マニラ麻
ココ椰子
金
鉄
クローム
マンガン
米
砂糖
煙草
銅
比律賓輸出總額
(但シ金ヲ除ク)　(303,050千比)
1940年度
砂糖
30.3%
全額米國へ
ココ椰子製品
16.2%
マニラ麻
8.3%
鉱産品
5.5%
其ノ他
金輸出額 1940
91,500千比
鉱産品輸出額 (16,521千比 1940年)
鉄鉱
33.5%
(5,529千比 1,100千噸)
全額日本へ
クローム鉱
23.5%
(3,884千比 194千噸)
銅及銅鉱
16.9%
銀
11.8%
マンガン
9.1%
其ノ他
ココ椰子油
1940年度 (19,723千比 186千噸)
米國
85%
其ノ他
クローム鉱
(3,884千比 194千噸)
米國
80%
日本
17%
其ノ他
マニラ麻
1940年度 (25,396千比 1,403千梱)
米國
33.5%
日本
27.6%
英國
23.7%
其ノ他
精錬銅及銅鉱
2,493千比
米國
30%
日本
70%
精錬銅 4,390トン
銅　鉱 13,000トン
マンガン鉱
(1,500千比 58,000トン)
米國
88%
日本
9%
其ノ他
アパリ
ルソン
バギオ金山
マニラ
ミンドロ
サマール
ネグロス
セブー
ボホル
パラワン
ミンダナオ
ザムボアンガ
ダヴァオ
スリガオ鉱床
シキジョール
ヘルナニ
イロイロ

第一　概観

一、自然的地理的條件

比律賓群島は、亜細亜大陸の東南、南支那海と太平洋間に、南北の長さ一、一五二哩、東西の最闊員六八二哩に亘り、三角形状に散在する、大小七、〇八三の島嶼である。併し面積一平方哩以上の島は僅に四六六に過ぎず、主なるものは、

ルソン	四〇、八一四平方哩
ミンダナオ	三六、九〇六〃
サマール	五、一二四〃
ネグロス	四、九〇三〃
パラワン	四、五〇〇〃
パナイ	四、四四八〃

一

ミンドロ	三、七九四平方哩
レイテ	二、七九九〃
セブー	一、六九五〃
其の他	九、四一七〃
合計	一一四、四〇〇〃

であり、わが朝鮮、台湾、樺太南半の合計より少し大きく、海岸線は極めて長大であつて、二万二百六十哩に及び、わが國の海岸線より四千五百哩以上長い。

その地勢的特徴を列挙すれば、

(一)　全群島の形態地形極めて不規則

(二)　山脈は多く海岸線に平行して走り

(三)　比較的大河尠く、大森林地帯多く

(四)　全群島が火山地帯であり

(五)　地味豊沃である

等である。

二

気候は熱帯地方として概して良好である。大体七月より十月を雨季とし、他は乾燥季であるが、太平洋岸は之と反対で、南部では雨季は一定してゐない。四、五、六月の暑熱期であつても平均気温は八三、四度であつて、一〇〇度を越すことは稀である。雨量は比較的大であり、屡々颱風に見舞はれる。

二、社會的歴史的條件

人口総数は、米國領有以来

一九〇三年	七、六三五、四二六人
一九一八年	一〇、三一四、三一〇人
一九三五年	一三、〇九九、四〇五人
一九三六年	一三、二六六、七〇〇人

と増加し、その中外國籍人は、次の如く増殖してゐる。

三

國籍別	一九〇三年	一九三六年
支那人	四一、〇三五人	七六、四五六人
米國人	八、一三五	六、〇七八
西班牙人	三、八八八	四、六四七
日本人	九二一	二〇、六四一
英國人	六六七	六四〇
其の他	一、四九二	三、五一三
合計	五六、一三八	一一〇、九七五

元来比律賓人そのものが単一民族ではなく、パプア人、印度人、マレー人、日本人、支那人、西班牙人、欧羅巴人等の混血民族であるが、今日宗教的には、大体キリスト教に統一されてゐるが、回教徒其の他も多少ある。

比律賓人の社会生活は、四〇年間の米國の支配下に在つて全く米國風となつ

四

てゐる。国民性としては、虚栄心強く、政治に偏倚し、実業を好まないと云はれるが、これは或意味で被圧迫民族の共通性であつて、比律賓人が本質的にさうであると為すは早計であらう。寧ろ西班牙統下に在つて執拗な独立運動を續け、米國より独立を確保し得て後、經済的自主權の獲得に相当の業績を示してゐる点、殆ど全く自治能力なき南洋諸民族中例外的存在であることを注意すべきであらう。

比律賓の歴史は、血で彩られた独立運動の歴史である。一五二一年マゼランがセブー島に上陸し、比律賓は始めて欧洲先進諸國にその存在が知られた。マゼランは比島で土民に殺されたが、一五六五年レガスピーがスペイン國王の命を受けて渡来し、セブーに永久植民地を建設して以来、漸次比律賓群島は西班牙の攻略するところとなつた。当時の西班牙は未だ全く未開の状態に在つて僅に支那人、日本人の来往によつて東洋諸地域との交通交易があつたに過ぎない。

西班牙の植民地統治は一般に極端な専制政治であつて、比島も亦この例に洩れない。比律賓人のこれに対する反抗は絶え間なく、三百年の統治下に、七十二回に及ぶ叛乱と虐殺とが繰り返へされた。西班牙はまた支那人勢力に対しても常に弾圧を加へ、数回に亘りて支那人の大量的虐殺を行つてゐる。

一八九六年、比島の革命志士、ホセ・リサールを西班牙政廳の処刑せる事件に端を発し、大規模な独立運動が起り、一時は革命政府さへ樹立されたが、独立運動の首領アギナルドは西班牙軍と戦つて敗れ、一時妥協して海外に亡命中、一八九八年米西戦争が勃発した。

米國はアギナルドを援助し、比律賓独立軍と共同して西班牙軍を席捲し、遂に一八九八年六月二十日に比律賓独立宣言が行はれた。然るに米國は、比律賓人の独立運動を裏切り一八九八年十二月巴里に於て媾和條約を締結し、比律賓は二千万弗の代償を以て米國に譲渡されることとなつた。米國のかゝる欺瞞的な行動を容認せざる比律賓独立軍と米國軍との衝突となり、一九〇二年比律賓軍は完全に屈服し、米國に隷属化するに至つた。

自由主義、民主々義を國是とし、門戸開放を高唱する米國は、比律賓に対しても懐柔主義を取つた。米國領有下に於ても、比律賓人の即時完全独立の要望は熾烈なるものがあり、之に対して米國は再三独立の約束を與へた。

一九三四年三月、ケソン現比島大統領等の運動が效を奏して、タイディングス・マクダフイ法（*Tydings-Mcduffie Act*）が米議会を通過し、こゝに比律賓は一九四六年七月を期して完全独立を與へられることとなり、その間、比律賓コンモンウェルスとしての自治政府成立し、半独立状態を達成するに至つた。

第二　權益関係

現在比律賓と米國との関係、比律賓の対外関係、比律賓の憲法、即ち比律賓の凡ゆる対外的、対内的諸関係の根本を為すものは、前述のタイディングス・マクダフイ法（独立法）である。從つて主として本法の内容を検討し、併せて最近の移民法について附記することにする。

一、タイディングス・マクダフイ法

(一) 成立の動機

米國は本法の成立を以て、常に其の人道主義的民主主義的精神の発露たることを宣揚してゐるが、実際の成立の動機は聊か事情を異にするものである。

前欧洲大戦後米國農業は甚しい不振に陥つた。永久的繁栄の幻想さへ生じた

一九二〇年代の好況期に於ても、米國農業は依然として其の生産物價格の低落に惱まされつゞけてゐた。一九二九年の金融恐慌は、既に中部農業地方に於ける銀行の相次ぐ倒壊に於て予示されてゐた。

大恐慌に依つて極東の輸出農産物價格も亦崩落に崩落を續けた。併し独り比島のみは米國と云ふ他の競争から保護されたる市場を有してゐたのである。競爭者は米國農業のみである。恐慌の最も激化した一九三四年に比島産農産物が如何に低廉なる價格で米國市場に流入したかは、左の数字を一瞥すれば判る。

砂糖	一一億五二百万斤	一億三〇百万比
コプラ	一億五三百万斤	三百万比
椰子油	一億三五百万斤	一三百万比
煙草	二億〇六百万斤	七百万比
乾燥ココナッツ	二三百万斤	四百万比
綱索	四百万斤	二百万比

等である。之に對して米國の農業者、就中甜菜糖業者及煙草業者が、嚴重に張

り廻らされた関税障壁の巨大な抜け穴から洩れるものとして悲鳴を挙げたのも無理からぬところである。

恐慌は亦一千万人に及ぶ多数の失業者を米國に生じた。毎年一万一千人平均で流入する（米國島嶼局の調査に依れば、一九二〇年乃至一九二九年の十年間に、米大陸及布哇に入國した比律賓移民一一万三一四四人）比島よりの移民さへも苦痛とせられ、排斥された。

恐慌対策に集中されてゐた米國輿論は、比律賓に独立を與へることによつて其の農産物の米國への流入を防遏せんとした農業関係者の運動を成功せしめたのである。比律賓の独立は、米國経済を根底から搖り動かした大恐慌のための米國帝國主義の一時的な退却に過ぎない。

（二）　タイディングス・マクダフィ法の内容

斯くの如き動機に発する本法は、比律賓に一應の政治的独立を約せる代りに経済的には米國にのみ一方的に有利なものである。

即ち通商上に於ては、直ちに比島の砂糖、椰子油、綱索、煙草の輸入割当制限を行ひ、其の他の比島の米國への輸出品に対しても、特種品目を除き、コンモンウェルス政府成立後五ケ年を経過するや、累進的に比律賓側に於て輸出税を賦課せしめ、米國に於て輸出税を課すると同一の效果を期待してゐる。而して一九四六年の完全独立後は、外國として扱ひ、比島製品は米國市場より完全に閉め出される運命にある。

比律賓よりの移民も、一万一千名を僅に一年五十名に制限した。

本法に於て比島の完成独立まで十ケ年の準備期間を置いてゐるが、而もこの間比島の外交、金融、軍事上の諸権利は完全に米國の保留するところであり、比島は米國よりの輸入に対しては何等防遏措置を取り得ない。從つて輸入先を転換して、求償的に新しい輸出市場を開拓することも不可能である上に、米國工業製品の競争下に在つては比島の工業化も望み難いところである。新市場を欧洲に求め、対米國依存を軽減せんとしてゐた比島政府の努力も、今次欧洲大戦の勃発によつて完全に挫折した。比律賓は今や政治的独立の近付くに從つ

て、経済的独立は益々困難を加へると云ふ如何とも為し難い情勢に在る。

（三）　独立再検討論の擡頭と独立法の経済條項の緩和

世界情勢の急変と、比島の経済的独立の困難とは、米比両國に於て独立再検討論を擡頭せしめた。

米國は漸次恐慌から立直るに從ひ、支那大陸並に南洋諸地域に於ける市場及資源の重要性が頓に意識され始め、それへの前進基地としての比島の重要性は漸く強調され始めた。比島に対する米國の貿易は從來逆調であつたとは云へ、比重は米國の輸出市場中第七位を占めるのみならず、米比貿易は決して調整不可能の如きものではない。また逆轉の貿易関係に在る市場からの製品を悉く閉め出すことになれば、如何なる國と雖も遂には全市場を失ふものであつて、特に米國の如きに在つて愚劣なことと云はなければならない。

比島側に於ては、貿易上の対米依存の急速なる脱却は不可能であり、既に独立法に基く通商制限案が漸次有效となるに從つて、比島産業は全面的に打撃を

受けんとするに至つた。この経済的独立の困難に加へて、日支事変は比島民及比島政府に尠からぬ影響を與へた。在比華僑の反日宣傳と、米國の反日的政策に支配され、比島民中には万一米國の勢力下を離れる場合、日本に依つて其の政治的独立を脅かされる如く考へる者も出で、将来何等かの形で米國との政治的連繋の下に立つことを希望するに至つた。特に輸出税の賦課によつて非常な打撃を受ける砂糖業者が独立再検討論者の急先鋒であることは当然であるが、最近日本の脅威に対抗する意味で比島民一般が汎アメリカニズムの一環たらんことを希望し、実際に於て比島政府がかゝる政策に出でつゝあることは注目を要する。

かくて、米比両側に於て独立法制定当時とは着しい輿論の変化を見、先づ独立法の規定による比島産業の打撃を緩和することを急務とし、一九三七年米比共合委員会(Joint Preparatory Committee)が設けられ、之が調査に当つた。その結果、一九三八年十二月米議会に提出せられた報告に於て、比島の政治的独立は依然一九四六年とするも、経済的独立は一九六一年まで延期し、

一三

輸出税を緩和して比島産業に対する圧迫を緩和しつゝ比島の急速なる工業化計画の促進を勧告した。これに基いて一九三九年八月、独立法の経済事項の修正が行はれた。即ちコシャルコウスキ・タイディングス法がそれである。然し政治的経済的独立は一九四六年として輸出税割当制等の若干の軽減を為せるに止り、比島産業の困難を解決するものでなかつた。

今次欧洲戦争の勃発は、比島独立を囲繞する客観情勢を更に決定的に変化せしめた。米國の対英援助の強化と、参戦態勢は、極東に於ても日本の南進ルートを遮断せんとする英米支共同戦線の具体化となつて現れ、比島の米國の前進基地としての意義は頓に重大化した。米國の駐比軍事勢力は未曾有に拡充され、比島政府も亦過般の米國の軍需品輸出許可制の比島への延長等によつて、米國の対日経済攻勢の一環となつた。

二、外國人企業に対する法律上の諸制限

一四

比律賓の政治的独立は、長年の流血の闘争によつて漸く獲得されたものである。しかし其の間に比島の経済上の勢力は殆ど凡て外國人、外國人資本の掌握するところとなつた。而して比島の経済的基礎の薄弱なることが、折角確保し得た政治的独立の完成まで脅かさんとするに至つて、彼等は経済的自主化に積極的に乗出さゞるを得なかつたのである。

比律賓の一九三五年二月に成立した憲法に於て、比島の天然資源を凡て國有と宣言し、その開発及利用の特典を比島市民若くは彼等によつて其の資本の六割以上が所有される会社又は組合に限定した。加之、公有農業地以外の天然資源の売買を禁じ、その開発、利用の為の許可、特許若しくは租借の期間を二十五年に限定した。また個人又は組合が一〇二四ヘクタール以上の土地を租借若くは所有することを禁じた(比島憲法第十二章第一條以下参照)。

憲法上のかゝる規定は、其の後土地法、森林法、鉱業法、漁業法、移民法等となつて具体化され、何れも比島の資源開発の権利を外國人の手から奪ひ、比律賓人による独立を企図せんとするものである。

一五

注意を要するのは、米國市民のみはこれ等の諸法律によつて比律賓人と同一に見做されることである。従つてこれ等の法律は、客観的には支那人及日本人の経済進出を阻止するものであつて、従来、農業、林業、漁業等に於ける日本人の尠からぬ権益も危殆に瀕し、特に昨年五月比島國会を通過した移民法の制定によつて日本人の今後に於ける発展は全く不可能となつた。即ち比島に対する移民は従来支那人移民のみ禁止されてゐたが、本法に依つて凡ての移民は僅に五百名に制限されることとなつた。従来五百名以上入國せる外國人は日本人のみであつて、元来米國との密接なる連絡に依つて成立した本法は、明かに日本に対するものである。

一六

第三　貿易

一、比律賓貿易の發展—米比貿易

米國の勢力下に入るまでの比律賓の貿易は極めて微々たるものであつた。西班牙の圧政と、其の封鎖的政策は、比律賓人の政治的抗争と共に、其の産業的発展を甚しく阻害してゐた。

比律賓貿易の眼覚しい発展は、米國領有後に属し、米國との通商関係を切離しては比島の貿易上の発達は考へられない。従つてこゝでは米比貿易の展開を中心として、比島貿易の歴史を顧ることにする。

一八九八年の米國の比島占領より一九三五年独立法に基く比律賓政府の成立までの約四十年間に於て、特に前半に於ける発展の顕著であるに対し、後半期は著しく停滞した。この間を四期に分つて考察するを常とする。

第一期は一八九八年より一九〇九年に至る間で、未だ巴里條約第四條により西班牙の船舶及貨物は、米國の船舶及貨物と同一の條件で比律賓に入ることを許され、米比間の自由貿易は確定されなかつた。それにしても一應の政治的安定と米國との部分的な特恵関税の設定によつて比島貿易は著しく増加し、一八九九年僅々五千五百万比であつたものが、一九〇八年一億二千七百万比、一九〇九年には一億一千七百万比に達し、貿易総額は二倍以上に躍進した。

一九〇九年、ペーン・オルドリッチ関税法により、米國への完全な経済的隷属を怖れる比島側の反対にも拘らず、米比間の自由貿易が確立された

第一表　比律賓貿易の推移　（單位　千比）

年度	輸入	輸出	合計
一九〇〇	四一、二〇二	三九、六四二	八〇、八四四
一九一〇	七四、一三五	七九、四三五	一五三、五七〇
一九二〇	二九八、八七六	三〇三、二四七	六〇一、一二三
一九三三	一三四、七二二	二一一、五四二	三四六、二六四
一九三五	一七一、〇四七	一八八、四九一	三五九、五三八
一九三六	二〇二、二五二	二七二、八九六	四七五、一四八
一九三七	二一八、〇五一	三〇四、六三四	五二二、六八五
一九三八	二六五、二一五	二三一、五九〇	四九六、八〇五
一九三九	二四五、五五九	三一六、〇九五	五六一、六五四
一九四〇	二六九、七二〇	三〇九、五七九	五七九、二九九

これより一九一七年、ジョーンズ法の実施を見るまでを第二期とする。この間、比島内に栽培生産される凡ての貨物（但し砂糖は三十万屯、煙草は葉巻一億五千万本、其の他は三十万封度を限る）は無税にて米國に搬入されることとなつた。これによつて比島貿易は漸次米國の独占的支配下に入ることとなり、輸出入共平均約五割方の増大を見たが、真に比島貿易の目覚ましい進展を見た

のは第三期である。

一九一六年八月二十九日に米議会を通過したジョーンズ法は、比律賓人の自主化への第一歩を進めたものと云はれるが、同法第一條によつて比律賓は若干の関税自主権を與へられた。それと同時に欧洲大戦に伴ふ米國の膨大な軍事需要は、米比貿易の凡ゆる障碍を撤去せしめ、この第三期に比島貿易は劃期的な進展を示した。一九一五年の輸出入総額二億六百万比が、一九二〇年には六億一百万比の三倍加するの盛況を呈した。併し乍ら戦後に農業恐慌が漸次世界的に深刻化するに従つて、比島の輸出品の大部分を占める農産物價格は漸次崩落して、貿易は停滞的となつた。しかし、比島が他の農業國ほどに深刻なる打撃を受けなかつたのは、巨大なる米國市場を控へてゐたためであるが、これ亦一九二九年の金融恐慌を転機として著しく狭溢となり、こゝに比島産砂糖、油脂原料、煙草等は米國産品と猛烈な競合を演じ、米國は漸次比島に対して通商制限を策するに至つた。実に比島独立を齎した直接有力なる動機が比島製品の米國への輸入制限に在つたことは前述の如くである。

一九三四年五月九日に制定された、ジョーンズ・コスティグン法は比島貿易の大半を占める砂糖の輸入制限を行へるものであつて、米比間の自由貿易から制限への劃期を為すものであるが、一九三五年の比島独立を許容したタイディングス・マクダフィ法によつて、通商制度は全般的となつた。これ以後を以て比島貿易の第四期と為す。一九三七年の砂糖法に依つて砂糖の米國への輸出は更に制限され、タイディングス・マクダフィ法によつて、米國製品は比島へ無制限に搬入されるに対し、比島産品は特種品目を除き漸次全般的に制限を豪ることとなつた。アバカ其の他の繊維原料、コプラ、クローム鉱、銅、樹脂、木材、皮革等を除く、全製品に対して、一九四〇年十一月十五日より、卽ちタ・マ法によるコモンウエルス政府成立後、五年間を経過するや、米國現行関税の五％より始めて十年目には累進的に二五％まで及ぶ輸出税を比島政府に於て課することとなり、一九四六年七月四日の完全独立後は比島製品の大部分は米國市場に於て他國製品と同等の待遇を受けることとなつた。一九三九年八月に独立法の輸出税は若干緩和されたが比島貿易の困難を打開するものではない。

二一

卽ち昨年から本年度にかけての米比貿易はこれら諸対策の奏效によつて、果然比島に対して従来の常態を破つて逆調を示し始めたことが注目される、対米依存度の余りにも深い比島貿易は重大なる危機に直面するに至つた。今次世界大戦による影響は益々これを深刻なものとしてゐるが、これについては後に述べることにする。

二、地域別貿易

比律賓の貿易に於ける列國の勢力の変遷は左表の如くである。米國がその通商上の特殊関係から常に第一位に在ることは云ふまでもないが、一九二九年当時まで第二位を占めてゐた英國に日本が代つた。日本は極東に於ける唯一の工業國として、また地理的に近接してゐるため、米國に対する最も強力な競争者である。最近大戦開始前まで独逸の進出も相当著しいものがあつた。これは独逸の求償的貿易発展策と共に、比島政府が貿易上の対米依存を欧洲貿易の拡大

二二

に依つて軽減せんとした政策が作用してゐると見るべきであらう。

第二表　對比律賓貿易に於ける列國の地位　（單位千比）

一九一九年 國名	一九一九年 金額	一九二九年 國名	一九二九年 金額	一九三九年 國名	一九三九年 金額
（総額）		（総額）		（総額）	
米國	二六四、三〇〇	米國	四三四、一〇〇	米國	三七〇、一九二
英國	四四、五〇〇	日本	三八、一〇〇	日本	五二、三三三
日本	四二、一〇〇	英國	二六、〇〇〇	英國	一七、六八九
支那	一九、七〇〇	支那	二〇、六〇〇	独逸	一一、九一〇
佛領印度	一六、六〇〇	独逸	一六、八〇〇	支那	八、五五六

二三

地域別に見れば、一九三九年卽ち欧洲大戦の勃発前、米洲圏が輸出に於て八二、二％、輸入六九、三％、対亜細亜洲及太平洋洲圏が輸出七・三％、輸入一七・二％、欧洲圏が、輸出八・六％：輸入一一％となつてゐる。卽ち米洲圏：就中米國に対する依存度（輸出七七％、輸入六八％）が圧倒的に高い。亜細亜洲及太平洋洲圏に於ては、日本が大部分であり、輸出に於て六・五％、輸入に於て九・六％を占める。

今次大戦の拡大によつて、比島の対欧洲貿易は、一九三九年の五千五百万比より一九四〇年の二千七百万比に減じ、半額に急減し、米洲並に亜細亜洲及大洋洲に対する依存度を著しく高めた。

輸入に於て一九四〇年は前年に比して、米國、カナダ、支那、英領印度、蘭領印度からのものが急増し、欧洲圏に於ては諾威、西班牙が例外的に若干増してゐる。

輸出は米國に対しては減少した。これは米國の比島産品に対する輸入防遏の奏效し始めたものである・カナダ、濠洲を除く亜細亜洲及大洋洲及欧洲圏の伊

二四

第三表　比律賓の地域別輸入額及割合　（金額千比）

	一九四〇年 金額	一九四〇年 割合	一九三九年 金額	一九三九年 割合
米洲圏	二一三,七九四	七八・七%	一七〇,〇二九	六九・三%
米國	二一〇,六三一		一六七,五七八	
カナダ	三,一六三		二,四五一	
亜細亜及太平洋圏	四二,五二六	一五・七%	四二,三三七	一七・二%
香港	二,〇四八		一,七九三	
日本	一二,〇六三		一五,二二七	
支那	六,三一二		五,二八八	
英領東印度	七,八一九		四,五一六	
濠洲	三,六〇五		四,〇〇五	
佛領印度	一,一六二		三,八七七	
蘭領印度	八,一三四		五,九五五	
泰	一,四八三		一,五七六	
欧洲圏	一〇,五五七	三・九%	二八,二三五	一一・〇%
英國	三,七六〇		五,九六一	
愛蘭	三,五五七		五,九〇八	
独逸	一五四		八,五七六	
佛蘭西	五七五		一,五七三	
オーストリー	二		七二	
白耳義	八四一		二,九六六	
丁抹	一一		一〇六	
諾威	五二八		一七三	
西班牙	四一五		一七一	
瑞西	一,〇〇二		一,〇三九	
瑞典	七一二		一,六九〇	
其の他	二,八四三	一・七%	五,〇五九	二・五%
合計	二六九,七二〇	一〇〇・〇%	二四五,五六〇	一〇〇・〇%

(比)

第四表　比律賓の地域別輸出額及割合　（金額千比）

	一九四〇年 金額	一九四〇年 割合	一九三九年 金額	一九三九年 割合
米洲圏	二五七,三三五	八三・一%	二六〇,一二二	八二・二%
米國	二五六,〇六五		二五九,三三五	
カナダ	一,二七〇		七八七	
亜細亜及太平洋圏	三〇,五一一	九・八%	二三,七〇八	七・三%
日本	一七,五九二		一五,九一三	
支那	三,六八七		二,〇二九	
佛領印度	三二二		一七一	
泰	三五二		三〇五	
香港	三,七一九		一,七一八	
英領東印度	二,六九九		一,六三〇	
濠洲	七八八		八三四	
蘭領東印度	一,一七三		八六三	
其の他	一七九		二四五	
欧洲圏	一六,八九二	五・四%	二七,三一二	八・六%
英國	七,二〇六		六,六四六	
愛蘭	二		一一	
白耳義	一四六		八二一	
丁抹	七五三		二,六八八	
佛蘭西	三,一一八		三,五二六	
独逸	—		一,九八四	
伊太利	八一六		四九一	
和蘭	四三		六,五二〇	
諾威	九五		五七三	
西班牙	三,〇〇〇		二,一〇九	
瑞西	一七四		三七	
瑞典	一,五三九		一,九〇六	
其の他	四,八四二	一・七%	四,九五四	一・九%
合計	三〇九,五八〇	一〇〇・〇%	三一六,〇九六	一〇〇・〇%

(比)

太利、西班牙に対して増加してゐる。伊太利、西班牙が各々五割乃至六割方前年度に比して増加してゐることは、英國の経済封鎖線を透過する唯一の独逸の補給路であり、比律賓が独逸の不足する油脂原料品の供給地である点を勘考すれば極めて注目すべき現象であつた。

欧洲圏は以上の二三ヶ國以外は、輸出入共急激な減少を示してゐる。欧洲大戦の勃発は比島の輸出に可なり打撃を與へた。米國の通商制限が強化され、極東市場も亦日支事変のため漸次強化されたゝめ、比島は米國市場に於て見込薄の商品、特に麻類、コプラ、煙草、木材等の欧洲市場進出を図り、或程度成功してゐたものであるが、これ亦挫折した。特に比島貿易が欧洲諸國籍船舶に依存してゐただけに、船腹の不足、船賃及保険料の昂騰による打撃は大きい。各國の戦時貿易統制及為替管理の強化も亦比島貿易の将来に暗影を與へるものがある。併し他面比島輸出品は次項に述べる如く、軍需物資も尠くなく、例へばマニラ麻、油脂原料、クローム鉱、鉄鉱の如き、将来特に米國の再軍備の拡大に伴ふ非常な需要の増大も考へられるのである。欧洲大戦は比律賓の経済的に

二五

は益々米國への経済的従属を益々深め、比律賓の政治的独立の近付くに従ひ、経済的独立は却て困難となる矛盾せる状態に進みつゝある。

その決定的な指標として、最も注意すべきは最近の米國の輸出許可制度の比島への延長であらう。比島議会が行へる。米國の戦略物資の輸出管理制を比島に延長すべき決議に対し、ケソン大統領は本年五月二十八日署名を了した。これによつて、油脂原料、マニラ麻、鉄鉱、クローム鉱、銅鉱、銅塊、マンガン鉱等の輸出は、比島に駐在する米國高等弁務官の許可を必要とするに至つた。これは明かに日本を目標とするものに外ならない。日本の比島よりの軍需物資の輸入、即ちコプラ、コ、ナツト油、アバカ（マニラ麻）、鉱石は、比島よりの総輸入額の八〇％（一九四〇年度）を占める事実を想起すべきである。

二六

三、政治ブロック別貿易

一九四〇年の比律賓の貿易を、政治的ブロックに対しての比率に別ければ、次の如くである。

	輸出	輸入
対英米ブロック	八八・二％	八九・九％
対東亜ブロック	六・九	七・七
対欧洲ブロック	三・二	一・五
其の他	一・七	一・七
合計	一〇〇・〇	一〇〇・〇

即ち英米ブロック－米國、カナダ、英國、愛蘭、濠洲其の他の英属領及蘭領印度－が、輸出入共殆ど約九割近くを占める。次いで東亜ブロック－日本、支那、佛印、泰－に対し輸出及輸入に於て、夫々六・九％、七・七％を占める。欧洲ブロック、即ち独伊枢軸國の勢力下の地域は、輸出に於て三・二％、輸入に於て僅に一・五％に過ぎないが、今後英國の対欧封鎖の強化に依り更に減少

二七

するであらう。前述の米國の輸出許可制の比島への延長が、英米ブロック以外への比島貿易を今後一段と減退せしめるに至ることは云ふまでもない。

四、主要輸出品

先づ輸出について見れば、比律賓の輸出の大部分を占めるのは、農産物である。而も其の種類は比較的尠く、第二義的食料品及工藝用農産物に属する。即ち砂糖が殆どその半を占め、これにアバカ及椰子製品を加へれば、輸出総額の八割三分に達する（一九三六年に一億四百万弗）。農産物全体では輸出の九割以上を占める。

しかも、之等少数輸出品目についての対米依存が特に高いのである。即ち砂糖に於て一〇〇％、椰子製品に於て九五％に及ぶ。主なる輸出品について略述する。

二八

第五表　比律賓の主要輸出品及對米依存度　（単位千弗）

輸出品目	一九三六年			一九三七年		
	総額	米國へ	米國の割合	総額	米國へ	米國の割合
砂糖	六一、九三七	六一、九三七	一〇〇%	五七、七〇六	五七、六二一	一〇〇%
アバカ	一七、〇八九	五、三三七	三一	二一、六四〇	六、八五一	三二
椰子油	一三、七八九	一三、一三七	九五	二〇、五二六	二〇、一七四	九八
コプラ	一五、〇〇〇	九、七七二	六五	一五、九八五	一四、四二五	九〇
乾燥椰子実	四、三九七	四、三五三	九九	六、三四七	六、三〇四	九九
煙草	五、二四五	二、五六二	四九	四、九八三	三、二九〇	六六
木材	三、一〇〇	一、一九〇	三八	三、九四三	一、二六三	三二
刺繍	四、一九二	四、一八四	一〇〇	二、七〇〇	二、六八一	九九
コプラ肉	一、八三〇	一、〇三四	五七	二、九〇〇	一、四一九	四九
パイナップル罐	五〇二	五〇一	一〇〇	一、六七三	一、六七三	一〇〇
家具	一、一七九	四五〇	三八	一、四三六	四九六	三五
鉄鉱石	一、四三二	—	—	一、三二六	八	一
マゲイ	一、〇五八	一四八	二四	一、〇八七	三九	四
クローム鉱	一五四	一一八	七七	七七一	七〇三	九一
マーガリン	三三六	一〇三	三一	五一三	一一三	二二
帽子	五八八	四八〇	八二	四六七	三八三	八二
樹膠樹脂	三三七	二三〇	六八	三七五	二三一	六一
カッチ	三二三	三二三	一〇〇	三四八	三四八	一〇〇
皮革	一四五	三	二	三一九	九	三
結麻	三四一	—	—	三〇一	—	—
糖蜜	二五二	一一〇	四三	二七六	四三	一六
貝ボタン	二一九	二一九	一〇〇	二七五	二七四	一〇〇
植物脂	四五〇	三四〇	七六	二四八	六六	二七
其の他	六、二七一	四、八二八	七七	六、一三三	一、三四〇	二二
計	一三六、四四五	一〇七、五二五	七九	一五三、二七八	一二二、七五五	八〇

（註）

比島輸出総額中、最高七割一分、比較的輸出の低下した最近に於ても尚三割以上を占める砂糖は、比島の最重要産物であり、三百万人以上の人口を養ふ。仕向地は米國のみである。特に一九三七年のロンドンに於ける國際砂糖協定によつて比島産糖の輸出市場は米國のみとなつたため、他の市場は全く閉されるに至つた。而して比島産糖はコストが極めて高い。米國市場に於ける競争品たるキューバ糖に比してもコストは二倍以上となつてゐる。これは長く米國市場に於て無関税で優遇されてゐたゝめ、コストの低下への努力が拂はれず、また比島の土地法の拘束に依つて大農場の経営が困難であり、製糖業に於ける合理化の困難であるためである。キューバ糖そのものがコストの高いことで有名である。従つてジャワ糖等に比して、比島産糖の対外競争力は極めて薄弱であると云はなければならない。一朝米國市場より締め出される場合、新市場開拓の可能性全く無く、比島産糖の将来は暗憺たるものである。

砂糖の対米輸出の最も増大したのが、一九三四年、全産額一四八万噸中、一二七万噸が輸出され、米國産の甜菜糖等に非常な脅威を與へるに至つた。よつ

二九

三〇

て米國は　一九三四年三月、ジョーンズ・コスティガン法に依り、比島産糖の輸入を年一、〇一五、〇〇〇噸に制限した。次いで独立法を以て砂糖は、更に粗糖八〇万噸、精糖五万噸、即ち粗糖にして九七〇万噸に制限された。其後一九三七年の砂糖法によりこの割当は幾分拡大され、一九三八年の割当は粗糖にして九九一、〇二〇噸となつてゐる。

比島の製糖能力は一五〇万噸と云はれる。米國の割当制限は比島経済に対する非常な苦痛であり、比島の独立再検討論が、比島の製糖業者を中心とすることも当然の事であらう。

昨年十一月十五日を以て、比島産糖の米國への輸出には、独立法の規定によつて、米國現行関税の五％の輸出税が賦課された。この輸出税は、漸次累進的に増加し、一九四六年までには米國関税の二五％となり、独立後には一挙に四倍となつて、米國の関税が全的にかゝるに至る。対外市場での競争力弱き比島産糖は、重大なる危機に面してゐる。孰れにしても比島製糖業の萎縮は不可避的であるが、比島としては之に代るべき産業の多角的な発達に努力しなくては

ならない。

砂糖に次いで重要なのは、コヽ椰子製品たる、コヽ椰子油、コプラ、椰子炭等である。卽ち人造バタ、その他の製造原料であり、化学工業用原料として軍事的にも重要である。これ亦米國市場に大部分依存してゐるが、これ亦独立法に依つて年二〇万噸の輸入割当を受け、其の後收入法（一九三四年）によつて更に一ポンド三仙の消費税が課されることとなつた。比島以外の外國産油の米國に於ける消費税は五仙である。従つて比島産油は二仙軽減されてゐる理であるが、孰れにしてもコヽ椰子栽培に対する打撃である。一九三八年コヽ椰子油の價格下落し、米國に対する比島のコヽ椰子製品の輸入は前年度に比し、四三%に激減した。

マニラ麻（アバカ）は綱索等の原料として世界的に有名なものである。その三〇%は米國に輸出される。アバカとしては割当制限を受けないが、製品たる綱索は、独立法によつて三百万ポンドの割当を受けたが、一九三五年の綱索法を以て、この割当は二倍に増加した。

三一

独立法に依る輸出税の賦課は、比島産業を全面的に脅すに至つたため、一九三九年のコシアルコウスキー・タイディングス法に基き、この点若干緩和されたことは前述の通りである。本法は、一九四〇年一月一日より施行を見たが、これに依つて若干の商品は一定の割当額以内は輸出税を課されないこととなつた。卽ち葉巻は、二億封度、屑煙草、四五百万封度、コヽ椰子油の割当二〇万噸も輸出税を課されないが、その代りに割当量が年五%宛逓減することとなつた。刺繍は原料布が米國製である場合に限つて輸出税を課されない。綱索は前述の割当量が一九四六年まで持ち越されることとなつた。アバカとコプラは無税となつたが、砂糖に限つて緩和されず、輸出税が課せられる。

併しこの程度の緩和は比島の経済的困難を何等根本的に解決するものではない。唯これら商品の米國市場への輸出の減退を補ふものは、比島の鉱産品の輸出であらう。しかしこれも現在金以外はまだ極めて低いものであり、多く米人に依つて経営されてゐるが、其の豊富な資源は、比島鉱業の将来を約束するものである。

三二

比島の産金高及輸出高は左の通りである。

年度	金産額	金鉱及金塊輸出量	同上價格
一九三三年	一六、一九〇千比	四二五千オンス	九、七〇〇千比
一九三四年	二三、八二三	五一七	一一、六七四
一九三五年	三一、九七九	六五九	一四、九一一
一九三六年	四三、三九九	九五〇	二〇、四九三
一九三七年	五一、二六〇	一、二六八	二七、三六五

卽ち近年急速に増大し、一九三七年の産金額は世界産金額の三%に達したと云はれる。一九四〇年の金輸出額は、一九三七年の三倍以上に上る九一、五〇〇千比に達したと推測せる向もある。

次に今次欧洲大戦勃発後の比島輸出貿易を見よう。

三三

日支事変は比律賓の対極東地方輸出に対し著しい影響を與へてゐたが、欧洲大戦は比律賓が鋭意開拓に努力しつゝあつた欧洲市場の大部分を閉鎖せるのみならず、欧洲船舶の大量的引揚げは、比島の船腹需給を極度に逼迫させた。これがため比島の主要輸出農産物の價格は開戦以来急落するに至つた。分蜜糖、コプラ、マニラ麻の價格指数の変化を見るに（一九二八年を一〇〇とする指数）

	分蜜糖	コプラ	マニラ麻
一九三九年八月	五九	二五	二七
一九四〇年一月	五四	二八	三四
五月	五〇	一九	二五
六月	四七	一七	二二
七月	四四	一七	二三
八月	四三	一四	二四

三四

併し乍ら、一九四〇年の輸出は一千万比餘の減退を見たが、マニラ麻、コヽ椰子油、椰子皮炭、クローム鉱、鉄鉱等は却て輸出の増加を見た。これら軍需原料品の輸出は一九四一年度に入つてからも相当活況を呈してゐる。

コプラ及コヽ椰子油の輸出は、ソ聯、日本に対して増加しつゝある。ソ聯は従来比律賓よりの輸出を見なかつたのであるが、一九四〇年に二二、四八八噸のコプラ及三〇五噸のコヽ椰子油を輸入し、一九四一年には四月までに既に六、〇〇〇噸のコプラを輸入して、英米及対独物資の輸送として注目するところであつた。

マニラ麻の輸出は、一九四〇年の下半期に米國の軍事貯藏用の大量買付と日本の輸入増のため急に活況を呈した。一九四〇年の対米輸出は前年度に比して二割を増し、四七万梱に上つた。日本に対する輸出は前年より四割方増加して三八万梱以上に達した。本年度に入つてから日本への輸出は一九四〇年度の記錄的な数字より下つてゐるが、支那及ソ聯に対する輸出は増加してゐる。

クローム鉱を除いて、比律賓の鉱石類は従来殆ど日本が主要仕向地であつた。

三五

一九四〇年度も鉄鉱、屑鉄、銅鉱及銅選鉱等の対日輸出は相当増加した。唯マンガン鉱は、従来日本が大部分を輸入してゐたものが、一九四〇年度米國が全産額の八八%を買占めた。

卽ち船腹の不足及各國の貿易統制による比島の輸出に対する打撃をこれ等軍需原料の輸出が相当緩和してゐる。孰れにせよ、欧洲戦争の拡大、極東情勢の緊迫によつて比島貿易は極度に動揺しつゝあり、一九四一年四月一日、比島政府は非常事態に備へて、米、小麦、パレイの輸出を禁止した。

最も注目すべきは、比島が本年五月二十八日を期して、アメリカの軍需品輸出制限を比島に延長したことである。米國の対日経済攻勢の重要なる一環として、日本に対する影響は尠からざるものがあることは前述の通りである。

三六

五、主要輸入品

次に輸入について一瞥する。比律賓の輸入品の大部分は工業製品であつて、

第六表　比律賓主要輸入品及對米依存度　（單位千弗）

	一九三六年 総額	一九三六年 米國より	一九三六年 米國の割合	一九三七年 総額	一九三七年 米國より	一九三七年 米國の割合
鉄鋼製品	一六、〇一六	一二、二九一	七七%	一九、三四〇	一四、〇七一	七三%
綿製品	一五、二六八	六、七八二	四四	一七、四五四	七、六五八	四四
鉱油	七、一六三	六、〇九三	八五	六、五〇二	四、八五九	七五
自動車及部品	四、二七二	四、二五五	一〇〇	四、六一〇	四、五六六	九九
小麦粉	三、九五〇	一、五四七	三九	四、一〇二	一、五七四	三八
酪農品	四、〇六九	一、二二二	三〇	三、七一九	九五九	二六
タバコ	三、五六五	三、五一六	九九	三、六七〇	三、六二六	九九
電気器具	二、九一五	二、五二〇	八六	三、四二七	二、九〇八	八五
生糸・人絹	二、八八二	八四二	二九	三、〇九八	一、一二四	三六
紙	二、二六六	一、四七五	六五	二、八七〇	一、八九一	六六
化学薬品	二、七八八	一、八五四	六六	二、八五一	一、八七七	六六
ゴム	二、二三五	一、九九六	八九	二、二七一	一、九五七	八六
綿以外の繊維	一、九四一	五二	三	二、〇七二	六二	三
魚類	一、五二九	七八四	五一	一、七八〇	五三六	三〇
肥料	二、一三六	一、三〇四	六一	一、七五二	七〇三	四〇
野菜	一、六九一	八三四	四九	一、七五一	七四二	九二
皮革	一、二五九	一、一七三	九三	一、四九三	一、三五九	九一
肉類	一、四四三	八九二	六二	一、三一一	六三一	四八
果実	一、四一七	一、〇七四	七六	一、一九六	七六二	六四
ガラス	七五三	三一九	四二	一、〇一五	三一四	三一
其の他	二一、一二六	一〇、六七三	四九	二二、七一九	一一、一二四	四九
計	一〇一、一二六	六一、四九七	六一	一〇九、〇一六	六三、三〇二	五八

一九三七年に於て総額約一億九百万弗中、鉄鋼製品が一九百万弗を以て第一位を占め、次いで綿製品一七百万弗、鉱油六百五〇万弗、自動車四百六十万弗等である。食料品輸入も、小麦粉、酪農品、魚類、野菜、肉類その他を合せて総額一五百万弗に及び、その割合著しく高いことを注目すべきである。

輸入の対米依存度は、輸出よりも低く、一九三六、七年頃迄は平均して六〇%内外であつたが、日支事変及欧洲戦争のため、米国に対する依存は一九三八年後更に高くなり、平均して六八%乃至七〇%となつてゐる。米国に依存する割合の高いものは、自動車、煙草、ゴム製品、電気器具、皮革、鉄鋼製品等である。比島は有数な煙草の産出国であるに拘らず米国の煙草を多量に輸入してゐることは、米国の完全な自由市場たるの事実を如実に現はしてゐる。比島がかゝる状態に在つて自国工業を保護育成することは不可能であつた。従つて米国の工業原料供給地として農業、特に砂糖の如き二義的食料品、麻類、椰子の如き工藝作物並に、其を或程度精製する原料工業のみ異常に発達して、完成品工業は之を全く欠如するといふ変型的な経済を形成したのである。而も米国

商品の自由なる流入と、産業の或程度の発達は、都市に於ける生活程度を著しく高め、恐らく南洋諸地域中最も文化的な様相を呈してゐる。比島の輸入商品はかゝる高度な生活水準の要求を表し、而も之を全く輸入に依存してゐるのである。原料工業のみ異常に膨脹せるため、食料品さへ多量の輸入によつて補給されなければならない。従つて一朝海外補給路を断たれる場合、比律賓の直面する困難は想像に余るものがある。

比島の輸入貿易に於ける米国の圧倒的な地位に対して、最も強力な競争国は日本である。特に一九三二年の金再禁止以後の進出は目覚しいものがあつた。就中日本綿布は米国の綿製品に対して非常な脅威を与へるに至つた。一九三五年まで比律賓は米国綿製品の有力なる市場であり、その綿布輸出額の三一%を輸入し、比律賓の繊維製品輸入額の七二%を占めた。これが日本の進出のため、半分以下の三三%に低下した。従来米国は比島の第三国との通商に対して制限的な方策に出なかつたのであるが、日本綿布の輸出によつて非常な脅威を受けたため日本綿布に対する関税引上を行はないことを条件として、その二年の輸

出量を四千五百万平方米に制限せしめた（一九三五年の日本綿布の対比輸出量は七千二百万平方米）。即ち、一九三五年十月に成立した、日本綿布対比輸出暫定制限協定である。

第七表　米比貿易額と比島貿易総額との比率（単位千比）

年度	比島の輸入額	輸入総額との比率%	比島の輸出額	輸出総額との比率%	合計	比島貿易額との比率%
一九〇〇	四、三〇六	九	五、九二二	一三	一〇、二二八	一一
一九二〇	一八四、五七九	六二	二一〇、四三二	七〇	三九五、〇一二	六六
一九三六	一二二、九九四	六〇	二一五、〇五〇	七八	三三八、〇四五	七一
一九三七	一二六、六〇四	五八	二四三、五八八	七九	三七〇、一九二	七〇
一九三八	一八〇、七一四	六八	一七八、八八九	七七	三五九、六〇三	七二
一九三九	一六六、八五〇	六八	一八四、二六〇	七七	三五一、一一〇	七二
一九四〇	一六二、〇八〇	六九	一五一、二六〇	六〇	三一三、三四〇	六四

第八表　日比貿易額と比島貿易総額との比率（単位千比）

年度	輸入額	輸入総額との比率	輸出額	輸出総額との比率	差引入超額
一九三二	一二、三一〇	七・七五	五、一四四	二・七〇	−七、六一五
一九三三	一一、三六三	八・四三	五、九二一	二・八〇	−五、四四一
一九三四	二〇、六九二	一二・三七	八、五二三	三・八六	−一二、一六八
一九三五	二四、三四二	一四・二三	一〇、七一八	五・三四	−一三、六一四
一九三六	二六、五二八	一三・一二	一六、七八六	六・一五	−九、七四二
一九三七	三二、二〇四	一四・七六	二〇、〇二九	六・五七	−一二、一七四
一九三八	二五、四一四	九・五八	一五、〇二六	六・四九	−一〇、三八八
一九三九	一五、四〇四	六・二九	一五、七八六	六・五〇	＋三八二

これに依つて日本綿布輸出は相当打撃を受けたが、魚類罐詰、電気機具、台所用具等米国からの輸入に代位する輸出は増加しつゞけた。即ち一九三三年比島輸入総額の八・四%であつたものが、一九三四年には一二・四、一九三五年には一四・二%に増加した。日支事変により日本の割合は急に萎縮し、従来日本より輸出超過を常とした日比貿易は、一九三九年以来逆に比島の輸出超過となつた。これは日本の鉄鉱石等の輸入増加に因る。日本に次いで米国の有力なる競争者は和蘭のミルク製品、オーストラリアの小麦粉及皮革、カナダの小麦粉等である。

第四　海運

一、主要港湾

全国の港湾を国立港（National Port）と地方港（Municipal Port）の二種に大別し、国立港は現在六十四、地方港百余港に及ぶ。

国立港は、対外貿易及島内貿易上重要性を有し、また地理的位置よりして税関取締上及国防上重要なる港湾であつて、其の維持、改善の費用は国庫より支出され、管理経営は中央税関長の直接監督下にある。政府はこれら国立港の設備と修築に、毎年二百五十万比乃至三百万比を支出してゐるため、港湾設備は概ね良好である。地方港は国立港以外の凡ての港湾を含むが、維持経営は地方町村参事会に委ねられてゐる。

最も重要なる港湾は、国立港中、対外貿易港として指定されたる十五ケ港で

あるが、その中マニラ、セブー、イロイロ、ダヴァオ、ホセバガニバン、レガスピ、サンボアンガ、ホロ、アパリ等が重要である。

第九表　比律賓主要港別貿易額（一九四〇年七－一〇月）

	輸出	輸入	合計
マニラ	六五、三四四千比	六〇、六六二千比	一二六、〇〇六千比
イロイロ	八、三二一	一二、三三一	二〇、六五二
セブー	八、九六〇	九、六一二	一八、五七二
ダヴァオ	二、四七〇	二、四九一	四、九六一
ホセバガニバン	二、九三九	一、四五七	四、三九六
レガスピ	一、〇八一	四八六	一、五六七
サンボアンガ	六三九	五九一	一、二三〇
ホロ	三一	五四	八五
アパリ	二	二	四

（註）外務省編「海外経済事情」昭一六年五号及六号より作製。
本表は七月より一〇月までの四ヶ月なるを以て不完全を免れないが、大体の数字は推知され得る。

これ等港湾の有する経済的比重は、第九表の各港別貿易額比較表によつて示される。比島の地理的特異性よりして、港湾の所在は分散的であり、その数も比較的多い。

二、船舶

(一) 対外航路

比律賓の対外的海運力は極めて微弱であつて、最近諸般の対策を講じつゝあるが、その外国貿易額の僅に三乃至五%を船載し得るに過ぎぬ状況であつて、殆ど外国船舶の力に俟たねばならぬ。比島は世界周航上の要衝に当り、従来也

果各國の船舶輻輳し、定期的に比島に寄港する外國船会社は、十四ヶ國余の二十七汽船会社に上つてゐた。

左表に依れば、今次欧洲大戦前に於て、比律賓の外國貿易は全く外國籍船に依存し、比律賓船は僅一％にも達しない。其の中、最も勢力を有してゐたのは、英國籍船（荷物量の約三〇％）、米國籍船（約二五％）、日本船（一五％）等であるが、欧洲諸國船舶を合せれば、船舶隻数に於て六一％、噸数に於て六〇％、荷物に於て五七％を占める。欧洲大戦の拡大によつて比律賓の貿易が主として輸送船腹の不足によつて打撃を受けつゝあるのは、当然のことと云ひ得る。

第十一表は戦争開始後の比律賓外國貿易に於ける各國籍船舶の変化を示すものである。即ち戦前に於て輸出入額の六一％乃至六七％を載積せる欧洲諸國籍船は、戦後に二九％に激減し、之に対して米洲船が一四％乃至一五％から五〇％へと躍進し、極東水域に於ける米國の進出を如実に示してゐる。併し乍ら米國の努力によつてしても、英國その他の欧洲諸國船の尨大な船腹量は容易に補足され得ないものであつて、比律賓の船腹不足は今後当分緩和される見込はないのである。

四五

第一〇表　船籍別入港隻数及噸数並積卸荷物噸数及價額

船籍別	隻数	噸数（千総トン）	荷物噸数（千トン）	價格（千比）
英國	五〇八	一、九八八	四〇三	五四、五一六
日本	二九八	九四四	一九八	一五、七七九
米國	二六四	一、三四七	三五二	五二、二一九
和蘭	一七三	七一二	一五〇	八、六二一
独逸	一四〇	六二一	六一	九、一八五
諾威	一二〇	四〇一	一五七	一四、四五八
丁抹	四五	一七五	三三	三、八二三
瑞典	二九	一〇三	一二	一、五八三
比律賓	一五	三	四	六四
その他	二一	六〇	二七	三、七二五
計	一、六一三	六、四一〇	一、四三八	一六三、九七四

四六

（註）東亜経済調査局刊「南洋叢書第五巻比律賓篇」二九二頁二九三頁に依る。
入港隻数及噸数は一九三四年、荷物は一九三六年。

まして比律賓は自國商船隊は充実すべき造船工業を有たないため、米國の急速なる造船に俟つ以外に困難の打開される可能性なきものとしなければならない。

尚ほ比律賓政府は、米國海事委員会の管理下に繋留中の古船二百隻中五隻を購入し、比律賓興発会社の所属船とする計畫を有し、その成立せるか否か未だ不明であるが、英船の引上に計畫的に対應して米國の極東配船も最近頻に増加しつゝある。

(二)　内航路

四七

比島各島を連絡する汽船会社には左記のものがある。

会社名	隻数
マニラ鉄道会社	不明
マリチマ会社	一二隻
エベレット汽船会社	八隻
マニラ汽船会社	六隻
デ・ラ・ラマ汽船会社	二隻

これら諸会社の保有する各種船舶は

沿岸航路船	六五隻
沿岸航路モーター船	九三隻
蒸汽ランチ	三一隻
モーター・ランチ	六四〇隻

である。

四八

第十一表　船籍別比律賓輸出入金額比較及ブロック別比較

	一九三八年下半期 (千比)	一九三九年下半期 (千比)	一九四〇年八—一〇月の三ケ月 (千比)
比律賓	四、一一六	五、一六九	六、八五一
米國	二七、六三九	四三、六四六	六〇、四四二
巴奈馬	三、二九九	三、七五一	一、七五九
ホンヂュラス	五七	二四六	—
英國	七八、一六九	八〇、七六九	一〇、二〇一
和蘭	一三、九三二	一五、一〇六	六、五七四
丁抹	一〇、九二六	一六、四〇七	七三一
諾威	二一、六六五	三五、八二五	一五、二二一
瑞典	三、七五六	六、四八九	一、七九二
希臘	二二二	一、五三九	一〇二
ユーゴスラヴィヤ	—	—	二〇一
独逸	一三、六〇〇	一〇、二二六	—
伊太利	五四二	二、九八九	一
佛蘭西	一	一一	二〇
日本	二八、九三五	二六、四三五	不明
支那	二一九	一、六〇一	—
飛行便	五七	一八八	四七
郵便小包	三、二五〇	三、一四一	二八、四二七
合計	二一〇、三八六	二五六、〇一一	一二二、三六九

同上各ブロックの比率

	一九三八年下半期	一九三九年下半期	一九四〇年八—一〇月の三ケ月
比律賓	三%	二%	五%
米洲ブロック	一四	一五	五〇
英ブロック	六一	六五	二八
独ブロック	七	六	一
欧洲ブロック	六八	七一	二九
東亜ブロック	一三	一〇	—
其の他	二	二	一六

（註）外務省通商局編「海外経済事情」昭和十五年第十五号、昭和十六年第五号及第六号より作表

第五　投資

一、列國の投資額

比律賓に対する列國の投資額の正確な数字は不明である。最近の米國議会に於ける報告に示されたのが、左表である。これも一九三二年の調査に若干の修正を加へたものであるため、大体の趨勢を表すに止るものである。

これに依れば、比律賓人の投資額は総額の六二・七%を占めてゐるが、大部分は土地、就中農耕地に対するものである。比島農民の大部分は極めて小規模の土地を経営するものであり、商工業に於ける企業経営は、圧倒的に外國人、特に米國人及支那人の手中に握られ、産業上に於ける比島農民の地位はこの投資額の割合よりは著しく低いと云はねばならぬ。この事実は、比島政府の租税収入の四分の三は、全人口の一%の外國人に依つて支拂はれると称せられること

によつても明かであらう。

第十二表　列國投資額比較　（単位　千弗）

	総額	比律賓人	米國人	支那人	日本人
土地※	三八七、五五八	二八六、四二四	一二、〇一四	二七、六〇七	—
銀行	二四、六〇一	一、〇一二	八三七	三、九六三	一、三五一
公債	一二〇、三八九	九九二	一一三、三八五	—	—
工業	一四二、五六〇	四四、四五〇	三五、四七四	一四、九八八	—
商業	八三、七〇八	六〇二	三〇、四八七	五〇、〇〇一	—
農業※※	五四五、八七七	五二七、三三一	一〇、六一六	六三	—
鉱業	三、九六五	六[illegible]七	三、六〇九	一三六	—
林業	一三、四六四	二四八	六、五〇〇	五、三五八	四五〇
漁業	五、五〇〇	四、〇〇〇	—	—	一、〇〇〇

其の他	七九、六九〇	一六、七八八	四五、一七九	七、〇二〇、	四五二
計	一、四〇七、三一二	八八二、三九四	二五七、一〇一	一〇九、一三六	三、二五三
割合	一〇〇・〇〇%	六二・七〇%	一八・三二%	七・七五%	〇・二三%

（註）*The Philippine Journal of Commerce* 一九四一年二月号掲載最近の米議会に於ける諮問委員会に報告されたるものにして一九三二年一月二日現在の数字を修正せるもの。

※、農地を含まず。

※※農地のみ計上、其の他の農業投資は不明。

但し他に英人投資額二六三一九千弗（一、八七%）西班牙人投資五六、八三七千弗（四、〇四%）あり。

米國の対比投資額は、二億五千万弗余、卽ち約五億比に及び、比律賓の一ケ年の貿易総額に等しく、其の経済的重要性の如何に大なるものであるかゞ推知出来る。その中公債に対する投資最も大きく、一億一三百万弗に上る。これに

対し米國は、比島独立法の規定により、万一支拂不能に陥れる場合は直に税関収入を差押へて支拂に充当せしめる権利を留保してゐる。公債に次ぐ米國の投資は、農地以外の工業投資の三五百万弗である。その大半は製糖に対するものである。商業投資がこれに次いで第三位を占め、三千万弗、其の他は農地以外の土地、農業、林業、鉱業の順である。特に鉱業投資の額は少いが、比島の鉱業投資の七割を占める、公債以外の米國の対比投資の詳細は左表を参照されたい。

第十三表　米國の對比投資額（一九三五年六月三十日）

	商社数	土地及建物	機械設備	純投資合計
		千ドル	千ドル	千ドル
砂糖工場	一〇	四、二二五	一、一二五	二〇、四二五
仝小工場	一	｜	｜	二、〇〇〇
ココナット製品業	六	一、一一三	一、二〇〇	五、五四五
一般製品業	一四	一、〇〇〇	一、〇七五	四、六〇〇
刺繍業	九	三八	四三	三、〇〇〇
栽培業	二七	｜	｜	一九、七四五
公益事業	九	五、三五〇	二六、五〇〇	三一、八五〇
貨物及乗合運輸業	七	二七五	六〇〇	九七三
其他運輸業	九	七、二九三	四、七二五	五、〇一八
製材業	三	七四五	一、五六二	六、〇〇〇
機械製造業	二	九九五	一、四七〇	三、八五〇
輸移出業	八	五八	四五	三一八
油販賣業	三	一、七一三	九五〇	二、六六三
一般販賣業	四九	三、七〇〇	七五〇	一五、〇〇〇
ホテル営業	六	一、〇三二	一、五〇〇	一、八一二
銀行業	一	一、三八五	三五	六、四二〇
鉱業	一七	｜	｜	三七、九四一
雑	九	一、四一六	五五六	一、九七二
合計	一八九	｜	｜	一六三、五〇〇

（註）高雄商工奨励館刊「比律賓経済事情」二七六頁に據る。

前表に依れば支那人の対比投資額は米國に亜ぎ、約一億九百万弗、総額の七・七五%を占める。而して其の大半が商業投資である。比島華僑は一九三九年現在で一一七、四八七人、その大部分が商業に従事し、米、甘蔗、アバカの集荷機関として絶大の勢力を有してゐる。卽ち比島農民に対し、肥料、日用品等を前貸し、収穫期に生産物を受け取るといふ、前資本主義的方法を以て緊密に結び付き、就中米の集荷は完全に華僑の手に握られてゐる。彼等は屢々比島民のこの主食品の價格を釣上げ、二重の收奪を行ひ、比律賓経済の癌と云はれるところである。比島の支那人の数は、実際は更に多数に上ると想像される。従つて投資額も統計数字に現れたもの以上であると思はれるが、支那人の獲得する商業上の利益は、大部分送金となつて、比島経済に於て資本化されるものが比較的尠いことも事実であらう。

支那の対比投資に次いで、西班牙人の五六百万弗（総額の四、〇四%）、英

國人の二六百万弗（全じく一・八七%）がある。前表に依れば日本人の対比投資額は、僅に三百万弗、総額の〇・〇三%に過ぎないが、これは不当に過少評價されてゐると思はれる。卽ち商業投資のみでも、二千万比（一千万弗）に上るからである。

國別商業投資額

	投資額	百分率
支那人	一一、二七六千比	四二・一〇%
比島人	七五、六〇一	二八・六〇
米國人	二三、八五〇	八・五〇
日本人	二〇、六八五	七・八三
その他	三三、八八八	一二・九七
計	二六四、三〇〇	一〇〇・〇〇

五五

（Philippine Year Book 一九三九年五九頁）

五六

在比邦人数は、一九三九年現在、二九、〇五七人で、その中一万はマニラに、一万八千はダヴァオに在住してゐる。ダヴァオに於ける邦人は大部分麻業に從事するが、その投資額を業種別に見れば左の如くである。

日本人ダヴァオ投資

農業	三三、〇〇〇千比
商工業	一二、〇〇〇〃
製材及紡績	二、〇〇〇〃
漁業	三〇〇〃
交通その他	一、五〇〇〃
計	四八、八〇〇〃

総額四八百万比に上る。日本人の投資総額は、比島全体では支那人に次いで外國投資中第三位を占めるであらう。

商業に於ても、日本の対比輸出の増加に伴つて次第に増加してゐる。特に日支事変以後在比華僑の日貨排斥に依つて、輸出そのものは減少したが、日本人の小賣販拡商は却て増加し、総額の三四%以上を占めるに至つた。日本人の投資額は、額に於ては支那人に遥に及ばないとしても、多角的である点比較的健全であると云へよう。

五七

マニラ在住邦人の投資額は主として商業に対するものであらう。前記の各國人商業投資額に依れば日本人の投資は二千万比余、從つてダヴァオに於ける投資と合すれば、日本の対比投資額は五七百万比以上になる。事実日本の投資額を一九三七年に二六百万弗（五二百万比）とする推算もある（註）。今日邦人投資は尠くとも六千万比以上と思はれ、西班牙人の投資に次いで外國投資中第四位を占めるであらう。

商業に於ける日本人の進出も、日本の対比輸出の増加に伴つて、次第に発展した。特に日支事変後の華僑の日貨排斥は、比島への日本の対比輸出に相当影響したが、日貨は邦人商人の手を通じて販賣されることゝなつたため、邦人の小賣販拡高は却て増加するに至つたと云はれる。

比島政府の経済自主獲得の政策は外國投資に甚大な影響を與へてゐる。外國

五八

く企業を制限する法律的諸規定については、既に権益関係の項に於て略述した。

第六　金融

一、貨幣制度

一九〇三年比律賓は始めて金為替本位制となつた。一九二二年金本位条例制定されて金本位制となつたが、一九三三年米國が金本位を停止し、金の輸出並に兌換停止を断行し、更に翌年一月弗價切下げを行へるに伴ひ、比島も亦之に倣つた。

比島の貨幣単位はペソ(比)であつて、七・五二三二八デシグラム純金とし、米貨の五〇仙、平貨で一・〇〇三〇八円に当る。通貨の年平均総流通高の増加を年度を追つて見れば

一九二七年	九六、七六八、三九〇比
一九二九年	一二六、六二〇、五五七〃
一九三二年	八八、四四二、二三四〃
一九三七年	一六二、一四二、二二六〃
一九四一年(一月末)	一八七、四八七、九三一〃

となつてゐる。

現在発券銀行は、比律賓國立銀行及比律賓島銀行の二行であるが、後者の発行権は一九四三年までに限定され、漸次國立銀行のみに発券を集中することゝなつてゐる。

比島の通貨問題に於て注意すべきは、比律賓共和國政府は、独立法の規定に依つて貨幣制度に於て自主権を與へられてゐないことである。例へば、一九三四年の弗價切下に伴ふ比價の切下げに際して、米國の得た差額利益四七、七二五、五〇一・五六比は、比律賓通貨補償法に依つて比律賓政府に拂戻されることゝなつてゐるが、未だ米國の保管するところである。最近これを比島の國防充実の費用に充当する提案が比島側から行はれてゐるが、未だ実現の運びに至つてゐない。

二、金融機関

金融機関として八つの國内銀行と、五つの地方銀行がある。國内銀行は左記の通りである。

銀行名		資本金
比律賓國立銀行	(Philippine National Bank)	一〇、〇〇〇千比
比律賓農工銀行	(Agricultural & Industrial B.)	一五〇、〇〇〇〃
比律賓島銀行	(Bank of the Philippine Islands)	一〇、〇〇〇〃
モンテ・デ・ピエダト銀行	(Monte de Piedad & Saving B.)	一、〇〇〇〃
ピープルス銀行	(Peoples B. & Trust Company)	一、〇〇〇〃
中興銀行	(China Banking Corporation)	一〇、〇〇〇〃
比律賓信託会社	(Philippine Trust Co.)	五九五〃
比律賓商業銀行	(Philippine B. of Commerce)	三、〇〇〇〃

比律賓國立銀行は一九一六年創立されたものであつて、比律賓に於ける本格的金融機関の確立を意味する。また比律賓商業銀行は比律賓人の資本のみで、一九三八年七月創業されたものである。最も重要なのは、農工銀行であつて、一九三九年八月創立、一億五千万比と云ふ莫大な資本金は米國より拂戻された椰子油消費税を以て調弁された國立銀行である。現在既に相当の活躍をしてゐる。孰れも皆マニラに本店を置いてゐる。

外國銀行はマニラに左の六行が各支店を設けてゐる。

横浜正金銀行
チャータード銀行
香上銀行
紐育ナショナル・シティ銀行
蘭印商業銀行
台湾銀行

一九四一年一月末現在の、在比各銀行の状態を示せば、

資産総額	三五五、一八三千比
貸付、割引	二二一、〇一六 〃
投資	三一、七四一 〃
内國銀行資本金、余剰金及準備金	五六、一五七 〃
預金総額	二一六、八四八 〃

である。

この外比律賓の金融機関として建築金融会社がある。主なるものはマニラにある五会社及地方の四会社であるが、比律賓の特色である。また郵便貯金制度が一九〇六年以来設けられ、全國九九の取扱局があり、預金総額は一千一百万比に達してゐる。

第十四表

極東に依存する米國の主要輸入品目（一九三七年度）

（米國の輸入総額中に占める割合（%））

	英領印度	英領マレイ	支那	日本	蘭領印度	比律賓	総額（比）
寒天	-	-	-	九八.八一	-	-	九八.八一
アンチモニー	-	-	八.五一	-	-	-	八八.五一
獣毛	〇.三五	-	七七.三八	七.七一	-	-	八五.四四
樟脳	-	-	-	一〇〇.〇〇	-	-	一〇〇.〇〇
クローム	四.三三	-	-	-	-	七.九二	一二.二五
規那皮	-	-	-	-	九八.五〇(1)	-	九八.五〇
ココナッツ油	-	-	-	-	-	八六.〇三	八六.〇三
コプラ	-	〇.七三	-	-	三.二二	八七.六二	九一.五七
魚類製品	-	-	-	一三.〇八	-	-	一三.〇八
麻類繊維原料	一.五三	-	〇.〇六	〇.〇四	二.七六	六四.六一	六九.〇〇
皮革毛皮	一六.〇九	〇.三六	八.七六	一.〇〇	九.六〇	〇.〇七	三五.八八
カポック	〇.二四	-	〇.〇三	-	九三.一三	三.八一	九七.二一
ラック	九七.八五	-	-	-	-	-	九七.八五
黄麻	九八.九六	-	〇.一〇	-	-	-	九九.〇六
薄荷	-	-	-	九九.九九	-	-	九九.九九
雲母	三三.三一	-	-	-	-	-	三三.三一
ホミカ	四一.一〇	-	-	-	-	-	九七.二七(2)
油種子	〇.三二	-	一.二七	五八.七五	〇.七二	-	六一.〇六
椰子油	-	一.〇四	-	-	六九.四七	一二.二二	八二.七三
胡椒	二.三九	〇.八三	八.四〇	一.四九	二六.一二	-	四九.一二
ペリラ油	-	-	五四.九七	三七.二四	-	-	九二.二一
パイナツプル罐詰	-	一五.二一	-	一〇.一九	-	五八.六三	八四.〇三
除虫菊	-	-	-	八八.八四	-	-	八八.八四
ゴム	三.四六	六一.四五	-	〇.〇一	二五.三七	〇.〇五	九〇.三四
ソーセーヂ袋	一.一〇	〇.〇四	七.七七	〇.三二	-	-	九.二三
生糸	-	-	四.七三	九三.二七	-	-	九八.〇〇
シザル麻	〇.〇六	-	-	-	二九.七八	〇.一〇	二九.九四
大豆	〇.一八	-	六二.九九	三三.九四	-	-	九六.九三
大豆油	-	-	二九.九四	一.九一	-	-	三一.八五
砂糖	-	-	-	-	〇.一三	三〇.二〇	三〇.三三
タピオカ	-	〇.四四	〇.〇三	〇.〇二	九七.五三	-	九八.〇二
茶	一〇.六八	-	六.九八	三〇.三二	一九.七六	-	八八.八〇(3)
錫	〇.二三	七五.七一	五.〇七	-	四.六一	-	八五.六二
桐油	-	-	九一.一一	-	-	〇.〇三	九一.一四
タングステン	-	一四.二四	七一.一七	〇.〇一	-	-	八五.四二
羊毛	八.七九	-	九.七三	-	-	-	一八.五二

（註）
(1) 和蘭からの輸入を含む。
(2) 佛印からの五七.〇七%を含む。
(3) セイロン島からの二一.〇六%を含む。
(4) Foreign Commerce & Navigation of the United States, 1937による。

第七　經濟戰略點

一、米國の比島に対する經濟的依存度

(一) 比島は米國市場中第七位に位する。

(二) 戰略物資中比島に仰ぐものと、その米國輸入額中、比島に依存する割合を示せば、

クローム鉱	七・九二%
コ、椰子油	八六・〇三〃
マニラ麻	六四・六一〃

であるが、高品位のクローム鉱は比島の産出高尠く、米國の要求するものは高品位のものである。コ、椰子油、マニラ麻は今日代用品がある。この外マンガン鉱、椰子炭等を比島より輸入してゐるが、前者は対日經済攻勢として

昨年頃より大量買占めを行つてゐるものであり、椰子炭は防毒マスクに用ひられるが、これ亦代用品の完全なるものがある。

以上に依つて判断すれば、比島は米國に対して、それ自体の經済的重要性よりも、寧ろ極東に対するその基地として最も重要である。今日、極東地方は、米國の重要なる戰略資源地である。米國の輸入額中、極東、南洋地方が占める割合を示せば、一九三七年に於て、

錫	八八・八〇%
ゴム	九〇・三四〃
タングステン	八五・四二〃
雲母	三三・三一〃
クローム	一二・二五〃
アンチモニー	八・五一〃
麻類	六九・〇〇〃

生糸	九八・〇〇〃
桐油	九一・一四〃
黄麻	九九・〇六〃

これらの多数且重要なる物資の補給輸送を保護すべき、比島の軍事的基地としての重要性は米國に取つて致命的なものである。

二、比島に対する經済戰略點

これに就いては次の如き諸点を注意すべきであらう。

(一) 比島民は、南洋諸民族中唯一の独立性を有つ民族であること。

(二) 比島は經済的自主は困難であり、今日食料自給さへ不可能である。從つて外部との連絡を絶たれたる場合直ちに窮迫せる状態に立ち至る。

(三) 比島の華僑は現在極めて反日的である。然し、華僑は最近比島民の排撃を受けてゐるため、日貨排斥、米貨歡迎に依つて米國に阿諛しつゝその立場を

維持せんとしてゐる。從つて一朝米國との連絡を絶たれる場合は屈服するものである。

三、日本に對する比島の經済戰略的價値

これについては、昨年日本が比島より輸入せる戰時物資の量を挙げるに止める。

		比島輸出額中に占める割合
マニラ麻	三八七千梱	二七・六%
鉄鉱石	一一〇万噸	一〇〇・〇
精選銅	四、三九〇噸	七〇・〇
銅鉱	一三千噸	一〇〇・〇
クローム鉱	三二、五五〇噸	一七・〇

マンガン鉱	五、七七〇噸	九・〇

である。此島の鉱産資源は、金、鉄を始め極めて豊富であつて、将来東亜共栄圏に於て不可欠のものである。

其四　蘭領印度篇

蘭領印度篇

目次

三

四

五

六

（注　意）

本研究の主要参考文献は次の三著作であるが、本文中の引用又は統計表の典據を示す場合に略稱を用ひた。括弧内がそれである。

㈠　東亜經済調査局　南洋叢書第一巻　蘭領東印度篇　（叢書）

㈡　台湾総督府　南洋年鑑　昭和十二年度版　（年鑑）

㈢　増井貞吉著　經済上より観たる蘭領印度

又（資源）なる略稱を用ひてゐるのは、南洋協會編、南洋鉱産資源の略字である。典據を明記してゐないが貿易統計表の補足として、南洋拓殖株式會社編、蘭領印度貿易統計　自一九三六乃至一九三八、及び、横浜正金銀行、一九三九年蘭領印度貿易統計解剖に依る所が多かった。

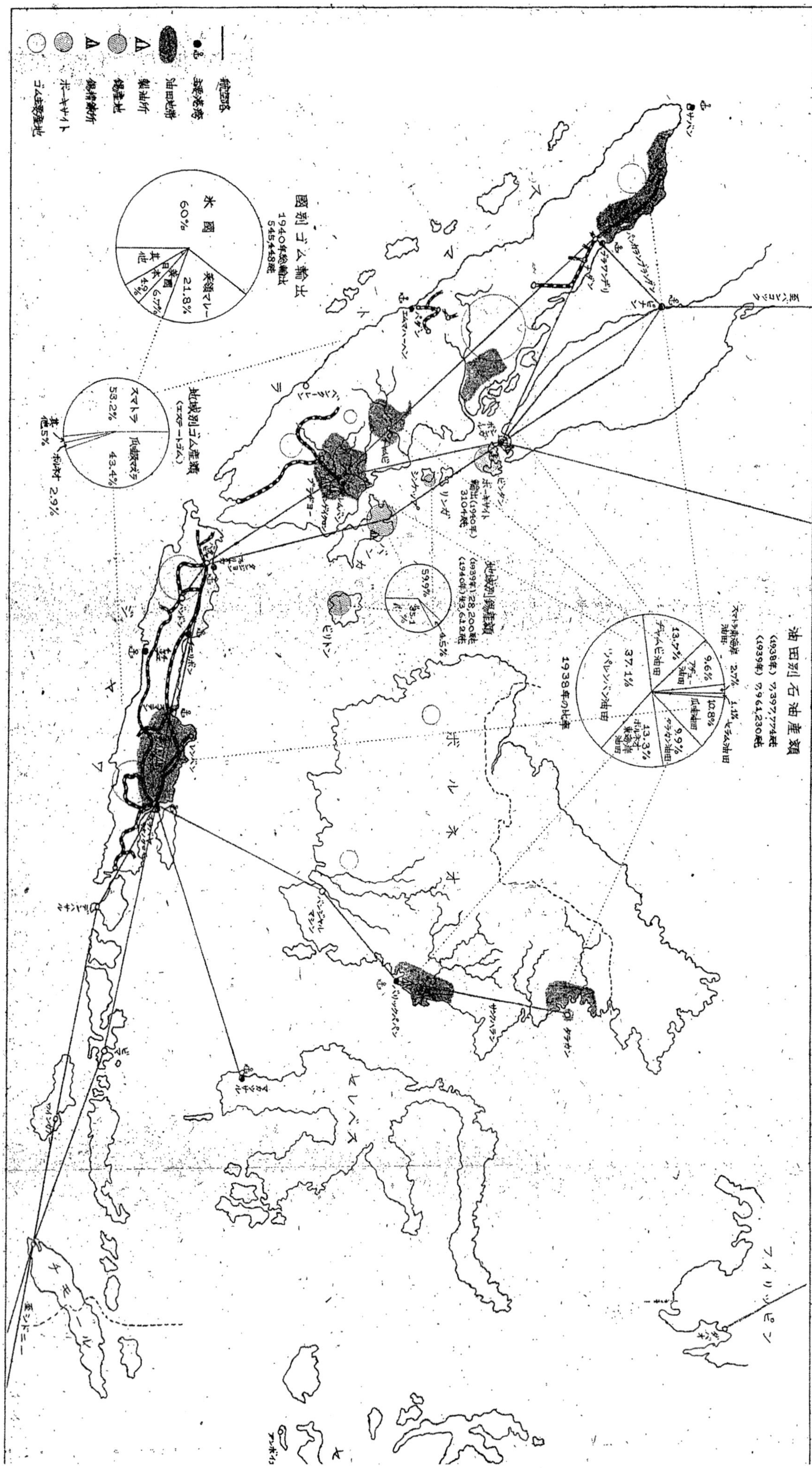
航空路
主要港湾
油田地帯
製油所
精錬地
錫精錬所
ボーキサイト
ゴム主要産地
国別ゴム輸出
米国 60%
英領マレー 21.8%
地域別ゴム産額
スマトラ 53.2%
43.4%
地域別錫産額
59.9%
油田別石油産額
37.1%
1938年の比率
スマトラ
マレー
ジャワ
ボルネオ
セレベス
チモール
フィリッピン
バンカ
ビリトン
リンガ

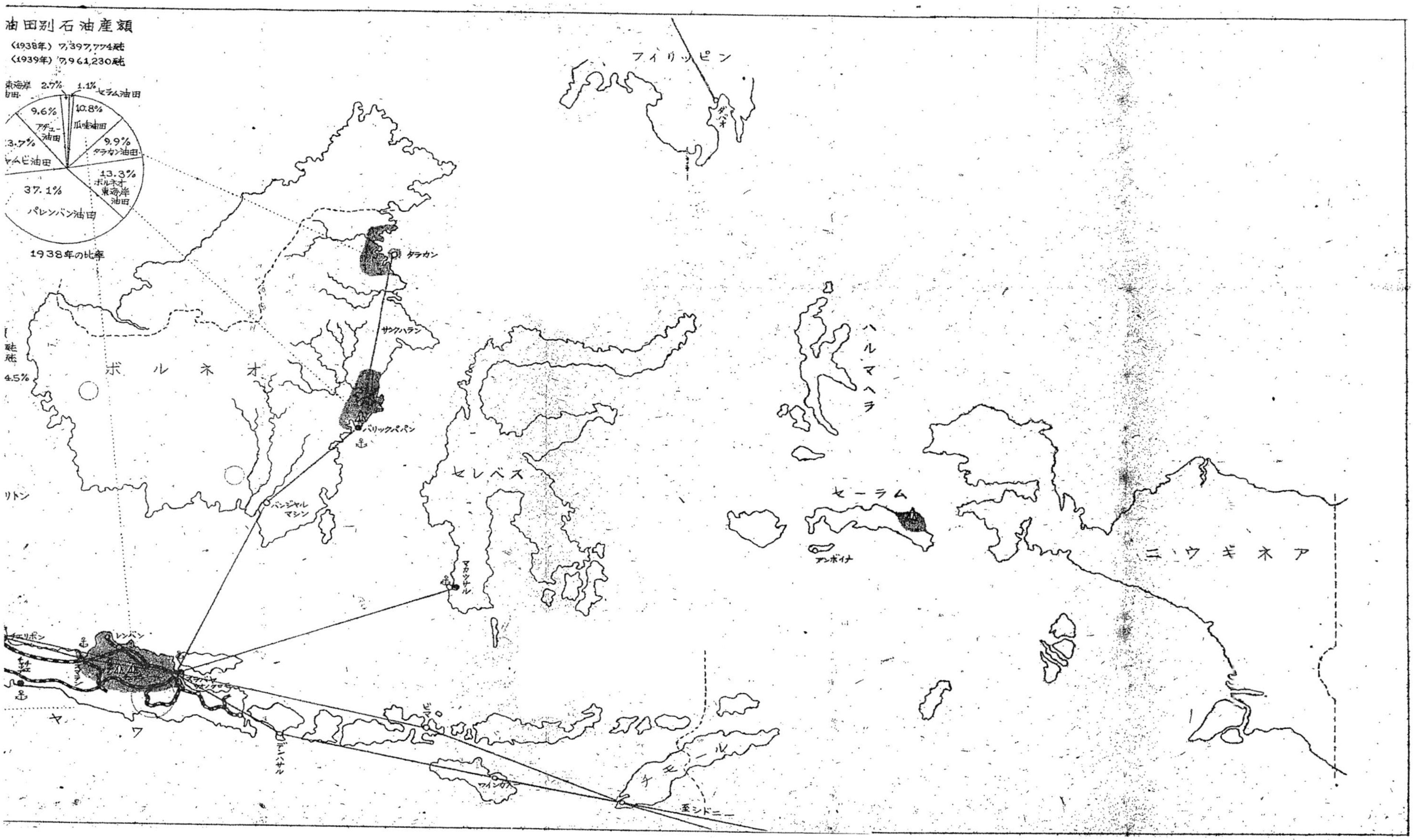
油田別石油産額
(1938年) 7,397,774
(1939年) 7,961,230
2.7%
1.1% セラム油田
10.8% 瓜哇油田
9.6% アヂュー油田
9.9% タラカン油田
13.3% ボルネオ東海岸油田
37.1% パレンバン油田
1938年の比率
フィリッピン
ダバオ
タラカン
サンクハラン
ボ ル ネ オ
バリックパパン
バンジャルマシン
セレベス
マカッサル
ハルマヘラ
セーラム
アンボイナ
ニ ウ ギ ネ ア
パレンバン
ヤ ワ
デンパサル
チモール
至シドニー

(蘭領印度)

総括圖表（蘭印）

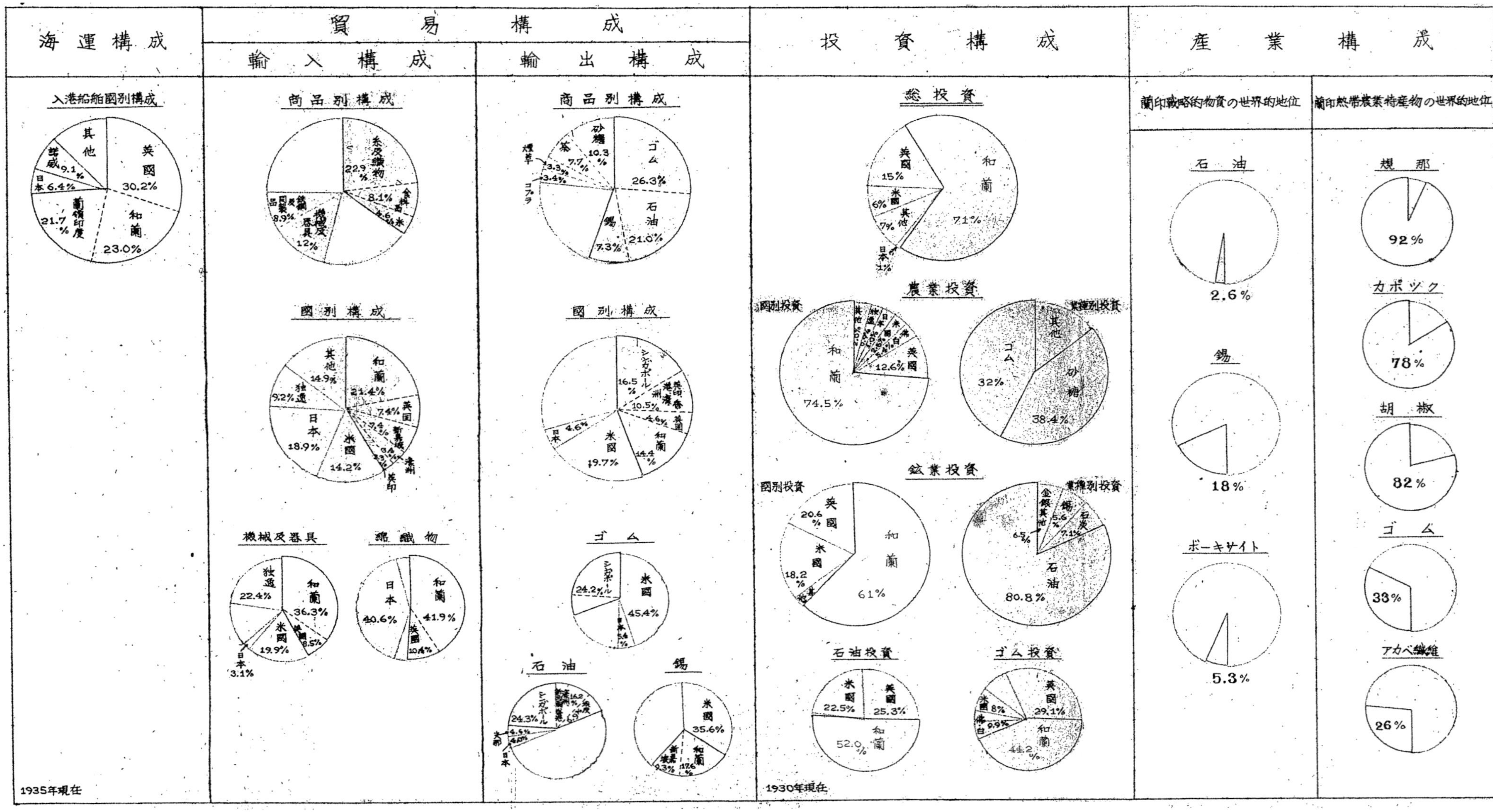
海運構成
入港船舶國別構成
其他
英國 30.2%
和蘭 23.0%
蘭領印度 21.7%
日本 6.4%
諾威 9.1%
1935年現在
貿易構成
輸入構成
商品別構成
糸及織物 22.9%
8.1%
機械及器具 12%
8.9%
國別構成
和蘭 21.4%
英國 7.4%
米國 14.2%
日本 18.9%
独逸 9.2%
其他 14.9%
英印
濠洲
機械及器具
独逸 22.4%
和蘭 36.3%
米國 19.9%
英國 8.5%
日本 3.1%
綿織物
日本 40.6%
和蘭 41.9%
英國 10.4%
輸出構成
商品別構成
ゴム 26.3%
石油 21.0%
錫 7.3%
砂糖 10.3%
茶 7.7%
煙草 3.3%
コプラ 3.4%
國別構成
シンガポール 16.5%
英國
和蘭 14.4%
米國 19.7%
日本 4.6%
10.5%
4.6%
ゴム
シンガポール 24.2%
米國 45.4%
日本
石油
シンガポール 24.3%
日本
錫
米國 35.6%
和蘭 17.6%
9.3%
投資構成
総投資
英國 15%
米國 6%
其他 7%
日本 1%
和蘭 71%
農業投資
國別投資
和蘭 74.5%
英國 12.6%
業種別投資
其他
ゴム 32%
砂糖 38.4%
鉱業投資
國別投資
英國 20.6%
米國 18.2%
和蘭 61%
業種別投資
金銀其他
錫 5.6%
石炭 7.1%
6.5%
石油 80.8%
石油投資
米國 22.5%
英國 25.3%
和蘭 52.0%
ゴム投資
英國 29.1%
米國 8%
和蘭 44.2%
9.9%
1930年現在
産業構成
蘭印戦略的物資の世界的地位
石油 2.6%
錫 18%
ボーキサイト 5.3%
蘭印熱帯農業特産物の世界的地位
規那 92%
カポック 78%
胡椒 82%
ゴム 33%
アカベ繊維 26%

第一、植民地蘭領印度の史的推移

蘭領東印度を訪問した最初の欧人はマルコ・ポーロだと云はれてゐる。彼は支那の帰路北部スマトラに来たもので、時將に一二九二年であった。その後暫らく欧人の消息がない。

欧洲諸國の内最とも早く東印度に勢力を扶植したのはポルトガールである。一四九八年に喜望峰を廷廻したポルトガールは一五〇九年に至ってアルブケルクの引率の下に東印度に商船隊を送り、一五一一年にマラッカを征服し、直ちにモルッケン諸島に現れ、タルナタ島に要塞を築いた。然して彼等の目的であった香料貿易の独占権を得て、アンボイナを主要根據地となした。

當時欧洲の富の源泉と云われた香料貿易を独占せんがために東印度に霸権を立てたのは、まづポルトガルであったが、一五八〇年にポルトガルがスペインに征服せられ、霸権はオランダの手に落ちるに至った。

一

これ迄の和蘭の東洋貿易の特徴はポルトガルの手を経て仲継貿易をなす点にあった。然るに和蘭は宗教改革が累をなして多年スペインの属國として圧迫せられてゐたが、遂に一五七九年ユトレヒト聯合を組織して、事実上スペインより独立するに至った。

これが直接原因となって、スペインが、従来和蘭が東洋貿易の仲継據点となしてゐたポルトガルの諸港（リスボン・カデッサ）への蘭船入港を禁止してしまった。従って、これに對抗するために和蘭は直接東洋貿易を決意し、これ迄互に競争してゐた各自由都市を糾合して、一五九五年先づ遠國會社を組織した。然して同年コルネーリス・ハウプトマンを隊長として四隻の商船隊を派遣した。これが和蘭最初の東印度遠征である。

更らに竿一頭を進めて、単なる貿易に限らず組織的に植民地経営をなさしむるために、遠國會社を改組して、一六〇二年に東印度會社を設立した（資本金が當時六百六十万盾であった）。

和蘭の東印度會社は單なる貿易團体ではなく、植民地統治の政治的権限をも

二

有するものである。東印度會社は本國聯邦政府より特許を受けでそれに依って植民地経営をなしたものである。この特許状は四十六ヶ條より成り、貿易の独占と占領地の統治権を會社に許し、本國政府は單に監督権のみを保留せるに過ぎなかった。

當時スペインの專制より独立せる新進・気鋭のオランダは優勢なる海軍力と時の總督の才略と相俟って、且つ英國の内乱及びクロムウェルの共和政治の未成、スペイン・ポルトガルの戦争に乘じて着々と進出した。まづポルトガルと同様に香料諸島の名があったバンダ・モロッカス諸島を略取し、ポルトガルの據点であったアンボイナ島のアンボンを根據地と定め、ポルトガルに代り、香料群島の霸权を握るに至った。

然るに新たなる敵が現れた。それはスペインの無敵艦隊を撃破した英國の東印度進出である。従って、これを撃破するにあらずんば香料貿易の独占が不可能であったので、当時英國の東印度に於ける根據地であったヤカトラ（ジヤガタラ）より英人を駆逐してバタビヤを占領した（一六一九年）。爾後バタビヤ

三

はアンボンに代って東印度に於ける和蘭の中心根據地となり、今日に至ってゐる。

その後バンダ諸島に於ける英・蘭の抗争劇しかったが、一六二三年アンボイナに於ける英人の大敗を契機として、英國は東印度より退却し、印度大陸の経営に専念するに至った。又一六四一年には蘭人の東印度根據地たるマラッカを占領し、ポルトガルの勢力を東印度より一掃した（チモルの一部を除く）。更らに進んでは、一六五八年にはセイロン島を略取し、又スペイン人も一六六三年頃に東印度を棄てゝ、比島に退くに至った。

以上を要するに、和蘭の十七世紀初頭より初めた東印度経略は十七世紀中葉に於いて、少くとも外敵関係に於いてはほゞ完成したものと見てよい。葡・西・英と次々に撃破した和蘭は前世紀に於ける東印度支配の中心であったアンボイナより、その根據地をバタビヤに移して、東印度支配の新時代を準備したのであった。

斯る和蘭東印度會社の霸権樹立は、一般に、和蘭共和國の海上霸権の反映に

四

過ぎなかつた。當時和蘭の船の数は家の数より多かつたと云はれてゐるほどである。コルベールの計算に依れば、當時海洋にある二万の船舶中一万五千乃至一万六千はオランダ國旗を掲げてゐたとのことであつた。從つて十九世紀への転換期に於ける和蘭東印度會社の崩壊は和蘭共和國の崩壊に主なる原因があつたのである。

十七世紀中頃東印度に覇権を確立した東印度會社はその頃を絶頂として、爾後衰微に傾いたと云はれてゐる。それでも、先づ十八世紀の後半迄、その覇権は維持されたのであるが、度重なる英・蘭覇権争奪戰の末、第四次蘭・英戰争（一七八一－一七八四年）に於いて和蘭は英國の軍門に下つたものと見なければならない。即ち同戰争に於いてスマトラ・印度西岸・ベンゴール地方相次いで英軍の手に落ち、和蘭は英國の「モロツカス群島への航行権」を承認するの止なきに至つた。

十七世紀の初、英國を撃破して得た東印度の覇権も十八世紀末には英國の手に帰せんとする状勢にあつた。

五

こゝに大きな波瀾を惹起せしめたのがナポレオン戰争である。この時代よりオランダは英國の支配下に立つべき運命にあつた。

一七九五年、フランス革命軍が和蘭に侵入するや、和蘭の愛国党がフランス革命軍の後援の下に革命を起しバタフーセ共和國を建國したので、オランダ聯邦國國王ウイリアム五世が抗争國英國に逃亡し、ケウの文書に署名した。即ちこの文書に於いてウイリアム五世が東印度の最高支配権を英國に譲渡したのであつた。然し東印度會社はこの署名を認めず、又バタフーセ共和國は東印度會社の特許期限満了（一七九九年）を俟たず、この特許を奪ひ、東印度貿易及領土事務委員會を設立して、これに東印度の統治権を委ねた。更らに一九〇〇年に至つて東印度會社は名実共に解散し、改めて東印度はバタフーセ共和國のアジア領土評議會の管轄下に置かれた。翌年英國は和蘭王を援けて一時東印度を占領したが、間もなく一八〇二年三月英國首相ピットの辞職を契機として、英佛は中間平和を協定して、アミアン和議が成立した。その第三項に従ひ、英國はセイロンを除く旧和蘭植民地一切をバタフーセ共和國に返還した。然し英國

六

はアミアン條約を完全には履行せず、一八〇五年頃より再び東印度蚕食を開始してゐる。

その間、一八〇六年にナポレオンは弟ルイ・フイリツプを王位に即け、和蘭王國を作つた。こゝに至つて最早和蘭は独立を喪失せるものと云ふべく、東印度諸島もフランスの属領地と化してしまつた。一八〇八年和蘭の将軍ダエンデルスがナポレオンに依つて東印度植民地総督に任命され、一一年まで「賦役の時代」と稱せられる武断政治を行つたが、一一年遂に瓜哇が英國の手に落ちた。これに先だつて一八一〇年和蘭本國がフランス帝國に合併せられてゐる。一八一一年より一四年まで東印度は英國の支配下にあつたが、瓜哇の知事となつたラツフルズは東印度會社の施政とは全く異れる自由主義的政策を行つた。

ナポレオンの挫折後の新たなる欧洲政治を決定するウイーン會議は、先づ和蘭をフランスの覊絆より脱せしめ、和蘭はウイリアム一世を王に戴き白耳義を併せてネーデルランド王國を樹立した。

ネーデルランド王國が設立せられる前年一八一四年に英・蘭間に倫敦協約が

七

締結せられて英國が和蘭の旧東印度植民地を和蘭に還付するを約し、事実上同一六年に還付手続が完了せられてゐる。英國の蘭印還付は一面當時列強（佛・露・普・墺）が英國の強大を恐れて領有を阻止した結果でもあるが（ウイーン會議に於いて還付が決定された）、又英國自身としても十九世紀の和蘭は既に英の敵ではなく、反對に欧洲大陸に於ける英の前哨基地として、又防衛線として利用し得る立場にあつた。従つて斯る基地又は防衛線として強力であり、且英國に好意的である為には和蘭に植民地を與へて独立國としての基礎を強固にしてやる必要があつたのである。

斯る意圖に於いて返還せられたものである。事実當時英東印度會社の発せる社告の裡にも瓜哇を英領として永く占有するの意無き旨を示してゐるものがある。勿論返還に付いて異論がなかつたわけでなく、蘭印の英國占領當時に短期間ではあつたが蘭印に劃期的な業績を残した瓜哇副総督ラツフルズの如きは瓜哇が和蘭にとつて如何に重要なるかを知らずして英國が和蘭に還付せるものとなしてゐる。

八

倫敦協約即ち復帰協定が結ばれてから後十年、一八二四年に英・蘭印間が基本関係が定められた、所謂一八二四年の條約が締結された。領土及び通商に関する條約と稱せられるものであつて、先づ領土に関しては、東印度諸島を和蘭の勢力圏となし、これに對してマレー及び印度を英國の領有圏となす、云はゞ英・蘭共同利益の下に東印度をこの二ヶ國にて分割する勢力圏協定であつた。即ち英國は未だ返還しなかつたビリトン・ニアス・ベンクーレン及びスマトラに現有する英領全部を和蘭に讓渡する。これに対して、和蘭は印度及び新嘉坡に有する一切の權利を放棄し、且つ兩國民は兩國の植民地に於いて居住及び営業を営む自由を有することを約したものである。

更らに変更に関しても定め、兩國は條約に定めた兩國の屬領地を他國に讓渡せざることを確約し、將來一方の國が其領土權を放棄せる際には他の一方の國がこれに干渉し得ることを規定した。

又通商に関しては同第三條に規定して、曰く「各當事國ノ臣民及船舶ハ東洋各地ノ港湾ニ於ケル輸出入ニ際シ該港湾所屬國ノ臣民及船舶ニ課セラルヽ種類

九

一〇

ノ二倍ヲ超ユル税ヲ課セラルヽコトナシ、若シ該港湾所屬國ノ臣民並ニ船舶ガ何等ノ税ヲ課セラレサルトキハ相手國ノ臣民並ニ船舶ニ課セラルヘキ税率ハ従價六%ヲ超ユルコトヲ得ス」とあり、英國に依つて和蘭は蘭印に於ける関税自主權を喪失せしめられたのである。即ち、蘭印は一大自由港と化したのである。

以上二條約に依つて蘭印の地位がほゞ確定し、二百年前に和蘭東印度會社が東印度攻略をなした時とは全く異れる状勢の下で、和蘭は改めて東印度統治に発足しなければならなかつた。前者に於いては英國を向ふに廻して海上覇權を戰つた和蘭聯邦共和國の下で、英國勢力を驅逐して蘭印を制覇せるに反して、二百年後の十九世紀初頭に於いては、和蘭は英國の欧洲基地としてのネーデルランド王國と変り、その東印度經略も英國の東洋經略の一環として、その補充的意義しか有せざる英植民地支配の一パートナアの地位に墮するに至つた。

十九世紀中葉に於ける蘭印は大きな転換の時代であつた。ベルギーの離反に悩んだ和蘭の強制栽培政策も和蘭の自由主義政策（一八四八年憲法改正、一八五四年植民地統治令）の波に乘つて、自由栽培制に転換して行つた（一八七〇年の土地法、砂糖法）。これは云はゞ蘭印の農業革命とも稱せられ得べきものにして、スエズ運河開通（一八六七年）を契機とし、蘭印の植民地としての地位が向上した。関税改正（一八七二年）に依る蘭印の徹底的な自由貿易主義が更らにこれに拍車するものがあつた。佛蘭西と競つて欧洲の覇權を握つた英國は、更らに蘭印をも自己の制覇の下に置き、この時期には領土的にも進出し（一八六三年チヤタード銀行、一八八〇年香上銀行の瓜哇支店設置）経済的進出が積極化した。

一八七一年に英・蘭間に結ばれたスマトラ條約は十九世紀末の蘭印に於ける英・蘭関係にピリオドを打つたものとして重要である。この條約に於いて英國は二十四年の條約に規定された特權を拡充し、蘭印との通商に関して和蘭と同一の權利を獲得した。

蘭印に於ける英・蘭関係は第一次大戰に依つて更らに緊密化し、シンガポール軍港の完成と共に蘭印の英國軍事依存は徹底し、英帝國植民地防衛線の重要な一環に蘭印は織り込まれるに至つた。

一一

一二

第二次大戰の開始はこの英・蘭関係の基本線を強めこそすれ、弱めはしなかつたが、英國の國際的地位の低下及び日本の南進政策（大東亜共栄圏）は蘭印の米國依存傾向を極めて濃厚ならしめてゐる。これは軍事的にも経済的にも蘭印の辿る運命的過程と考へ得る。斯る政策は英・蘭・米共同防衛計画の裡に就く具体化せられてゐる。

第二　蘭領印度の権益関係

権益関係にも政治的なものと、経済的なものとの区別がある。政治的権益関係も複雑であって、直接領土に関係する租借権の如きものより勢力圏協定の如きものにも汎るものである。又経済的権益関係に於いても鉱業権、借地権の如きものや通商上の特恵関係の如きものも存在してゐる。

政治的権益関係に就いては第一にその概観が與へられてゐるし、又経済的権益に於いては、主として投資の基礎となるべき諸権益が問題であって、蘭印の如きは鉱業権と借地権を主要なものとする。これについては第三の農業投資に依って各國の借地権的権益が示され、鉱業投資に於いて各國の鉱業権益が推測せられる。

第三　蘭印の投資関係

一、蘭印投資概説

最近（一九三〇年）の蘭印投資は民間各投資に鉄道投資と公債投資とを加へれば、大約五十三億盾に達するものと推定せられてゐる。更にこれに官業諸投資をも加算すれば五十八億盾前後と豫想せられてゐる（第一表）。

官業諸投資（鉄道投資を除く）を加へざる前者に於いて各投資を分析すると、第一位は農業投資の約三九・四%、次は公債の二六・三%、鉄道の一五・五%、鉱業の八・一%と続いて、この四投資にて全投資の八九・三%を占めてゐる。これ以外の主要投資としては船會社の〇・七%、其他商業・金融関係が〇・六%を占めてゐる。然しこれ等は農業投資を除けばすべて會社の拂込資本金を集計したものであるが故に、會社資本金以外の投資である社債・借入金投資、又個人事業投資

第一表　蘭印投資概況

A表　蘭印投資概況

	金額（千盾）	%
農業投資	二、一〇〇、〇〇〇	三九・四
鑛業投資	四三〇、〇〇〇	八・一
鉄道投資	八二六、〇〇〇	一五・五
船會社投資	三九、〇〇〇	〇・七
其他商業・保險・倉庫	三三、〇〇〇	〇・六
以上計	三、四二八、〇〇〇	六四・三
社債・借入金個人事業	五〇〇、〇〇〇	九・四
△公債	一、四〇〇、〇〇〇	二六・三
総計	五、三二八、〇〇〇	一〇〇・〇

（註）一九三〇年現在
∴　拂込資本金
△　一九三六年現在
出所＝年鑑

B表　蘭印政府發表の数字

		金額（千盾）	%
民間及び官業鉄道投資総額	農業投資	二、一〇〇、〇〇〇	
	鉱業會社拂込資本金	四三〇、〇〇〇	
	鉄道	八二六、〇〇〇	
	船會社拂込資本金	三九、〇〇〇	
	其他商業・保險・倉庫投資	三三、〇〇〇	
	小計	三、四二八、〇〇〇	
	會社借入金及び個人事業	五〇〇、〇〇〇	
	合計	三、九二八、〇〇〇	
官業投資額（除鉄道）	港湾	一一八、九五一	
	浚渫、事業	一二、二五六	
	印刷局	二、四〇〇	
	運送事業	二二、二五三	
	郵便・電信・電話	七五、九七七	
	水力電氣	一八、七九三	
	ゴム	一〇、二一〇	
	金	五、四八四	
	錫	一八、一九二	
	石炭	二九、三七五	
	石油	一五、〇〇〇	
	鉄	一一	
	製塩	九四〇四	
	阿片	四三二九	
	質屋	七四七九一	
	合計	三九七、五二六	
公債投資(1)		一、四六七、三二六	
総計		五、八〇〇、〇〇〇	

（註）一九三〇年現在
(1) 一九三六年末現在
出所＝年鑑

(三)

も注意しなければならない。この合計が九・四％となつてゐる。

これ等各投資に対する外國資本進出の割合も均等でない。有力なる第三ヶ國投資はゴム投資を中心とする英國・佛・白・米國等の農業投資と石油を中心とする英・米の鉱業投資とである。農業に於いては二五・五％の外國投資があり、その半は英國資本である。鉱業に於ける外國資本の率は著しく高く、約三九％に及んでゐる、又その殆んど全部が英・米資本である。

この農・鉱業以外は殆んど完全な和蘭資本の独占下にある。唯かつては公債投資に英・米資本が相當に参加してゐた。然し現在は大部分償還せられるに至つてゐる。例へば一九三〇年には米國の蘭印公債投資が一億三千万弗に及んでゐたが、一九三五年には皆無になつてゐる（註一）。

（註一）　太平洋協會、「米國極東政策の經済的基礎」。

要約すれば外國投資の中心は英国の約四億盾、米國の一億三千万盾であり、総投資五十八億盾に対しては必ずしも大きな数字でないが、これ等の投資が戦

略物資たるゴム・石油に集中せられてゐる点は極めて注目せねばならない。石油投資に於いては英・米がその半を占めて実権を握り、ゴム投資に於いては英・米がその三六％を占めてゐる。

二、蘭印投資各説

投資の調査は技術的にも極めて困難なるものがあるためか、全体的な数字を発表せる資料極めて乏しい。その乏しい資料の内でも比較的信頼するに足るものとして一般に利用せられてゐる資料を基礎として研究して見る。

(一) 農業投資

まづ簡単に農業投資を投資國別・投資業種別・投資地域別の三観点より分析して見る。この分析明細表が第二表である。この分析の基礎となつた数字は一九二九年現在のものであつて、既に十年経過せる今日の状勢を知る上には若干

第二表　蘭印農業投資一覧表

(ギ)

	護謨	煙草	油椰子	茶	纖維	古々椰子	ガムビル	珈琲	規那	砂糖	計	國別百分比	各國農業投資に対する%
スマトラ東海岸													
和蘭	一二八九〇〇	一二六二五〇	四七九一〇	二四四四四	四〇〇〇〇	三三七八					三六〇七五三	五六・二	一七・五
英國	一〇四六八四		三〇三〇	一四五五四		一四五七	一〇〇〇				一二四七三六	一九・四	六・〇
米國	五三〇三五										五三〇三五	八・三	二・六
佛・白	四一八七四	三〇〇〇	二七七〇四								七二五七八	一一・三	三・四
瑞西	三五四二	七五〇				一二					四四一四	〇・七	〇・二
日本	一一一五七		二五五〇								一三七一七	二・一	〇・七
独逸	三二〇三		二四九九	二四二〇							八一二一	一・三	〇・四
其他	四九〇六										四九〇六	〇・八	〇・二
計	三五一三〇一	一三〇〇〇〇	八三七〇三	四一二三八	四〇〇〇〇	四八五七	一〇〇〇				六四二二六〇	一〇〇・〇	三一・一
南スマトラ													
和蘭	一七五八五		五一一三	一二二五七	一〇三六			一七六〇〇	三三九八		五七三八九	六三・三	二・八
英國	六八九三			二四八五				一八六五			一一二四三	一二・四	〇・五
独逸	一三一九		二一					一三五八	一三〇六		四〇〇四	四・四	〇・二
佛・白	三二五九										三二五七	三・六	〇・二
瑞西								七九九			七九九	〇・九	〇
其他	一〇〇五九							三四五一	三三〇		一三八四〇	一五・三	〇・七
計	三九一一四		五一三四	一四七六三	一〇三六			二五〇七三	五三三四		九〇四三三	一〇〇・〇	四・四
スマトラ計	三九〇四一五	一三〇〇〇〇	八八八三五	五六一五一	四一〇三六	四八五七	一〇〇〇	二五〇七三	五三三四		九〇四三三		
爪哇													
和蘭	一四五八七九			一〇四三五五				七一七七六	一六五七一	七七九六六八	一一二八〇八九	八三・九	五四・一
英國	八〇七九四			二八四六六				二〇〇三八	二六九三	一〇一〇四	一四三〇八五	一〇・七	六・一
佛・白	二〇八九〇			六五五八				八三八六	一五八		三五九九三	二・七	一・七
独逸	一五四四			四二三〇					六		五七八〇	〇・四	〇・三
伊太利	二一三六							五八			二一九三	〇・二	〇・一
日本	一七二五			四七〇						三七三六	五九三三	〇・四	〇・三
其他	一六八五〇							四八八三	六八		二二三五一	一・七	一・一
計	二六九八〇八			一四三九八一				一〇五〇七一	二〇〇四六	七九三五〇八	一三三四一四一	一〇〇・〇	六四・六
蘭印總計	六六〇二二三	一三〇〇〇〇	八八八三五	二〇〇一三二	四一〇三六	四八五七	一〇〇〇	一三〇一四四	二五三八〇	七九三五〇八	二〇六五〇九六		一〇〇・〇
産物別 %													
スマトラ東海岸	五三・三	一〇〇・〇	九四・二	二〇・七	九七・五	一〇〇・〇	一〇〇・〇	〇	〇	〇			
南スマトラ	五・九	〇	五・八	七・四	二・五	〇	〇	一九・三	二一・〇	〇			
爪哇	四〇・八	〇	〇	七一・九	〇	〇	〇	八〇・七	七九・〇	一〇〇・〇			
全蘭印	三二・〇	五・七	四・三	九・七	二・〇	〇・二	〇	六・三	一・二	三八・四			
國別投資													全農業投資に対する%
和蘭	二九二三六四	一二六二五〇	五三〇二三	一四〇九三六	四一〇三六	三三七八	〇	八九三七六	一九九六九	七七九六六八	一五三五八二〇		
(%)	一九・〇	七・六	三・五	九・二	二・七	〇・二	〇	五・八	一・三	五〇・七	一〇〇		七四・五
英國	一九三三七一	〇	三〇三〇	四五五八五	〇	一四五七	一〇〇〇	二一八九三	二六九三	一〇一〇四	二七八〇五三		
(%)	六九・二	〇	一・一	一六・四	〇	〇・五	〇・四	七・九	一・〇	三・五	一〇〇		一三・六
米國	五三〇三五	〇	〇	〇	〇	〇	〇	〇	〇	〇	五三〇三五		
(%)	一〇〇・〇	〇	〇	〇	〇	〇	〇	〇	〇	〇	一〇〇		二・六
佛・白	六六〇三二	三〇〇〇	二七七〇四	六五五八	〇	〇	〇	八三八六	一五八	〇	一一二八三八		
(%)	五九・〇	二・七	二四・六	五・九	〇	〇	〇	七・五	〇・一	〇	一〇〇		五・四
独逸	六〇五五	〇	二五三〇	六六五〇	〇	〇	〇	一三五八	一三一二	〇	一七九〇五		
(%)	三三・九	〇	一四・一	三七・一	〇	〇	〇	七・八	七・三	〇	一〇〇		〇・九
日本	一二八七三	〇	二五五〇	四七〇	〇	〇	〇	〇	〇	三七三六	一九六三八		
(%)	六五・六	〇	一三・〇	二・四	〇	〇	〇	〇	〇	一九・〇	一〇〇		一・〇
其他	三一八一五	〇	〇	〇	〇	〇	〇	八三三四	九四八	〇	四一〇九七		
(%)	七七・四	〇	〇	〇	〇	〇	〇	二〇・三	二・三	〇	一〇〇		二・〇

（註）　一九三一年 蘭印農商工務部刊行「國際經濟上より見たる蘭印の意義」に発表されたる数字に依って作成す（年鑑）

無理な点も予想せられる(註二)。

（註二）第一表、第二表、第三及四表の資料は最近でも、例へば一九三九年の Utrecht 大学教授 "The Recent Development of Economic Foreign Policy in the Netherlands East Indies" の如きにも引用せられ、又東亜経済調査局の南洋叢書は勿論、同華僑叢書の如き、或ひは浅香教授「南洋経済研究」等すべて引用するものである。

この資料に依ると蘭印農業総投資は二十億六千万盾に上つてゐる。これを地域別に見ると瓜哇はその半を超し、六四・六%、続いてスマトラ東海岸は三一・一%、南スマトラが四・四%となつてゐる。この三地方以外に於いても農業（エステート）投資は存在してゐるが、その額はこの三地方に比して極めて少なく、大体この三地方のエステート投資を以つて蘭印の総農業投資と見做して差支へない。勿論この大農式栽培業に対立して存在する土人農業の意義も軽視し難きものがあるが、こゝでは一應却説して進む。

更らに又この総投資を業種別に見ると、砂糖が第一位であつて三八・四%、第二位がゴム三二・〇%、この二種の投資が全エステート投資の七〇・四%を占めるものである。その重要性を認むるに足る。次はずつと下つて茶の九・七%、珈琲の六・三%、煙草の五・七%、油椰子（パーム・オイル）の四・三%、アバカ纎維（サイザル麻等）の二・七%と続く。

次に投資國別に見ると、和蘭は七四・五%を占めて圧倒的である。次は英国が一二・六%、佛・白が五・四%、米國が二・六%、日本が一・〇%、独逸が〇・九%となつてゐるが、華僑の投資も相当額に上る見込であるが、和蘭の投資に含まれてゐると思はれる（第三表、第四表参照）。

これ等の國別投資を業種別に観察して見る。

和蘭投資の半（五〇・七七%）は砂糖である。次はゴムの一九・〇%、茶の九・二%、煙草の七・六%、珈琲の五・八%、油椰子の三・五%、纎維の二・七%と続く。

これに対して英國の投資の過半（六九・二%）がゴムに投資され、砂糖投資の如きは僅かに三・五%に過ぎない。ゴムに続いて茶（一六・四%）、珈琲（七・九%）

第三表　蘭印投資推定(I)

一九一八年に於けるヘルフエリッヒ氏調査（單位面積の資本換算）

	栽培業総投資 千盾	栽培業総投資 %	商工業投資 千盾	商工業投資 %	総投資計 千盾	総投資計 %
煙草	八五〇、〇〇〇	四六・六				
煙草	一二五、〇〇〇	六・八				
其他	八四八、〇〇〇	四六・五				
総計	一、八二三、〇〇〇	一〇〇・〇	一、三八〇、〇〇〇		三、二〇〇、〇〇〇	
國別内譯						
和蘭	一、二一九、二六〇	六七・〇			二、三五〇、〇〇〇	七三・四
英國	二四六、七〇〇	一三・〇			三〇〇、〇〇〇	九・四
支那	二〇六、五八五	一一・三			三四〇、〇〇〇	一〇・六
白國	三五、七〇〇	一・九			四〇、〇〇〇	一・二
日本	二八、九五〇	一・五			三六、〇〇〇	一・一
佛國	二七、八五〇	一・五			三〇、〇〇〇	〇・九
米國	二七、五〇〇	一・五			三五、〇〇〇	一・一
独逸	八、一〇〇	〇・四			二五、〇〇〇	〇・七
瑞西	六、〇五〇	〇・三			二〇、〇〇〇	〇・六
アラビヤ及アルメニヤ	四、一〇〇	〇・二			二四、〇〇〇	〇・七
瑞典及諾威	三、六五〇	〇・二				
其他	八、六〇五	〇・四				
総計	一、八二三、〇五〇	一〇〇・〇	一、三八〇、〇〇〇		三、二〇〇、〇〇〇	一〇〇・〇

（註）出所＝年鑑

(三)

第四表　蘭印投資推定(Ⅱ)

一九一八年に於けるコツクビューニング氏の調査(帳簿面資本集計)

事業別	千盾	%
農業	一、二七〇、〇〇〇	四七・九
鉱業	二〇〇、〇〇〇	七・五
銀行・商運輸業	一、一八〇、〇〇〇	四四・五
総計	二、六五〇、〇〇〇	一〇〇・〇

國別内譯	千盾	%	農業各國別出資率 砂糖	護謨	煙草	茶	珈琲
和蘭	一、九〇〇、〇〇〇	七一・七	八一・八	三五・四	八九・〇	六〇・〇	七六・六
支那	二五〇、〇〇〇	九・四	一六・六	一・六	一・五	六・〇	三・三
英國	三〇〇、〇〇〇	一一・三		四〇・四	五・〇	三・〇	一三・三
白國	四〇、〇〇〇	一・五		五・八		一・八	二・五
米國	三五、〇〇〇	一・三		五・七			
佛國	三〇、〇〇〇	一・一		五・二			三・二
日本	二五、〇〇〇	〇・九		三・六		三・〇	
独逸	二五、〇〇〇	〇・九					
瑞西及伊太利	一五、〇〇〇	〇・五					
アルメニヤ及アラビヤ	二五、〇〇〇	〇・九					
總計	二、六五〇、〇〇〇	一〇〇・〇					

(註)　出所＝年鑑

等が砂糖投資を凌いでゐる(註三)。

(註三)　砂糖投資は和蘭に完全に独占されてゐると見てよい。九八%を占めてゐる。

佛・白の投資もゴム(五九・〇)と油椰子(二四・八%)に集中してゐる。米國の投資はゴム(一〇〇・〇%)に限られてゐる。独逸の投資は比較的分散的であるが、茶(三七・一%)とゴム(三三・九%)が著しい。日本もゴム投資(六五・六%)が第一位であつて、その他は油椰子と茶に若干ある。

以上は各國農業投資総額に占むる各業種の比重であるが、更らに各業種総投資に対する各國投資の地位を考へる必要がある。

和蘭資本が蘭印農業投資の七四・五%を占めてはゐるが、農業各業種に就いて見れば必ずしもその独占度は一率ではない。砂糖に於いてはその九八%を占めて、英国・日本の僅かの資本を除けば完全に独占してゐる。これに対してゴムの和蘭投資はゴム総投資の四四%を占むるにすぎず、和蘭以外の投資が優越し

一九

てゐる。特に英國資本は二九%に及ぶ。

其他、煙草・アカバ纎維等は殆んど完全なる和蘭資本の独占下にあるが、茶・珈琲等に於いては各々有力なる他國資本が存在してゐる。茶に於いては佛・白・独逸、珈琲に於いては英國・佛・白の資本が相當の地位を占めてゐる。油椰子の如きも和蘭資本と並んで佛・白資本が重要性を占めてゐる。規那・古々椰子(椰子の實)等に於いては和蘭資本の独占度著しいが、前者では英國・独逸、後者では英國資本がやゝ進出してゐる。これ等に對してガムビルは英國資本の独占となつてゐる。

今各農産物への資本投下を栽培地域別に見ると、砂糖は瓜哇(一〇〇%)を独占栽培地とする。従つて独占資本投下地である。これに続いて瓜哇を主投資地とするものは珈琲(八〇・七%)、規那(七九・〇%)、茶(七一・九%)等である。これに對して、スマトラ東岸を主投資地とするものは油椰子(九四・三%)、纎維(九七・五%)、古々椰子(一〇〇%)、ガムビル(一〇〇%)等である。ゴムの中心資本投下地はスマトラ東岸(五三・三%)ではあるが、瓜哇の意義

二〇

（四〇・八％）も大きい。南スマトラは大体瓜哇の補充栽培地域であつて、瓜哇への資本投下を補充してゐる関係にある。規那（二一・〇％）、珈琲（一九・二％）等がこの例である。

斯る各農産物別・地域別投資関係を投資國別に見ると、各國農業投資の地域的・業種的特質が象徴さ収ることになる。

砂糖――瓜哇を生命とする和蘭資本は蘭印総農業投資に対する比率七四・五％の内五四・一％を瓜哇に投資し、残りの一七・五％がスマトラ東岸に存在してゐる。その他の地域は極めて僅かである。

ゴム・茶――スマトラ東岸・瓜哇を中心としてゐる英國は総農業投資比率一二・六％をスマトラ東岸（六・〇％）と瓜哇（六・一％）に均分してゐる。又砂糖―瓜哇関係の投資を完全に有せざる其他諸國投資は、その投資中心地を瓜哇以外の外領特にスマトラ東岸に有してゐる。

以上が蘭印農業投資の概観である。

次に今研究の中心である英・米二國の蘭印に於ける農業投資に付いて若干敷

二一

衍する。

英國は和蘭に次いで第二位の投資國であり総農業投資の一二・六％を占めるに対して、米國は佛・白國に次いで第四位にあり、比重も英国の半よりも少なく五・四％に過ぎない。又、英・米共にその投資の重点はゴムにあるが、英國はその他茶・珈琲等にも相當進出してゐるに対して、米國投資はゴムに限られてゐる。

英國投資は米國に比してその歴史は舊いが（註四）、相対的に減少傾向なるに比して、米國は増加傾向にある。一九一八年の調査に依ると英國農業投資は二億四千万盾（一三・〇％）、米國は二千七百万盾（一・五％）となつてゐる（第三表）。これを一九二九年の数字、英國二億七千万盾（一二・六％）、米國五千三百万盾（五・四％）と比較すると、その相対関係は明らかである。この約十年間に英國投資は絶對数は僅か増加してゐるが、比率は減少してゐる。これに対して米國は絶対額・比率共に増加してゐる（五〇％増加）。

（註四）　既に十九世紀の七、八十年代に於いて英國はスマトラにアツサム

二二

茶の大規模栽培をなしてゐる〃ゴム投資も英國が早く（一九〇五年頃）、米國のゴム投資は一九一〇年頃からである。

又一九四〇年に米國は数個の會社設立計画を発表した。比律賓工業會社のパーム・オイル製造はその一つである。又米國の資料（註五）に依ると一九三四年の米國のゴム投資は七千五百万盾となつたとある。

（註五）　*For Eastern Survey,* 1940, 6, 19 "*The American State in the Netherlands India*"

（二）　鑛業投資

蘭印政府は一九三〇年末現在の鉱業総投資を四億二千万盾と発表してゐる。然しこれは各種鉱業會社の拂込資本金のみを集計したものであつて、社債や借入金等に依る投資を含んでゐない。今これ等をも考慮して蘭印に於ける各國の

二三

鉱業投資を業種別に分析して見ると第五表の如くになる。

この表は必ずしも鉱業投資の現状を正確に反映してゐるとは考へられないが、大体の投資の基本情勢はこれで充分に推察し得ると思ふ。

この表に依ると民間・政府合計して蘭印の総鉱業投資は六億三百万盾と推定されてゐる。その内蘭印政府投資は僅かに九・七％、残りの九〇・三％は民間投資である。業種別に見ると、石油は圧倒的であつて、総投資の八〇・八％を占める。

蘭印の鉱業投資は石油投資に依つて独占せられてゐると云つても過言でない。其他は錫五・六％、金銀三・四％、石炭七・二％、其他三・一％となつてゐる。然して注意しなければならないのは政府投資は石炭（五四・〇％）と錫（二八・四％）に集中されてゐるのに、民間投資は石油（八八・五％）に集中してゐる。従つて石油投資は民間投資に依つて独占せられてゐるのに対して、石炭と錫に於いては政府投資が極めて有力である。特に石炭は政府投資によつて完全に支配せられてゐる。金銀に於いて民間が圧倒的であり、其他には政府投資が皆無である。

斯る政府投資の進出は全体的に見て絶對額に於いては必ずしも多くはないが、

二四

第五表　蘭印鑛業投資

	和蘭		英國		米國		支那		日本		民間計		政府		總計	鑛業別百分比
石油	二四八、四八〇	八〇・三%	一二三、六〇〇	九九・九%	一一〇、〇〇〇	一〇〇・〇%			一八〇	一〇〇・〇%	四八二、二六〇	八八・五%	五、〇〇〇	八・六%	四八七、二六〇	八〇・八%
石炭	二一、四七〇	三・七%									二一、四七〇	三・三%	三一、三七四	五四・〇%	四三、七四四	七・一%
錫	一七、五〇〇	五・七%									一七、五〇〇	三・二%	一六、五七五	二八・四%	三四、〇七五	五・六%
金銀	一四、三二〇	四・六%	六〇〇	〇・一%							一四、八二〇	二・七%	五、五六九	九・五%	二〇、三八九	三・四%
其他	一七、八一二	五・七%					八五〇	一〇〇・〇%			一八、六六二	三・四%			一八、六六二	三・一%
計	三〇九、四八二	(一〇〇%)	一二四、二〇〇	(一〇〇%)	一一〇、〇〇〇	(一〇〇%)	八五〇	(一〇〇%)	一八〇	(一〇〇%)	五四四、七一二	(一〇〇%)	五八、四一八	(一〇〇%)	六〇三、一三〇	(一〇〇%)
全鉱業投資に対する百分比	五一・三%		二〇・六%		一八・二%		〇・一%		〇		九〇・三%		九・七%			(一〇〇%)

(註)　一九三〇年
出所＝年鑑

農業の自由主義的投資傾向に對して著しい特色をなすものである(註六)。これは蘭印鉱業の封鎖主義的政策の帰結である。蘭印の鉱業政策の詳細に付いては後の機會に譲る。

(註六)　農業には政府投資は殆んどない。若干の試驗的栽培が存するに過ぎない。

鉱業投資の内民間投資を國別に見ると、総投資に対して和蘭は五一・三%を占め、第一位にあり、第二位は英國の二〇・六%、第三位は米國の一八・二%となつて其他は極めて僅かである。この三者を合計すると九〇・一%となり、これに蘭印政府投資を加へると殆んど全鉱業投資に該當するものである。即ち蘭印鉱業は和・英・米三國に完全に独占せられてゐる。

又この関係を農業に比較すると、農業投資に於けるより和蘭の地位がやゝ低まり、これに反して英・米の地位が著しく高くなつてゐる。又鉱業に於いては以上の國以外の投資が殆んど排除せられてゐる点も著しい。

二五

二六

は和蘭政府が七四・五%を占めてゐるのに鉱業では和蘭民間資本は五一・三%に過ぎない。蘭印政府投資を加へても六一%である。これに比して英國も農業鉱業共に第二位ではあるが、農業の一三・六%に對して鉱業は二〇・六%に上つてゐる。又米國は農業の二・六に對して一八・二%となり、順位も第四位より第三位に躍進してゐる。

以上の如き鉱業投資に於ける和蘭の比重の低下・第三國(英・米)の地位の躍進は鉱業の封鎖主義と矛盾するが如き外観を呈してゐるが、直接には蘭印に於ける石油資本の歴史的特殊性に基くものであり、又同時に植民地蘭印の特殊性格(英・米的國際性)を反映するものである。

鉱業民間投資を業種別に見ると、和蘭資本は石油に圧倒的部分(八〇・三%)が占められてゐるとは云へ、その他にも石炭(三・七%)、錫(五・七%)、金銀(四・六%)、其他(五・七%)と分散してゐるに對して、英國(九九・九%)、米國(一〇〇・%)の投資は石油に完全に集中してゐる。

蘭・英・米三國以外の第三國鉱業投資は支那・日本に限られてゐる。第五表に掲げられてゐる日本の十八万盾はボルネオ石油會社の拂込額であるが、実際は本會社のサンクリラン（ボルネオ東岸）油田試掘の費用及び石原産業の瓜哇スラカルタのチルトモヨ銅山試掘費を合計すると数百万盾に上る見込と云ふ。

次は各鉱業別にやゝ詳細に説明して見る。

A　石　油

石油は蘭印総鉱業投資の八〇・八％を占め、蘭印鉱業の王者である。

現在出油してゐる蘭印の石油會社は次の六會社である。

1. バタフセ石油會社（B・P・M）

創　立　一九〇七年、本店、ハーグ　事務所バタビヤ

資本金　三億盾（全額拂込済）

資本系統　和蘭六割、英國四割

出油高　四百二十九万瓲（一九三八年現在）

油　田　瓜哇（二一・六％）、スマトラ（三六・五％）、ボルネオ（四〇・一％）

製油所　バリックパペン製油所（ボルネオ）
パンカランブランダン製油所（スマトラ）
プラジヨ製油所（スマトラ）
チェプー製油所（瓜哇）
ウオノエロモ製油所（瓜哇）
（第六表参照）

2. ドルチエロ石油會社（D・P・M）

創　立　一八八七年、本店ハーグ、事務所　スラバヤ

資本金　二百万盾

資本系統　ロイヤル・ダッチの仔會社

油　田　瓜　哇（註七）

（註七）バタフーセの産油に含まれてゐる。

第六表　蘭印主要製油所

所在地		會社名	原油蒸溜能力∴	工場種別	分解能力	分解型式
Borneo島	Balikpapan	Bataafsche	△ 三五、〇〇〇	Comp	△ 七四〇〇	Dubbs
Ceram島	Boela Bay	Dortsche	二五〇〇	S		
Java島	Wonokromo	Bataafsche	二、〇〇〇	S		
	Tjepoe	〃	七、〇〇〇	S-C	六〇〇	Dubbs
	Kapoen	Koloniale	一、〇〇〇	S		
Sumatra島	Pangkalan Brandán	Bataafsche	一二、〇〇〇	S		
	Pladjoe, Palembang	〃	二〇、〇〇〇	S-L		
	Palembang(Soengei-Gerong)	Koloniale	四〇、〇〇〇	Comp	一八、〇〇〇	Tube & Tank

（註）∴＝一日能力　△＝バーレル
Comp．完全製油装置．S．スキミング装置．L．潤滑油製造装置．C．クラウキング装置の略稱．
出所＝企画院「海外石油事情調査」より．

3. タラカン石油會社

創　立　一九〇二年、本店ハーグ

資本金　百八十万盾

資本系統　ロイヤル・ダッチの仔會社

油　田　タラカン

4. ペルラク石油會社

資本金　二百四十万盾、本店ハーグ

資本系統　ロイヤル・ダッチの仔會社

出油高　油田、北部スマトラ（アチェー油田）

5. 和蘭植民地石油會社（ゴロニアル）（N・K・P・M）

創　立　一九一二年

資本金　二千四百五十万盾（拂込高一千万盾）
資本系統　米國スタンダード石油會社
出油高　百九十九万瓩（一九三八年現在）
油　田　瓜哇（〇・四％）、スマトラ（九九・六％）
製油所　スンゲイ・ゲロン製油所（スマトラ）
　　　　カプアン製油所（瓜哇）
　　　　（第六表參照）

6．蘭領印度石油株式會社（N・I・A・M）
創立　一九二一年
資本金　千五百万盾
資本系統　半額蘭領政府、半額バターフセ石油會社
出油高　百十一万瓩（一九三八年現在）
油　田　スマトラ（一〇〇％）

以上六社は現在出油しつゝある會社であるが、其他出油を見るに至らざれども、注目すべき會社は次の如くである。

4．ボルネオ石油會社
創　立　一九二九年
資本金　二百万盾（拂込二十万盾）
資本系統　日本（註八）（一九八株）、和蘭（二株）
油　田　ボルネオ東岸（サンクリラン）
コンセッション期間――一九二二年より七十五年間
（註八）日本石油、三井物産

5．蘭領ニウギネア石油會社
創　立　一九三五年、　本店　ヘーグ
資本金　百万盾
資本系統　ベターフセ（四）、コロニアル（四）、パシフィック

（二）、
油　田　ニウギネア
コンセッション期間――五十年

6．蘭領太平洋石油會社
創　立　一九三？年
資本金　？
資本系統　米國・スタンダード
油　田　東部スマトラ

以上六會社の内、英・蘭石油資本（ローヤル・ダッチ・シエルグループ）はバタフーセを中心としてドルチエ・ペルラク・タラカン等の仔會社を従へ、更らに蘭印石油會社を支配してゐる。これに対して米國石油資本（スタンダード）はコロニアル會社を本據として太平洋石油會社へと進出してゐる。即ち斯くの如く蘭印石油は世界の二大石油資本に依って独占分割せられてゐるのであるが、又興味あるは最近この二大石油資本が蘭印に於いて融合せんとしてゐる傾向である。蘭印ニウギネア石油會社の設立がこれである。本會社は英・蘭資本四、米國資本六に依って構成せられてゐる。

石油資本の闘争が蘭印に於ける最も典型的なる列國資本の闘争を表現せるものであるが故に、以下暫らく蘭印石油資本の発展を概観する必要がある。

一八七八年頃スマトラ東岸に油田発見の報あり、ジャバの農園経営者セールカーが一八八三年にテラガ・ツンガル油田の開発に着手し、和蘭資本家ケスラーの援助を得て一石油會社を設立した。

瓜哇に於いては、一八八八年にドルチエ石油會社が組織され、スラベヤのヲノクロモ油田、レンバンのチエプー油田の採掘を開始した。

この二社がコーニンクリク（ローヤル・ダッチ）石油會社が設立せられる以前の主要な會社である。前者は一八九〇年コーニンクリクに買収されしものであり、後者も又一九一一年にコーニンクリクの仔會社となった。

三四

一八九〇年に蘭印石油有望との声に応じて、争って資金を醵出するもの多く、本國にコーニンクリク社（註九）を資本金百三十万盾を以って設立し、前記セールカーの會社の鉱業権を継承して事業が開始せられたのである。セールカーの出資者ケスラーが新會社の重役となり、後年蘭印石油の独裁者となったデターデングを招聘、経営を委ねた。

一（註九）本店 Hague 現在の資本金十億盾（拂込五〇五、一二四千盾）、
和蘭読みでコーニンクリク社と略稱され、英語譯でローヤル・ダッチ社とも呼ばれる。

コーニンクリク設立せられ、それに倣って英系・蘭系の幾多の石油會社が、ボルネオ・スマトラ・ジャバ等に続出したが、その内でも後にコーニンクリクの共同者となり、蘭印石油に於ける英國支配の端緒を切ったシエル會社に一言しなければならない。

シエル會社（註一〇）は一八九七年に、英國に於いてサミユールを中心として組織され、當初の目的は東印度の眞珠採集にあったと云はれて居る。シエル會社は更らに同年蘭印商工會社を興し、ボルネオ油田の開発に當った。

（註一〇）Schell Transport and Trading Co. 本店ロンドン、現在の資本金四千三百万磅（拂込三六、二二一、三六一磅）

以上の如き蘭印石油に対する英・蘭資本の進出を見て、一八九八年米國石油資本（スタンダード）も長駆して蘭印石油に投資を開始し、石油を値下げし、又石油會社の買收計画をする等、コーニンクリクを中心とする英・蘭資本に對して猛烈なる競争を始めた。

これに對してコーニンクリクは外國株主の混入を防ぐ目的にて定款を変更し、又小會社を合併して基礎を固めた。

英・蘭石油資本のスタンダード対抗策はこれにては不充分なる為、更らに一九〇三年にコーニンクリク・シエル及びロシアのカスピアン會社が販売カルテルを結び、ロンドンにアジア石油會社を創立した。

三五

三六

これが所謂ローヤル・ダッチ・シエル・グループの第一次連合であったが、アメリカの石油トラスト（スタンダード）の東洋市場独占政策に対して蘭印石油を防衛するためには、英・蘭聯携を一歩進めて完全なるフェジオンを成立せしむる必要を感じ、一九〇七年に、ローヤル・ダッチ六〇％、シエル四〇％の共同出資の下で、和蘭にバターフセ石油會社（當時資本金一億四千万盾）と、ロンドンには別にアングロ・サクソン石油會社（當時資本金八百万磅）を新設した（備考）。斯してコーニンクリク社及びシエル社は解散はしなかったが、持株會社として実際の事業に参與しなくなった。更らに五年後巴里のロスチヤイルド商會と金融関係を結び、同商會所有の二ロシア石油會社を両社に譲渡し、両社の株と交換した。

斯くの如くローヤル・シエル聯合は國際金融資本の参加を得ると共に、蘭印の小石油會社を続々併合し、蘭印石油を独占し、更らに世界的な油田開発に進出し、スタンダードと覇を争ふに至った。

（備考）ローヤルシエル聯合下に於ける各社の業務分担は次の如くであった。

(一) スマトラ及びボルネオの原油採取と精油事業はバターフセ會社。
(二) 瓜哇の採油と、蘭領内に於ける運送、販賣事業はドルチエ會社（本會社は一九一一年にコーニンクリクに依って買收され、本聯合下に属するに至った）。
(三) 蘭印以外への運送はアングロ・サクソン會社。
(四) 蘭印以外に於ける販売はアジアチク會社。

斯るローヤル・シエルの進出に対してスタンダードも遂に一九一二年に至り和蘭にコロニアール石油會社（資本金二千五百万盾）を設立し、ボルネオ・スマトラ・瓜哇の各地に巨費を投じて試掘を行ったが、いづれも有望ならず、一時事業中止の狀態にあった。

以上の如き、ローヤル・シエルとスタンダードの競争は何時かは爆発すべき運命にあったが、遂にヂヤンビ油田をめぐって尖鋭化した。

三七

一九〇四年より一二年頃にかけてジヤンビ油田が試掘せられ、その埋藏量が蘭印第一ならんとの報が傳はるや、採掘の出願が山積せられた。それで政府は一九一三年以來未開油田は政府の手に保留する政策をとつたが、一九二一年に至つて、バターフセ社と協同し、折半出資の下で半官半民の蘭印石油會社（資本金一千万盾）を設立して、ジヤンビ油田の開発に衝らしむるに決した。そこで米國政府はスタンダードの利益を代表して強硬なる抗議を和蘭政府に提出し一時は極めて險悪なる空気を現出した。然し、其後コロニアール會社のパレンバン油田の出油が増加し、又和蘭の宥和政策（註一二）もあり、ワシントン會議頃より両トラスト間の関係が緩和して來た。最近（一九三五年）のニユウギネア油田開発の為のスタンダード・ローヤル・シエルの共同出資の如きは將に両石油トラストの融合関係さへ表現してゐるものである。

（註一一）　東部スマトラにスタンダードの蘭領太平洋石油會社が設立せられた（前述）。

第七表

蘭印會社別油田別石油產額（I）

（瓩）

	コーニンクリク系會社		コロニアル石油會社		蘭印石油會社		其他		總計	
	瓩	%	瓩	%	瓩	%	瓩	%	瓩	%
中部瓜哇	一六〇、七五三	四・三	一三、四九五	〇・七					一七四、三四八	二・八
東部瓜哇	二九〇、四八五	七・八							二九〇、四八五	四・八
（瓜哇計）	（四五一、二三八）	（一二・〇）							（四六四、七三三）	（七・六）
マヅラ										
パレンバン州	六八七、四八五	一八・四	一、八〇六、四九八	九九・三					二、四九三、九〇〇	四一・一
ヂヤンビ州					三七五、六八五	七二・八			三七五、六九五	六・二
スマトラ東海岸	五三、〇五九	一・四			一三四、一四六	二六・〇			一八七、二〇五	三・一
アチェー州	七〇二、二〇六	一八・七							七〇二、三〇五	一一・五
（スマトラ計）	（一、四四二、七五〇）	（三八・五）			五〇九、八四一	九八・八			（三、七五九、〇二六）	（六一・八）
南東部ボルネオ	一、八〇九、九六六	四八・三			六、〇三二	一・二			一、八二五、九九八	二九・九
セラム島	四一、九四八	一・一							四一、九四八	〇・七
總計	三、七四五、八一九	△（六一・六）	一、八一九、九九三	△（二九・九）	五一五、八七三	△（八・五）			六、〇八一、六八五	一〇〇・〇

（註）　一九三五年現在。

　　　：：＝タラカン・ブンヂユのボルネオ北東部油田も含む。　△＝蘭印總出油高に対する百分比。

　　　出所＝年鑑の数字より作成（蘭印統計年報）。

第八表

蘭印會社別油田別石油産額（II）

	コーニンクリーク（B・P・M）		コロニアル（N・K・P・M）		蘭印石油（N・I・A・M）		合計	
	砘	%	砘	%	砘	%	砘	%
瓜哇	九二六、三六〇	二一・六	七、二三五	〇・四			九三三、五九五	一二・六
中部瓜哇	一三〇、二四九	三・〇	七、二三五	〇・四			一三七、四八四	一・九
東部瓜哇	七九六、一一一	一八・五					七九六、一一一	一〇・八
スマトラ	一、五六四、九九八	三六・五	一、九八三、五三七	九九・六	二、一一四、三〇六	一〇〇・〇	四、六七二、八三六	六三・一
パレンバン	七六四、七七四	一七・八	一、九八二、二四九	九九・五			二、七四七、〇二三	三七・一
ヂヤムビ					一、〇一〇、七一三	九九・七	一、〇一〇、七一三	一三・七
東海岸	九四、五六五	二・二			一〇三、五九三	〇・三	一九八、一五八	二・七
アチエー	七〇五、六五九	一六・四	一、二八三	〇・一			七〇六、九四二	九・六
ボルネオ	一、七一九、七八三	四〇・一					一、七一九、七八三	二三・三
東海岸	九八四、六八五	二二・九					九八四、六八五	一三・三
タラカン	七三五、〇九八	一七・一					七三五、〇九八	九・九
ブンヂエ								
セラム	八、五六〇	一・九					八、五六〇	一・一
合計	四、二九二、七〇一	五八・〇	一、九九〇、七六七	二六・九	二、一一四、三〇六	一五・一	七、三九七、七七四	一〇〇・〇

（註）一九三八年現在。
「新亜細亜」第二巻第六号より。

これを要するに蘭印石油資本の前期は英國石油資本の進入と和蘭資本の英國資本及び政府への從屬であつた。それが後期に於いては更らに米國石油資本の前進があり、それと英・蘭資本との競合の裡に、英・米石油資本の超帝國主義的体戰の一斷面さへ現れてゐる。

斯くの如くして成立せる英・米・蘭の蘭印石油資本は第七表・第八表の如く蘭印の全出油を支配してゐる。即ち一八三五年にはバタフーセが全出油の六一・六%、その仔會社と云ふべき蘭印石油會社が八・五%、合計七〇・一%を占めてゐる。殘りがコロニアルの出油高である。更らに一九三八年にはバタフーセの比重が下つて五八・〇%となつてゐるが、蘭印石油會社の出油が増加して一五・一%となつたので、英・蘭資本の合計が七三・一%と増進してゐる。これに對して米系のコロニアルは出油の絶対量は減少しなかつたが、比率はや丶落ちた。要するに大体英・蘭系の出油高が七〇%、米系が三〇%前後と見れば間違ひがない。

地域別に見ると、一九三八年にはスマトラが全出油の六三・一%を占め、ボルネオ二三・二%、瓜哇一二・六%、セラム一・一%となつてゐる。資本別に見ると、

三九

四〇

バタフーセは分散的である。即ちボルネオ（四〇・一%）、スマトラ（三六・五%）を中心とするが、瓜哇（二一・六%）、セラム（一・九%）と到る処に油田を有してゐる。これに反して、コロニアルはスマトラ（九九・六%）特にパレンバン（九九・五%）一本である。又蘭印石油會社もスマトラ（ジヤムビ九九・七%）に集中してゐる（第九表）。

B　石油以外の鑛業投資

石油投資が全鉱業投資の八〇・八%を占めてゐることは前述の如くであるが、其他の鉱業は殆んど全部和蘭資本、特に蘭印政府資本に依つて独占せられてゐる。詳細は後にして簡單に一言すれば石炭は政府直営炭坑と蘭印第一の船會社K・P・Mの仔會社に依つて独占せられてゐる。又錫も政府直営と蘭印政府及び和蘭民間資本の合辨會社とに依つて完全に掌握せられてゐる。又其他、金銀ボーキサイトの如きも和蘭資本が完全に独占してゐると云つてよい。唯金銀に華僑と英國資本が若干入つてゐる、ニウギネヤ金鉱開発の英・蘭合辨會社がそ

第九表　蘭印地域別石油産額　（瓩）

年次	スマトラ	ボルネオ	ジャバ	セラム	計
一九三五	三、七五九、〇〇六	一、八一五、九九八	四六四、七三三	四一、九四八	六、〇八一、六八五
一九三六	四、二一四、七一〇	一、七七三、五四五	四九八、九九九	五四、五六四	六、四三七、八一八
一九三七	四、四九〇、一三七	一、七三九、六〇七	九六〇、一二五	七二、一三九	七、二六二、〇〇八
一九三八	四、六六二、八三六	一、七一九、七八三	九三三、五九五	八一、五六〇	七、三九七、七七四
一九三九	五、三二九、三一九	一、六七五、八一〇	八四九、九五七	一〇六、一四四	七、九四八、二三〇
一九四〇	五、二一九、一九二	一、九〇一、五六四	八四八、八四三		七、九三九、〇〇〇

（註）浅野物産「近東印度及蘭印石油現状」より。

れである。ボーキサイト開発は蘭印錫會社の子會社が担當する所である。

以下に若干敷衍する。

1. 錫

蘭印の錫の過半はバンカ・ビリトンに産するものであるが、その内でもバンカは半以上（五九.九%）を産出する（第十表参照）。

バンカは蘭印政府直営であつて、同政府財政の有力なる財源の一つとなつてゐる。又本島の錫鉱は大部分同島に於いて熔解・精製せられるものである。

バンカに次ぐ産地であるビリトンの錫は（三五.一%）一八六〇年よりビリトン會社の手に依つて採取せられてゐたが、現在は同社と政府との合辦に依つて設立せられたるビリトン共同鉱業會社（資本金政府一千万盾、ビリトン五百万盾）の手で行なはれてゐる。本島採掘の錫鉱の大部分は新嘉坡のプルーブラニーに在る海峡貿易會社の手で、及び一部分は和蘭本国のアルネームの和蘭冶金作業所で熔解・精錬されてゐる。ビリトン錫會社は一九三七年に六千百八十九

四一

四二

名の労働者を使用してゐる。

シンケップはビリトン會社の傍系會社であるシンケップ錫開発會社の手に依る。同會社は約二千名の労働者を使用してゐる。

其他、スマトラのバンキナン及びシアク地方の錫は一九二六年よりビリトン系のスタナム鉱業會社に依つて、又一九二八年よりリオウ群島の錫は同じくビリトン系の蘭印錫開発會社の手で採掘されてゐるが、未だ産出に見るべきものがない。

以上の如く蘭印の錫は蘭印政府及びビリトン系の和蘭民間資本に依つて独占されてゐる。

2. 石炭

蘭印の石炭の七〇%近くを産出するオンブリン・ブキットアセムの両炭坑は蘭印政府の直営になるものであり、第十一表の如く一九三七年には八十二万瓩の産額があつた。残る三〇%前後を産出する諸炭坑は民間経営になるものであ

第十一表

蘭印地域別石炭産額

	一九三一	一九三二	一九三三	一九三五	一九三六	一九三七	一九三八	一九三九
官営炭坑（計）	九〇七、〇八九	六一五、五五〇	六二五、七三五	六九〇、五四六	七三九、三八二	八九六、三四四	八二九、三四四	一、二二二、四〇六
オンビリン	五〇七、五四五	三七四、一七〇	三九六、六五八	三七六、六六四	四〇〇、九九〇	四六〇、三八七	五〇七、一七九	五九〇、七四三
ブキットアサム	三〇三、二四六	二四一、三九〇	二二九、〇七七	三一三、八六二	三三八、二九二	四三三、〇二七	三二二、一六五	六三一、六六三
民営炭坑（計）	四九七、三一五	四三四、七四〇	四〇九、四九六	四二〇、四〇七	四〇七、九一四	四六七、三五二	八七四、一三〇	四五八、七七六
ロア・クールト(1)	一四六、四二〇	一二九、三一八	九四、九三三	七一、六一五	七六、二一四	八三、六六四		
ロア・ヂッキト(4)	三七、四五四	四六、九六一	三七、八三九	三六、六八三	二九、九三六	三三、五四〇		
トア ヤン(2)						七四九		
ランタウパンヂヤン(3)	二二九、七五三	二二四、七三六	二四〇、八六五	二六三、〇〇〇	二五三、四〇〇	三〇三、四五〇		
土人炭坑（ロア・ヂブー）	三三、四七七	三七、四五〇	三四、六一三	四八、六八九	四八、三六四	四五、八四九		
総計	一、四〇四、四〇四	一、〇五〇、三〇〇	一、〇三五、二三三	一、一一〇、九五三	一、一四七、一九六	一、三六三、五九六	一、七〇三、四七四	一、七八一、一八二

（註）(1) N.V. Oost-Borneo maatschappij 所有炭坑

(2) N.V. Borneo Sumatra Handel maatschappij 所有炭坑

(3) N.V. Steenkohlen maatschappij "Parapattan"（K.P.M）子會社）所有炭坑

(4) 自治領地騒炭坑

出所＝「南洋鉱産資源」（昭和十五年）の数字に基いて作製す。三八年、三九年は別資料。

第十表

蘭印地域別錫産額

	一九三一	一九三二	一九三三	一九三五	一九三六	一九三七	一九三八	一九三九	同 %
バンカ(1)	一七、三九七	一一、四五〇	八、〇五八	一〇、八三八	一八、三一一	二三、四七六		一六、九九五	五九・九
ビリトン(2)	八、四〇四	四、五九六	四、二六四	八、三五八	一〇、九四〇	一三、九三八		九、九二〇	三五・一
シンケップ(3)	八、一四六	四七〇	四六七	一、二七三	二、〇三七	二、三六五		一、二九〇	四・五
土人（バンキナン）(4)			二一	三八	三三	一四			
計	三七、八四四	一七、〇五八	一二、八一〇	二〇、五〇八	三一、三二一	三九、七九三	三五、五〇〇	二八、二〇〇	一〇〇・〇

（註）(1) 政府直営。

(2) N.V. Gemeenschapplijke mijnbouw maatschappij Billiton 経営。

(3) N.V. Singkep Tin Exploitatie mij.（ビリトン會社傍系）経営。

(4) N.V. mijnbouw mij. "Stannum"（ビリトン系）あり。

更にリオウ群島の採掘権は Nederlandsch-Indisch Tin Exploitatie mij.（ビリトン系）にある。

出所＝資源の数字に依って作成。三八年、三九年は別資料。

るが、官営炭坑に次いで産額を有するランタウ・バンジャン炭坑は後述の蘭印唯一の大船會社であるK・P・M汽船會社の仔會社であるパラパッタン石炭會社が採掘し、採掘炭はすべてK・P・Mの自家用炭となつてゐる。又ロア・クール一炭坑はオースト・ボルネオ會社の所有炭坑であるが、これ又出炭をK・P・Mに供給するものである。その他民間炭坑はロア・ブッキトの自治領世襲炭坑とロア・デブーの土人炭坑がある。ボルスミ會社のトアヤン炭坑もあるが、産額が僅少で問題にならない。

要するに蘭印石炭百三十万瓲（一九三七年）の内、その過半（百二十八万瓲）が蘭印政府及びK・P・Mの支配下にある。

3．金・銀

蘭印の金・銀採掘熱が煽られ、産金會社が雨後の筍の如く簇出したのは十九世紀末であるが、その後、結局採算がとれず多くのものは閉鎖してしまつた。現在（一九三七年）は金二千二百瓲、銀は一万五千瓲の産出があり、世界の約〇・二％を占めるにすぎない。第十二表の如く現在産出のある會社は約九會社のみであり、大部分は蘭系資本である。唯ニユウギネア金鉱開発のために英・蘭合弁會社が設立された。

4．ボーキサイト

ボーキサイトはリオウ群島のビンタン・バタム・カリモン及びバンカに発見されてゐるが、現在は、一九三二年にビリトン會社を親會社とする蘭印ボーキサイト開発會社（註一二）がヘーグに設立され、ビンタン島に於いて採掘してゐる。

（註一二）　Ned. Ind. Bauxite Exploitatie. Mij.　資本金二百万盾
拂込六十五万盾。

鉱石産額は一九三七年に約十九万瓲に達し、全部が輸出されてゐる。輸出先は和蘭・独逸・日本であつた。最近の産額は激増してゐる（註一三）。

（註一三）　一九四〇年の輸出は三一万瓲。

第十二表　蘭印に於ける會社別金銀産出高（単位瓩）

	金	銀（三）
レヂン・ルボン鉱業株式會社 N.V. Mijnbouw Mij. Redjang-Lebong	六六	三八八
シマウ鉱業株式會社 N.V. Mijnbouw Mij. Simau	一,二〇二	一三,五二六
ムアラ・シポギー鉱業株式會社 N.V. Mijnbouw Mij. Moeara Sipongi	一五七	七一
バリサン鉱業株式會社 N.V. Mijnbouw Mij. Barisan	一八五	一,五五八
ベンカリス開発株式會社 N.V. Exploitatie Mij. Bengkalis	五八	
メナド鉱業株式會社 N.V. Mijnbouw Mij. Menado	一五	六
スルバツト鉱業株式會社 N.V. Selebat Mijnbouw Mij.	一二	二
ブドック・セランタック鉱業株式會社 N.V. Boedoek-Serantak Mijnbouw Mij.	一五	
ブランシー株式會社 N.V. Boelangsi	八九七g	七六g
合計	二,二一八	一五,五五五
土人	二〇	一
総計	二,二三八	一五,五五五

（註）　現在産出中の會社のみに限つた。未だ産出を見ざるもニユウギネア金鉱採掘のための英蘭合弁會社 N.V. Mijnbouw Mij. Ned-Nieuw Guinea は注目を要す。
「南洋鉱産資源」に依る。
一九三七年現在。

最近同會社がスマトラ島パレンバン附近にアルミニウム工場計画中である。又三井物産参考記事摘要第十九巻・第十五號（十六年五月二十二日）は「アサハン瀑布水力電気を利用してボーキサイトを処理し、原料を得んとするアルミニウム製造業は既に作成済であるが、之に要する経費は約二千五百万盾乃至三千万盾であって、戦時情勢に依り考案は多大の支障を来して居るが、其の実現は実行されるものと見られる」と報じてゐる。

(三) 農・鑛業以外の投資・

農・鉱業以外の投資も、交通関係・金融関係、その他公債の如き公共投資をも加算すると極めて膨大なものとなるが、大部分和蘭資本の下にあつて、この分野に於ける第三ケ國の投資は他の分野に比して甚だ少ない。詳細は後に廻して、この分野の第三國資本に就いて一言する。

まづ交通関係に付いて。蘭印の鉄道は官営鉄道と蘭系資本の私営鉄道會社と

が握つてゐる（註一四）。唯注意すべきは石油會社が相當距離の路線を持つてゐる点である。自動車関係では米國資本の進出が注目される。タンジョンプリオクにゼネラルモータースの大組立工場があり、ボイテンゾルホにグッドイヤーのタイヤ工場がある。

（註一四）第十三表の如く総延長七、三九八粁、総敷設費九億盾に上つてゐるが、その内、延長では官営五八・六%、私営四一・四%、敷設費では官営六七・八%、私営三二・二%となつてゐる。

海運はK・P・Mに依つて独占せられてゐる。それに対して僅か華僑の進出があるに過ぎない。

通信関係は殆んど官営に占められてゐるが、無線電信ではバタフーセ會社やK・P・M會社等が有力な私設無電を持つてゐる。

金融・商業関係では華僑の進出が極めて有力である。華僑に付いては改めて論ずる。

第十三表　蘭印鐵道一覽

	線路延長		敷設費	
	粁	%	千盾	%
官営（合計）	四、三五〇	五八・六	六二一、六六六	六七・八
瓜哇線	二、九二九	三九・五	四六三、二三六	五〇・五
南スマトラ線	六四五	八・七	九七、〇六六	一〇・五
スマトラ西海岸線	二六四	三・五	三六、一九九	三・九
アチェー鉄道	五一二	六・九	二五、一六五	二・七
民営（合計）	三、〇四八	四一・四	二九四、九七五	三二・二
蘭領印度鉄道會社	八六二	一一・六	一一九、三四九	一三・〇
スマランチェリボン軌道會社	三八八	五・二	四〇、三一六	四・四
スマランヂョアナ軌道會社	四二五	五・七	二四、六八五	二・七
スラエダル軌道會社	一二六	一・七	八、六〇九	〇・九
東瓜哇軌道會社	一〇〇	一・三	一三、八三五	一・四
モヂヨケルト軌道會社	七八	一・〇	三、二八五	〇・三
ケデリ軌道會社	一二一	一・六	三、七七六	〇・四
マヅラ軌道會社	二二三	三・〇	八、七四一	〇・九
パスルアン軌道會社	二七	〇・三	一、五九二	〇・一
マラン軌道會社	八五	一・一	五、六〇六	〇・六
プロボリンゴ軌道會社	四四	〇・六	二、三五〇	〇・二
バタビア交通會社	二八	〇・三	三、五七一	〇・三
デリ鉄道會社	五四一	七・三	六〇、二六〇	六・五
蘭印（合計）	七、三九八	一〇〇・〇	九一六、六四一	一〇〇・〇

（註）出所＝年鑑（蘭印統計年報）。

第十四表　蘭印に於ける外國銀行

銀行名	本店	資本金 公稱	資本金 拂込	諸積立金	當領支店	備考
香港上海銀行	香港	五〇〇〇〇〇〇〇弗	二〇〇〇〇〇〇〇弗	英貨一〇〇〇〇〇〇〇磅 香貨六五〇〇〇〇〇〇弗	バタビア・スラバヤ	
チャータード銀行	倫敦	三〇〇〇〇〇〇磅	三〇〇〇〇〇〇磅	三〇〇〇〇〇〇磅	バタビア・スラバヤ・スラマン	
有利銀行	倫敦	授權資本三〇〇〇〇〇〇磅 發行資本一八〇〇〇〇〇磅	一〇五〇〇〇〇磅	一二四〇九七磅	バタビア・スラバヤ	
ナショナル・シティー銀行	紐育	一五〇〇〇〇〇〇〇弗	一二七五〇〇〇〇〇弗	三〇〇〇〇〇〇〇弗	バタビア	
臺灣銀行	台北	一五〇〇〇〇〇〇円	一三一二五〇〇〇円	三一〇四〇〇〇円	バタビア・スラバヤ・スラマン	
横濱正金銀行	横濱	一〇〇〇〇〇〇〇〇円	一〇〇〇〇〇〇〇〇円	一三五八〇〇〇〇〇円	バタビア・スラバヤ・スラマン	
三井銀行	東京	一〇〇〇〇〇〇〇〇円	六〇〇〇〇〇〇〇円	五六八〇〇〇〇〇円	スラバヤ	
華南銀行	台北	二五〇〇〇〇〇円	一八七五〇〇〇円	七五〇〇円	スラマン	
華僑銀行	新嘉坡	四〇〇〇〇〇〇〇弗	一〇〇〇〇〇〇〇弗		バタビア・パレンバン・[illegible]・スラバヤ	
バタビア銀行（支那系）	バタビア		五〇〇〇〇〇盾	二六三〇〇〇盾		

（註）出所＝年鑑

（三）

蘭印の銀行は極めて特殊な構造を持つてゐる。外國の銀行としては英系三行、米系一行、日系三行、支那系二行の支店が約二十存在してゐる。この内でも英系三行の勢力甚だ大なるものがある（第十四表）。

商業・貿易関係では大きなところは和蘭・日本等の手で握られてゐるが、輸入品の分配仲介機関として、輸出物産の買集仲介機関としての華僑の地位は独占的である。前者の地位は近年多少脅かされてゐるが、後者の地位は確乎不抜である。

保險會社に就いては、生命保險會社は和蘭生命保險會社の支店が支配してゐる。その他は日本二（註一五）、カナダ一、上海一、の生命保險會社の支店や、代理店が存在してゐるにすぎない。海上保險では蘭系の蘭印の會社及び和蘭の會社の支店が独占して、日本の三會社（註一六）の代理店があるにすぎない。

（註一五）　明治生命・三井生命。

（註一六）　東京海上火災・大正海上火災・日本火災。

四七

四八

倉庫業では我が南洋倉庫會社（註一七）が唯一の外人會社である。

（註一七）　倉庫所在地——バタビヤ・チェリボン・スラマン・スラバヤ・マカッサル・プロボリンゴ等。

蘭印の銀行に就いて一言すれば、外國銀行の支店を除いて、主要なる蘭印銀行は第十五表の如く九行存在してゐる。拂込資本金の合計が一億八千六百三万盾に過ぎない。その内、中央銀行の瓜哇銀行を除けば、すべてカルチュア・バンクと稱せられるものか、カルチュア・バンクと普通銀行を兼ねてゐるものかである。從つてカルチュア・バンクの説明なしには蘭印銀行制度を理解し得ない。

カルチュア・バンクは単なる農業銀行なのではなく、一種の拓殖會社として砂糖農業に典型的に現われてゐる和蘭人の蘭印農業経営を代表するものである。本店を本國に有する農業會社も、その多くは、その経營上の事務の大部分をカルチュア・バンクに委囑してゐる。又銀行は自からの農業債權を確保するために農業経営に直接的に参與し、銀行は信用銀行として発展せず「農業経済の金

第十五表　蘭印主要銀行

	創立	公称資本金	払込資本金	本店	摘要
瓜哇銀行（中央銀行）	一八二八	九、〇〇〇	九、〇〇〇	バタビヤ	
和蘭貿易會社（ファクトライ）	一八二四	六五、〇三〇	三五、〇三〇	アムステルダム	カルチュアバンク兼普通銀行
蘭印商業銀行（ハンデルスバンク）	一八六三	一〇〇、〇〇〇	三三、〇〇〇	アムステルダム	カルチュアバンク兼普通銀行
蘭印割引銀行（エスコント）	一八五七	二〇、〇〇〇	一三、五〇〇	バタビヤ	手形・為替一般銀行
蘭印農事會社	一八八四		四、〇〇〇		純カルチュアバンク
アムステルダム商事組合（ハー・フエー・アー）	一八七九		四〇、〇〇〇		純カルチュアバンク
ロッテルダム國際金融商事組合	一八六三		一五、〇〇〇		カルチュアバンク兼貿易
コロニアル銀行	一八八一		一六、五〇〇		純カルチュアバンク
王領地農事會社	一八八六		二〇、〇〇〇		純カルチュアバンク

（註）出所＝年鑑

第十六表　蘭印工場数（一九三五年現在）

	爪哇	外領	計
機械工場	五〇	八	五八
機械修繕工場	八九	五五	一四四
鉄道工場	四四	一〇	五四
印刷工場	一八四	四一	二二五
セメント、工場	二七	一	二九
農園工業計	一、四七四	七七一	二、二四五
製粉工場	一七二	－	一七二
精米工場	四二七	三七六	八〇三
製茶工場	二四四	二九	二七三
珈琲工場	五三	七六	一二九
珈琲護謨工場	二四五	一〇	二五五
護謨工場	一四四	二三一	三七五
タピオカ工場	一二〇	－	一二〇
纖維工場	一六	七	二三
其他	五三	四一	九五
ダイアモンド工場	二	四	六
發電所	一四四	一六八	三一二
製材工場	五二	六四	一一六
カポック繰綿工場	六九	五	七四
珈琲焙工場	七四	二一	九六
清涼飲料水工場	六八	七	一三九
種子油工場	六四	三九	一〇三
芳香油工場	一二〇	六	一二六
製紙工場	三	－	三
排水・揚水工場	一七八	二四四	四二二
葉巻煙草工場	三	－	三
紙巻煙草工場	二二	－	二二
合計	二、六六七	一、五一〇	四、一七七

（註）∴工場法の適用を受けてゐる工場。
出所＝年鑑（蘭印統計年報）。

融・経営・管理機関」として発達したものである。斯くて、こゝに極めて特殊的なる植民地的金融機関が生れたのである（増井貞吉氏著書参照）。

(四) 工業投資

蘭印は熱帯農業特産物の栽培地及び鉱産原料への投資植民地として発展せしもので故に製造工業の発達は極めて低く、従って工業投資額は農業投資や鉱業投資に比して著しく少ない。投資内容の詳細は不明であるが故に、外國投資の如きも全体的には判明しない。

第十六表の如く動力を利用せる工場（工場法適用工場）は瓜哇二千六百、外領千五百、合計四千百工場存在してゐるが、その大部分は農産物加工工場（製糖工場・珈琲工場・製茶工場・ゴム工場・煙草工場・植物油工場）等に盡き、其他は若干の農業機械工場と僅かの軽工業工場（セメント・製紙・織物等）を有するに過ぎない。

唯本表に掲げられてゐないが、一般工業の極めて低い発展度にも拘らず、極

めて大規模の製油工場（バリックパパンやセエンゲイ・ゲロン、プラジョ等）の存在は蘭印経済の植民地的特質を象徴してゐる。

要するに蘭印工業は極めて低度の軽工業の存在と、それに対照的に、数的には僅かであるが極めて大規模な原料加工工業の発達（製油業・製糖業）とに依つて特徴づけられてゐる。

然し蘭印工業化の必要は、経済恐慌に初まり、更らに今次大戦に依って、それが痛感せられたので、最近総経費五千万盾を以て工業化計画が立てられ、将に実現に移されんとしてゐる。次にその概要を示せば（註一八）、

(1) アルミニウム工場（経費二千五百万盾―三千万盾）
(2) 製鉄及び銅精錬（経費三百万盾、屑鉄熔合）
(3) 硫安工場（経費七百万盾、年産五万五千瓲）
(4) 苛性ソーダ工場（経費六百万盾、年産一万五千瓲）
(5) 硝子工場（経費百二十万盾）
(6) パルプ工場（経費七百五十万盾）

(7) 製材工場（ベニヤ板、年三百万個）
(8) 紡績織物工場（十万―十五万錘）
(9) 工場予定地はスマラン・スラバヤの東部瓜哇

（註一八）― 三井物産・参考記事摘要・十九巻・十五号、昭和十六年五月二二日。

蘭印工業化には労働力水準の低位、石炭の不足、資金の欠乏等の問題が存し、技術や、工場設備資材獲得等の見地からも外資の流入が必然と考へられる。この場合既に前述の如く、タイヤ工場や、自動車の大組立工場を有し、又独逸等の欧洲諸國に代って鉄鋼・機械等の対蘭印供給國となってゐる米國の地位は極めて重大なるものと云ふべきである（註一九）。

（註一九）蘭印工業化の好文献として大日本紡聯月報五七五号、五七六号所載。信夫清三郎「蘭領印度の綿業」、守屋豊郎「蘭印経済の特殊的性格」参

照。

第四　蘭領印度の貿易関係

一、蘭印の貿易概説

蘭印貿易の基本特徴は物的に見れば熱帯農業特産物と鉱業原料を輸出し、それと交換に食料及び衣服等の消費財と、鉄鋼及び機械等の生産財を輸入する点、價値的に見れば蘭印投資に対する利潤及び利子が回収せられ得るが為に輸出超過を継続しなければならなかつた点にあつた。即ち蘭印経済の特質は外来投資に依る輸出商品の生産・海外市場・世界市場を目的とする生産を本質とする植民地、典型的なるプランテーシヨン・コロニーたる事にあつた。

従つて世界市場に於ける投資生産物の販売可能性如何及び輸出超過の額如何が蘭印の投資地及び商品市場としての價値、即ち植民地の経済的價値を決定するバロメーターであつたのである。

五三

五四

第十七表の如く蘭印は毎年巨額の輸出超過を継続し、特に一九二六年の如きは七億盾を超し、同年の輸出額の半にも及んだ。然るに世界恐慌はこの超過額を激減せしめ、遂に一九三三年には僅かに一億四千万盾迄に墜落してしまつた。

従つて斯る事態は蘭印の植民地機構の危機を意味するものであつた。これを転機として蘭印の貿易機構は大きく転換し（註一）、激減せる輸出超過の回復を至上命令としたのである。

（註一）　一九三三年より総督令により輸入制限（輸入割當制）を実施し、こゝに自由貿易主義を捨てるに至つた。

今世紀の初頭までの蘭印輸出は砂糖を筆頭にして、煙草・コプラ・コーヒー等の嗜好品農産物がその過半を占め、石油はやゝ有力なりしも、煙草・コプラにも及ばなかつた。錫・ゴム等は極めて少なかつた。然るに漸次嗜好的農産物輸出は減少し、これに代つてゴム・石油等の進出著しく、最近（一九三九年）に於いては、ゴムを第一位とし、それと石油・錫の三商品にて全輸出の半以上

第十七表　蘭印貿易バランス表

年次	輸出 千盾	輸出 %	輸入 千盾	輸入 %	輸出入合計 千盾	輸出入合計 %	出超 千盾	出超 %
一九一三	六一四、二〇三		四三七、六八三		一、〇五一、八八五		一七六、五二〇	
一九二六	一、五九二、一三五		八五五、六九六		二、四四七、八三一		七三六、四三九	
一九二九	一、四四三、二〇八	一〇〇・〇	一、〇八八、四〇三	一〇〇・〇	二、五三一、六一一	一〇〇・〇	三五四、八〇五	一〇〇・〇
一九三〇	一、一五六、七四七	八一・一	八六二、九九四	七九・三	二、〇一九、七四一	七九・七	二九三、七五三	
一九三一	七四六、七五五	五一・〇	五六五、一八五	五一・九	一、三一一、九四〇	五一・〇	一八一、五七〇	
一九三二	五四一、三七五	三七・五	三六八、七五八	三三・九	九一〇、一三三	三五・九	一七二、六一七	
一九三三	四六七、八九二	三二・四	三一七、九四八	二九・二	七八五、八四〇	三一・〇	一四九、九四四	
一九三四	四八七、三二八	三三・八	二八六、一六三	二六・三	七七三、四九一	三〇・五	二〇一、一六五	
一九三五	四四五、六七九	三〇・八	二七三、四四三	二五・三	七一八、一二二	二四・四	一七三、三三六	
一九三六	五二二、三六四	三六・二	二八二、三六七	二五・九	八〇四、六三一	三一・七	二四〇、〇九七	
一九三七	九四八、九八九	六五・七	四九七、九七五	四五・七	一、四四六、九六四	五七・一	四五一、〇一四	
一九三八	六五七、三九一	四五・五	四七八、二〇六	四三・九	一、一五五、五九七	四五・六	一七九、一八五	
一九三九	七四一、〇〇〇	五一・三	四六九、〇〇〇	四三・一	一、二一〇、〇〇〇	四七・七	二七一、〇〇〇	
一九四〇	八七三、〇〇〇		四四四、〇〇〇		一、三一七、〇〇〇		四二九、〇〇〇	

（註）　出所は「新亜細亜」第二巻第六号所揭の数字を若干補足したもの、出所が明記されてゐないが、蘭印貿易年報に依るものと考へられる。一應整理されてゐるが故に借用した。以下別記なき限りすべて同じ。

を占むるに至つた。

輸入に於いても推移があつた。由來蘭印の輸入は食料品・織物類にて全輸入の大部分を占め、鉄鋼・機械等の生産財輸入の地位が低かつたが、漸次後者の地位が高まり、一九三八年には織物類の第一位は変らなかつたが、食料品等を凌いで機械類が第二位に上つた。

次に若干敷衍して見ると、輸出に於いて増加せる物産は鉱産物の石油と錫、及び農産物のゴムの如き戰略的物資とパーム・オイルの如き植物油等である。これに対して減少せるは、砂糖を筆頭として、煙草・コーヒー・コプラ等の熱帯特産嗜好品類である。然し茶は増加傾向にある。一九三九年には第一位ゴム（二六・三％）（註三）に次いで石油（二一・〇％）、砂糖（一〇・三％）、茶（七・七％）、錫（七・三％）、コプラ（三・四％）、煙草（三・三％）、パーム・オイル（二・一％）の順位であるが、二十世紀の初（一九〇五年）には第一位砂糖（二八・八％）に次いで煙草（一三・二％）、コプラ（一〇・四％）、コーヒー（六・五％）の順位であつた。これ等の嗜好的農産物に比して後来の戰略的物資の地位低く、石油は

五五

僅かに其の當時より多かつたが（七・三％）、ゴムは（五・〇％）、錫は（一・八％）著しく低かつた。即ち二十世紀初頭の蘭印の輸出構成は砂糖（第一位）、煙草（第二位）、コプラ（第三位）、コーヒー（第五位）、茶（第七位）の五商品にて六一・三％を占める熱帯農業特産物輸出構成であつた。石油（第四位）、ゴム（第六位）、錫（第八位）等の鉱産的・戰略的物資は合計しても僅かに一四・一％に過ぎなかつたのである。

（註二）　総輸出額に占むるゴム輸出の比率（以下同）。

然るに一九二〇年代頃より漸次後者の地位が上昇し、一九三九年には、ゴム（第一位）、石油（第二位）、錫（第五位）とこの三者にて蘭印総輸出の五四・六％を占め、これに反して、砂糖は（第三位）、茶は（第四位）、コプラは（第六位）、煙草は（第七位）、コーヒーは（第九位）と地位が逆転し、この五者の合計が僅かに二六・三％に過ぎなくなつた。要するに蘭印の輸出構成は一変して、鉱産的・戰略物資的輸出構成に転換したものと稱して差支へない。

五六

斯る輸出構成の変更は蘭印経済に大きな変動を惹起せしむるものがある。特に蘭印に於ける各國投資関係の均衡を破る点を注目しなければならない。即ち和蘭資本が完全に独占してゐる砂糖の地位の低下と、英・米資本比重の比較的高いゴムの進出及び、英・米資本の完全に支配してゐる石油の地位の前進等これである。斯る関係は必然的に和蘭資本の後退と、英・米資本の躍進とを約束せずには置かない。

蘭印主要物産の完全なる輸出依存に對應して、蘭印の主要な一般消費財と生産財との極めて高度な輸入依存が発生する（第三十五表参照）。熱帯農業特産物栽培植民地として発達せる蘭印は極めて畸型的な経済構造をとるに至つた。

この傾向は所謂強制栽培制度に依つて、その端初が切られ、漸次蘭印が國際商品市場に進出するにつれて強化せられたものである。

一方に於いては輸出農産物の異常なる発達と食糧品（米・水産・畜産物等）及び衣料（糸及び織物）の輸入依存、他方に於いては鉱産原料の高度な発達、

五七

（石油及び錫）と生産財（鉄鋼・機械・車輌・肥料等）の完全な國外依存である。

一般に斯る傾向は原料生産地、資本投下地、製品市場としての植民地の普通的な様相ではあるが、蘭印に於いては特殊な発展を示し、一般食糧を犠牲にして熱帯特産物の単一栽培地と化し、他方では植民地工業化（繊維工業を起点とする）が極めて阻止されるに至つた。

二十世紀初頭（一九〇五年）では糸及び織物・食料品・米の三輸入品で総輸入の五六・六％に達してゐた。生産財の輸入はこれに比すれば著しく低かつた。然るに漸次一般消費財の輸入が減少し、反対に生産財の輸入が増加せんとする傾向にある。

一九三八年には以上三消費財輸入が三五・六％に低下せるに反して、鉄鋼・機械・化学製品の三生産財輸入が一九〇五年の一四・三％より一九三八年には二八・四％に高まつてゐる。

消費財輸入に於いては依然として衣料の輸入依存は極めて高いが、食料特に

五八

第十八表

蘭印貿易総括表

（主要相手國別貿易額推移）

	一九三七年 輸出額	一九三七年 輸入額	一九三七年 輸出入バランス	一九三八年 輸出額	一九三八年 輸入額	一九三八年 輸出入バランス	一九三九年 輸出額	一九三九年 輸入額	一九三九年 輸出入バランス
和蘭	一八五、八六六	一〇〇、八五四	八五、〇一二	一三四、一〇〇	一〇六、一四〇	二七、九六〇	一〇七、〇〇〇	九六、五六五	一〇、〇〇〇
独逸				三三、〇〇〇	四九、〇五〇	△一六、〇〇〇	一四、〇〇〇	四一、二三四	△二七、〇〇〇
英国	五〇、一二九	四〇、四一六	九、七一三	三五、一二五	三八、一七一	△三、〇四六	三四、〇〇〇	三三、三一〇	一、〇〇〇
英領印度	六、一七〇	一三、八五〇	△六、六八〇	五、一九八	一八、三六〇	△一三、一六二	二四、〇〇〇	一四、八〇九	九、〇〇〇
濠洲	三七、四四七	一二、一五〇	二五、二九七	二八、四七一	一三、三四一	一五、一三〇	四一、〇〇〇	一五、四三四	二六、〇〇〇
シンガポール	一八三、七二九	三七、六一六	一四六、一一三	一〇八、九六四	三五、九二三	七三、〇四一	一二四、〇〇〇	三三、五四七	九〇、〇〇〇
米国	一七七、一六九	四九、八六五	一二七、三〇四	八九、二八五	六〇、一七九	二九、一〇六	一四五、〇〇〇	六三、八八七	八一、〇〇〇
日本	四二、五三六	一二四、六八八	△八二、一五二	二〇、五一一	七一、九一九	△五一、四〇八	二五、〇〇〇	八五、一三六	△六一、〇〇〇
支那	一三、三四六	八、七〇八	四、六三八	九、七一〇	八、二四九	一、四六一	一〇、〇〇〇	一〇、一八二	
其他	二五二、五九七	一一〇、八二八	一四一、七六九	二〇三、〇二七	七六、九七四	一二六、〇五三	二一七、〇〇〇	五六、六九五	一六〇、〇〇〇
総計	九四八、九八九	四九七、九七五	四五一、〇一四	六五七、三九一	四七八、三〇六	一七九、一八五	七四一、〇〇〇	四五〇、六〇〇	二九〇、〇〇〇

（註）△輸入超過國

出所＝「新亜細亜」

第十九表

蘭印貿易指数

	價格 輸入	價格 輸出	重量 輸入	重量 輸出
一九二八	一〇〇	一〇〇	一〇〇	一〇〇
一九三〇	八六	七六	一〇〇	一〇三
一九三三	三三	三一	五九	八八
一九三五	二八	三一	五八	九七
一九三七	五一	六二	七一	一一八
一九三八	四九	四三	七一	一一四
一九三九	四八	四八	七三	一二五
一九四〇	四一	五六	不明	不明

（註）出所＝浅香末起「南洋経済研究」

第二十表　主要農産物エステート對土人産物％

	エステート産	土人産
甘蔗	九九	一
カカオ	九八	二
茶	八二	一八
煙草	六九	三一
ゴム	五二	四八
植物油	三八	六二
珈琲	三一	六九
肉荳蔲	二一	七九
カポック	一二	八八
椰子製品	五	九五
胡椒	一	九九

（註）一九三七年現在
出所＝「経済学雑誌」十六年一月号

米の輸入依存は著しく低下し、最近は米の自給自足が完成せるが如きである。生産財輸入の上昇は一般的に云へば蘭印の工業化の進展を指標するものと云へよう。

要するに世界恐慌を契機とする各國の封鎖主義経済の発展が蘭印が依つて立つてゐる國際自由市場の基礎を極めて狭隘ならしめ、蘭印経済の再編成を必然ならしめんとしてゐる。特に第二次大戦の勃発、本國の喪失後の蘭印はあたかも一独立國家の如き行動をとる必要に迫まられてゐる。貿易の観点からするも蘭印工業化の問題との関係に於いて、蘭印は大きな転換の必然性を有するが如きであるが、如何なる政治的基礎に於いて転換せんとするのであらうか？　大東亜共栄圏？　米國依存？　（第十七・十八・十九・二十表参照）

五九

六〇

二　蘭印の貿易各説

(一)　國別概観

まづ蘭印貿易を輸出入別・國別に概観する必要がある（第二十一表・第二十二表）。

A．輸　出

まづ輸出に付いて。今世紀の始には、蘭印の輸出は和蘭と英帝國に依つて独占せられて居たと云つても過言でない。即ち一九〇五年には和蘭は総輸出の二七・五％を占め、英國本國それ自体の輸入額は比較的少なく（二・八％）、日・米・佛・独・等の下にあつたが、英属領への蘭印輸出が極めて大きく、シンガポール（二四・五％）、香港（九・四％）を筆頭に英印・濠洲等への輸出を合計すると英帝國への輸出総額は四二・四％に上り、蘭・英合計は六九・九％に達した。其他

第二十一表　蘭印輸出貿易（國別総括表）

年次	國別	和蘭	英帝國	英國	英領印度	シンガポール	香港	濠洲	米國	日本	佛蘭西	独逸	埃及・マルタジブラルタル経由	其他	合計
一九〇五年	金額（百万盾）	八〇・四	一二三・七	八・二	一二・五	七一・四	二八・四	三・二	一二・三	一二・九	二六・九	三・九	二八・九	一三・四	二九二・〇
	%	二七・五	四二・四	二・八	四・三	二四・五	九・七	一・一	四・二	四・四	五・八	一・三	九・八	四・六	一〇〇・〇
一九一三年	金額（百万盾）	一七二・六	三〇六・三	二四・〇	八八・九	一二八・七	五一・九	一二・八	一三・二	三五・八	二六・七	一四・三	二二・七	二二・五	六一四・二
	%	二八・一	四九・八	三・九	一四・五	二〇・九	八・四	二・一	二・二	五・八	四・四	二・三	三・七	三・七	一〇〇・〇
一九二三年	金額（百万盾）	二〇三・〇	六五六・七	一一四・四	一五〇・九	二四八・六	一〇〇・八	四二・〇	一三四・一	一〇九・五	六〇・二	二一・〇	八九・五	九一・四	一三六六・一
	%	一四・九	四八・一	八・四	一一・〇	一八・二	七・四	三・一	九・八	八・〇	四・四	一・五	六・六	六・七	一〇〇・〇
一九二九年	金額（百万盾）	二三一・三	七三三・九	一二七・七	一四三・六	三二五・〇	一〇〇・五	三七・一	一六五・二	四八・〇	五九・五	三七・五	三二・三	一三五・六	一四四三・四
	%	一六・〇	五〇・八	八・八	一〇・〇	二二・五	六・九	二・六	一一・五	三・三	四・一	二・六	二・二	九・五	一〇〇・〇
一九三五年	金額（百万盾）	一〇〇・二	一四二・六	三〇・五	一五・五	六六・二	八・八	二一・六	六三・七	二四・三	一四・五			一〇〇・四	四四五・七
一九三六年	金額（百万盾）	一四〇・一	一三五・七	二七・七	四・一	六五・五	一二・九	二五・五	九六・一	三〇・三	一三・一			一〇七・一	五二二・四
	%	二五・四	二四・五	五・〇	〇・七	一一・九	二・三	四・六	一七・四	五・五	二・四			二四・八	一〇〇・〇
一九三七年	金額（百万盾）	一八五・九	二九三・〇	五〇・一	六・二	一八三・七	一五・六	三七・四	五〇・一	四二・五	二三・九			三五三・六	九四九・〇
	%	一九・六	三〇・九	五・三	〇・七	一九・四	一・六	三・九	五・三	四・五	二・五			三七・二	一〇〇・〇
一九三八年	金額（百万盾）	一三四・一	一九一・〇	三五・一	五・二	一〇八・九	一三・三	二八・五	八九・三	二〇・五	一一・二			二一一・三	六五七・四
	%	二〇・四	二九・〇	五・三	〇・八	一六・六	二・〇	四・三	一三・六	三・一	一・七			三二・二	一〇〇・〇
一九三九年	金額（百万盾）	一〇七・〇	二三六・〇	三四・〇	二四・〇	一二四・〇	一三・〇	四一・〇	一四五・〇	三四・〇	一一・〇			二〇八・〇	七四一・〇
	%	一四・四	[illegible]	四・六	三・二	一六・七	一・八	五・五	一九・七	四・六	一・五			二八・〇	一〇〇・〇

（註）出所＝一九二九年迄 叢書 Indisch Verlag ニ、一九三五年後「新亜細亜」ニ

の英属領への輸出をも合計すると優に七〇％を超して居つたのである。

然し、和蘭以外の各國を見れば、英本國は當時の英本国の対蘭印輸出の七分の一にも達せざるが如き極めて僅かであつたのは前述の通りであり、英属領を除くなら、佛國が比較的比重が大きかつた（五・八％）のが目立つてゐるにすぎない。

又、注意を要するのは蘭印輸出には仲継再輸出せられるものが多い点である。特に対シンガポール・對香港、対和蘭（アムステルダム）輸出の幾割かゞ再輸出せられてゐたのである（註三）。従つて実際に最終的に各國に輸出せられる額は不明である。米國等には仲継せられて輸出せらる額が相當に多かつたと云はれてゐる。英ブロック内への輸出には斯る再輸出が著しく多いのに注意しなければならない。

（註三）　シンガポール・香港の分は殆んど大部分が再輸出せられるものである。

六一

六二

さて、斯る二十世紀初頭に於ける蘭印の輸出関係が其後如何に推移したであらうか。

簡單に一言すれば和蘭及び英ブロックへの減少と米國への増加である。この転機をなしたのは第一次欧洲大戦である。大戦に依る欧亜連絡の阻絶は、和蘭に依る仲継貿易を排して直接蘭印より買付けせしむるに至つた。

第二十一表に於いても斯る影響は戦後の一九二三年に歴然と現はれてゐる。即ち和蘭は二七・五％より一四・九％に低下してしまつた。然し英ブロックは英本国と英印の増加の為に全体に於いてもやゝ増加してゐる。英ブロックへの減少は一九三三年頃の世界恐慌より著しくなつて來たのである。

一九二三年には和蘭の減少と反対に、日本は四・四％より八・〇％に、米國は四・二％より九・八％に増加した。

更らに斯る関係を一九〇五年と一九三九年とを比較すると最とも明確である。和蘭は二七・五％より一四・四％近に低下し、英帝國は四三・四％より三一・八％に落ちてゐる、特に英帝國の場合にシンガポールと香港が著しく低下してゐるの

第二十二表　最近の蘭印國別輸出

	数量（千瓲）一九三八	一九三九	一九四〇	一九四〇 %	金額（百万盾）一九三八	一九三九	一九四〇	一九四〇 %
欧洲	二、一五九	二、一八三	一、二四七		二四一	二〇五	一三一	一五・〇
和蘭	八〇一	八四〇	四三一		一三〇	一〇七	四八	五・五
英國	四三五	五三〇	五二七		三五	三四	五五	六・四
独逸	三二六	一七六	一六		二四	一四	二	〇・二
佛國	六四	九七	一三		一一	一一	三	〇・三
伊太利	九四	一五一	六六		九	一六	一二	一・三
米洲	五九八	七六四	九七二		九九	一五五	三〇〇	三四・三
米國	四五七	六四七	八八四		八九	一四五	二九一	三三・三
アジア洲	四、九五七	五、六七一	五、六〇八		一九二	三五八	三三六	三七・三
印度及ビルマ	一一三	四一七	一四四		五	二四	一三	一・四
ピナン	一〇五	一一五	一二八		七	一八	一二	一・四
新嘉坡	二、四六三	二、四九三	二、一二〇		一〇九	一二四	一八二	二〇・八
香港	四八九	四二二	五九七		一三	一三	一八	二・〇
支那	二二〇	二四四	四〇〇		一〇	一〇	一六	一・八
日本	七八〇	八二一	一、一八二		二一	二五	四八	五・五
濠洲及新西蘭	九九二	一、一七三	一、一二二		三五	四一	三七	四・二
アフリカ洲	七四〇	五一七	三四〇		三七	三四	二〇	二・二
其他	一、四五六	一、六五五	一、八八七		四六	四六	六〇	六・七
合計	一〇、九一二	一二、〇六七	一一、二〇七		六五二	七四〇	八七三	一〇〇・〇

（註）　出所＝蘭印経済週報より作成（内外経済概観―昭和十六年六月号）

に注意しなければならない。

これは和蘭（アムステルダム）を含めて仲継貿易の衰微を意味するものである。

英・蘭の衰微に比例して米國の地位が昇り、四・二％より一九・七％迄に達し、同年に於いては、シンガポール・和蘭を凌いで蘭印輸出の第一位を占むるに至った。

一九三九年でも英・蘭を合計すると蘭印輸出の半を超すものであるが、その仲継貿易的見地に鑑みても、輸出の重心は米國に傾いたものと見て差支へない。米國のみでなく、その屬領・勢力圏をも加へると、米國の地位は更らに高まる。

更らに斯る関係が今次大戦に依って如何に攪乱、変更せられたであらうか。

今次大戦の影響が明らかとなった一九四〇年の蘭印輸出國別構成を第二十二表に依って分析する。

まづ地域別に見ると欧洲向けの激減と米洲向けの激増が對照的である。欧洲向けの内、蘭・独・仏の激減著しいが、伊太利の減少度は輕微であり、英国は

やゝ増加し、前年の四・六％より六・四％に比重が上った。然し欧洲全体と見ると三八年度の二億四千万盾が一億三千万盾へと縮少して（一五・〇％）、アジア向（三七・三％）、米洲向（三四・三％）の遙かに下に落ちてしまってゐる。これに対して米洲向きは三八年の三倍増しを超して三億盾に上り、米國のみにてその九九％を占めて、三九年の一九・七％より一躍三三・三％に達し、即ち蘭印輸出の三分の一を占むるに至った。

アジア洲向けも増加して、蘭印輸出を洲別に見ると米洲向けをやゝ超して第一位にある。三八年迄は蘭印輸出の第一位は欧洲であったが、三九年にはアジア向けに越され、四〇年には米洲にも追越されて、蘭印輸出の重心は決定的に欧洲を離れてしまった。

アジアに於いては、三九年には増加せる印度・ビルマ・ピナン共に四〇年には減退したが、新嘉坡・香港・支那・日本等は増加し、アジアに於ける蘭印輸出の中心は依然として新嘉坡にある（二〇・八％）。日本向けも價格では三九年の二倍に近い増加を示して五・五％の比率となり、米國・新嘉坡・英國に次いで

蘭印第四位の輸出仕向國となってゐる。

濠洲及び新西蘭・アフリカ洲（二・二％）はやゝ減少傾向にある。

要するに、英國を除く、欧洲向け輸出の激減とアジア、特に米洲向けの著しい増加、蘭印輸出の重点の完全なな米國移行、これが今次大戦の蘭印貿易に與へたる影響である。即ち今次大戦に依って、この二・三十年来傾向して来た蘭印輸出の趨勢が更らに強化せられたのである。換言すれば今次大戦は攪乱的に作用しながら、基本傾向を促進したのである。

又米國向け蘭印輸出品の内容を吟味すると、蘭印の米國依存、米國の蘭印依存、即ち米・蘭関係の実質及びその重大性が更らに明らかとなる（後述）。

B、輸　入（第二十三表、第二十四表）

蘭印輸入の國別構成は輸出のそれとやゝ異るものがある。それは第一に、輸入に於いては輸出に於けるよりも、蘭・英の独占度は更らに高かったと云ふ点。即ち蘭・英より見て蘭印は輸入市場としてよりも輸出市場として、蘭・英の独

占性が著しかった。こゝではまづ、和蘭も對蘭印輸入より對蘭印輸出の比重の方が高かったが、英帝國に於いては英本國は対蘭印輸入では極めて低い地位しか占めて居らなかったのに反して對蘭印輸出では遙かに重要性を持ってゐたのである。更らにかゝる蘭英の独占度の高さも漸次低下し、この低下が輸出に於けるよりも著しかった点である（特に英國）。

第二には、日本も英本国と同様に蘭印の輸出市場としては問題にならなかったが、第一次大戦後反対に蘭印が日本の輸出市場として極めて有力になって来た点である（備考）。これに反して米國は対蘭印輸出即ち蘭印の輸入よりも蘭印の對米国輸出に於いて重要性を有してゐる点である。

（備考）　日本の片貿易。

これを要するに蘭・英・日は蘭印を輸出市場として重要視するのに反して、米国は輸入市場として重要なのである。こゝに蘭印市場に於ける、これ等諸國の競争及びその特殊性が認められるのである。

第二十四表　最近の蘭印國別輸入

	数量(千瓲) 一九三八	数量(千瓲) 一九三九	数量(千瓲) 一九四〇	数量(千瓲) 一九四〇 ％	金額(百万盾) 一九三八	金額(百万盾) 一九三九	金額(百万盾) 一九四〇	金額(百万盾) 一九四〇 ％
欧洲	六四四	六五四	四二三		二四〇	二一五	一四〇	三一・八
和蘭	二二三	二一〇	一五八		一〇六	九七	六二	一四・〇
英國	八五	八三	八三		三八	三三	三六	八・二
独逸	一二三	一一二	二五		四八	四一	九	二・〇
佛國	三五	三二	六		九	九	四	〇・九
伊太利	一六	二三	八		五	六	四	〇・九
白耳義及ルクセンブルグ	九二	一三三	一二五		一三	一三	一五	三・四
米洲	一六一	二〇八	四〇六		六四	六八	一〇九	二四・七
米國	一五〇	一九三	三八七		六〇	六四	一〇三	二三・四
アジア洲	九七六	九二八	七二九		一五四	一六四	一七二	三九・〇
印度及ビルマ	一七二	一三五	[illegible]〇〇		一八	一五	一六	三・六
ピナン	四四	二七	六		四	三	一	〇・二
新嘉坡	三〇三	二七〇	一一七		三六	三三	一四	三・一
香港	二一	二三	一三		六	七	四	〇・九
支那	二三	三〇	五四		八	一〇	一七	三・八
日本	二五七	二六九	二三八		七一	八五	一〇一	二二・八
濠洲及新西蘭	一三七	一八〇	一四七		一五	一五	一六	三・六
アフリカ洲	二〇	四五	二八		四	七	六	一・三
其他	六〇	四二	二八		二	一	一	〇・二
総計	一、九九九	二、〇五七	一、七六二		四七七	四七〇	四四〇	一〇〇・〇

(註) 出所＝蘭印経済週報より作成(内外経済概観 昭和十六年六月号)

以上を若干敷衍するために、まづ輸出と同様に一九〇五年の蘭印輸入の國別構成を見る。

一九〇五年に於いては蘭・英の独占度が高く、合計すると八五・九％を占めて居た。輸出の六九・九％より遙かに高い。和蘭が三一・〇％の高率を占むると共に英本國も一六・三％を占めて居った。この時代には英・蘭二國が完全に蘭印輸入即ち対蘭印輸出を独占してゐた。独逸の二・七％がこれに次ぐものであり、日・米共に問題にならなかった。こゝでもシンガポールの仲継輸入に注目しなければならない。

斯る関係は輸出と同様に第一次大戦を契機として大きく転換したのである。英・蘭の対蘭印輸出の減少は蘭印の対英・蘭輸出に於けると同様であるが、蘭印輸入に於いては、蘭印輸出に於ける米國の役割を日本が演じてゐる。即ち英・蘭商品が日本商品に依って取って代られたのである。換言すれば英・蘭の犠牲に於いて日本が進出したのである。

英・蘭商品の敗退、日本の進出は、日本商品が為替安の波に乗って進出した

六七

六八

一九三四年頃に於て最も著しかった。同年には日貨の輸入が最高に達し、かつて和蘭が達した高率を超すに及んだ(同年の蘭印総輸入の三一・九％、これに對して和蘭は一三・〇％に低下してゐる)。

最高潮より少し下った一九三六年に於いてすら、蘭印輸入に占める日本の地位は二六・七％であり、同年の和蘭の二四・〇％(註四)を超してゐる。英國の敗退は著しく一九〇五年の一六・三％より七・八％に低下してゐる。英蘭合計の独占率も八五・九％より四〇・七％へ、即ち半減以下に落ちた。英・蘭の減少に反して米國の地位も一・七％より七・八％に高まってゐる。又輸出と同様に又それ以上にシンガポールの仲継貿易の衰退も著しい。

(註四)　和蘭の地位の上昇は蘭印政府のとった貿易政策の結果である。

其後蘭印政府のとった貿易政策は日貨進出を阻止し、和蘭の地位をやゝ恢復せしめたが、かつての地位の恢復のすべもなく、敗退のテンポを阻止したのにすぎなかった。然し、阻止政策の結果價格に於いては減少しなかったが、日本

の地位は相對的に低下した（一四・二%）。これに反して米国の地位は絶対的にも相対的にも昇つてゐる点は注目しなければならない。かつては問題にならなかつた米國が一九三九年には和蘭・日本に次いで第三位となつてゐる。

蘭印輸入に於ける英・蘭の独占度は二十世紀初頭に於いては蘭印輸出に於けるそれよりも著しく高かつたのが、漸次低下し、その低下度は蘭印輸出の英・蘭地位低下よりも更らに著しかつたのは前述の如くであるが、今次大戦の影響が明らかになつた一九四〇年に於いては更らに著しい。

第二十四表の如く一九四〇年の蘭印輸入總額はやゝ縮少した。洲別輸入構成に於いては一九四〇年の輸出と同様に欧洲が著しく減退した。輸出に於いては欧洲圏でも英國がやゝ増大してゐたのに、輸入では全面的に減少してゐる。かつては有力なる対蘭印仕出國であつた独逸の著しい減少は勿論であるが、唯和蘭本國が一九四〇年には減少しても未だ一四・〇%の比重を持つてゐたことと、英國が保合狀態を保つてゐたことが、同年の蘭印の對欧洲輸出に対して蘭印の対欧洲輸入の異なる点である。從つて輸出に於いては四〇年に於いて僅かに一

五・〇%迄に落ちた欧洲も輸入では未だ三一・八%を占め、米洲の上位にあつた。輸出と同様に米洲の躍進著しく、米國のみにて三九年の一四・二%より一年にして二三・四%に増大し、日本・和蘭本国を抜いて第一位に昇つた。又アジア洲も増大してゐるが（米洲の三四・三%を超し、三七・三%で、洲別では輸出の第一位を占める）ピナン・新嘉坡・香港は減少し、印度・ビルマは保合狀態、支那はやゝ増加し、日本の増加率はアジア洲では一番に高く、三九年の一八・九%より二二・八%に高まつてゐる。

然し、同じ増加でもアジア洲及び日本の増加率が軽微なるに対して、米洲及び米國の増加率が相對的に高いのに留意しなければならない。

要するに比重はやゝ低いが蘭印輸入に於いても輸出と同様に米國は和蘭・日本を超して第一位に上り、蘭印輸入の重点が米國に向つてゐることは重大な意義を有する。更らに米國よりの蘭印輸入の内容を検討すると、その意義が一層明らかになつて來る。

以上の如く蘭印輸入に於いても、輸出に於けると同様に今次大戦は、蘭印輸

入の英・蘭依存の稀薄化と云ふ基本趨勢を攪乱的に強化して、日・蘭會商の困難にも拘らず日本の地位を搖がさず、寧ろ上昇せしめすらした。更らに重大なる影響は今迄相対的に低かつた米國の対蘭印輸出の地位を対蘭印輸入に於ける米國の地位と等しく、一躍せしめた点である。

(二) 商品別概観

次に重要品目に就いて國別に概観する。

A 輸出（第二十五表）

1. 石油（第二十六表）

石油の輸出は第二十六表の如く主として東洋の六大仕向地に依つてその半以上が占められてゐるのであるが、シンガポールを除けば、比較的に分散的であると云へよう。

依然として英屬領は重大なる地位である。例へば一九三八年に於いて六大仕

向地の第一位シンガポール（二四・三%）、第二位濠洲及新西蘭（七・九）、続く埃及（六・九%）、香港（三・三%）の四ヶ所にて四二・四%を占める。それに英印・ビルマ・マレー・南阿等の英屬領及び英本國を加へれば英勢力圏向けは優に五〇%を超すものである。

仲継貿易の最終仕向地を一應却説すれば、まづ蘭印石油の半は英國及びその屬領に向けられてゐるのである。

以上を除けば、支那と日本が主要仕向地である。両國共に五%前後を輸入してゐたのであるが、一九三九年には激減して一九三七年の半額以下に落ちてゐる。ちなみに一九三七年の日本の輸入量は五二五・二一四瓩であつた。

蘭印の輸入石油は殆んど精製品であつて、原油の輸出はなく、又重油の輸出も少ない。大部分ベンジン及びガソリン、或は燃料油（燈油）の形態で輸出されてゐる。

主要積出港はパレンバン・バリックパパン・タラカン・の三港である。

又日本への輸入はシンガポール又は香港等より仲継せられてゐたのも忘れて

第二十五表　蘭印輸出貿易（商品別総括表）

商品別	一九〇五 百万盾	一九〇五 %	一九一三 百万盾	一九一三 %	一九二三 百万盾	一九二三 %	一九二九 百万盾	一九二九 %	一九三五 百万盾	一九三六 百万盾	一九三七 百万盾	一九三七 %	一九三八 百万盾	一九三八 %	一九三九 百万盾	一九三九 %
石油	二一・三	七・三	一〇四・一	一六・九	一六〇・三	一一・八	一六四・七	一一・四	八六・四	九六・六	一六五・一	一七・四	一六一・六	二四・六	一五五・三	二一・〇
錫	五・二	一・八	六・三	一・〇	五九・九	四・四	七九・三	五・五	三六・一	四七・〇	八三・四	八・八	三三・四	五・一	五三・八	七・三
ゴム	一四・六	五・〇	三〇・〇	四・九	一七三・六	一二・六	二三七・三	一六・四	七〇・〇	八七・七	二九八・一	三一・四	一三五・三	二〇・六	一九四・八	二六・三
砂糖	八三・九	二八・八	一五二・七	二四・九	四九九・一	三六・五	三〇七・〇	二一・三	三五・一	三三・七	五〇・二	五・三	四四・六	六・八	七七・〇	一〇・三
茶	七・一	二・四	二一・五	三・五	七五・七	五・六	八六・一	六・〇	三六・七	四二・八	四九・〇	五・二	五六・二	八・六	五七・一	七・七
煙草	三八・五	一三・二	九二・一	一五・〇	八六・二	六・三	八三・二	五・八	二九・二	二二・五	四一・一	四・三	三八・八	五・九	二四・七	三・三
コーヒー	一八・九	六・五	二〇・三	三・三	二九・五	二・二	六九・五	四・八	一八・六	一五・八	二六・〇	二・七	一三・七	二・一	一一・九	一・六
コプラ	三〇・四	一〇・四	五五・〇	九・〇	八四・八	六・二	九七・六	六・八	二六・〇	四一・三	六二・五	六・六	三八・二	五・八	二五・三	三・四
パームオイル									一三・六	二一・三	二六・一	二・八	一六・五	二・五	一五・六	二・一
麻類									七・二	八・八	一四・九	一・六	九・〇	一・四	一〇・五	一・四
タピオカ									六・九	一一・七	一八・三	一・九	九・一	一・四	九・八	一・三
カポック									六・二	七・三	七・四	〇・八	六・四	一・〇	八・五	一・二
キナ									七・七	一一・〇	一〇・二	一・一	一一・八	一・八	九六・〇（キナ・其他計）	一三・〇（キナ・其他計）
其他									六五・四	一〇三・九	九六・一	一〇・一	八二・一	一二・五		
合計	二九三・〇	一〇〇・〇	六一四・二	一〇〇・〇	一三六六・一	一〇〇・〇	一四四三・四	一〇〇・〇	四四五・六	五五二・三	九四八・九	一〇〇・〇	六五七・三	一〇〇・〇	七四〇・七	一〇〇・〇

（註）パームオイル以下一九二九年迄資料未入手のため記入し得ず。

出所＝叢書（一九三九年迄）Indisch Verslag 及新[illegible]

第二十六表

蘭印輸出貿易（個別商品表Ｉ——石油）

	一九三四	一九三五	一九三六	一九三七		一九三八		一九三九
	千盾	千盾	千盾	千盾	%	千盾	%	千盾
シンガポール	三七、二一一	三三、〇〇八	一七、四五〇	三七、六九三	二二・八	三九、二八〇	二四・三	三八、三九〇
濠洲及新西蘭	九、三九六	九、五九八	一〇、九四五	一七、八〇〇	一〇・七	一二、八〇八	七・九	二〇、一六六
埃及	一、二六六	五、三三八	四、五八三	一三、一〇七	七・九	一一、三〇〇	六・九	七、三三四
支那	五、四五六	五、五〇〇	五、五五三	八、六六九	五・二	七、五三五	四・九	六、〇三一
日本	五、三四一	七、一三三	五、一一二	九、〇五二	五・五	六、四五五	四・〇	三、九七六
香港	四、〇〇四	二、三三六	三、三三一	六、三〇六	三・八	五、四五一	三・三	
其他	四六、三六八	三三、五九三	四九、七五四	七二、五三三	四四・一	七八、八二六	四九・〇	
総計	九八、八四二	八六、四九六	九六、六三八	一六五、一四九	一〇〇・〇	一六一、六〇五	一〇〇・〇	一五五、三八〇

（註）出所＝三八年迄「新亜細亜」、一九三九年は別資料。

第二十七表

蘭印輸出貿易（個別商品表Ⅱ——錫）

	一九三六年		一九三七年		一九三八年		一九三九年	
	瓲	%	瓲	%	瓲	%	瓲	%
日本	八一	〇・六						
和蘭	五、八六〇	四四・八	四、四五八	二九・〇	二、一七七	二九・七	二、六四四	一七・六
佛國	四六八	三・六	五〇八	三・六	二七三	三・七		
米國	三、〇七〇	二三・五	三、六〇三	二三・九	三、一〇五	四二・四	五、三四四	三五・六
波蘭	一二七	〇・九			二三三	三・二		
チェッコ					一五五	二・一		
南阿	一一四	〇・八	二〇三	一・五	一五三	二・一		
アルゼンチン					一三五	一・八		
大連								
ソ聯(アジア)							五一六	三・四
伊太利							九一九	六・一
シンガポール							一、三九二	九・三
其他	三、三四〇	二五・八	五、六〇七	四〇・〇	一、〇九三	一五・〇	四、一八五	二八・〇
総計	一三、〇六〇	一〇〇・〇	一三、九七八	一〇〇・〇	七、三三四	一〇〇・〇	一五、〇〇〇	一〇〇・〇

（註）∴ 多量の錫鉱がこの両地域に輸出され精錬して再輸出する。

出所＝「新亜細亜」

いけない。

石油の積出港の主要なものが以上三港であるが、*Pangkalan Susu, Tandjong Sailor, Samboe* 島及 *Bintan* 島も重要である。バリツクパペンは同地製油所製品の、*Tandjong* はタラカン油の、パレンバンは *Plodjoe* 及 *Soengei Gerong* 製油所製品の、*Pangkalan Susu* は *Pangkalan brandan* 製油所の積出港であるが、然しスマトラには良港少く、製油所も奥地にあるので、大型油槽船の直接積取が不可能と云ふ欠点があるので、シンガポール沖の *Samboe* 及 *Bintan* を夫々積替港として利用してゐる。

2. 錫

蘭印の錫輸出は錫鉱の輸出と精錬錫の輸出とに分かたれる。前者は和蘭とシンガポールに限られ、そこで精錬されて、再輸出されるものが多い（第二十七表）。

次に錫（金属）に限つて説明する。錫の輸出は集中的である。一九三九年に

は米國（三五・六％）、和蘭（一七・六％）、シンガポール（九・三％）にて六二・五％を占めてゐる。又別の資料に依ると一九三九年の錫及び錫鉱総輸出五千八百万盾の内、和・彼南・米・新・英・日にて九二％を占めてゐる。日本の輸入は五百万盾である。

更らに錫及び錫鉱を合計して見ると、今次大戦開始以来、生産・輸出共に激増してゐる。一九三九年の蘭印錫鉱生産は二八、二〇〇瓲であり、錫及び錫鉱輸出は三八、九二四瓲（五三、八三一千盾）であつたものが、一九四〇年には生産は四三、六一二瓲、輸出は五二、〇九二瓲（七二、〇二六千盾）と著しく増進してゐる。

然して錫輸出仕向地の第一位は前述の如く米國であり、一九三九年には蘭印錫輸出の三五・六％を占めてゐたものであるが、第二十八表に依ると、和蘭本國に仕向けられてゐた蘭印錫の殆んど大部分が米國に再輸出せられてゐたが故に実際の蘭印錫輸出に占める米國の比重は五〇％を優に越してゐたものである。

更らに一九四〇年に於いては九月迄の資料であるが、米國の蘭印錫輸入は前年の五千四百万瓲に対して八千百万瓲に増加してゐる。唯和蘭よりの再輸出が皆

第二十八表　米國錫輸入（單位瓲）

	総計（A）	内蘭印（B）	和蘭（C）	B＋C	$\frac{B+C}{A}$ %（註）
一九三九年	六六、〇三八	五、四〇三	二、三六六	七、七六九	一一・七
一九四〇年∴	九一、二八五	八、一一二	ー	八、一一二	八・九

（註）∴ 一月～九月
南洋協會調より作成

無なのは當然である。

然し錫はゴムと異つて米國の蘭印依存度は著しく低い。蘭印の錫輸出は米國にその五〇％を依存してゐるが、米國の錫輸入は蘭印に僅か一〇％前後しか依存してゐない（註五）。第二十八表の如く一九三九年には蘭印の再輸出をも加へて対蘭印依存は一一・七％であつたが、一九四〇年には米國の錫総輸入が増加した為に八・九％に下落してゐる。

（註五）　マレーにより多く依存するものであるが、マレー錫の内にて蘭印の錫鉱が多量に含まれてゐる。

米国としては、錫は絶対的な戦争資材でないのに加へて、ボリビヤその他より入手可能のために事態をゴムほど急迫せしめてゐない。

3. 砂糖

砂糖輸出は極めて複雑変転せる歴史を示せるものがあつたが、一九三八年に

は埃及の仲継貿易（二四・九％）を筆頭にして、和蘭（一五・三％）、香港（九・一％）、シンガポール（六・三％）、支那（二・二％）、日本（一・六％）にて半を超してゐる。然るに一九三九年に至つて、戰爭の影響を受け、かつての第一市場ではあつたが、其後影を消すに至つた印度が復活して第一位となり、又近東・錫蘭等が激増した為に砂糖輸出が極めて活発となつた（第二十九表）。

然るに一九四〇年に至つて砂糖輸出は激減した。即ち一九三九年に比較して金額では七千七百万盾より五千二百万盾に、重量では百三十万瓲より八十万瓲に。又輸出價格も一九三八年八月から年末にかけて値上りしたが、戰火が白・蘭に拡大して以来再び低落した。輸出品目の第三位を占める砂糖が欧洲市場を喪ひ、アメリカへの市場転換も不可能であるため、蘭印経済にとつて極めて重大なるものがある。

4．ゴ　ム

ゴムの輸出も錫と同様に極めて集中的である。米國（四五・四％）とシンガポ

第二十九表

蘭印輸出貿易（個別商品表Ⅱ——砂糖）

	一九三四	一九三五	一九三六	一九三七		一九三八		一九三九
	千盾	千盾	千盾	千盾	％	千盾	％	千盾
埃及	一、二七三	六二一	二、四七八	一〇、五三七	二〇・九	一一、一二九	二四・九	一一、二五二
和蘭	九九五	一六二	三三二	四、三三四	八・六	六、八六三	一五・三	五、九一六
香港	八、四二六	四、七九九	七、〇六八	五、八八〇	一一・七	四、一〇八	九・一	六、一八六
シンガポール	二、四三四	二、一三四	二、六五六	三、五〇二	六・九	二、八三四	六・三	
支那	三、〇三五	一、八四五	一、五〇七	一、九三四	三・八	九九四	二・二	
日本	五、〇四四	四、九八八	七、三三〇	七、九六一	一五・八	七五五	一・六	
其他	二三、六二一	二〇、五九八	一二、四九五	一六、〇八九	三二・三	一八、〇〇七	四〇・六	
總計	四四、八二八	三五、一四七	三三、七六六	五〇、二〇七	一〇〇・〇	四四、六九〇	一〇〇・〇	七六、九八三

（註）出所＝「新亜細亜」三九年別資料．

第三十表　蘭印輸出貿易（個別商品表Ⅳ―ゴム）

	一九二九年 千盾	一九二九年 %	一九三七年 千盾	一九三七年 %	一九三八年 千盾	一九三八年 %	一九三九年 千盾	一九三九年 %
日本	七、三二九	八・三	一〇、二九一	三・四	四、三〇五	三・二	一〇、五九三	五・四
和蘭	三、四〇八	三・九	一四、四五五	四・九	九、七三九	七・三	七、九一八	二・五
英國	七、六三〇	八・八	一九、八三四	六・七	一三、九二八	一〇・四	一二、一三一	六・二
独逸	三、六九〇	四・二	一四、〇九三	四・八	一〇、三三六	七・七	七、三三七	三・六
佛國	四、二九八	四・九	一三、一五三	四・四	五、〇三七	三・七	四、〇八八	二・一
伊太利	三四〇	〇・四	四、〇二八	一・四	二、七三一	二・〇	五、四七五	二・七
米國	四二、四五〇	四七・八	一〇九、三二二	三六・八	四五、六五一	三四・二	八八、四〇七	四五・四
シンガポール	一一、八五九	一三・五	九四、九九九	三二・〇	三二、五八四	二四・三	四七、七三〇	二四・二
ソ聯（アジア）	六				一、八一九	一・四	一、七四六	〇・九
白國							一、三三六	〇・七
大連							二、六八四	一・四
濠洲							一、二九一	〇・六
其他	六、七七八	八・二	一六、四九六	五・四	七、四〇九	五・八	四、一六五	四・三
総額	八六、六八八	一〇〇・〇	二九六、六七一	一〇〇・〇	一三三、五一九	一〇〇・〇	一九四、七八一	一〇〇・〇

（註）出所＝「新亜細亜」

第三十一表　最近に於ける蘭印ゴム輸出（続）

	一九四〇年 十二月	一九三八年 全年	一九三九年 全年	一九四〇年 全年	一九四〇年 %
和蘭		一九、八三九	一五、一三八	一、九一四	
英國	一、四二七	二八、九六一	二三、三二九	三七、一三三	六・七
独逸		二二、一一〇	一四、〇六〇	四一六	
佛國		一〇、四七三	七、八六六	四三五	
白耳義		四、三三〇	二、五八八	二一六	
伊太利		五、八二〇	一〇、二五八	八、二三六	
米國	二三、五一〇	一〇六、五七七	一七一、五一七	三二七、八六七	六〇・〇
米領マレー	三、四四七	八〇、〇二九	九四、六一九	一三二、五二三	二一・八
日本	六、八〇七	九、〇九六	二〇、四〇一	二七、三九二	四・九
濠洲	二五一	一、五二二	二、四八七	一、一一二	
其他	五三六	一四、一三六	一六、〇六一	九、三二四	
合計	三五、九六八	三〇二、八八二	三七七、九九八	五四五、四四八	一〇〇・〇

（註）出處＝U.S. Department of Commerce, May 1941. Industrial Reference Service.

ール（二四・二%）にて総輸出の六九・六%を占めてゐる。それに英國（六・二%）日本（五・四%）を加へると八一・二%に達する。全体この四ヶ所にてゴム輸出を独占してゐると云つても良い（第三十表）。

第三十一表の如く一九四〇年に至つて、蘭・独・佛・白・伊等の交戰國の輸入が激減せるに及して、英本國・米・マレー・日本の輸入が増加して、ゴムの輸出は全体として、前年の三十七万瓲より五十四万瓲と増進してゐる。特に米國の買入ルは著しく十七万瓲より三十二万瓲と増加し、從つて蘭印総輸出に占める比重も四五・四%より六〇%と進んだ。これは米國ゴム貯藏會社を設立せしめた米國のストック政策の反映である。

昨年の米國のゴム輸入には貯藏用或ひは政略的な買付けがあるとしても、一九三九年の六〇%増し八十二万瓲の輸入をなし、その内蘭印依存は（新嘉坡仲継も考慮すると）約四〇万瓲、四七・六%に達した。ゴムの戰略資源的重要性に鑑みても、米國に於ける蘭印ゴムの意義は蘭印錫の比ではない。一朝有事の際に蘭印のみならず南洋各地のゴムの入手が不可能となれば、ストック・再生ゴ

第三十二表　米國ゴム輸入（千瓲）

年次	純輸入量	内蘭印ゴム（B）			B/A
	総計（A）	直接輸入	新嘉坡仲継（推定）	合計	%
一九三八年	四一三	一〇七	四〇	一四七	三五・六
一九三九年	四九四	一七一	四七	二一八	四四・一
一九四〇年	八二四	三二七	六六	三九三	四七・六

（註）國際ゴム統制委員會調より作成、

ム及び合成ゴムの利用、南米のゴム増産、自動車減産等に依り一年余は堪え得るとしても、矢張り問題の重要性を失はない（第三十一表、第三十二表）。

5. 其他の主要輸出品（第三十三表、第三十四表）

これ等の諸輸出品は和蘭本國を中心として欧洲向の比重が大なるものと、米國を中心として欧洲以外に主要市場を有するものとに分かち得る。前者の代表的なるものは煙草（一九三八年和蘭九七・〇%）、規那（一九三八年和蘭七二・三%）であり、後者の代表的なものはパームオイル（米國一九三八年五三・三%）、タピオカ（一九三九年米國六二・〇%）等である。茶・コプラ・コーヒー等は欧洲向の方がやゝ有力であり、硬質繊維・カポック等は欧洲向きと米國向きとに折半せられてゐる状態であつた。

これ等の輸出品は第二次大戰の勃発に依つて大きな変動を受けた。戰争資材として重要なもの、又は米國に主要市場を有するもの等は輸出減少が軽微であるか、又は増加してゐる。然るに市場転換の不可能な嗜好品的農産品は一率に

第三十三表

蘭印輸出貿易

（個別商品表ヲ――十ナ及キ十度）

	一九三四	一九三五	一九三六	一九三七		一九三八		一九三九	一九四〇
	千盾	千盾	千盾	千盾	%	千盾	%	千盾	千盾
和蘭	四七三四	五六九五	九〇七八	八〇一二	七八・〇	八五七五	七二・三	六五九五	
日本	四五六	三九六	五四九	三一五	三・〇	八一九	六・九	八四六	
英國	三六三	三四〇	三八四	五一四	五・〇	七三三	六・一	一一一八	
其他	九一六	一二七九	一〇八八	一四三五	一四・〇	一七三八	一四・七	二九四一	
總計	六四五九	七七一〇	一一〇九九	一〇二六五	一〇〇・〇	一一八五五	一〇〇・〇	一一五〇〇	二七.一〇〇

（註）　出所＝「新亜細亜」
一九三九年以後別資料

第三十四表　其他主要商品國別輸出比率及最近の發展

品目	年	項目	和蘭	独逸	英本國	英屬領(馬來)	米國	日本	一九三八	一九三九	一九四〇
茶	一九三七	数量（千瓲）	二〇・九		一六・四	三三・四	一一・九	〇・〇〇四	八二	八四	八三
茶	一九三八	價格（百万盾）	一九・九		一六・六	三二・八	一三・二	〇・〇〇二	五六	五七	五一
タバコ	一九三七	数量（千瓲）	九八・二			〇・四			五〇	二九	二九
タバコ	一九三八	價格（百万盾）	九七・〇						三六	二五	三七
コプラ	一九三七	数量（千盾）	二五・一	一一・五		二二・五		一・五	五六二	五〇〇	二八二
コプラ	一九三八	價格（百万盾）	二二・二	一八・七		一九・八		〇・九	三八	二五	一三
パームオイル	一九三七	数量（千盾）	一七・九				七一・九	〇・三	二三〇	二三〇	一七八
パームオイル	一九三八	價格（百万盾）	二九・〇				五三・三	〇・〇四	一七	一六	一〇
コーヒー	一九三七	数量（千盾）	二〇・七			七・六	一六・七	三・一	七〇	六七	四一
コーヒー	一九三八	價格（百万盾）	二二・七			一二・一	八・九	一・四	一四	一二	八
タピオカ製品	一九三七	数量（千瓲）			二一・三	二・五	五四・七	二・四	二五〇	二八四	二三〇
タピオカ製品	一九三八	價格（百万盾）			二八・〇	三・二	四六・七	〇・三	九	一〇	一三
綱索用植物繊維	一九三七	数量（千瓲）	八・三	七・〇		七・二	四五・六	一・九	九〇	一〇八	九五
綱索用植物繊維	一九三八	價格（百万盾）	一七・六	一六・五		八・五	二四・六	〇・一	九	一一	一〇
カポック	一九三七	数量（千瓲）	一二・四			三四・六	四五・〇	二・三	一六	二二	二〇
カポック	一九三八	價格（百万盾）	一六・九			三〇・七	三八・五	一・七	六	九	五

（註）出所＝「新亜細亜」

輸出が激減した。

輸出の増加せるは規那が代表的であつて、今迄の過半を仕向けてゐた和蘭本國の喪失にも拘はらず、量價共に激増した。一九四〇年には前年の六千九百瓩に對して、八千六百万瓩に増加し、特に價格の騰貴のために輸出價格は千百万盾より二千七百万盾に著しく増進した。

これに反して、量價共に減少せるはコプラ・コーヒーを筆頭とする。カポツク・硬質纖維・パーム・オイルも減少してゐる。

茶・煙草等は代表的な嗜好品であり、又欧洲依存度も高く、特に煙草は殆んど全部アムステルダム・ロツテルダムの競売向けに出荷してゐたものであるが、英國の買付け及び米國・濠洲等の輸入増加のために一九四〇年に於ける減少は極めて軽微なものであつたが、將来は樂觀を許さない。

ボーキサイトの輸出は躍進してゐる。一九三八年の二十七万瓩より、三九年は二十四万瓩、四〇年には三十一万瓩と増進してゐる。

B. 輸　入（第三十五表）

1. 綿織物（第三十六表）

綿織物に於いては蘭・日・英に依つて蘭印市場が独占せられてゐる現状であつた。例へば一九三八年にはこの三國にて總輸入の九三%を占めてゐた。

然し斯る日貨進出の激増は一九三一年の円價低落に依つて始つて来たものであり、以前は英・蘭二國が独占して居たものである。それが躍進に躍進し一九三四年の如きは日本綿織物が八〇%に達せんとした程である。その後の対日抑制策が效を生じ、和蘭及び英國の地位が恢復、進出し、日本の後退が著しく三八年には遂に和蘭に第一位を譲つてしまつた。

然し今次大戰の勃発に依り情勢に大変転を來す必然性を有してゐる。即ち蘭・英よりの綿織物輸入の減少、又不可能は一面日貨進出の好機となすと共に、他面和蘭トーエンテ綿業資本の利益に依つて阻止されて居た蘭印の綿業に対して発展の基礎を與へるものである。

第三十五表　蘭印輸入貿易（商品別総括表）

年	単位	綿類及織物	食料品△	脱穀米	紙及紙製品※	鉄及鉄鋼製品	化学製品及肥料∴	自動車及自転車※	機械及器具	其他	総計
一九〇五	百万盾	六〇・四	二六・七	二三・九		一〇・六	五・六		一一・四	五七・五	一九六・一
	%	三〇・八	一三・六	一二・二		五・五	二・九		五・九	二九・二	一〇〇・〇
一九一三	百万盾	一二〇・〇	四六・六	五五・六		三六・二	一一・八		三四・六	一三一・八	四三六・六
	%	二七・五	一〇・八	一二・七		八・三	二・七		七・九	三〇・一	一〇〇・〇
一九二三	百万盾	一八二・九	八八・四	五〇・一		三三・二	一七・〇		三一・七	二〇八・七	六一二・〇
	%	二九・九	一四・四	八・二		五・四	二・八		五・二	三四・一	一〇〇・〇
一九二九	百万盾	二四八・九	一二九・九	一〇四・四		八八・五	二四・九		一〇二・一	三八九・七	一〇八八・四
	%	二三・七	一二・三	九・九		八・四	二・四		九・七	三三・六	一〇〇・〇
一九三四	百万盾	八五・七	三四・五	一一・〇	一〇・〇	一五・八	二一・四	九・三	一七・一	八一・三	二八六・一
一九三五	百万盾	七三・九	三一・〇	一七・〇	九・六	一八・四	二〇・八	九・二	一九・四	七三・一	二七二・四
一九三六	百万盾	七六・九	三〇・〇	一一・三	一一・二	一八・七	二三・一	一〇・七	二四・五	七五・八	二八二・二
一九三七	百万盾	一四四・三	三八・一	一一・一	一八・三	四七・四	三九・七	二〇・七	四九・八	一二八・五	四九七・九
	%	二九・〇	七・七	二・二	三・七	九・五	八・〇	四・二	一〇・〇	二五・七	一〇〇・〇
一九三八	百万盾	一〇九・八	三八・五	二二・〇	一六・五	四二・三	三五・九	一八・七	五七・二	一三七・三	四七八・二
	%	二二・九	八・一	四・六	三・五	八・九	七・五	三・九	一二・〇	二八・六	一〇〇・〇
一九三九	百万盾	一二三・一	○八六・八	一八・五	一六・三	五九・二	五九・九	一六・〇	六一・三		四六九・七七
	%										

（註）∴＝一九二九年迄肥料のみ。　※＝一九二九年迄未調査。　∴※項目は総括項目である点に要注意。
△＝別掲なき各種食料品であって、米は勿論小麦粉・ミルク・バター・酒類等を含んでゐない。　○＝嗜好品を含む。
出所＝一九二九年迄叢書 *Indisch Verlag*。一九三四年以後「新亜細亜」、一九三九年別資料。

(三)

第三十六表　蘭印輸入貿易（個別商品表Ⅰ）

綿織物

	一九三四	一九三五	一九三六	一九三七	一九三七	一九三八	一九三八	一九三九
	千盾	千盾	千盾	千盾	％	千盾	％	千盾
和蘭	六、一六六	七、一八八	九、六七五	二六、一六二	二七・四	二八、三三七	四一・九	二一、八五七
日本	四四、六三四	三六、三三三	三一、七一八	五一、二〇九	五三・七	二七、四八三	四〇・六	三五、四四九
英國	二、六六一	一、九九二	四、七一二	一一、二七四	一一・八	七、〇五五	一〇・四	六、六八二
其他	四、九七三	二、五〇二	一、八六一	六、七四〇	七・一	四、七六七	七・一	
総額	五八、四三四	四八、〇〇五	四七、九六六	九五、三八五	一〇〇・〇	六七、六六三	一〇〇・〇	七〇、二七〇

（註）出所＝「新亜細亜」、一九三九年別資料

第三十七表　蘭印輸入貿易（個別商品表Ⅱ）

織物（綿織物を除く）

	一九三四	一九三五	一九三六	一九三七	一九三七	一九三八	一九三八	一九三九
	千盾	千盾	千盾	千盾	％	千盾	％	千盾
英領印度	三、五六六	三、二〇一	五、〇六五	七、八五二	二六・一	九、五一七	三四・九	七、五一三
日本	一〇、四七五	八、三九一	七、九九一	一〇、四九二	三四・九	六、三六四	二三・三	六、二八七
和蘭	一、一一三	八九九	一、七三〇	三、八一七	一二・七	四、一〇九	一五・一	二、四七六
英國	一、一四九	一、一七五	一、五三〇	二、六二八	八・七	一、九三七	七・一	一、三八九
其他	三、二五九	三、七〇四	三、八二二	五、三六六	一七・六	五、三五三	一九・六	
総計	一九、五七二	一七、三七〇	二〇、一三八	三〇、〇五五	一〇〇・〇	二七、二八〇	一〇〇・〇	二三、八三八

（註）出所＝「新亜細亜」、一九三九年別資料

第三十八表　蘭印輸入貿易（個別商品表Ⅲ）

食料品

	一九三四	一九三五	一九三六	一九三七	一九三七	一九三八	一九三八	一九三九
	千盾	千盾	千盾	千盾	％	千盾	％	千盾
シンガポール	一四、六四一	一三、〇七八	一二、〇六四	一五、五五六	四〇・八	一五、三〇二	三九・七	四、八六六
和蘭	四、〇一四	四、〇〇五	四、〇九一	四、七七一	一二・五	五、一八七	一三・五	三、七二八
濠洲及新西蘭	三、八一九	三、六四四	三、三一二	三、五八四	九・四	三、八九〇	一〇・一	
米國	九六三	九一三	一、〇四三	一、三九九	三・七	一、七〇八	四・四	一、五八一
香港	一、三四七	一、〇四二	一、四二三	一、九一三	五・〇	一、六二三	四・二	一、七七二
日本	二、三一五	二、三〇五	二、一三八	二、八〇九	七・四	一、六一五	四・二	
其他	七、四一一	六、〇三五	六、三二三	八、一三二	二一・二	九、二三一	二三・九	
総計	三四、五一〇	三一、〇二二	三〇、三九四	三八、一六四	一〇〇・〇	三八、五五六	一〇〇・〇	二三、五二五

（註）出所＝「新亜細亜」、一九三九年別資料

2　織物（綿織物以外）（第三十七表）

こゝに於いても日本・和蘭・英國及び英印が大体市場を独占してゐた。綿織物と異る点は英印の地位が著しく高い点である。日本の進出が極めて著しかつた一九三四年の如きはこの四ケ國にて市場の八〇％強を占めてゐた。その後日本の後退と共に、和蘭・英印が進出し、特に英印の躍進が著しく、現在は日・蘭を抜いて第一位にある。これも綿織物と同様に今後大いなる変転を受ける必然性を有してゐる。

3　食料品（第三十八表）

食料品はシンガポールが水産物、和蘭・濠洲が畜産物を供給して、この三ケ國にて六〇％を占めてゐる。和蘭よりの買入れが不可能となれば濠洲との関係が密接となるわけである。

八一

4．米（第三十九表）

瓜哇は米の主産地であつて、外領に移出してゐる。外領は入超を常としてゐるので、毎年、タイ・佛印の米をシンガポールを通して輸入してゐるが、最近は英印よりの輸入も著しい。

然し、蘭印の米産額は漸増し、自給自足政策の達成も近いものと見られてゐる。

即ち昨年年の米入超高は四万瓲で、前年より二十一万瓲急減した。反之輸出は六万五千瓲で前年より五万八千瓲も増加し、日本向輸出も若干占めてゐる。

5．機械及器具（第四十表）

機械及器具に於いては以上の消費財輸入に於ける日本・英属領に代つて米・独の地位が重要になつてゐる（註さ）。この分野に於いても和蘭が第一位を占めてゐるが、一九三八年には和蘭の三六・三％に対して独逸は二三・四％、米國は一

第三十九表

蘭印米輸入貿易（個別商品表IV）

	一九三五	一九三五	一九三六	一九三七		一九三八		一九三九	一九四〇
	千盾	千盾	千盾	千盾	％	千盾	％	千盾	千盾
シンガポール	三〇三九	五〇七八	五六二七	四九五九	四四・五	八五一二	三八・六	五五八〇	
英領印度	三五一三	五二九六	二七七二	三三五〇	三〇・一	七一五六	三二・五	五五〇三	
日本		一	一					佛印 六三九七	
其他	四五三三	六七〇七	二九八四	二八三三	二五・四	六三五七	二八・九		
総計	一一〇七五	一七〇七七	一一三八四	一一一四二	一〇〇・〇	二二〇二四	一〇〇・〇	一八五一〇	八七八一

（註）出所＝「新亜細亜」、一九三九年以後別資料

第四十表　蘭印輸入貿易、（個別商品表Ⅴ）

機械及器具

	一九三四 千盾	一九三五 千盾	一九三六 千盾	一九三七 千盾	一九三七 %	一九三八 千盾	一九三八 %	一九三九 千盾
和蘭	五、〇六八	四、六五六	七、五二二	一六、三三八	三二・八	二〇、七四六	三六・三	一三、二五一
独逸	三、四〇八	四、五五四	五、七三四	九、五五一	一九・二	一三、八〇七	二二・四	九、七六九
米國	三、三七九	四、五三七	五、三五八	一〇、五二〇	二一・一	一一、三八六	一九・九	一四、六〇九
英國	二、一五〇	一、九三七	一、九八七	四、八九五	九・八	四、八三四	八・五	四、二八三
日本	一、一五五	一、二二〇	一、二九六	三、三八五	六・八	一、七五一	三・一	一、二七二
其他	二、一二二	二、五一二	二、七六一	五、一一八	一〇・三	五、六八二	九・八	
総計	一七、一八二	一九、四〇六	二四、五三四	四九、八〇七	一〇〇・〇	五七、二三六	一〇〇・〇	四八、四三一

（註）出所＝「新亜細亜」、一九三九年別資料

第四十一表　蘭印輸入貿易（個別商品表Ⅵ）

鉄鋼及同製品

	一九三四 千盾	一九三五 千盾	一九三六 千盾	一九三七 千盾	一九三七 %	一九三八 千盾	一九三八 %	一九三九 千盾
独逸	四、〇〇〇	三、三五三	三、六七八	七、六六六	一六・二	八、四五五	二〇・〇	六、六九三
白耳義	一、九一七	三、〇六五	三、四七九	八、七〇三	一八・三	七、四六九	一七・六	五、九六〇
和蘭	一、五五二	一、六一五	二、一一八	五、三三〇	一一・〇	六、九〇〇	一六・三	五、九一五
米國	一、〇五三	一、五六四	一、一六一	八、三一七	一七・三	五、〇八七	一二・〇	六、九八八
日本	五、六一〇	五、八八九	六、二六七	九、八〇一	二〇・六	四、六六〇	一一・〇	七、〇〇四
佛蘭西	三二	四〇九	四八八	二、九五八	六・二	三、九六七	九・四	三、三六三
英國	六六〇	一、三三二	五七八	一、四八五	三・一	一、四〇九	三・三	
其他	一、〇七一	一、一八五	九七七	三、四三〇	七・三	四、三九二	一〇・四	
総計	一五、八九五	一八、四一二	一八、七五六	四七、四八二	一〇〇・〇	四二、三三九	一〇〇・〇	四三、三九五

（註）出所＝「新亜細亜」、一九三九年別資料

九九%であつて、この三ケ國で七八・六%を占めてゐる。英國（八・五%）、日本（八・一%）の地位は低い。一九三九年には和蘭・日本・独逸皆減少し、米國のみ増加し、第一位（三〇・〇%）と躍進してゐる。

（註六）　特に武器・飛行機・石油機械等の機械類では米國が独占的地位を占めてゐる。

この分野に於いては今次大戦の影響を受けて一九四〇年には米國の地位が極めて重大となつたことは云ふ迄もない。

6. 鉄鋼及び同製品（第四十一表）

この分野では独逸の地位が更らに高まり、一九三八年には二〇・〇%で、比率は機械類より低いが、第一位を占めてゐる。又白耳義の進出も著しく、第二位を占め、和蘭は第三位となつてゐる。然るに一九三九年には蘭・独が減少し、日本と米國とが増進し、特に日本の増進が著しく、独逸を抜いて第一位となつ

八三

一八四

てゐる。米國は第二位である。こゝでも今次大戦のために米國の地位が極めて重要なものとなるであらう。

三、蘭領印度の貿易機構

貿易機構として重要な問題は、第一に実際に輸出入業務を経営してゐる貿易商の組織及びそれと密接に関聯する貿易金融と貿易海運の組織の研究であり、第二には廣く云へば貿易政策とでも稱せられるべきものであるが、具体的には國際的な通商協定（條約）或ひは私的な通商協定とも考へられる輸出カルテルの問題がある。

こゝで、今斯る廣汎な諸問題を総括的に取扱ふ用意がないから、主として輸出カルテルに付いて簡単な説明を加へる。輸出カルテルとしても砂糖・ゴム・錫の三カルテルに限る。

(A)　砂糖國際カルテル

瓜哇糖業者が一般にカルテルを結成せるは第一次大戦當時の價格暴落に刺戟されて、一九一八年九月に瓜哇トラスト（註七）を組織せるに初まる。

（註七）Vereeniging Java Suiker Producenten（V.T.P.）の中心は三大精糖會社である、カルチュア・バンクの和蘭商事會社、アムステルダム商事會社、ランドバウ會社である。

然し大戰中の甘蔗糖の増産、大戰後の欧洲糖（甜菜糖）の復興は砂糖の著しい過剰生産を惹起し、糖價は暴落し、砂糖輸出國は甚大な打撃を受け、容易ならぬ事態を誘致するに至った。

そこで世界糖の支配的地位にある玖馬が主導者となつて、一九三一年ブラッセルにてチヤドボーン協定なる國際砂糖輸出制限協定が締結せられた。同時に該協定の参加國の代表者より成る國際砂糖會議が組織せられ、制限協定実施の

八五

監視に任じた。

参加國の投票權は次の如くである。

玖馬三五票、瓜哇三〇票、チエツコ八票、独逸六票、波蘭六票、洪牙利三票、白耳義二票　合計九〇票

又各國の輸出割當は次の如くである（一九三五年）。

瓜哇	二、七〇〇（千瓩）
玖馬（米國外輸出）	八五五（〃）
チエツコ	五七一（〃）
独逸	三〇〇（〃）
波蘭	三〇九（〃）
洪牙利	八四（〃）
白耳義	三〇（〃）
合計	四、八四九（〃）

八六

右の如くカルテルの投票權の過半数を玖馬、瓜哇が握り、輸出割當の七三％もこの両國が受持つ所である。從つて砂糖カルテルは米國資本（玖馬）、和蘭資本（玖馬）の独占支配下にある、即ち砂糖の世界市場はこの両國に依つて支配せられてゐるのである。

本協定実施後も糖界に活況見出し難く、反對に瓜哇の砂糖工場の閉鎖が続出したので、原因は勿論一般の経済恐慌に見出すものであるが、又販売機関である瓜哇トラストの欠陥に依る所も多いと云ふ見地から強力な統制機関の設置が要望された。これに從つて、一部業者の反對を押し切り蘭印政府は一九三二年十二月砂糖管理法を制定公布した。本法の目的は糖業者全部を強制的に組合に加入せしめ、該組合をして糖業者の所有する一切の砂糖を管理せしめ、又砂糖の輸出・運送に関しても管理權を行使せしむる点にあつた。更らに政府は本組合に對して全面的な監督權を有してゐるが故に、瓜哇糖は完全に政府に管理せ

八七

られてゐると見てよい。

以上の如き強力な統制機関が蘭領印度砂糖販賣組合（略してニバス）である。

(B)　ゴム國際カルテル

一九二〇年來のゴム恐慌對抗策として、一九二二年より一九二八年迄六ヶ年に渉つて行なはれてゐた英領マレーの生産制限に對して幾回かの加入勧誘にも拘らず蘭印は参加しなかった。その理由は蘭印ゴムは馬来ゴムよりも遅く発達し、當時漸く隆盛に向はんとして居たこと、第二は蘭印ゴムの生産費が英領よりも低廉であるがために ゴム價低落にも英領より痛手を感じなかった事、第三には當時土人ゴムを奨励してゐた際とて濫りに圧迫することが統治上困難である等の三点であつた。

其後一九三四年に至つて初めて國際ゴム協定が成立したのであるが、それ迄度々、即ち一九二九年九月、一九三〇年二月、一九三〇年七月、一九三二年三月と英・蘭間に協議が行なはれたにも拘らず不調に終つた。その主要原因は土

八八

人ゴムの問題にあった。

土人ゴムの増産は極めて著しく一九二九年の世界産額の内エステートゴム、四七八千瓲（五六・五％）、土人ゴム、三四三千瓲（四〇・五％）に及び、生産過剰の有力原因であった。更らに、自己労働に依り、資本支出の極めて少ない土人ゴム園は價格下落に對する抵抗力極めて強く、價格下落に依る收入減を反対に增産に依って償はんとした。又土人生産者には欧人企業者の如く組織的統制を與へて生産制限に自発的に協力せしむることが極めて至難であったのである。

然し其後益々ゴム業者は悲境に沈倫するに至ったので、長年の協議の結果一九三四年四月に、ロンドン・ゴム栽培者協會に於いて遂に國際制限交渉が協定せられるに至った。ゴム生産國の殆んど全部が本協定に包括せられて、馬來半島・蘭領印度・セイロン・英領印度及びビルマ・北ボルネオ・サラワク・暹羅・佛領印度支那の各國に適用された。本協定は割當制にて輸出許可量を確定する為の基準割當を決定し、ゴム輸出許可量は國際ゴム調整委員會に依って其の都度決定さるゝ事になってゐる。基準割當を示せば次の如くである（一九三八年）。

八九

英領馬來	六〇二、〇〇〇（瓲）
蘭領印度	四八五、〇〇〇
セイロン	八二、五〇〇
英領印度	九、二五〇
緬甸	九、二五〇
合計	一、一一八、〇〇〇

蘭印にては最初土人ゴムの制限に特別輸出税賦課の手段を用ひたが、一九三五年より徐々に欧人ゴムと同様に個別制限を行ふに至り、一九三七年より全領に亘って個別制限が行はれてゐる。

この第一次協定は一九三八年を以って終り、只今第二次協定が実施中である。

(C) 錫

世界錫産額の九割を抱擁する國際錫生産割當協定案が一九三〇年十二月に錫

九〇

生産者組合実行委員會會長サー・ヴィリアム・ピードより同狀として組合加盟會社に送付され、其後各國政府の審議を經て、一九三一年三月より実施された。本協定に依ると各協定國の生産割當は一九二九年の実生産量を基準としたものであり、それに基いて基準輸出割當も決定せられた。

この第一次協定は馬來・ボリヴィア・蘭印・ニゼリアの僅か四ケ國間に成立したもので、其後暹羅が加入、一九三三年中に第二次協定が締結せられ、三四年には、白耳義領コンゴー・佛領印度支那・葡萄牙及コーンウオールの重要産地も略式加盟國として参加してゐる。この協定も一九三六年十二月を以って満期となり、一九三七年より第三次協定が成立してゐる。その基準割當は次の如くである。

		（投票權）
ボリビヤ	四六、四九〇瓲	四
マレー聯邦	七七、三三五	五
蘭領印度	三九、〇五五	四
ニゼリア	一〇、八九〇	二
タイ國	一八、〇〇〇	二
白領コンゴー	一三、二〇〇	二
佛領印度支那	三、〇〇〇	一
合計	二〇七、九七〇	二〇

九一

以上の如く國際錫協定に於ける蘭印の地位は砂糖やゴムに比して著しく低い。即ち各基準生産割當に於ける蘭印割當の比率は砂糖は（一九三五年五五・七％）、ゴムは（一九三八年四三・三％）なるに對して錫は僅かに一八・七％（第三次協定）に過ぎない。然し錫に對する英國の經濟的支配力は著しく高く、マレー及びニゼリアの支配はもとより、タイ國に於いても、その生産の過半は英國投資に依るものであり、又英國資本はボリビヤに於ける有力錫鉱山にも参加してゐる。従って蘭印を除いた世界錫生産の過半が英國の支配下にあるわけである。又錫鉱ではなく、熔解錫生産高の五五％はシンガポール及びピナンに於いて、二八

九二

％は英本國で生産せられるものであるが故に熔解錫全体の八五％を英國が支配してゐることになる（註八）。

（註八）　ブルクス・エメニー、「軍需資源論」。

これを要するに、砂糖・ゴム・錫の國際的生産＝輸出統制は完全に英・米・蘭三國資本に依って支配せられてゐると云っても良い。砂糖に於いては米國資本（玖馬）を主導者として和蘭資本が第二位に位して、この両國にて總割當の七三・三％を占めてゐる。ゴムに於いては英國資本と和蘭資本が完全に独占して、ゐると云っても良く、英属領が總割當の五六・七％を占め、残りが蘭印である。錫に於いては大英帝國が熔解錫の八五％を支配してゐる。蘭印錫は英國に次ぐが、割當では比較的少く、一八・七％に過ぎず、又その鉱石の一部はシンガポールに精錬を依存してゐる。

以上に依って明白なるが如く、蘭印経済にとって最とも重要なる國際市場商品は國際輸出協定を通して完全に英・米資本の統制下に服してゐるものであつて、この点に於いても蘭印資本が英・米資本の支配の下に英・米資本と融合せざるを得ない必然性が理解せられる。

第四十二表　蘭印生産輸出對照表（重量）（単位瓲）

		石油（千瓲）	錫	ゴム	砂糖	茶	煙草	コーヒー	コプラ	パームオイル	麻	タピオカ	カポック	キナ	胡椒
エステート産物	一九三三	×五、五二七 / △四、三九九	×一三、八〇二 / △一四、五三六	一七三、三〇二 / 一八〇、八七八	×一、四〇一、三三七	六三、四九四 / 七一、八七二	×四九、四三五	五六、七〇二 / △七三、二六三		△一一六、三二二	△九四、八九八			×七、五三四 / △六、四九六	
	一九三四	六、〇四二 / 四、九一二	一九、九六五 / 一九、五〇〇	一九二、八三〇 / 一九九、六〇五	六四四、一六四	五九、五三四 / 六四、三三六	四四、六六四	六四、二七七 / 八三、二三三		一三一、二六〇	六九、六九二			八、一六一 / 六、五三六	
	一九三五	六、〇八二 / 五、一三九	二〇、五〇八 / 二三、三六九	一五四、八八二 / 一四二、五〇八	五一三、五五四 / △六〇二、九四〇	五八、七三八 / 六五、六三二		八二、八八三		一四三、四九一	九二、三二一			六、五九九	
	一九三六	六、四三八	三一、二二一 / 三二、一九一	一六一、七二二 / 一六三、二〇一	五九二、三九〇 / 八八〇、二〇〇	六九、五八〇		九六、七九三		一七二、三九七	七六、四七一				
	一九三七	七、三六二	三九、七六〇 / 四〇、四六二	二四五、〇四四 / 二三〇、〇四一	一、四一四、五〇〇 / 一、二一八、八〇〇	六六、七七四		一〇〇、五三一		一九六、八九五	八五、四五三				
	一九三八	七、三九八	二七、七三五 / 二一、三六〇	一七五、〇七九 / 一七一、〇〇〇	一、三九八、九二七 / 一、〇八六、〇〇〇	七一、八四九	△五〇、〇〇〇	七〇、一九八	△五六二、〇〇〇	二二〇、七五二	八八、三六五	△二五〇、〇〇〇	△一六、〇〇〇	七、五〇〇	△五六、〇〇〇
	一九三九	七、九四三 / 七、九四八	二八、一九九 / 三一、五三二	一九五、八八〇 / 二二三、〇〇〇	一、五七五、三五三 / 一、三八八、〇〇〇	七三、六三七	二九、〇〇〇	六七、二四二	五〇〇、〇〇〇	二二九、八四八	一〇五、九八五	二八四、〇〇〇	二三、〇〇〇	六、九〇〇	七一、〇〇〇
	一九四〇	七、九三九	四三、六二二	三一五、〇〇〇	一、六〇四、〇〇〇 / 一、八一八、〇〇〇	八三、〇〇〇	二九、〇〇〇	四一、〇〇〇	二八三、〇〇〇	一七八、〇〇〇	九五、〇〇〇	二三〇、〇〇〇	二〇、〇〇〇	八、六〇〇	三四〇、〇〇〇
土人産物	一九三三			一一五、五七六 / 一一四、六五八		一一、七九八 / 九、六二五		四九、七四二	四七一、八三五						四四、〇一四
	一九三四			一八五、八八七 / 一八五、七五四		一一、七五九 / 八、七六九		四八、七五九	四一三、一九四						四八、一八二
	一九三五			一四四、八〇四		一三、六三二 / 八、八四五			四八一、四八二						五八、四五一
	一九三六			一五一、三九七					五〇四、〇二一						七八、〇六二
	一九三七			二〇八、五七七					四八九、五七一						三一、〇四二
	一九三八			一四六、五九六					五五三、四〇八						五四、四九〇
	一九三九			一八四、五七〇					五三七、三九三						六九、七二一
	一九四〇			二六九、〇〇〇											

（註）　右…生産、左…輸出
△＝全輸出、×＝全生産
（表が完成してゐないが参考迄に掲げる）

第四十三表

米國の對蘭印輸入

	金額（百万米弗）一九二五	%	一九三三	%	一九三九	%	数量（百万封度）一九二五	一九三三	一九三九	米國全消費に對する割合（一九三九年）%	蘭印輸出額に対する割合（一九三九年）%
ゴム、ラテックス	六五・六四	五六・〇	八・五五	二一・八	四七・〇一	五〇・四	一五三・三四	一六八・六三	[illegible]	[illegible]	[illegible]
煙草	一四・七五	一二・六	三・二九	八・四	三・〇八	三・三	六・三八	一・九四	二・〇一	八一・六	二五
珈琲	五・六六	四・八	一・〇三	二・六	〇・六五	〇・七	二六・九三	一五・四	七・〇七	二・一	八
錫	五・五七	四・八	三・五八	九・一	六・四六	六・九	九・八三	九・六四	一一・九一	九・一	五〇
カポック	四・四七	三・七	一・六九	四・三	二・〇六	二・二	八、六〇七	九、二〇七	八、三三七	八・〇	四五
タピオカ	四・〇一	三・四	[illegible]	七・三	[illegible]	五・五	一一・五九	[illegible]	[illegible]	[illegible]	[illegible]
シザル	二・八八	二・五	二・一四	五・四	二・九〇	三・一	一三、五八五	三四、一〇九	三七、二〇九	三三・五	四三
胡椒	二・九一	二・五	二・〇八	五・三	三・一三	三・三	三六・三五	三一・〇〇	七三・六六	九六・〇	三七
規那	〇・八七	〇・八	〇・五九	一・五	〇・八五	〇・九	二・七九	一・七九	一・九八	九九・四	二四
パームオイル	〇・三五	〇・三	三・八九	九・九	五・一九	五・五	二・九一	一七〇・〇一	三三六・九六	八三・二	四五
其他	一〇・一七	八・七	九・五一	二四・四	一二・四三	一三・二					
総計	一一七・一八	一〇〇・〇	三九・一九	一〇〇・〇	九三・九九	一〇〇・〇	三二五三一・八	四三九〇・五	四六四七三・三		
（内和蘭経由の額）	（二・三五）		（六・二三）		（一・〇二）						

（註） Far Eastern Survey 1940.6.19.号所載 國民経済雑誌十五年九月一日号

第四十四表

米國の對蘭印輸出

品名	價額（千米弗）一九二五年	%	一九三三年	%	一九三九年	%	米國の商品別輸出額に対する百分比（一九三九年）	蘭印の商品別輸入額に対する百分比（一九三八年）
人造肥料	二、四七五・六	一二・九	三五・五	〇・五	六三四・[illegible]	一・八	三・七	五
石油製品	二、三八八・四	一二・四	九三四・四	一三・六	二、三三七・七	六・六	〇・六	三〇
自動車及同部分品	二、二一一・三	一一・五	六三五・七	九・二	二、二二七・[illegible]	六・三	〇・九	四八
乗用車	一、六七七・九	八・七	二七五・四	四・〇	一、〇一六・八	二・九	一・二	
鉄鋼粉砕機械	一、八三〇・一	九・五	一四七・二	二・一	二、〇〇一・[illegible]	五・七	三・〇	一二
煙草及同製品	八〇七・五	四・二	五〇五・八	七・三	七一四・五	二・〇	〇・九	一三
護謨製品	七三八・八	三・八	二五七・三	三・七	三九五・七	一・一	一・〇	一五
護謨及樹脂	六九二・一	三・六	四九九・五	七・二	三九八・一	一・一	二・六	一〇〇
鉄鋼半製品	六四六・四	三・三	五六六・五	八・二	二、二六〇・[illegible]	六・四	一・三	二二
鉄鋼高級製品	五一九・九	二・七	九四・六	一・四	五九八・八	一・七	一・二	
工業用機械	四六八・一	二・四	二六四・九	三・七	六、五七七・一	一八・五	二・三	
鉱山ポンプ機械	三二二・一	一・七	一七四・四	二・五	四、七五六・[illegible]	一三・四	七・八	二〇
電氣機械及附属品	三五九・五	一・九	六二四・一	九・一	一、一八八・九	三・三	一・一	
工業用薬品	一二九・八	〇・七	一〇〇・九	一・五	一、一九一・[illegible]	三・四	三・三	一四
寫眞用品	一一五・一	〇・六	六五・四	〇・九	二〇六・[illegible]	〇・六	一・一	
各種紙製品	六一・七	〇・三	三六二・〇	五・三	九二七・[illegible]	〇・六	二・九	二一
特種薬品	一八・六	〇・一	五五・一	〇・八	五一二・九	一・四	一・四	二八
飛行機及同部分品	一一・七	〇・一	五五・一	〇・七	六、二四八・[illegible]	一七・七	五・三	七六
[illegible]體	一一・七	〇・一	—	—	一、七五三・[illegible]	一三・四	七・二	
小銃及同弾薬	五・五	—	三・五	〇・一	五一二・[illegible]	一・四	一〇・二	一七
計	一三、四八〇・一	七〇・三	五、二〇三・五	七五・五	二八、九三二・五	八一・六		
雑品	五、七〇〇・三	二九・七	一、六八八・五	二四・五	六、五三七・[illegible]	一八・四		
総計	一九、一八〇・四	一〇〇・〇	六、八九〇・〇	一〇〇・〇	三五、四六九・五	一〇〇・〇		

（註） 第四十三表に同じ。

第五 蘭領印度の海運関係

一、蘭印海運概観

蘭印海運は領内航路と本國航路及び外國航路の三者に依つて構成されてゐる。領内航路は蘭印に於けるその重要性に鑑み、K・P・M汽船會社に補助金を與へ命令航路を指定して独占せしめてゐる。

本國航路、即ち和蘭との連絡は主として、ロッテルダムロイド及びネーデルランドの二大和蘭汽船會社がこれに當つてゐる。

外國航路は前記K・P・MとJ・C・J・L（爪哇支那日本汽船會社）に依つて経営せられてゐる。然しこれ等は主として近海航路（濠洲・アフリカ・西貢・蘭貢・暹羅・日本・支那等）に限られてゐるが故に、欧洲・米國等の遠海航路は英國・オランダ等の船に依つて行はれてゐる。

九五

要約すれば蘭印の海運は蘭印＝和蘭（領内航路・本國航路・近海航路）英國＝和蘭（遠海航路）に依つて独占せられてゐると云つても良い。第四十五表の如くこの二國にて蘭印入港船舶の過半を占めてゐる。蘭＝蘭印船舶が半を占め、英國は第二位にて総入港船舶の三分の一に達してゐる。かつて恐慌前には英船舶が第一位を占めて居た事もあつた。

一九三〇年の蘭印入港船舶総容積噸数は三千四百万容積噸であつた。その内第一位は英國船の一千万容積噸、二位は蘭印の八百万容積噸、三位は和蘭の七百六十万容積噸と、この英・蘭系船舶合計は二千八百万容積噸となり、入港総噸数の八三・七％を占めてゐる。即ち蘭印海運は英・蘭船舶に依つて完全に支配せられてゐる。英・蘭船舶の内譯は、八三・七％の内英國は三一・八％を占め、蘭系船舶は五一・九％となつてゐる。又和蘭本國船と蘭印船舶との比率は、蘭印が僅かに多いが、折半と云つてよい。英・蘭船舶の外はノールウエイの二百万容積噸、独逸の百八十万容積噸、日本の百六十万容積噸、支那の三十三万容積噸と続き、貿易関係の比較的大きな日本船舶の地位が低いのと、米國船舶の極め

九六

第四十五表

國別蘭印入港船舶数（1.000M³）（汽船のみ）

	一九三〇年 a 隻数	一九三〇年 a 千総噸	一九三〇年 b 隻数	一九三〇年 b 千総噸	一九三〇年 c 隻数	一九三〇年 c 千総噸	一九三五年 a 隻数	一九三五年 a 千総噸	一九三五年 b 隻数	一九三五年 b 千総噸	一九三五年 c 隻数	一九三五年 c 千総噸	一九三八年 c 千総噸	一九三八年 c %
蘭領印度	三,六四九	八,〇〇〇	二九三	一〇四	三,九四二	八,一〇四	二,五九六	六,六九三	一五〇	二二	二,七四六	六,七一五	一三,一〇〇（蘭領印度・和蘭）	三四・四（蘭領印度・和蘭）
和蘭	五八二	七,六三九			五八二	七,六三九	五九九	七,一〇三			五九九	七,一〇三		
英國	七,五四二	一〇,二三一	四,八四七	五六六	一二,三九〇	一〇,八八七	六,一八三	九,〇九五	一,九五八	二二九	八,一四一	九,三二二	三,六〇六	二八・八
独逸	一四九	一,八三四			一四九	一,八三六	九四	一,一九二			九四	一,一九二	四五八	三・六
諾威	二九四	二,一〇九			二九四	二,一〇七	二七二	二,八一七			二七二	二,八一七	一,二三七	八・九
日本	三〇五	一,六一五			三〇五	一,六一五	三六四	一,九八二	二	一	三六六	一,九八三	三四六	二・七
支那	一二四	一一三	一,六六八	三三四	一,七九二	三三七	八〇	一二一	九四一	一九〇	一,〇二一	三一一	四,〇八二（支那・其他）	三一・一（支那・其他）
其他	四五〇	一,六六一	一六三	一〇	八一一	一,六七一	一八〇	一,三五八	一四七	八	三二七	一,三六六		
合計	一二,九九五	三三,八〇四	六,九七〇	一,〇〇四	一九,九六五	三四,一八八	一〇,三六八	三〇,三五九	三,一九八	四五〇	一三,四六六	三〇,八〇九	一三,七三〇	一〇〇・〇

（註） 出所＝年鑑（蘭印統計年報）。一九三八年は「太平洋」第三巻第十号所掲の数字（航洋船のみの統計）。

て僅かしか入港しないのに注意しなければならない。

一九三五年に至ると入港總噸数が三千四百万容積噸より三千八十万容積噸に三百三十万容積噸、即ち一割強減少した。内訳を見ると英國を筆頭に蘭印・和蘭皆な減少し、これに對して、ノールウエイ・日本は増加してゐる。独逸・支那及び其他は減少してゐる。英・蘭系船舶の比重は八三・七%より七五・四%に低下し、その内英國は三一・八%より三〇・二%と落ちてゐる。こゝで注意しなければならないのは和蘭本國と蘭印の地位は英國に比して相對的に低下した、即ち五一・八%より四五・二%に下つてゐる点である。それは蘭印船舶の入港減少の結果である。蘭印船舶は八百万容積噸より六百七十万容積噸に減少してゐるので、ある。從つて蘭系船舶に於いて、本國船を凌いでゐた蘭印船もこゝに至つて本國船に追越されるに至つた。

要するに一九三五年に於いては總入港船舶が減少すると共に、英・蘭船の相對的地位も低下し、更らに蘭印の比重が相對的に低くなつた。これに反して、諸威・日本等の船舶が進出した。


以上は蘭印諸港に入港する全船舶であるが、貿易船、その内沿岸貿易を除いた航洋船の数字を見ると第四十六表の一九三八年の数字がそれである。

即ち千二百七十万總噸の貿易船が一九三八年に入港してゐる。然して同船舶が同年の輸出一千万瓲、輸入二百万瓲合計千二百万瓲の物資輸送に當つたのである。船舶を國籍別に見ると、英國が第一位であつて、二八・八%を占め、次が和蘭の二四・四%であり、英・蘭合計すると五三・二%、即ち總入港船舶の半を超してゐる。

これに依れば一九三五年より更らに英・蘭系船舶比重が低下してゐる。即ち蘭系船舶は四五・二%より二四・四%に低下し、英系船舶は三〇・二%より二八・八%に減少してゐる。英・蘭合計すると七五・四%より五三・二%に低減してゐるのである。英系に比して蘭系船舶減少が更らに甚しくなつてゐる。然しこゝで注意しなければならないのはこの統計には沿岸航路船舶が含れてゐないから、もしこの蘭印系船舶に依つて支配せられてゐる沿岸船舶を加算すれば蘭系船舶の比重が相當に高まることを考慮しなければならない。

第四十六表　蘭印船會社一覧

	汽船	モーター船	容積噸数 (M³)	
王立郵船會社 (K・P・M) (Kon. Paketvaart Mij.)	九四	三五	七八三、七〇五	六一・三%
瓜哇・支那・日本會社 (J・C・J) (Java-China-Japan Lijn)	一二		二六八、八〇四	二一・〇%
蘭印油槽船會社 (N.I. Tankboot Mij.)	一八		一七〇、九一八	ローヤルダッチの仔會社
バタフーセ石油會社 (Bataafsche Petr. Mij.)	一		九四六	
コロニアル石油會社 (Ned. Kol. Petr. Mij.)	四		四三、七六一	
蘭印石炭會社 (N.I. Steenkolenhandel Mij.)	二		一、四二一	
Tjong Ek Handel Mij.	二		三、三四〇	
Madoera St. Tr. Mij.	一		五五七	
Stoom vr Mij. N.V. Lian Hwa	一		一、七四二	
Scheep v. Mij. Palok		一	九四六	
N.V. Tiong Hoa Loen Tjoen Kongsi	一		三、三八四	
合計	一七二		一、二七八、四一四	

（註）出所＝年鑑（蘭印統計年報）

然し要するに英・蘭系船舶の蘭印海運に於ける比重漸低の傾向は肯定しなければならない。

英・蘭系船舶の減少に對して、増加せる船舶は今迄蘭印海運に於いて余り比重を持つて居なかつた諸國の船舶に多く、一九三八年には英・蘭船舶に次いで主要船舶であつた諾威・独逸・日本等は共に減少傾向であつた。

英・蘭船舶比重低下も貿易に於ける蘭印の對英・蘭関係稀薄化の傾向と共に一般的趨勢として認め得るものであるが、軽々に断定出來難いものがある。次の如く依然として総定期船の内、英・蘭船舶はその八〇%を占めてゐる。

右は蘭印に入港する定期船・不定期船の合計であるが、不定期船を別として、定期船のみ見ると、一九三九年の資料では総計二十社、総噸数百九十万瓲に上つてゐる。

その内和蘭はK・P・M、J・C・J・L（以上蘭印）、ロッテルダム・ロイド、オセアン、ネダーランド、ホーランドアメリカの六社で合計百二十四万余総噸、即ち總定期船の六五%を占めてゐる。

英國はシルバーライン、バンクライン、ドッドウエルライン等七社で合計二十六万五千餘総噸、約一五%であつて、英・蘭合計すると八〇%に及ぶ。

英・蘭の外は日本・独逸・諾威・米國・伊太利等であるが、日本は南洋海運の日本瓜哇線六万七千七百餘総噸、日本郵船の漢堡線が欧洲への途次寄港し、この合計十一万総噸である。独逸はハンブルグアメリカライン一社で十六万七千総噸、諾威は二社で四万五千七百餘総噸、米國は一社で四万千餘総噸、伊太利は一社で三万六千餘総噸と云ふのが一九三九年の現状であつた。

以上の如く蘭印海運に於いて和蘭は定期船の六五%を占めてゐるが、その内蘭印定期船を独占してゐる二蘭印船會會に就いて一言しなければならない。

第四十六表の如く蘭印の船會社は約十一社存在してゐる。その十一社にて一七二隻の汽船を所有し、その容積噸数が百二十七万八千瓲に達してゐる。その内K・P・Mは七十八万容積噸（六一・三%）、J・C・J・Lは二十六万八千容積噸（二一・〇%）で、この二會社のみにて蘭印船舶総噸数の八二・三%を占むるのである。

蘭印船會社はこの二會社、特にK・P・Mに依つて独占せられると云つても過言でない。この二會社を除いてや丶有力なものは蘭印タンクボート會社の十七万容積噸、コロニアル會社の四万二千容積噸に過ぎないが、共に油槽船であつて、前者はローヤル・ダッチの子會社としてその油槽船隊を務むるものである。

斯くの如く蘭印海運を代表するK・P・Mは一八八八年三月に特許會社として設立せられたるものであつて、その発展は植民地蘭印の発展を反映するが如く、蘭印開発に極めて重大なる役割を演じたものである。

その影響力及び重要性に於いては、石油のローヤル・ダッチ社及び農業のカルチエアバンクと相共に蘭印経済の三大會社を形成するものである。

一九三八年には一三一隻の船舶（八十七万容積噸、総噸数にすると三〇万八千噸）を以つて六十三万人の旅客と四百七十八万瓲の貨物の運送に當つた。然し本會社は近海航路的性格を有するものであり、船舶は比較的小さく、又旅客・貨物輸送の重点も蘭印内及びその近海にある（註一）。

（註一）　四千噸以上の船舶は僅かに二十一隻しか有せず、一万噸以上は五隻のみである。一九三八年K・P・Mの全旅客の八三・三%、全貨物の四七・四%は蘭印内であつた。

これを要するに蘭印海運は和蘭・英國・独逸・諾威等今次大戦の交戦圏船舶に依存する程度が極めて大である（一九三五年総入港船舶噸数の六六・三%がこの四ケ國にて占められてゐた）。從つて今次大戦に依つて蘭印海運、更らにこれに依つて支配せられる貿易が大きな影響を受け、船舶難が重大化するものと思はれる。

この問題と関聯して一九四〇年五月迄に蘭印で拿捕された独逸船が十九隻一一八、八六六総噸に及んだが、これを利用して蘭印に新しい船會社を設立すると云ふ報道が傳へられてゐるが、極めて注目されるものがある。

二、蘭印港湾概観

第四十七表　蘭印主要港入港船舶数

	一九三一年 隻数	一九三一年 噸数(M³)	一九三五年 隻数	一九三五年 噸数(M³)
タンジョンプリオク	二、七七七	一七、三六三	二、五六五	一五、一九六
チエリボン	一、一二六	七、五八九	一、二五三	七、五五六
テガル	四三六	三、一九八	四五四	一、七八九
ペカロンガン	四五八	三、三八八	三四二	一、九六七
スラバヤ	二、一三二	一六、一六一	一、八二七	一三、六一二
スマラン	一、七七二	一五、〇九二	一、五八三	一三、〇二四
プロボリンゴ	三八二	四、一七六	四三七	三、七六三
テロクベトン	一、〇三四	三、四七〇	九〇一	二、八九六
エムマハーフェン	五八二	二、七七六	六五八	二、二八八
サバン	七七五	六、三七四	七六九	五、八二五
ブラワンデリ	一、四二六	九、四八三	一、五一〇	八、四〇四
パレンバン	一、一五一	三、五〇〇	一、三一七	五、八一九
バリクパパン	一、三〇四	四、四四二	一、三一七	三、八五四
タラカン	四一五	一、二一六	五三三	一、三七五
メナド	五一二	一、五五二	四四六	一、六八二
マカッサル	九七六	七、二八七	九四〇	六、七九八

（注）本表は汽船のみでなく全船舶である。第四十五表に対して要注意。
出所＝年鑑（蘭印統計年報）

蘭印に於ける港湾の重要性に鑑み、政府は毎年巨費を投じて港湾設備の改善充實を図って来た。一九三四年には各港湾の設備資産の評價は一億五千万盾に上ってゐる。

然し、蘭印の港湾の数は多いが、港としての近代的設備を有するものは、瓜哇に於いてはタンジョン・プリオク（バタビヤ港）とスラバヤ港、スマトラに於いてはパレンバン港、及びセレベスのマカッサール港の四港に過ぎない。その内でも設備の点ではタンジョン・プリオクとスラバヤであり、自然の良港としてはマサッカー港である。

入港船舶の噸数より見れば、第四十七表の如く、タンジョン・プリオクを筆頭にスラバヤ、スマラン、ブラワン・デリ、チエリボン、マカッサル、サバン、パレンバン、バリックパパン、プロボリンゴ、テロクベトン、エムハーフェンの以上十二港が一九三五年に二百万噸以上の入港があった蘭印の諸港である。スラバヤ商港の向側に蘭印海軍の根拠地であるスラバヤ軍港がある。

一〇三

次に若干敷衍する（第四十七表）。

一九三一年に比して一九三五年には蘭印主要港の入港船舶容積噸数が軒並に減少してゐる。特にタンジョン・プリオク（バタビヤ）、スラバヤ、スマラン等の減少が目立ってゐる。タンジョン・プリオクは千七百万容積噸より千五百万容積噸に、スラバヤは千六百万容積噸より千三百六十万容積噸に、スマランは千五百万容積噸より千三百万容積噸へと、共に年入港容積噸数千万容積噸を越す蘭印の三大港の減少は注目しなければならない。もとよりこれは貿易の反映である。即ち一九三五年は一九二八年を基準として、價格から見れば一九三〇年の輸出七六、輸入八六、重量から見れば輸出一〇三、輸入一〇〇に對して價格では二八、三一、重量では五八、九七と蘭印貿易の最とも縮少した年であった。然し僅かではあるが入港噸数の増加してゐる港もあった。主要港としてはパレンバン・タラカン・メナド等であるが、前二者は石油積出港であるのに注意を要する。石油積出港でもパリックパパンは減少してゐる。

第四十七表の主要港十四港の内八港は瓜哇に屬し、八港の内でも前述三港は

一〇四

千万容積噸以上で蘭印に於いて他の諸港を圧倒的に抜いてゐる。その他はチエリボンの七百五十万容積噸が目立ち、本表には載ってゐないが爪哇南岸のチラチヤップも重要である。スマトラは四港で、ブラワン・デリー(註二)の八百万噸は瓜哇三港に次ぐ入港噸数である。その他サバンの約六百万噸、パレンバンの最近に於ける激増(五百八十万容積噸)等はスマトラの産業的地位の躍進を表現してゐる。

(註二) メダンの外港。

これに對してボルネオ・セレベスには入港噸数年二百万容積噸以上の港は各一つしかない。バリックパペンとマカッサルがこれである。入港噸数は二百万容積噸には達しないが、タラカンとメナドが重要である。マカッサルは入港噸数では瓜哇の三港(チエリボンを除けば)とスマトラのブラワン・デリに次いで蘭印第五位(六百七十万噸)の港である。

入港噸数でなく、港の設備の点になると若干異る。

第四十八表の如く、大船舶用岸壁設備を有するものはタンジョン・プリオク、スラバヤ、ベラワン・デリ、マカッサルの四港に過ぎない。その岸壁延長からするとスラバヤの五千米を筆頭とし、ダンジョンの四千米とこの二港が抜群でマカッサルの千四百米、ベラワンの九百米と続く。

入港噸数ではタンジョン、スラバヤに次ぐスマランには大船舶用岸壁なく、唯総延長七千米を超す帆船・艀船用岸壁を有するに過ぎない。チラチヤップ、パレンバン、エムマ・ハーフエン、チエリボン、サバン皆然り。港の設備として、重要な修理設備であるドックを有するものは、タンジョンの一万二千噸(註三)、スラバヤの一万八千九百噸、サバンの八千噸等であり、特にスラバヤの一万四千噸浮ドックは注目しなければならない。造船台を有するはタンジョン、スラバヤ、ベラワン、マカッサル等であるが、タンジョンの二千噸を除けば他は皆小さい。

(註三) 浮ドック合計噸数、以下同。

第四十八表

蘭印主要港湾設備概況

	岸壁 大船舶用	岸壁 艀船・帆船	桟橋 大船舶用	桟橋 艀船・帆船	起重機 浮起重機	起重機 電気起重機	起重機 汽力起重機	船渠	造船台	倉庫
タンジョンプリオク	四、一三三	三三四	二、〇三	三八	一〇―七五噸 三	三―一五噸 二二		(浮)八、〇〇〇噸 一 四、〇〇〇噸 一	二、〇〇〇噸 一	
スマラン		七、一〇五		六九		三―一五噸 八	三五噸 一			
チラチヤップ			五三八							
スラバヤ	五、〇〇五	一、七〇五			一〇―五〇噸 四	一・五―一五噸 二七		(浮)一、四〇〇噸 一 一四、〇〇〇噸 一 三、五〇〇噸 一	三五〇噸 一	
ベラワン・デリー	九八三		三七一	一八〇	五〇噸 一	三―一〇噸 六			一八〇噸 一	
パレンバン		∴二五〇								
エムマハーフエン			∴四五五							
チエリボン		六〇〇								
サバン		八三〇			六〇噸 一	四〇噸 五		(浮)五、〇〇〇噸 一 三、〇〇〇噸 一		
マカッサル	一、四三五	七三〇	五一〇	五三〇					七五噸 一	

(註) ∴ スクリユー・パイル・ワーフ

出所＝年鑑(蘭印統計年報)、叢書の数字

第六、蘭領印度の國際金融関係

一般に國際金融の調査及び研究は理論的に極めて複雑なる問題を含み、又資料上にも甚だ困難なるものがある。例へば外國投資金融（外國事業投資又は公債投資）或ひは長期金融の面より見たる國際金融問題、又短期國際金融或ひは貿易金融を中心とする國際金融問題等の區別があり、その各々を全体として説明することは、今こゝでは到底不可能なので遺憾ながら本章は割愛するの止なきに至つた。

唯、今次大戰後に於ける國際金融に重大なる影響を與ふるが如き諸措置に付いて簡單に説明する。

今次大戰に依つて蘭印は本國を喪失し、あたかも一独立國かの如き行動をとらざるを得なくなつた。今迄事業の本據が蘭印にあつても、會社の本店を本國に置いた蘭印主要會社も続々本店を蘭印に移し、株主総會を経ず定款を変更す

一〇七

る等の緊急措置をとり、蘭印主要會社の経理の本據も完全に蘭印に移つてしまつたことは國際金融上にも影響を與へずに置かない。

大戰の結果蘭印の盾貨は独立の為替相場を樹つに至り、一九四〇年六月十三日に英・佛・蘭通貨協定（後佛國は脱退した）を結び、又一九四〇年十二月二十四日には日本との間にも金融協定を締結してゐる。

又一九四〇年五月本國喪失直後軍司令官令を以つて為替管理暫定規定を公布施行し、本年一月から新法を以つて厳重な為替統制をなしてゐる。

（蘭印に支店を有する外國銀行については第十四表参照）

一〇八

第七　蘭領印度の經済戰略的地位

蘭印の経済戰略的地位を検討するに當つて如何なる見地より見るか、その見地が問題となるが、こゝでは英・米に對する蘭領の経済戰略的地位が當面の課題である。

又この課題は云はゞ本研究全体の課題であり、同時にその結論でもあるが故に、本章は極めて重大なる章ではあるが、研究の不充分のために全面的な且つ精細な取扱を行ひ得ない。差し當つて蘭印経済構造の基本特徴に依つて規定されてゐる原料供給地、特に戰略物資供給地としての蘭印の對英米的價値に付いて簡單に一言する。

これに付いては既に前章迄の記述に於いて、特に貿易に関する章に於いて大略説明された問題ではあるが、こゝでは見方を変へて直接英・米の立場より考察する。

一〇九

英・米は蘭印の物資を獲得するに極めて有利な一面と他面極めて不利な点とが存在してゐる。有利な面とは、單なる政治的・軍事的支配力のみでなく、経済的に確固不抜の勢力を扶植してゐる点である。不利な面とは地理的な遠隔性である。然しこれも英本國に對しては甚だ明白な問題であるが、英屬領より見れば地理的隔離は問題でなく、反對に蘭印は英屬領の包圍下にあり、英屬領の地理的連鎖の一環に過ぎない。米國としても南太平洋の宏漠たる海洋に依つて隔てられ、容易にその交通路が遮断せられる危險を有するものではあるが、ハワイを前哨基地とし数多の英・米領諸島を連鎖して形成せられてゐる太平洋横断路線の中央線（ハワイ―フイリッピン）、南下線（ハワイ―新西蘭―濠洲）は必ずしも無力ではない。軍事路線及び物資路線として極めて重要性を有するものである。

次に英・米の経済的勢力の問題であるが、これは直接に物資の生産それ自身を確保する強力なる事実投資を有する点と、物資の流通を支配する商業、貿易機構に於ける支配力の問題である。

一一〇

これに付いては既に説明した所であるが、生産確保力としての事業投資は、特に戦略物資としてのゴム・石油に於いて極めて強力なるは前述の如くである。又流通支配力に於いては直接的に物資流通を支配する商業機構と間接に物資流通を統制する輸出カルテルの支配力とがある。前述の如く石油の商業機構及び運送はローヤル・ダッチ・シエル及びスタンダードの直轄子會社の手に依って完全に独占せられてゐる。又ゴム及錫の輸出カルテルも全的に英・米二國の支配下にあるは既に説いた所である。

以上を前置きとして、まづ米國に於ける物資供給源としての蘭印の意義を見る。

一九一四年には米國の對蘭印輸入額は米國総輸入額の僅か〇・二%であったが、二五年には二・三%、三三年には二・三%、三九年には四%近に上昇した。これを米國の輸入相手國の順位として見れば三三年には第十三位、三八年には第八位、三九年には第七位と進み、年々上昇してゐる点に注目しなければならない。斯る上昇は更らに今次大戦に依って躍進したものと思ふ。

一一一

斯くの如く蘭印の地位は全体的に見れば必ずしも高くはないが、年々上昇しつゝある点と、その内容に於いて戦略的意義を有するものが存してゐる点が重要である。

第四十三表の如く米國の蘭印より輸入する物資は錫を除けば殆んど總べて農産原料品である。その内ゴム及びラテックスは極めて大きく一九三九年には米國の對蘭印総輸入額の五五・四%を占めてゐる。

其他の物資は甚だ分散的であって、一〇%を超すものなく、最高は錫の六・九%に過ぎない。

然し蘭印の各物資総輸出額に占める米國の比重が著しく高い物資が相當に多い。例へばラテックス八六%、皮革(山羊)七六%、タピオカ六二%、錫五〇%、パーム・オイル四五%、カポツク四五%、ゴム四三%、シザル麻四三%等である。

今問題の米國對蘭印依存度を分析するためには對蘭印輸入物資の米國各当該物資全消費に對する比重を見なければならない。これは次の如くである。

一一二

まづ最高は規那九九・四%(註四)、胡椒九六・〇%、タピオカ八八・七%、カポツク八八%、藤八七・八%、肉荳蔲八五・八%、パームオイル八三・二%、煙草八一・六%等以上の如く八〇%を超すが如き物資は規那を除けば總へて嗜好的特産物であることに注意しなければならない。これに對して戦略的物資は相対的に高率でない。例へばゴム二八・五%(ラテックス四八・七%)、錫九・一%等が代表的である。

(註四)　和蘭経由を含む。

ゴム及び錫に於いては前述の如く英領マレーが蘭印よりも遥かに重要性を持ってゐる。然し、ゴムの蘭印依存度が着々上昇しつゝあること、又蘭印の錫の能率が極めて高い点に注目しなければならない。又ゴム・錫の英領マレー依存度が方が高いと云っても、既に蘭印と英領マレーとは同一体と考へねばならない段階にある。

ゴム及び錫を除けば、高率の蘭印依存度を示してゐる物資は殆んど總べて嗜好品であって戦略的價値を有するものはない。唯問題は規那であって、米國の

一一三

如くマラリヤの流行地(パナマ等)を屬領に持ってゐる所では不可欠のものであるが、現在では蘭印が世界の規那總植付面積の六〇%以上を占めてゐる。米國もその全消費の九九・四%を蘭印に依存してゐる。然し規那は價格としても、重量としても極めて僅かのもので、一九三九年米國對蘭印総輸入の僅かに〇・九%を占めるに過ぎず、又重量は百九十八万封度であった。

物資供給地としての蘭印の地位は英本國に於いては、米國に於けるよりも遥かに小さい。例へば対蘭印総輸入額は一九三九年に米國が一億四千六百万盾で蘭印総輸出の一九・六九%を占め、第一位にあったのに對して英本國は僅か三千四百万盾(四・五八%)に過ぎず涼洲の下位で第五位であった。

その主要輸入品はゴム・茶・石油類・パーム・オイル・錫・タピオカ等である。その内重要なるはゴム・石油類・錫等であるが、これとて蘭印は英國にとって第一義的な物資供給地ではない。

然し英本國のみではなく英屬領を全体として見れば、蘭印は重要なる物資供給地である。新嘉坡は仲継貿易港として特種な意味を有するものであるが、米

一一四

國に次いで第二位の蘭印の仕向國であり、蘭印総輸出の一六・七二%を占め、主要物資はゴム・石油・コプラ・砂糖・錫等である。新嘉坡に次ぐものは濠洲で第四位（四・六〇%）、主要物資は石油・茶・カポック等。埃及は第六位で三・三七%、砂糖・石油・茶等。印度は第八位、三・二一%、砂糖・石油等。彼南は第九位、二・五三%、錫・砂糖等。第十二位、香港、一・八〇%、砂糖・石油等。

斯くの如く英本國としては物資供給源として蘭印を必ずしも第一義的に重要視するものでないが、英属領の物資供給源としては軽視し難きものがあり、又蘭印は新嘉坡を中心とする英属領仲断貿易機構の中心支柱でもある。

最後に米國の蘭印依存度ではなく、蘭印の米國依存に付いて一言しなければならない。

對蘭印輸出が對蘭印輸入に比してやゝ重要度が低かったのは前述の如くであるが、漸次比重が上昇、今次大戰後は對蘭印第一の仕向國となった。特に米國輸出品の大部分は極めて重要なる生産財に依って占められてゐる。今次大戰後には今迄欧洲（和蘭・独逸）に依存して居た生産財も米國に振換へる外なく、

甚だ米國の地位が重大となってゐる。

第四十四表の如く米國の對蘭印輸出の内容が変化して来て居るが、一九三九年には機械類（工業機械一八・三%（註五）、鉱山機械一三・四%、電氣機械三・三%、鉄鋼機械五・七%等）であり、次は武器及び航空機（飛行機及び部分品一七・七%、機体一三・四%、小銃及び弾薬一・四%）である。又自動車及び部分品（九・二%）も重要であり、石油類も高級精製石油を輸入してゐるが、最近減少してゐる。

（註五）　米國対蘭印輸出総額に占むる%。以下同じ。

以上の如く米國輸出品の過半は機械・航空機・自動車等に依って占められてゐる。然し航空機（對米依存率（註六）七八%）と自動車（對米依存率（註六）四八%）を除くなら機械類（對米依存率（註六）二〇%）は米國よりも欧洲により多く依存せしものであるが故に、今次大戰勃発後に於いては米國の機械供給が蘭印の軍事化、工業化と関聯して更らに重要となる（註七）。

（註六）　一九三九年。
（註七）　以上は Far Eastern Survey, June. 19. 1940 "The American Stake in the Netherlands India" に依った。

其五　緬甸篇

緬甸篇

目次

（緬甸）

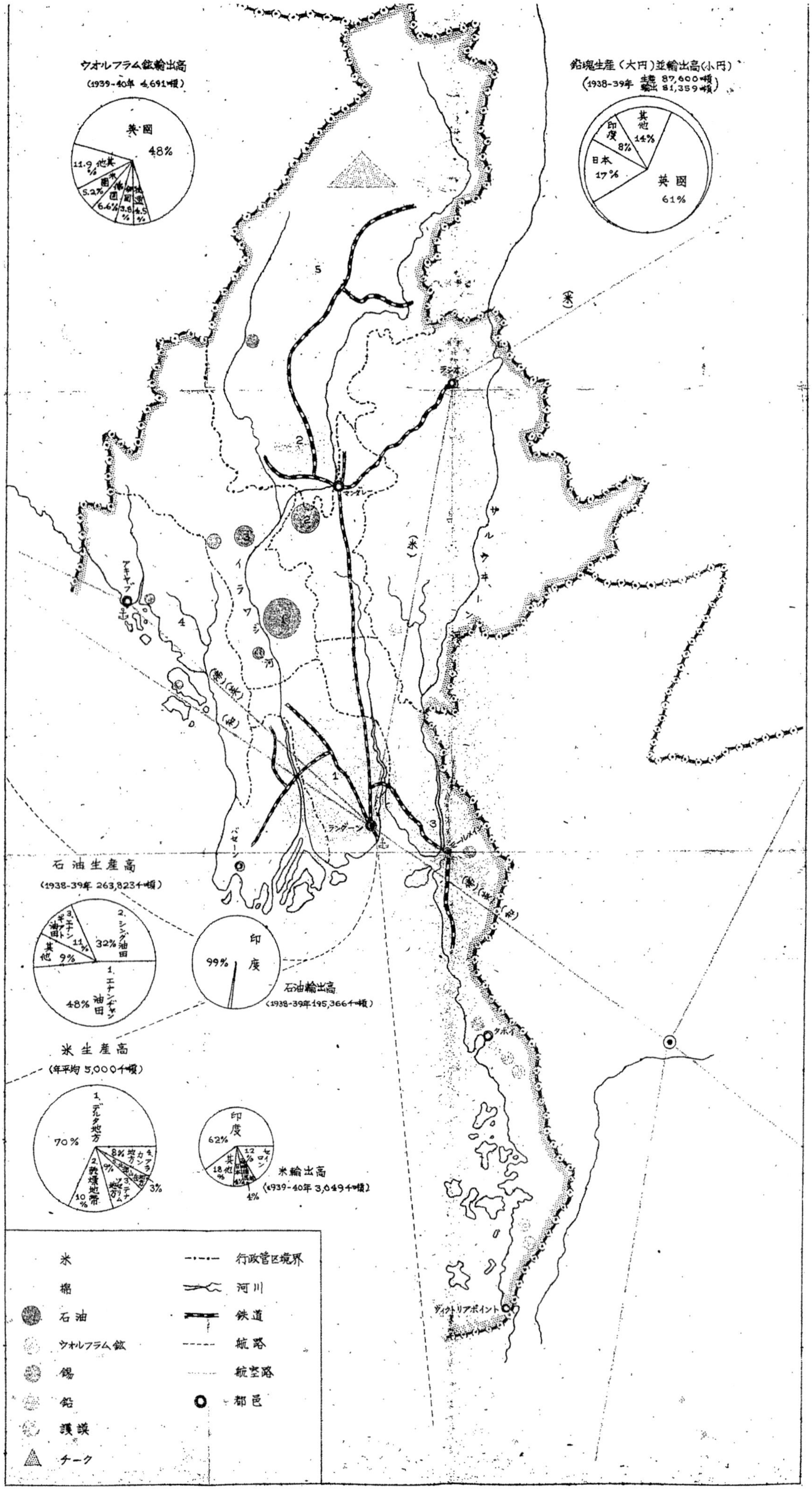
ウオルフラム鉱輸出高
(1939-40年 4,691噸)
英國 48%
鉛塊生産（大円）並輸出高（小円）
(1938-39年 生産 87,600噸 輸出 81,359噸)
英國 61%
日本 17%
印度 8%
其他 14%
マンダレー
アキャブ
イラワジ河
サルウヰーン
ラングーン
タボイ
ヴィクトリアポイント
石油生産高
(1938-39年 263,823千噸)
32%
48%
9%
印度 99%
石油輸出高
(1938-39年 195,366千噸)
米生産高
(年平均 5,000千噸)
1. デルタ地方 70%
米輸出高
(1939-40年 3,049千噸)
印度 62%
米
綿
石油
ウオルフラム鉱
錫
鉛
チーク
行政區境界
河川
鉄道
航路
航空路
都邑

第一　概観

一、自然的地理的條件

(一) 位置

緬甸は北緯一〇―二八度、東経九二―一〇一度の間に伍し、南北の最長一、二〇〇哩、東西の最長五七五哩に達してゐる。而してその周辺は次の如くである。

西北　印度ベンカル州、マニプール藩王国、アッサム州、
北　支那西康省
北東　支那雲南省、佛領印度支那、
東南　泰国
西　ベンガル湾
南　マルタバン湾

一

(二) 面積

凡そ二六三、〇〇〇方哩、日本本土と樺太を加へたるもの（二六〇、〇〇〇方哩）より稍廣く、その中一八二、〇〇〇方哩は英帝国の行政下に、七千方哩は同管轄外にあり（西長蠻地）爾余の六二、〇〇〇方哩は現在半独立土侯國の領域となつてゐる。

二

(三) 地勢

北より南へ扇状に流走する一聯の河川（サルウィン、シッタン、イラワヂ等）と丘陵とが互に沃野を擁しつゝ下流の三角地帯に至り、そこで広く低平なる平野を形成してゐるが、其他は三千呎以上一萬呎内外の山嶽高原が国境の三方面を囲繞し、僅に西南の一面が海に臨んでゐるに過ぎない。

(四) 氣候

氣候は概して熱帯的、但し北部は稍々亜熱帯的となつてゐる。一年を雨季及び乾季の二季に分つ。

雨季　五月央――十一月央、南西風、海風
乾季　十一月央――五月央、北東風、大陸風
最好季候　十一月――二月、最凉時華氏八〇度、最低六〇度
最暑時　四月――五月（モンスーン季）、九六度――一〇〇度

旧都マンダレー附近一帯の中央部高原地帯シヤン地方（面積六二、三〇〇平方哩）を除いては、土人以外の居住には不適当と謂はる。

(五) 雨量

マレー半島に接したる南東地区テナッセリムは年約二〇〇吋といはれ最も降雨多く、ラングーン其他のデルタ地帯は約一〇〇吋、北部は三〇吋位、カナン丘陵、シヤン高原等平均高度三、〇〇〇尺（最高九、〇〇〇尺）に及ぶ地方の雨量は七〇吋である。

三

かくの如く緬甸の自然的條件は緬甸経済の発展に大なる障害を與へてゐるが軍事的必要から最近所謂緬甸――雲南ルートの増強、又は国際航空路の拡張策等が実現若くは計画されんとしてゐることを特記すべきであらう。

二、社会的歴史的條件

(一) 住民

住民は総数約千五百万人であるが、一九三一年の国勢調査に據つてその人種別内訳を示せば左の通りである。

ビ・ルマ人	九、〇九二、一一四人
シヤン人	一、〇三七、四〇六人
カレン人	一、三六七、六七三人
カチン人	一五三、二四五人
チン人	三四八、九九四人

四

アラカン民ヤンピー人	五三四、九八五人
タライン人	三三六、七二八人
パラウン人	一三七、七九三人
計	一三、〇一〇、〇八四人
外国人（在緬甸）	
支那人	一九三、五九四人
印度人	一、〇七一、八二五人
欧洲人・英印混血人	三〇、四四一人
印緬混血人	一八二、一六六人
計	一、四二四、〇二六人
其他	二三三、〇三六人
外国人合計	一、六五七、〇六二人
総計	一四、六六七、一四六人

人口の大部分を形成してゐる緬甸人は西藏族に属し、言語は西藏・支那語に属する。主として平地に住し、農耕を業としてゐる。

此等の人々を宗教別に見ると、佛教徒八四%、アミニスト五%、回教徒四%、印度教徒四%、基督教徒二%、其他一%で、人々の八割以上は佛教徒によつて占められてゐる。

緬甸人を始め原住民の大部分はその性質が頗る怠惰であり、従つて彼等の経済能力も亦極低劣である。

（二）緬甸の歴史

ビルマの近世史を見るに一七五七年緬甸族出身の英傑アラウンパヤは緬甸王朝を再建し、約百三十年に亘つて緬甸をその治下に収めた。

然るにアラウンパヤ王朝の末期に臨み、偶々印度をその治下に収めて更に東方侵略の機会を狙ひつゝあつた英吉利とアッサム地方で衝突し、遂に第一回英緬戦争（一八二四――二六年）となり、敗れてアッサム、アニプール、アラカ

ン、テナッセリム等の海岸地帯を割譲するに至つた。其後緬甸王並に緬甸国民の排英感情及び排英政策の激化に関聯して、第二回英緬戦争（一八五二年）及び第三回英緬戦争（一八八五年）を生じ、第二回に於ては下緬甸地方を奪取せられ、第三回に於ては緬甸全土を占領せられ遂に亡国の悲運を見るに至つたのである。

その後は印度に合併せられてその一州となつた。爾来印度人は労働者、商人、金融業者、地主等として續々緬甸に入り込み、巨大な資本の流入と相俟つて経済的にも勢力を伸張したので、遂に緬甸人との間に激烈なる政治的経済的対立関係を生じ、而もこの対立は印緬両民族の人種的・宗教的・言語的相異等によつて一層拍車をかけられるに至つた。かくして緬甸人にとつては印度の一州として留まることは何等の利益を意味せず、却つて有害なる結果を伴ふことを痛感したので、こゝに印緬分離論が抬頭し、偶々印度民族運動の波及を怖れた英国植民政策の容るゝところとなつて、遂に一九三七年四月印度新統治法に附隨する緬甸統治法に基いて印度より分離し、印度と同じく部分的自治を許され、英国直轄の植民地となつて今日に及んでゐる。

（三）政治機構

緬甸は自治領と所謂クラウン・コロニーの中間に位する植民地にして、英国皇帝を代理する緬甸総督の統治下にある。総督の下には中央行政機関として内閣が、又立法機関として上下両院が設けられてゐるが、総督の権限は極めて広般にして、此等の機関の存在は殆ど有名無実に等しい。

緬甸の行政區劃は緬甸議会の立法権下に在る七管區即ちアラカン、ペグー、イラワヂ、テナッセリム、マグウエ、マンダレー、サガインと総督の特殊権限下にある一管區即ちシヤン聯邦の八管區から成つてゐる。之等の管區は更に四十一地方に分たれてゐる。而してシヤン聯邦の外に之と同性質で他の管區に含まれてゐる特殊地方が併せて十個あり、未開地帯と稱して何れも総督の特殊権限下に在り、之に対して緬甸議会は立法権を有せず、総督が酋長を通じて統治を行つてゐる。

(四) 社会的経済的構造

緬甸は後進的農業国であり、その生産諸力の発展は英吉利帝国主義によって著しく之を阻害されてゐる。緬甸の都市人口は全人口の僅か一一%に過ぎず、而もその農業経営は極めて後れて居り、農民は土地を持たず封建的農奴的なる収取と外来高利貸の搾取に悩んでゐる。

外来住民の大部分は印度人でその数約百七万二千人、即ち全人口の七・三%に当り、支那人は之に次で約十九万四千人、全人口の〇・八%を占む。此等外来者は都市住民の大部分を構成し、都市経済界に於て常に緬甸人を圧迫してゐる。緬甸の首都ラングーンに於ける人口構成は、総数四十万人の中緬甸人は僅か十二万一千人、支那人は三万人、印度人は実に二十一万一千人の多きに及んでゐる。

緬甸に於ける欧羅巴人は約三万人にしてその殆んど全部は英国人である。彼等は最も重要な行政的地位を独占し、高官、大商人、大工業家、或は軍人としてその勢威を誇つてゐる。

かくて緬甸の主要産業は何れも彼等の手中に在る。即ち石油、錫、ウォルフラム（タングステン）等の重要採掘鉱業、精米工業、製材工業をはじめ、交通運輸、金融の諸部門に至るまでその実権は悉く彼等の独占するところである。緬甸人にとつては英国人は政治的支配者であると共に経済的搾取者であり、印度人と支那人はその搾取の手先であり、便乗者であると共に、日常身辺に於ける直接の経済的競争者である。

印度人の中には地主、高利貸として優越の地位を占めて居る者も相当居るが、その大部分は中小商工業に従事し、緬甸人の分野を深く蚕食しつゝあり、近時に於ては筋肉労働の部門に於てさへ、印度人労働者の進出が日を逐ふて盛となりつゝある。

緬甸人の政治的自覚は印度に於ける民族運動の発展と共に昂揚して来たが、この自覚が先づ外来者の経済的圧迫に対する反撥として現はれたのは極めて当然である。一九三〇年以来の屢次の排印暴動、並に最近特に顕著を傳へられゐる緬甸国民の排支傾向はこの証佐であり、それは結局英国を最後の目標とする民

族的独立運動の発生を促したのである。かくして「緬甸人の緬甸」は今や彼等の愛国的スローガンとなり、完全独立への意慾は経済戦乱を機として愈々強からんとしてゐる。

然るに英国は緬甸を以つて英吉利植民地の東部国境（印度防衛の第二線）と見做し、又英支新通商ルートとしての意義を極めて高く評價してゐる。即ち英国の意図は緬甸をして経済的には自国製造工業の独占市場たらしめ政治的には極東新事態に対する防衛線たらしめるにある。従つて緬甸の国内工業の生長は極力之を阻止し、関税による保護、輸出税の撤廃、英帝国特恵税率の調整、外国資本の自由流用等に依る緬甸工業の急速開発の要求を常に抑制してゐる。かくて緬甸の経済的構成は旧態依然たる後進農業国的状態と植民地的、被支配的困窮状態を今後更に継続しようとしてゐるのである。

第二　権益（條約）関係

緬甸政府は諸外国と條約を締結する権能を有せず、英領印度と同様條約の締結は総て英本国によりて行はれることゝなつてゐる。従つて緬甸は條約上何等の権益をも外国に供與してゐない。唯然し通商條約のみは英国政府の署名を得ることを條件として、緬甸政府が自ら交渉し且之を締結する権能を與へられて居り、而してこの方面に於て現在特殊の関係を結んでゐるのは印度、支那及び日本の三国である。

(一) 英本国との通商関係

緬甸総督は通商取引上に於て英国及び印度に対して差別的待遇を與ふることを防止する権限を有し、之によつて英国はオッタワ協定の拘束と相俟つて、緬甸貿易に関して独特の優越的地位を確保してゐる。

（二）　印度との関係

緬甸は印度よりの政治的分離に当り、経済関係の激変を避くることを得策として自由通商協定を締結し、両国間の貨物を相互に無税にて交流せしめることとした。但しこの協定は明年三月を以て失効することゝなり目下之が更改方に就き両国間に交渉が進められてゐる。（貿易制度の項参照）

緬甸経済は特殊の利害関係を有する印度労働者の移住制限問題も亦現在両国間の討議事項となつてゐる。

（三）　支那との関係

英蔣合作の進展に関聯して、緬甸政府は所謂緬甸ルートを通過する支那貿易の或部分に就き、輸入税の一定部分を排戻すといふ便益を与へてゐる（貿易制度の項参照）。

尚最近に於ける英米の対日包囲陣結成の強化に関聯して、英支軍事同盟が企図せられ、既に次の如き内容に就て近く最後的取極めが行はれんとしてゐるの

一三

は極めて注目に値する事柄である（七月十二日「同盟通信」報道）。

(1)　英支同盟は日本の南進開始と同時に発動する。

(2)　重慶は特定部隊を緬甸に進駐せしめ、濠洲軍と共に英極東軍総司令官の指揮下に入らしむ。

(3)　重慶は英国の要求に応じ労役の提供をなす。

(4)　ラシオに於ける空軍基地を拡張し、又同地に重慶軍の火薬庫を設置する。

(5)　重慶軍の緬甸進駐前に英国より軍事教官を派遣し、西南地区の重慶軍を訓練する。

(6)　英国はシンガポール、ラングーン等に於ける援蔣物資輸送を全面的に支援する。

斯くの如き英支関係の緊密化の結果として、従来紛争の絶えなかつた緬支国境問題が最近その劃定協定によつて解決されるに至つたことは極めて当然と謂へよう。

一四

（四）　日本との関係

我国とは現在通商條約及び綿布議定書を締結して、主として貿易関係の促進に資してゐるが、今後の日緬貿易の消長如何は要するに日英政治関係に左右されるものと見られる。

一五

第三　貿易関係

一、最近に於ける貿易額の推移

緬甸の対外貿易は過去十五ケ年間の最初の数年は非常な好況に恵まれ　その貿易総額は各年続いて十億留比を超えたが、一九三一年に及んで世界不況の影響漸く顕れ、爾後三ケ年に低落の一途を辿り、殊に一九三三－三四年度は六億四千万留比に低下するに至つた。然し世界不況の打撃は一九三四年を以つて大体終局を告げ、爾後は再び増勢を取戻したが、折から加重され来つた世界通商上の一般的制限傾向と特恵通商協定の活用並に経済的国家主義的政策に起因する通商路の変革等は、緬甸の貿易復興の速度を豫期の如くには進捗せしめず、一九二九－三〇年度への恢復には未だ相当の間隔を残してゐる（一九二九年の貿易総額は十億四千九百八十万留比）。然し乍ら最近の数年間は兎も角も輸出

一六

は概ね五億乃至五億五千万留比、輸入は大体二億乃至二億五千万留比を示し、年平均三億留比前後の輸出超過を継続してゐる。今次欧戦勃発の一九三九年度に於ては商品価格の急騰と、船腹不足を見越しての繰上輸入の激増により印度に対する米穀輸出の増加といふ特殊事情と相俟つてその貿易総額は八億留比台へ上昇した（第一表参照）。この貿易額は前年度に対して一六％の増加であるが一九二九年度に対して尚二四％の不足となつてゐる。尚欧州戦乱そのものゝ影響は一九三九－四〇年に於ては、全般的には未だ甚だ軽微であり、僅かに独伊の勢力圏内にある諸国に対する輸出が若干の減少を見た程度に過ぎない。

（註）　年度は総て暦年にして四月－三月を意味す。以下同じ。

二、地域的貿易

緬甸はその地理的位置の故に亜細亜洲との貿易が極めて緊密である。即ち一九三九年度の貿易額に就いて見るに、緬甸の対亜細亜貿易は貿易総額の七四％

（輸出七七％、輸入七〇％）を占め、欧羅巴洲の一九％（輸出一六％、輸入一九％）、阿弗利加洲の二％（輸出二％、輸入〇・三％）、亜米利加洲の四％（輸出二％、輸入四％）を遥に引離してゐる。このことは東亜共栄圏の形成若くは亜細亜縦断ブロックの結成が、緬甸経済にとつて極めて重要な意義を有してゐることを示唆してゐる（第二表参照）。

尤も亜細亜洲には印度、馬来其他の英領諸国があり、欧羅巴洲には英本国が控え、此等諸地域との貿易が多額に上ることは同じく第二表によつて明らかなところであり、従つて緬甸貿易に於て亜細亜洲が圧倒的比重を占め、欧羅巴が次位を占めて居ることは、地理的関係の外に英吉利植民地の一環としての緬甸の政治的関係が十分反映してゐることを看過してはならない。

従つて英領諸国を除外したる諸外国と緬甸との貿易関係を各洲別に考察するに、亜細亜洲は従来緬甸の輸出先としては欧羅巴洲より低位にあつたが、一九三九年度に於ては之を凌駕して第一位を占め、輸入先としても亦従来の第一位を更に継続して而も若干の増率を示してゐることは、緬甸の貿易市場が欧洲戦

第一表　最近十一ヶ年對外貿易額（單位千留比）

年度	輸出額（再輸出を含む）	輸入額	輸山入合計	輸出超過額
自一九二六－二七年至一九二八－二九年三ヶ年平均	六八六、三〇〇	三九二、四〇〇	一〇七八、七〇〇	二九三、九〇〇
一九二九－三〇年	六八八、六〇〇	三六一、二〇〇	一〇四九、八〇〇	三二七、四〇〇
一九三〇－三一年	五四八、八〇〇	二八三、八〇〇	八三二、六〇〇	二六五、〇〇〇
一九三一－三二年	四四七、六〇〇	二一二、五〇〇	六六〇、一〇〇	二三五、一〇〇
一九三二－三三年	四六三、〇〇〇	二〇二、九〇〇	六六五、九〇〇	二六〇、一〇〇
一九三三－三四年	四六九、三〇〇	一七八、八〇〇	六四八、一〇〇	二九〇、五〇〇
一九三四－三五年	五〇七、三〇〇	二〇四、四〇〇	七一一、七〇〇	三〇二、九〇〇
一九三五－三六年	五四一、四〇〇	二〇八、三〇〇	七四九、七〇〇	三三三、一〇〇
一九三六－三七年	五六一、〇〇〇	二四七、八〇〇	七七八、八〇〇	三四三、二〇〇
一九三七－三八年	五〇四、四〇〇	二三八、一〇〇	七四二、五〇〇	二六六、三〇〇
一九三八－三九年	四八五、〇〇〇	二〇七、八〇〇	六九二、八〇〇	二二七、二〇〇
一九三九－四〇年	五五〇、五〇〇	二五一、六〇〇	八〇一、一〇〇	二九八、九〇〇

第二表　一九三九年度洲別貿易額

洲名	輸出（千留比）	百分率（%）	輸入（千留比）	百分率（%）	輸出入合計（千留比）	百分率（%）
亜細亜洲	四二六、五七〇	七七	一七六、七七九	七〇・〇	六〇三、三四九	七四・〇
英帝國	三九三、一三一	七一	一五〇、〇一一	六〇・〇	五四三、一四二	六七・〇
其他	三三、四三九	六	二六、七六八	一〇・〇	六〇、二〇七	七・〇
欧羅巴洲	八五、七二六	一六	五七、四五八	二三・〇	一四三、一八四	一九・〇
英帝國	七二、六五六	一三	四三、二五〇	一七・〇	一一五、九〇六	一五・〇
其他	一三、〇七〇	三	一四、二〇八	六・〇	二七、二七八	四・〇
阿弗利加洲	一〇、三七六	二	八四六	〇・三	一一、二二二	二・〇
英帝國	六、一二二	一	一三五	〇	六、二五七	一・〇
其他	四、二五四	一	七一一	〇・三	四、九六五	一・〇
亜米利加洲	一〇、七八四	二	一四、八九一	六・〇	二五、六七五	四・〇
英帝國	二、三六六	〇	一九五	〇	二、五六一	〇・三
其他	八、四一八	二	一四、六九六	六・〇	二三、一一四	三・七
大洋洲	六	〇	—	—	六	—
洲別未詳の英領	七、六三一	一	一、六二九	〇・七	九、二六〇	一・〇
最終仕向地未決定	九、四六二	二	—	—	九、四六二	一・〇
総計	五五〇、五五五	一〇〇	二五一、六〇三	一〇〇・〇	八〇二、一五八	一〇〇・〇
英帝國	四八一、九〇四	八八	一九五、二二〇	七八・〇	六七七、一二四	八四・〇
其他	六八、六四九	一〇	五六、三八三	二二・〇	一二五、〇三二	一五・〇
仕向地未決定額	九、四六二	二	—	—	九、四六二	一・〇

乱の勃発を契機として、欧洲諸国より亜細亜諸国へと次第に轉換しつゝあることを示すものとして注目に値する（一九三七―一九三八―一九三九年の三年度に於て、欧洲は輸出総額の夫々七%、七%、三%を、又輸入総額の夫々一〇%、九%、六%を占め、亜細亜洲は輸出総額の夫々四%、四%、六%を、又輸入総額の夫々一一%、九%、一〇%を占めてゐる）。

以上の二洲に対して亜米利加洲の緬甸貿易に於ける比重は甚だ低度にして、一九三九年に於て輸出は僅に二%、輸入も亦漸く四%を占めるに過ぎない。前記三ケ年に於いて欧羅巴洲が輸出入共低落傾向を示しつゝあるに反し、僅かではあるが米洲が特に緬甸の輸入先としての比率を増大しつゝあることは、欧洲戦禍の拡大と関聯して今後の対米貿易の動向を示唆するものとして注目を要するところである（一九三七、一九三八年、一九三九年の三ケ年に於て、亜米利加洲は阿弗利加洲と合して、輸出に於ては夫々三%、二%、二%を、又輸入に於ては夫々五%、四%、六%を占めてゐる。又緬甸の合衆国よりの輸入は一九三八年に於ては七百四十一万留比であつたが、一九三九年に至つては一千四百

一九

六十六万留比、即ち前年度の二倍に激増してゐる）。

二〇

三、相手国別貿易

(一) 緬甸の対外貿易を主要相手国別に考察するに、既に前項に於て言及した如く、英帝国全体との貿易関係が極めて緊密であることは、オツタワ会議以後に於ける英国通商政策の動向と緬甸の植民地的地位に鑑みて極めて当然にして、殊に最近数ケ年に於けるその増勢傾向は実に顕著なるものがある。即ち一九三七年以降の三ケ年に就いて見るに、英帝国全体に対する緬甸の輸出は輸出総額の夫々八三%、八三%及び八八%を占め、英帝国全体よりの輸入は輸入総額の夫々七四%、七八%及び七八%に及んでゐる。従つて英帝国以外の外国に対する緬甸の依存度は極めて低く、前記三ケ年に於て輸出は夫々一四%、一三%及び一〇%、輸入は夫々二六%、二二%及び二二%に過ぎず、而も輸出入共寧ろ漸減傾向にあることを知るのである（第三表）。

第三表　一九三九—四〇年度相手國別貿易額調

國名	輸出	百分率	輸入	百分率	輸出入合計	百分率
印度	三三〇、六二九 千留比	六〇・〇 %	一三九、三四五 千留比	五五・〇 %	四六九、九七四 千留比	五九・〇 %
英本國	七二、六五六	一三・〇	四三、二五〇	一七・〇	一一五、九〇六	一四・〇
其他英領	七八、六一九	一五・〇	一二、六二五	六・〇	九一、二四四	一一・〇
英帝國合計	四八一、九〇四	八八・〇	一九五、二二〇	七八・〇	六七七、一二四	八四・〇
米國	五、四一四	一・〇	一四、六六五	五・八	二〇、〇七九	三・〇
日本	二一、九三三	四・〇	二〇、一八〇	八・〇	四二、一一三	五・〇
支那	四、三一八	〇・九	一、一七七	〇・四	五、四九五	〇・六
独逸	七、二〇六	一・〇	二、九四九	一・一	一〇、一五五	一・二
伊太利	一、〇〇六	〇・一	八八三	〇・三	一、八八九	〇・二
其他諸國	二八、七七四	五・〇	一六、五二九	六・四	四五、三〇三	六・〇
外國合計	六八、六五一	一二・〇	五六、三八三	二二・〇	一二五、〇三四	一六・〇
総計	五五〇、五五五	一〇〇・〇	二五一、六〇三	一〇〇・〇	八〇二、一五八	一〇〇・〇

(二)

緬甸の対外貿易に於て最も特徴的なる傾向は、輸出入共に対印度貿易が年々増大の一途を辿りつゝあると共に、その総額に於て占むる比率も極めて大である。対印貿易は英帝国全体との貿易の七〇％以上を占め、最近の三ケ年に於ては対印輸出は輸出総額の夫々五一％、五四％、六〇％を、同じく輸入は夫々四九％、五四％、五五％を占め、何れも逐年堅実なる増勢を示してゐる。

対印貿易の斯の如き増勢傾向は印緬両国の歴史的地理的関係乃至政治的経済的関係の然らしむるところにして、この傾向は今後益々顕著となるものと豫想せられる。而して対印輸出品の主要なるものは米、石油、チーク材、生護謨及び金属及鉱石類にして、緬甸主要生産物の殆ど大部分を占め、一九三九年度に於いては米はその輸出総額の六三％を、石油はその輸出総量の殆ど一〇〇％を、チーク材はその輸出総量の七六％を、又生護謨はその輸出総量の三四％を、金属及び鉱石類はその輸出総量の一一％を夫々印度へ輸出してゐる。又印度よりの輸入品は綿製品で、麻袋、石炭、金属類並に煙草、食料

品其他雑品類にして、即ち緬甸大衆の生活必需品たる各種軽工業品が大部分を占め、殊に綿製品は外国よりの輸入総量の六七％を占めてゐる（一九三七年度）。尚石炭は殆ど全部を印度よりの輸入に俟ち（一九三九年度九九％）、金属類も亦その五〇％近くを印度より輸入してゐる。

印度が緬甸にとって不可缺の市場であることは上述によって既に明らかであるが、印度にとっても緬甸が極めて重要なる市場であることは疑ひが無い。尤も統計上に於ては印度の対緬貿易はその全貿易額の七％にしか達してゐないが、急速に勃興しつゝある印度軽工業の最も経済的にして且安易なる輸出市場が依然として緬甸であることは不変の事実であり、殊に緬甸米に対する印度の依存度は極めて高く、万一緬甸よりの米穀の供給が断たれんか、印度国民生活の蒙る打撃は蓋し深刻なるものがあるであらう。印度は自国の生産米の外に、緬甸、泰、佛印等よりの輸入量を以てしても尚その需要を完全に充足することが困難と謂はる。而も緬甸は泰、佛印を合した量よりも更に多くを印度に輸出してゐるのである。「印度を制せんとせば先づ緬甸を抑へよ」とは正にこの間の消息を傳ふるものと云ふべく、"Divide and Rule"を植民地統治の唯一の信條とする英国が、印度よりの緬甸の分離を寧ろ強行した所以の一半は、正にこの点にありと謂はなければならない。

(三)

英本国との貿易は印度に次いで第二位にあるが、その比率は最近の三ケ年に於いて輸出は夫々一四％、一三％、一三％を、輸入は夫々二〇％、一九％、一七％を示すに過ぎず、欧洲戦乱勃発以来は寧ろ減少傾向を辿らんとしてゐる。

対輸出品の主なるものは糠、パラフイン蝋、鉛塊、ウオルフラム鉱、チーク材、棉花、生護謨等の原料品にして、一九三九年度に於てはその各々の輸出総量の夫々九九％、四三％、五七％、八五％、一七％、二二％及び一三％を英国へ輸出してゐる。殊に鉛塊、ウオルフラム鉱の如き重要戦略資源が大量に英国へ輸出されてゐることは注目の要がある。

英国よりの輸入品は綿製品、羊毛製品、金属及び鉱石類、機械類及び車輌類にして、一九三九年度に於ける各々の輸入比率は、各品目の輸入総額（但

し綿製品は輸入総量）の夫々一〇%、三六%、二九%、四〇%及び八七%を占めてゐる。

(四) 米国との貿易は輸出は従来僅に八十万留比程度、輸入も亦漸く七百五十万留比に達ずるに過ぎなかつたが、一九三九年度に至るや、輸出は一躍七倍に激増し（五百四十一万四千留比）、輸入も亦倍加して一千四百六十六万五千留比を示すに至つた。勿論印度、英本国と比較する時は、緬甸貿易に於て占むるその比率は現在のところ甚だ低度であるが（三九年に於て輸出は一%、輸入は五・八%）、欧洲戦乱の進展並に英米薪合作の強化に伴ふ対支緬甸通過貿易の成行につれて、今後その比率が急激に…増大することは豫想に難くない。対米輸出品の主なるものはパラフイン蠟、ウオルフラム鉱、チーク材、生護謨等であり、輸入品は金属類及び機械類である。

(五) 独逸との貿易は欧洲開戦前に於ては輸出は一千四百万一千八百万留比、輸入は五百万乃至六百万留比を示してゐるが、戦後は何れも半減以下に低落するに至つた。一九三九年度に於ては米（輸出総額の二%）、ウオルフラム鉱

（輸出総量の二%）、チーク材（輸出総量の一%）を輸出し、塩（輸入総量の一八%）を輸入してゐる。

(六) 伊太利は輸出入共極めて小額で、貿易相手国としての重要性は甚だ少い。

(七) 我国との貿易関係は一九三九年度に於ては総額四千二百十万留比に達し、内輸出は二千百九十万留比にして前年度の約二倍半に増加し、緬甸総輸出額の四%を占め、輸入は二千十万留比にして前年度より四〇%を増加し、緬甸総輸入額の八%を占めてゐる。我国は緬甸の輸出相手国中、印度、英本国に次で第三位を占めてゐる。

対日輸出商品の主要なるものは米一千万留比（三九年度、以下同じ）（米輸出総額の四%）、棉花五百万留比（棉花総輸出量の五〇%）、鉛塊四百七十万留比（一万五千噸、総輸出量の一八%）、其他石油、鉄、アルミニユーム及び豆類（三千百三十七噸）等にして、又輸入品の主要なるものは綿布大約六百万留比（綿布類輸入総量の約三〇%）、羊毛製品五十万留比（羊毛製品総輸入額の二三%）、絹織物十四万留比、金属類百万留比、琺瑯鉄器四十万

留比、紙類、食料品、護謨製品、硝子器、自轉車、薬品及び諸雑貨である。

日緬貿易は従來は常に緬甸側の入超となつてゐたが、三九年度に於ては我國に對し大量の米を輸出した為、緬甸側は百七十万留比の出超を記録した。一方邦品の輸入も緬甸側が欧洲戰爭の勃発を豫想して大量の見込輸入を行ひたる為、非常な増加を見るに至つてゐる。今本側の統計による日緬貿易の概況を表示すれば第四表の如くである。

(八) 最後に支那との貿易は輸出は従來四百万留比程度、輸入も亦僅に六十万乃至百万留比に留り、海路貿易に関する限り、貿易相手國としては殆んど問題にならない狀態であつたが、緬甸公路の自動車路開通以來は支那貿易品の緬甸通過が俄に激増するに至り、緬支関係が漸く緊密を加へ來つた。

緬甸通過の對支陸路貿易に付ては、緬甸政府は一般輸出入統計とは分離して別個の統計を作製し、而も武器彈薬等の通過量は之に包含せしめざるをもつて、その全貌は容易に捕捉し難いが、然し武器彈薬等を除く一般通過品のみに就て見ても、一九三九年度に於てはその総價額は一億一千九百五十万留比

第四表　日緬重要輸出入品表（單位千圓）

日本からの輸出 品名	昭和十三年	昭和十四年
綿織物	五、四一〇	六、九八〇
綿糸	二、四〇〇	四、五六〇
鑛及金屬	五九〇	一、一七〇
綿ブランケット	四四〇	九四〇
罐・壜詰食料品	五六〇	六一〇
陶磁器	五三〇	五五〇
硝子及び同製品	三九〇	五二〇
衣類及同附屬品	五六〇	五一〇
其他	五、三三〇	五、七二〇
合計	一六、三〇〇	二一、五六〇

緬甸からの輸入 品名	昭和十三年	昭和十四年
鑛及金屬	五、〇九〇	一〇、九三〇
棉花	二、六三〇	三、八七〇
隠元豆	二一〇	二四〇
玉蜀黍	二〇〇	ー
其他	五〇	二〇
合計	八、一八〇	一五、〇六〇

に達し、之に対する関税收入は百六十二万一千三百八十八留比（関税総收入の約四%）に上ったと謂はる。一般通過貿易品價額の大要を示せは左表の如くである。

第五表 緬甸通過陸路対支一般貿易品價額表（外務省調査）

（一九三九－四〇年度、單位千留比）

化学薬品	六五七
護謨製品	六、〇六六
木材及コルク並に其製品	一五四
織物類	二四〇
衣服類	一、七七四
発熱用品	二、二八六
貴石及貴金属等	三、四四一
卑金属及其製品	一、三〇一
機械類	一〇、六八三
雑品	六二七

二七

二八

緬甸通過陸路対支輸出表（三菱経済研究所発表）

（一九三九年度、單位千留比）

バス及トラック	六、三七七
鉄器類	一、九〇二
バス及トラック部分品	六、二九一
機械器具類	一、七一二
ガソリン	一、八四六
鉄鋼及同製品	一、四四二
真鍮及銅	一、二四七
自動車用タイヤ及カバー	一、〇三四
綿糸及織品	一、一一八・八
化学薬品及染料	八五六
電気機械器具	七七五
鉱油	四四九
其他	九、九五五
総計	三一、〇九三

四 商品別貿易構成

緬甸の主要輸出品は米（二億留比、但し最近数年間平均額、以下同じ）、鉱油（一億留比）、金属及鉱石類（六千万留比）、チーク（三千五百万留比）、パラフィン蝋（二千万留比）、棉花（一千万留比）、豆類（八百万留比）、護謨（五百五十万留比）等にして、主要輸入品は綿布（四千万留比）、綿糸（八百万留比）、金属類（二千万留比）、麻袋（一千五百万留比）、食料品（一千四百万留比）、機械器具類（一千三百万留比）等である。即ち緬甸は未だ完全に農

二九

三〇

業国、原料供給国として留まつてゐるものと謂ふべく、而して米と鉱油が大体出超の原因を為して居り、この二商品の輸出がなければ貿易收支は殆と相償ふ狀態と謂つて差支へない（第六表参照）。

尚米及鉱油が主として印度へ、金属及鉱石が英国、日本へ、チーク材が印度、英国へ、パラフィン蝋が英国、米国へ、棉花が日本、英国、支那へ、豆類か印度、英国へ、護謨が主として印度及び英米へ輸出せられ、又綿製品が印度、日本、英国より、金属類が英国、日本、米国より、機械器具類が主として米国及び英国より輸入せられてゐることは前項の国別貿易の概況に於て既に考案したる如くである。因みに主要貿易商品に就き最近に於ける輸出入狀況（輸出入先、数量並に金額）の大要を表示すれば次の諸表（第七表）の如くである。

五、貿易機構

(一) 貿易制度

第六表　商品別貿易額調

輸出

品目	一九三八―三九年 價額（千留比）	一九三八―三九年 百分率	一九三九―四〇年 價額（千留比）	一九三九―四〇年 百分率
米	二〇、八七〇	四三.〇%	二四、一〇三	四四.〇%
籾	五〇二	一.〇	三〇六四	一.〇
糠	一、二五九	二.〇	六三二	一.〇
鑛油	一〇、五二〇	二一.〇	一一、七五八	二一.〇
チーク材	三、〇三四	六.〇	三、一一三	六.〇
チーク材盤	七〇八	〇.一	七六二	〇.一
其他の堅材	四七六	一.〇	三一〇一	一.〇
金屬類	五、七〇四	一二.〇	六、一九四九	一一.〇
パラフィン蠟	一、六五六	三.〇	二、四七七二	四.〇
護謨	一、〇九八	一.〇	五〇一二	一.〇
生棉	一、〇五四	二.〇	一〇三三三	二.〇
豆類	七一七六	二.〇	一、一五二九	二.〇
油粕	四八八	一.〇	三〇三二	一.〇
皮革	二〇四	〇.四	二五二四	〇.四
蠟燭	一一三	〇.二	一二五四	〇.二
亜麻仁油	一〇二	〇.二	九四四	〇.一
煙草	六八〇	〇.一	六四七	〇.一
酒類	一四八	〇.二	五二五	〇.一
馬鈴薯	二八三	〇.六	二、九一七	〇.五
燐寸	一七八	〇.三	一、四一二	〇.二
其他	一、三六九〇	三.〇	二〇、九四	三.三
合計	四八、五〇一六	一〇〇.〇	五五、〇五五	一〇〇.〇

輸入

品目	一九三八―三九年 價額（千留比）	一九三八―三九年 百分率	一九三九―四〇年 價額（千留比）	一九三九―四〇年 百分率
綿織物	二九、一三一	一四.〇%	三七、九三二	一五.〇%
毛織物	五八七	〇.二	五二五	〇.二
絹織物	二二五	〇.一	四八四	〇.二
人絹織物	三三四	〇.一	一、一一九	〇.四
絹織糸	一、一五七	一.〇	一、三四五	一.〇
綿縫撚糸	一〇、〇八六	五.〇	一三、三三二	六.〇
金屬類	一五、四四二	七.〇	二〇、二九六	八.〇
鑛油	四、七六八	二.〇	五、七四七	二.〇
石炭又コークス	七、三一五	四.〇	六、二[illegible]	二.〇
電氣機械器具	四、五八二	二.〇	五、〇四四	二.〇
其他の機械器具	一〇、九七五	五.〇	一三、五三七	五.〇
車輛類	六、一二〇	三.〇	六、三五六	三.〇
麻袋	一三、三一三	六.〇	一八、一二五	七.〇
食料品	一六、三五六	八.〇	一三、九六一	五.〇
魚類	四、四四一	二.〇	四、三六四	二.〇
煙草	八、八六四	四.〇	九、三六七	四.〇
酒類	二、九九九	一.〇	三、三七一	一.〇
鹽	八六七	〇.四	一、七九七	一.〇
砂糖	一、八五七	一.〇	一、四〇〇	一.〇
香料	四、一一八	二.〇	五、七四〇	二.〇
化学薬品調剤	二、二一六	一.〇	二、九一八	一.〇
薬剤	一、八〇五	一.〇	二、三一九	一.〇
紙類	三、六七一	二.〇	四、五〇四	二.〇
其、他	五六、五七一	二七.〇	七二、七五六	二九.〇
合計	二〇七、七七九	一〇〇.〇	二五一、六〇三	一〇〇.〇

第七表　主要商品の輸出入統計

一、輸出

(イ) 米

國名	一九三九年 数量（千噸）	一九三九年 價額（千留比）	一九三九年 價額百分率
印度	一、八六二	一四八、四四九	六二%
セイロン	三六七	二九、三五二	一二
海峡植民地	一一六	八、九七二	四
馬來聯邦	六一	四、九五〇	二
英本國	六〇	五、四三五	二
其他英領	一三〇	一〇、九〇七	五
英帝國合計	二、五九六	二〇八、〇六五	八七
日本	一二六	一〇、五四三	四
支那	三〇	二、三四一	一
スマトラ	五四	三、八一〇	二
独逸	八九	五、九一九	二
其他、外國	六四	五、一五七	二
外國合計	三六三	二七、七七〇	一一
最終仕向地未決定額	八〇	五、一七九	二
總計	三、〇四九	二四一、〇二三	一〇〇

五

六

七

（緬甸）

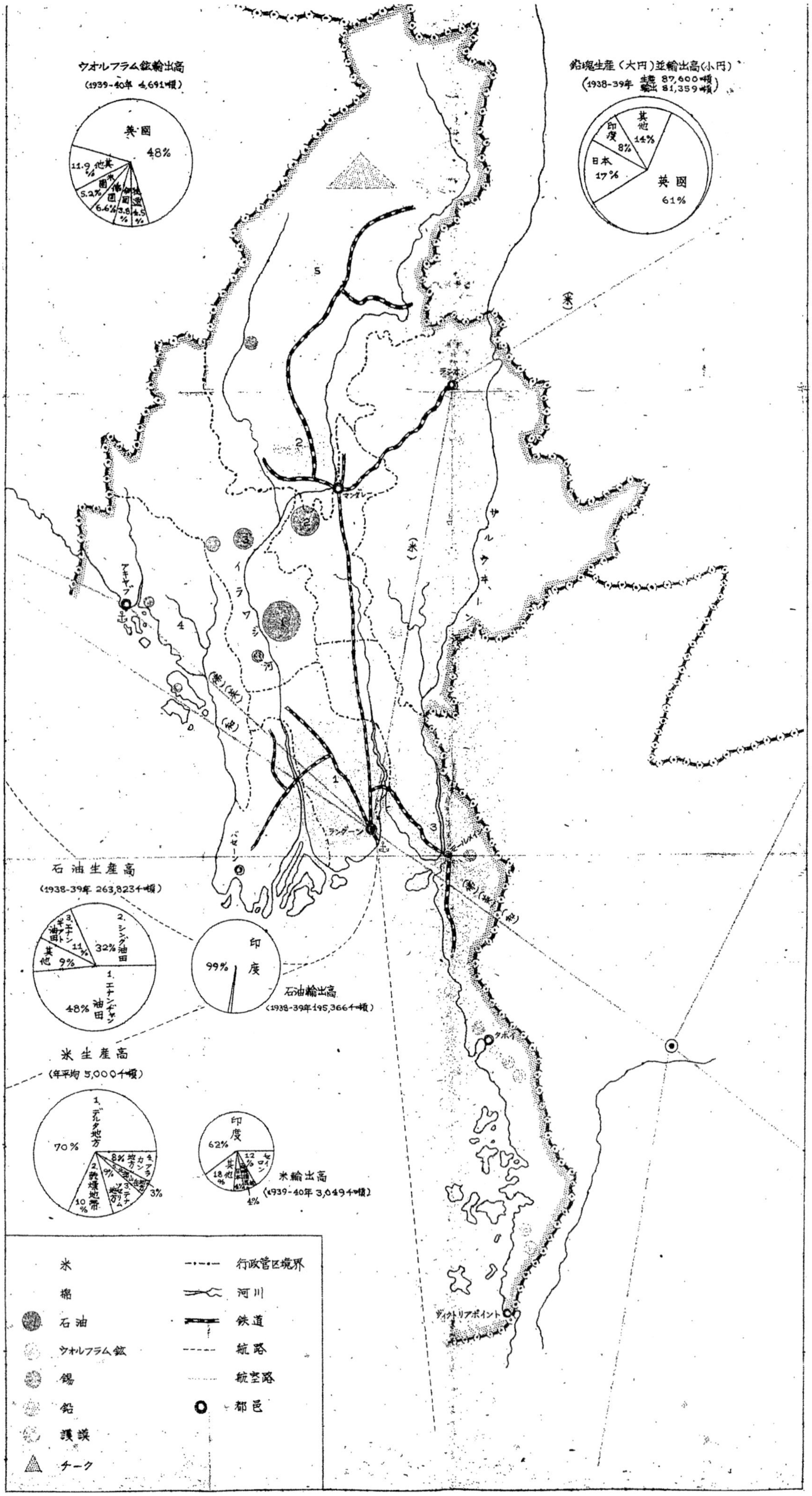

ウオルフラム鉱輸出高
（1939-40年 4,691噸）
英國 48%
鉛塊生産（大円）並輸出高（小円）
（1938-39年 生産 87,600噸 輸出 81,359噸）
其他 14%
印度 8%
日本 17%
英國 61%
マンダレー
ラングーン
アキャブ
バセーン
タボイ
ヴィクトリアポイント
イラワジ河
サルウィン
石油生産高
（1938-39年 263,823千噸）
2. シング油田 32%
1. エナンジャン油田 48%
其他 9%
印度 99%
石油輸出高
（1938-39年 195,366千噸）
米生産高
（年平均 5,000千噸）
1. デルタ地方 70%
2. 乾燥地帯 10%
印度 62%
其他 18%
米輸出高
（1939-40年 3,049千噸）
米
棉
石油
ウオルフラム鉱
錫
鉛
護謨
チーク
行政管区境界
河川
鉄道
航路
航空路
都邑

(ロ)　鑛油

國名	一九三八年 数量（千ガロン）	一九三八年 價額（千留比）	一九三八年 数量百分率（%）	一九三九年 数量（千ガロン）	一九三九年 價額（千留比）	一九三九年 数量百分率（%）
印度	一九五,二八五	一〇三,四三一	一〇〇	二一八,六四五	一一七,三七四	一〇〇
其他諸國	八〇	八五	〇	一三一	一五四	〇
総計	一九五,三六六	一〇三,五二〇	一〇〇	二一八,七七六	一一七,五二八	一〇〇

(七の二)(三)

(ハ)　パラフィン蠟

國名	一九三八年 数量（噸）	一九三八年 價額（千留比）	一九三八年 数量百分率（%）	一九三九年 数量（噸）	一九三九年 價額（千留比）	一九三九年 数量百分率（%）
英本國	九,八六二	四,〇九六	二五	二四,三八九	一〇,八二九	四三
印度	一,三五六	五七一	三	二,〇六一	九一三	四
南阿聯邦	二,三四四	九九三	六	四,三九〇	一,八九七	八
加奈陀	二,一一一	八九五	五	三,九二〇	一,七〇八	七
蘭領東亜	三,九〇二	一,六八一	一〇	五,四〇四	二,三九二	一〇
米國	三八一	一六〇	一	一,九三七	八三六	三
其他諸國	一九,六八〇	八,二六二	五〇	一四,一二七	六,六九七	二五
総計	三九,六四六	一六,六五八	一〇〇	五六,二一八	二四,七七二	一〇〇

(ニ)　金属及鑛石

國名	一九三八年 数量（噸）	一九三八年 價額（千留比）	一九三八年 数量百分率（%）	一九三九年 数量（噸）	一九三九年 價額（千留比）	一九三九年 数量百分率（%）
印度	六,八七九	二,六九五	四	一五,二九二	五,八二八	一一
其他諸國	一六〇,八四六	五四,三二九	九六	一二四,一三二	五六,一二一	八九
総計	一六七,七二五	五七,〇二四	一〇〇	一三九,四二四	六一,九四九	一〇〇

(1)　鉛塊

國名	一九三八年 数量（噸）	一九三八年 價額（千留比）	一九三八年 数量百分率（%）	一九三九年 数量（噸）	一九三九年 價額（千留比）	一九三九年 数量百分率（%）
英本國	四九,四〇九	|	六一・〇	四六,一〇〇	一五,一〇〇	五七
印度	六,四一四	一,八九九	八・〇	一四,三六六	四,七四七	一八
海峡殖民地	二六七	七〇	〇・三	五一四	一三三	一
南阿聯邦	二九二	八七	〇・三	四四五	一五一	一
日本	一三,五六〇	四一三	一七・〇	一五,[illegible]五九	四,七〇二	一八
其他諸國	一一,四一八	|	一三・四	一,四三一	三九九	五
総計	八一,三五九	三四,四八七	一〇〇・〇	七八,[illegible]二五	二五,三二二	一〇〇

(七の三)(三)

(2)　ウォルフラム鑛

國名	一九三九年 数量（噸）	一九三九年 價額（千留比）	一九三九年 数量百分率（%）
英本國	三,一九三	七,一六二	六八・〇
印度	|	|	|
海峡殖民地	二一	四三	〇・五
独逸	二一〇	四四二	四・五
伊太利	一七五	四〇一	三・八
瑞典	五〇	一四〇	一・一
佛蘭西	三一三	七四〇	六・六
白耳義	二五	七四〇	〇・五
和蘭	|	|	|
米國	二四五	八二八	五・二
日本	九	二二	〇・二
其他諸國	四五〇	一,〇二五	九・六
総計	四,六九一	一〇,八五七	一〇〇・〇

(ホ) チーク材

國名	一九三八年 数量	一九三八年 價額	一九三八年 数量百分率	一九三九年 数量	一九三九年 價額	一九三九年 数量百分率
印度	一六〇、二〇五 立方噸	二〇、〇五六 千留比	七七・〇 %	一七〇、三七七 立方噸	二〇、一四二 千留比	七六・〇 %
英本國	三二、八九八	六、六五四	一六・〇	三七、三七二	七、六五五	一七・〇
南阿聯邦	二、八八一	六五一	一・〇	四、五四一	八九五	二・〇
独逸	五、三五八	一、五〇二	二・〇	二、二〇七	五〇七	一・〇
和蘭	七五九	一四五	〇・三	三〇四	五九	〇・一
米國	一、八〇六	四五一	一・〇	一、八三二	五二五	一・〇
其他	四、四四二	八四五	二・〇	七、八〇五	一、三三〇	三・〇
総計	二〇八、三四九	三〇、三〇四	一〇〇・〇	二二四、四三八	三一、一一三	一〇〇・〇

（註）緬甸産チーク材の主要輸出先は前表の示す如く印度にして、一九三九－四〇年度の対印輸出数量は総輸出数量の約七割六分を占め、前年度に比し一万噸の増加を示したが、之はモルメン地方に多量の滞貨ありて印度諸港に輸出せられたるものである。

印度以外の主要輸出先は英本國にして、一九三九－四〇年度の対英輸出数量は前年度に比し約一割四分の増加を示したが、右は大部分欧洲戦争勃発前に輸出せられたもので、右増加の原因は英國政府が造船業の保護を発表せる為、甲板用材の注文が増加せること、及び鉄道用材及軍需用材に需要の増加があった為である。

前表中の其他の諸國に於ては セイロンとスカンヂナヴィア諸國が代表的である。セイロンへの輸出増加は鉄道用材の需要増大に因るもので、スカンヂナヴィア諸國のの輸出増加は欧洲開戦前に於ける輸出増加に因るものである。

(ヘ) 棉花

國名	一九三八年 数量	一九三八年 價額	一九三八年 数量百分率	一九三九年 数量	一九三九年 價額	一九三九年 数量百分率
印度	五九一 噸	二二五 千留比	四 %	四二四 噸	一七四 千留比	二 %
英本國	一、八六一	八一六	一一	三、九三五	二、〇三七	二二
日本	九、二三六	四、二二五	五五	九、〇一〇	五、七四一	五〇
支那	一、六五七	八二二	一〇	三、五一八	一、六九八	二〇
其他	三、三〇三	一、四五六	二〇	一、〇九二	五七三	六
総計	一六、六四八	七、五四四	一〇〇	一七、九七九	一〇、二二三	一〇〇

（註）一九三九年－四〇年度の輸出数量の増加は作付面積の増加に因ることが大である。又輸出價額が著しく増加せるは欧洲開戦後一般商品値段の高騰と共に棉花相場も上騰したことに基因するもので、棉花一噸の年平均相場は前年度に於て四百五十三留比であったが、一九三九－四〇年度に於ては五百六十九留比となった。

(ト) 生護謨

國名	一九三八年 数量	一九三八年 價額	一九三八年 数量百分率	一九三九年 数量	一九三九年 價額	一九三九年 数量百分率
印度	二、二〇九 噸	九〇七 千留比	二三 %	三、三四六 噸	一、七一〇 千留比	三四 %
英本國	一、三四〇	九一〇	一四	一、二七七	六九一	一三
海峡植民地	四、一八七	二、七九八	四四	三、七二一	一、八三〇	三七
米國	六五	四二	一	九五九	五六九	一〇
独逸	三九一	三四三	四	一二〇	三二	一
其他	一、二三七	九五二	一三	五四七	一七九	五
総計	九、四二九	五、九五八	一〇〇	九、九七〇	五、〇一一	一〇〇

（註）一九三九－四〇年度護謨の輸出量は数量に於て前年度より五百四十一噸の増加を見たるも價額に於ては九十一万一千留比の減少を見た。之は護謨相場の下落に基くものにして、一封度の年平均相場は前年度に於ては四安半であったが、一九三九－四〇年度に於ては三安半強となった。

二、輸入

(イ) 綿製品

國名	一九三八年 数量	一九三八年 價額	一九三八年 数量百分率	一九三九年 数量	一九三九年 價額	一九三九年 数量百分率
印度	八九 百万碼	二七、四八九 千留比	六五 %	一一九 百万碼	三五、五八六 千留比	六七 %
英本國	一五		一一	一八		一〇
日本	三二		二三	四〇		二二
其他	一		一	一		一
総計	一三七	四三、二五九	一〇〇	一七八	五六、六九一	一〇〇
内譯						
1. 綿絲 印度	一三、五八六 千封度	七、三二六		一七、七二九 千封度	七、九九一	
英本國	一六二	一六四		一二五	一三三	
日本	三、五六四	三、四五〇		四、三〇三	四、〇九九	
其他	二五一	一四六		一七四	一一〇	
合計	一六、五六三	一〇、〇八六		二二、三三一	一二、三三三	
2. 綿布 印度	八八、九八九 千碼	一八、七八九		一一八、九六〇 千碼	二五、一一六	
英本國	一五、二三一	五、二三四		一八、二一四	二、九四五	
日本	三一、七七二	四、七七六		三九、七九〇	六、〇七六	
其他	一、二五七	三二二		一、五三〇	四二一	
合計	一三七、二三九	二九、一二一		一七八、四九四	三四、五五八	
3. 其他綿製品 印度	一 千碼	一、二九五		一 千碼	二、四一四	
英本國						
日本・其他	四九、二〇〇	一三、四四七		六二、八八九	一七、三六八	
合計	四九、二〇〇	一四、七四二		六二、八八九	一九、七八二	

(七〇六)(三)

(ロ) 金屬及鉱石

國名	一九三八年 数量	一九三八年 價額	一九三八年 價額百分率	一九三九年 数量	一九三九年 價額	一九三九年 價額百分率
印度	二八、七二二 噸	六、四二七 千留比	四二・〇 %	五〇、三二〇 噸	九、七六四 千留比	四八 %
英本國	二七、三二六 (英本國・濠洲・米國・日本・其他)	五、二三五	三四・〇	三六、四九二 (英本國・濠洲・米國・日本・其他)	五、九七六	二九
濠洲		七四	〇・四		一〇三	一
米國		六五七	四・〇		八一七	四
日本		五五九	四・〇		九八二	五
其他		二、四九〇	一六・〇		二、六五四	一三
総計	五六、〇四八	一五、四四二	一〇〇・〇	八六、八一二	二〇、二九六	一〇〇

(七〇七)(三)

(註) 金屬及鉱石の内容はアルミニウム・眞鍮・銅・鉄及鋼・鉛・水銀・亜鉛・其他等なり。

(八) 機械類

種類	一九三八年 印度より	一九三八年 印度以外の諸國より	一九三九年 印度より	一九三九年 印度以外の諸國より
	千留比	千留比	千留比	千留比
原動機	二四	九一四	一八	七六八
電氣機械	四二	一、六一五	七一	一、〇七三
農業用機械	四	六九	七	七一
金屬作業用機械	七	三〇七	一五	一三二
鉱山用機械	一三四	三、七五二	六八	五、五五六
製油用圧搾機械	四	七五九	六九	一、四二〇
製米及製粉機械	三四	一二七	六五	一一一
縫物及編物機械	一五	三九五	一一	七五七
製材機械	二	一六三	｜	一八〇
ボイラー	九	四六三	八	四二五
其他	五三九	三、二〇五	三〇八	三、二五六
合計	八一三	一一、七六九	六四〇	一三、七四九
	一九三八年（千留比）		一九三九年（千留比）	
輸入額総計	一二、五八三		一四、三八九	

(七の八)

（註）一九三九－四〇年度に於ける機械類の輸入額中四割は英國、四割七分は米國、四分は印度よりの輸入である。

英國よりの輸入の機械類は主として原動機（発電機を除く）、電氣機械・ボイラー・ポンプ・製油用圧搾機・製材機械・鉱山用機械・縫物及編物機械等である。

一九三九－四〇年度に於ける米國よりの輸入機械類は鉱山用機械・製油用圧搾機等である。

(二) 自動車類

種類名並國名		一九三八年 数量	一九三八年 價額	一九三九年 数量	一九三九年 價額
		台	千留比	台	千留比
自動車	英國	四九五	九七六	六七一	一、三六四
	米國	一一二	二七五	七八	一八六
	独逸	一一七	二〇五	三	九
乘合自動車	英國	六四	四九〇	一	一〇
	米國	三四	五〇	｜	｜
	独逸	一三	四五	｜	｜
モーターサイクル	英國	三七	二一	一四	八
	独逸	六九	一八	二八	七
合計		九四一	二、〇八〇	七九五	一、五八四

(七の九)

(ホ) 雑品類

(七の十)(ビ)

一九三九年

品目	数量単位	数量	價額（千留比）
印度より			
チュート・ガンニ袋	枚	五〇九〇一一八〇	二七六八五
茶	封度	二六六二七二四	二一〇二
紙類	百斤	七二四四七	一七五三
ゴム製品	—	—	一一一七
石鹸	百斤	九八一〇一	一九六四
食料品	—	—	三八四八
染料類	—	—	四八六
化学薬品	—	—	三〇〇
燐寸	グロス	一四七四四〇	二六九
硝子及硝子製品	—	—	一八〇
セメント	頓	一七三六	六八
果物及野菜	—	—	三七一八
コ、ナッツ	個	七〇九一六二六	三二九
印度以外の諸國より			
食料品	—	—	一〇一四四
化学薬品	—	—	二六一八
縫物器械	台	七二六八	七五六
賣薬類	—	—	一四八〇
紙類	百斤	二七一四三二	二七五一
化粧品	—	—	一一四七
ゴム製品	—	—	一三一四
古新聞紙	—	一四一四七九	九三〇
自轉車	台	八八三一	三八四
硝子及同製品	—	—	八四五
無線受信器	台	二二一六	二五二
タイプライター	台	一〇六七	一五四
石鹸	百斤	二九八一	一六三
貴石及眞珠	—	—	一三八二
衣類（除メリヤス）	—	—	四一六
セメント	頓	一九八八	八八
染料類	—	—	二八七
硫黄	百斤	四五三二六	一九二
靴	足	三八六七〇一	三九一
コ、ナッツ	個	八六八七七九六	四四〇
果物及野菜	—	—	一〇九二
フイルム	—	一六一五三一	一七

(a) 関税関係

緬甸は一九三八年一月一日より実施せられたる緬甸関税法によつて一般外国貿易を律してゐるが、印度及び支那（重慶政府）に対しては特殊の取扱ひをしてをることが注目せられてゐる。

印度緬甸間の貿易は印度緬甸貿易令により両国間に交易せられる商品に対しては相互に輸出入税を課せざることとしてゐる（一九三七年四月一日より実施）。尤も本令は緬甸側の廃棄通告により明年三月末日を以て失効することゝなり、嚮に新通商協定締結方に付交渉中の所、最近印度デルヒに於て調印を見たと傳へらる。その内容は勿論未だ不明であるが、両国の希望が主要輸出入品に付低関税制度を維持せんとするに在ることは容易に想察せられるところであり、輸出国として印度と競争関係に在る我国にとつては正に十分関心に値する事柄と謂はねばならない。

次に一九三八年二月十六日緬甸政府財政部は、海路ラングーンに輸入せられ輸入納付済の貨物にして陸路バーモ騰越道路にて支那雲南省に再輸出さるゝも

三一

のは輸入税の八分の七に当る拂戻を受くることを得、但し蘭貢税関に記録せられたる輸入日より二ケ年以内に再輸出するを要す、此の戻税の適用を受けざる商品は、武器、弾薬、阿片、塩、石油、絹織物、煙草、燐寸等（但し武器、弾薬は支那政府の所要するものは除外とせり）とすとの規定を公布し、更に其後同年十二月十九日に至り、右戻税を十六分の十五に増加し、又本税適用の通路を雲南、緬甸間の新自動車道路に拡張し、以て所謂援蒋物資の輸送に多大の便益を與ふに至つた。尚右の対支陸路再輸出品に対する十六分の一の課税は、一九三九年四月二十二日より従價一%の輸入税に軽減せられ、更に再輸出禁止品中からモータースピリツト及びガソリンが除外せられるに至つたのである。

三二

(b) 為替管理

緬甸政府は一九三九年九月四日外国為替管理令を発表し即日実施した。その内容は

イ、磅貨以外の外国為替の銀行賣を停止す

ロ、右外国為替取得希望者は一定書式の證明を要す。
ハ、外国への送金は二千留比相当額以上は許可を要す

といふにあるが、之は資金の逃避と思惑取引に依る為替相場の下落を防止することを目的としたるもので、欧洲動乱に対する一つの金融的措置と見ることが出来る。

(c) 輸出禁止及び制限

東亜共栄圏の一角たるべき緬甸も現在は猶未だ敵性英国の勢力下に在るが故に、経済戦略的立場よりして、英本国及属領以外の外国に対して、重要物資の輸出入を制限若くは禁止するが如き措置に出でたとしても何等怪しむに足りない。即ち緬甸政府は一九三九年八月二十八日、税関長の許可を得ずして武器、弾薬、軍需品等十六品目並に外国製食料品、医療品の印度及び緬甸諸港以外への海路輸出を禁止する旨発表し、次で九月二十一日には輸出許可品目を公布し、更に十月四日には新法令を発布して輸出許可を受くる必要ある品目を追加する

三三

に至つた。この追加によつて緬甸の主要輸出品は盡く許可を要することゝなり、従つて本邦へ輸出せられる鉛、ウオルフラム、鉱、豆類、其他米、チーク材等も亦当然英帝国以外にはその輸出を禁止若くは制限せられる状態となつたのである。実際の適用状況は我国を含む東洋諸国に対しては、輸出商の申請によりシツピング・ビル提出と共に直ちに許可書を発給して居り、現在の処は差したる困難が生じてゐない。

(d) 輸入制限

緬甸政府は一九三九年十一月四日、海路より銀塊の輸入は印度準備銀行の輸入許可書を有するものを除き之を禁止する旨発表し、更に一九四〇年六月六日輸入品の殆ど全部即ち七十二品目（雑貨類其他）に亘る商品の輸入制限令を発布した。

本制限令中に含まれる商品は主として雑貨類であり、一九三九年度の統計によると制限商品の総輸入額は約四千万留比にして、此中本邦からの輸入品は二

三四

百七十万留比に上つてゐる。制限商品の輸入額は緬甸総輸入額の約二〇%に当り、又本邦から輸入せられるものにしてこの制限令に抵触する商品の價額は対日輸入総額の二〇%に当つてゐる。而してその主要なるものは罐詰食料品、陶磁器、琺瑯鉄器、硝子器、衣類、メリヤス等である。

輸入制限を受ける主要本邦輸出品

罐詰食料品	六一万円
陶磁器	五五
硝子及同製品	四七
靴	二四
衣類及メリヤス	三二
化学薬品	二八
琺瑯鉄器	二三
絹及人絹織物	四六

三五

二、貿易機関

緬甸の貿易業は他の主要産業と同じくその実権は殆ど全部外国人に握られてゐる。就中英国人業者の勢力は圧倒的に優勢で、商社数こそ少いがその規模並に資本力は遥かに他国業者を抜いてゐる。而してその代表的なるものは左の如くである。

1、孟買緬甸貿易商会（Bombay-Burma Trading Corporation）
　公稱資本　一千五百七十五万留比
2、スティール兄弟商会（Steel Brothers & Co.）
　米、チーク材其他凡ゆる貿易品を取扱ふ
3、Bullock Brothers & Co.
4、Ellerman's Arracan Rice & Trading & Co.
5、Anglo-Burma Rice & Co.
　右三商会は米穀の大輸出業者である。

三六

尚、佛人経営の有力なるものに「ルイドレファース」商会がある。

印度人は直接輸出入業方面に於ても勿論英人に次で牢固たる勢力を築いてゐるが、特に輸入品の配給網（殊に綿製品の）を掌握してゐる点に於て特色がある。

支那人商社（華僑）は現在六千二百余軒（国内商業を含む）に及んでゐるが、その資本力は一商社当り僅に数千乃至数万留比の小額に過ぎず、常に印度人に圧倒されてゐる。

然し乍ら緬甸公路の自動車路開通を機として、重慶政府がラングーンに西南運輸公司を設け、マンダレー、ラシオ其他の重要據点に支部を設置し、スティール・ブラザース其他英人商会と気脈を通じて、武器弾薬其他援蒋物資の輸送に狂奔してゐることは看過すべからざる事実である。

棉花、綿製品、雑貨類等の輸出入業務に本邦商社も亦相当活躍してゐる。本邦商社には三井物産、三菱商事、千田商会、日本棉花株式会社の各支店の外に南洋商行、田島商店、金塔商店、ハタ商会、ラングーン大信商会等諸会社が活躍してゐる。

三七

三八

第四　海運関係

一、主要港湾

緬甸にはラングーンを始め、アキャブ（西南部）、セルメン（サルウイン河口）、バセーン（イラワヂ河口）、タボイ、アグイ、チャイピユー、ビクトリアポイント、サンドウエイ等の諸港があるが、外国貿易上重要な地位を占めるものは、ラングーン、アキャブ、モルメン及びバセーンの四港である。就中ラングーン港は緬甸貿易品の八五％以上を呑吐してゐる（第八表）。

二、緬甸諸港出入船舶国籍別隻数並噸数

過去四ケ年間に緬甸諸港に出入したる船舶の隻数並に噸数は第九表の如くである。

三九

右表の示す如く緬甸諸港への出入船舶は、貿易量の増大に呼應して逐年増加しつつあることを知るのである。而して一九三九年度に於てラングーン港に入港せる船舶は千百十九隻、三百六十三万七千噸にして、同港を出港せる船舶は千百七十五隻、三百八十五万六千噸である。即ち同港への出入船舶は緬甸へ出入したる総船舶噸数の八五％を占めてゐる（第十表参照）。

一九三六年度より一九三八年度に至る三ケ年に於て外国貿易のため緬甸諸港に出入したる船舶の国籍別隻数並に噸数は第十一表の如くであるが、今一九三八年度に就て見るに、出入外国船舶の中第一位を占むるは英国船にして、入港船舶総噸数の六一・六％、出港船舶総噸数の六一・七を占め、之に次ぐは印度船にして入出船舶総噸数の夫々一四・四％及び一四・三％を占めてゐる。かくて緬甸船をも含めた英帝国籍の総船舶は、入港隻数に就いては一千八百二十隻、三百五十八万三千噸、出港隻数に於ては一千八百五十六隻、三百六十一万五千噸に及び、入出船舶総噸数の夫々八一・二％及び八一・五％を占めてゐる。

四〇

第八表　一九三九年度各港別貿易額百分率

港名	對印度貿易	印度以外諸國との貿易	外國貿易計	沿岸貿易	外國沿岸貿易合計
アキヤブ	四・六九%	一・〇二%	三・一八%	一三・七五%	三・七二%
モルメン	四・一九	一・八四	三・二二	六・三八	三・三八
バセーン	七・二五	〇・〇二	四・八九	〇・一四	四・六六
タボイ	〇・〇八	五・三八	二・二八	一六・九〇	三・〇二
アグイ	〇・三一	一・五九	〇・八三	一五・六〇	一・五八
チヤイピユー	〇・一二	ー	〇・〇七	一・五一	〇・一四
ビクトリアポイント	ー	一・七二	〇・〇七	〇・四九	〇・〇九
サンドウエイ	〇・一四	ー	〇・〇八	一・一九	〇・一四
右諸港合計	一六・七八	一一・五七	一四・六二	五五・九六	一六・七二
ラングーン	八三・二二	八八・四三	八五・三八	四四・〇四	八三・二八
総計	一〇〇・〇〇	一〇〇・〇〇	一〇〇・〇〇	一〇〇・〇〇	一〇〇・〇〇

第九表　出入船舶隻数並噸数調

	入港	出港
一九三六年 隻数	二、〇六九	二、〇一九
一九三六年 噸数	四、三四三、八七四	四、四〇二、五三〇
一九三七年 隻数	二、〇三四	一、九一八
一九三七年 噸数	四、二四一、七三四	四、二七二、〇六七
一九三八年 隻数	二、〇八四	二、〇九二
一九三八年 噸数	四、四〇九、五〇二	四、四三三、〇二〇
一九三九年 隻数	二、二八六	二、六〇九
一九三九年 噸数	四、三八二、〇〇〇	四、四三九、〇〇〇

第十表　港別入・出船舶隻数・噸数調

	一九三八年 入港 隻数	一九三八年 入港 噸数	一九三八年 出港 隻数	一九三八年 出港 噸数	一九三九年 入港 隻数	一九三九年 入港 噸数	一九三九年 出港 隻数	一九三九年 出港 噸数
ラングーン	一、一三三	三、六一七千噸	一、一九五	三、八三九千噸	一、一一九	三、六三七千噸	一、一七五	三、八五六千噸
アキヤブ	四四六	二七一	三八九	三一〇	五〇四	二八一	八三七	三一七
バセーン	五八	一七九	三〇	八六	五一	一六〇	三六	一〇一
モルメン	七四	一九二	三三	四九	六六	一七一	三二	三四
其他の港	三七三	一五〇	四四五	一四九	五四六	一三三	五二九	一三一
合計	二、〇八四	四、四〇九	二、〇九二	四、四三三	二、二八六	四、三八二	二、六〇九	四、四三九

第十一表　緬甸諸港入・出港船舶國籍別調

入港

國籍	一九三六年 隻数	一九三六年 噸数	一九三七年 隻数	一九三七年 噸数	一九三八年 隻数	一九三八年 噸数	一九三八年 噸数百分率
英本國	九八六	二、八一九、五九五	九一六	二、六五〇、四三七	九二五	二、七一六、四〇一	六一・六 %
印度	八一五	六九三、六八六	八七八	八一七、三二三	八一三	六三九、三七六	一四・四
緬甸	―	―	―	―	八二	二二七、二一八	五・二
英帝國合計	一、八〇一	三、五一三、二八一	一、七九四	三、四六七、七六〇	一、八二〇	三、五八三、九四五	八一・二
米國	一	三、二九九	―	―	二	七、二八三	〇・二
日本	六五	二四二、〇二四	九七	三六五、六七二	七六	二九四、二九六	六・六
独逸	四	一九、一七四	三一	一三五、二三一	三一	一三三、七〇二	三・〇
伊太利	二	六、二七四	二二	七三、一三四	三一	一〇九、二六七	二・四
和蘭	二四	四三、八六四	二四	五二、三六七	三五	九二、四一一	二・〇
瑞典	二	六、一二六	一〇	二九、三七九	一一	三二、八八〇	〇・七
諸威	二九	五六、九三四	四六	一〇三、八五七	五二	一二一、二〇七	二・七
其他	一四〇	四五二、八九八	一〇	一四、三三四	二六	三六、五一一	〇・八
外國合計	二六七	八三〇、五九三	二四〇	七七三、九七四	二六四	八二六、五五七	一八・七
総計	二、〇六八	四、三四三、八七四	二、〇三四	四、二四一、七三四	二、〇八四	四、四〇九、五〇二	一〇〇・〇

(十一の一)(巳)

（註）一九三六－三七年度印度－緬甸間を航行したる船舶の國籍は未詳に就き外國合計の中に一括計上す。

出港

國籍	一九三六年 隻数	一九三六年 噸数	一九三七年 隻数	一九三七年 噸数	一九三八年 隻数	一九三八年 噸数	一九三八年 噸数百分率
英本國	一、〇一一	二、九〇一、三九二	九一五	二、六七二、五〇四	九二六	二、七三六、六二四	六一・七 %
印度	七三七	六八八、二二五	七六六	八三四、一八九	八二二	六三七、七一七	一四・三
緬甸	―	―	―	―	八八	二四〇、六五九	五・四
英帝國合計	一、七四八	三、五四九、六一七	一、六八一	三、五〇六、六九三	一、八三六	三、六一五、〇〇〇	八一・五
米國	一	三、二九九	―	―	二	七、二八三	〇・一
日本	六三	二二四、六八一	九三	三四七、三二九	七七	二九五、五五二	六・六
独逸	七	二五、七九二	三三	一四一、七八一	三〇	一二八、九八四	二・九
伊太利	三	九、二七三	二三	七七、〇一六	三一	一〇七、〇一八	二・四
和蘭	二三	四三、九三一	二二	四七、一二八	三四	八七、九二一	一・九
瑞典	一	三、六〇五	一〇	三一、九二二	一一	三三、五四〇	〇・七
諸威	三一	六〇、八四二	四七	一〇六、〇九七	五三	一二三、九五六	二・八
其他	一四二	四八一、四九〇	九	一四、一一四	一八	三三、七六六	〇・七
外國合計	二七一	八五二、九一三	二三七	七六五、三七六	二五六	八一八、〇二〇	一八・四
総計	二、〇一九	四、四〇二、五三〇	一、九一八	四、二七二、〇六九	二、〇九二	四、四三三、〇二〇	一〇〇・〇

(十一の二)(巳)

（註）一九三六－三七年度印度－緬甸間を航行したる船舶の國籍は未詳に付き外國合計の中に一括計上す。

第十二表　港別輸出入物資輸送船舶國籍調

(イ) ラングーン港　(單位千噸)

國籍	一九三八年 輸入数量	一九三八年 輸出数量	一九三九年 輸入数量	一九三九年 輸出数量
英本國	一、〇〇五	二、二一五	九六五	二、二一四
印度	一一七	五八四	一七〇	五五八
緬甸	七	五九二	一二	七九二
英帝國合計	一、一二九	三、三九一	一、一四七	三、五六四
米國	一	三	二五	三
日本	三四	三五	四六	一五一
獨逸	四五	一三五	二二	三八
伊太利	五	五四	四	六
和蘭	三六	五三	一〇	四四
瑞典	四	一八	三	四
諾威	二三	一一二	三〇	八七
其他	一〇	四四	四八	一六
外國合計	一五八	四五四	一八八	三四九
總計	一、二八七	三、八四五	一、三三五	三、九一三

(ロ) 其他の諸港共合計　(單位千噸)

國籍	一九三八年 輸入数量	同上百分率	一九三八年 輸出数量	同上百分率	一九三九年 輸入数量	同上百分率	一九三九年 輸出数量	同上百分率
英本國	一、〇二〇	七八・〇%	二、八〇〇	五八・〇%	九七八	七二・〇%	二、七七八	五六%
印度	一一九	九・〇	八九七	一八・〇	一七二	一三・〇	九七〇	二〇
緬甸	七	一・〇	五九二	一二・〇	二	〇	一二	〇
英帝國合計	一、一四六	八八・〇	四、二八九	八八・〇	一、一五二	八五・〇	三、七六〇	七六
米國	一	〇	三	〇	二五	二・〇	三	〇
日本	三四	二・〇	三五	一・〇	四六	三・〇	一六五	三
獨逸	四五	三・〇	二一五	四・〇	二二	二・〇	七六	二
伊太利	五	〇・五	五九	一・三	四	〇・三	六	〇
和蘭	三六	三・〇	五三	一・〇	一〇	一・〇	四九	一
瑞典	四	〇・四	一八	〇・四	三	〇・二	四	〇
諾威	二三	二・〇	一二五	三・〇	三〇	二・〇	一〇五	二
其他	一〇	一・一	六〇	一・三	五八	四・五	七五八	一六
外國合計	一五八	一二・〇	五六八	一二・〇	一九八	一五・〇	一、一六六	二四
總計	一、三〇四	一〇〇・〇	四、八五七	一〇〇・〇	一、三五〇	一〇〇・〇	四、九二六	一〇〇

即ち緬甸は海上輸送に於ても亦、英帝国に依存することが甚だしく、殊に英国船舶に依存することが大となつてゐる。英国船、印度船に次では日本船の出入が多く(入出港共総噸数の六・六%)、独逸、諾威、伊太利、和蘭船が更に之に続いてゐる。欧洲戦乱の激化につれて此等諸国の船舶の出入は殆ど皆無となることが豫想せられる。米国船の出入は同年度に於ては出入船舶総噸数の僅かに〇・一%にしか達せず、緬甸海上輸送に従来殆ど寄與するところがなかつた為、最近に於て援英若くは援蒋行為の強化に関聯して、阿弗利加経由ラングーン向けの新航路の開設を企図せんと傳へられてゐることは、大いに注目の必要がある。

次に一九三八年及び一九三九年度に於て、緬甸諸港に搬入せられ、又は緬甸諸港より搬出せられたる貿易数量を、輸送船舶の国籍別に従つて表示すれば第十二表の如くである。

之に依れば(第十二表「ロ」を参照)緬甸貿易に最も寄與せるは言ふ迄も無く英国船であるが、然し乍ら三九―四〇年に於ては英国船は独伊其他の欧洲諸国船と共にその搬出入量を漸減若くは激減してゐる。これ素より欧州戦乱の影響に因るものにして、印度船及び日本船の増加に対して甚だ興味ある対照をなすものと謂はねばならない。

三、港湾設備

蘭貢は緬甸唯一の都会であり良港であるが、ラングーン河を二十一哩溯り、泥に埋れた河の岸に位置してゐる為、現在安全に航行出来るのは吃水二十六呎以下の船に限られ、一万噸以上の船舶の積荷は河口に於て艀取りにしなければならないといふ不便をもつてゐる。船舶収容能力は現在のところ三、四十隻に過ぎないが、錨地は良く、積卸起重機、倉庫も備はり、適当な労力供給と鉄道引込みにも恵まれて居り、且近来波止場も新築増設せられつゝあるから、将来の発展は期して待つべきものがある。英国は上海に於けるその勢力を奪はれて以来、本港を以て第二の上海に造り上げようと努力してゐるが如くである。

モールメンは海を距てること二十一哩、サルウィン河畔に建設せられた市街で、一つの島が工合よく防波堤の役目を果してゐる天然の波止場であるが、近来はサルウィン河から流下して来る泥土のために港が浅くなり、港としての重要性が少くなりつゝある。港湾設備も蘭貢に遥かに劣つてゐる。

バセーンは海を去ること六十哩、バセーン河の西岸に跨る港都であるが、汽船の航行が余り便利でない為、重要港としての資格を損じてゐる。ラングーンからはイラワヂ・フロテイラ会社のボートが毎日往復してゐる。

アキヤブはベンガル湾に臨む天然の良港で、その波止場は甚だ良好であるが背後地が山岳なるため物資の集まるべきものがなく、輸出港としての価値を減ぜられてゐる。然し将来鉄道によつて印度と連絡がつけば重要港となる可能性がある。

四、船会社

(一) 国内水運

国内水運は英人経営のイラワヂ・フロテイラ会社（Irrawaddy Flotilla Co.）がその運航を独占し、多数の帆船、運送船及び渡船を擁して、イラワヂ河、三角洲の諸河川及びクリークに多大の船便を提供してゐる。

(二) 外国航路

緬甸自身は外洋船舶を所有せず（外国傭船を除く）、外国航路は従つて総て外国汽船会社の運営にかゝつてゐる。主要なる外国汽船会社は次の如くである（大抵ラングーンに支店若くは代理店を設置してゐる）。

1. 英印汽船航海会社（British India Steam Navigation & Co.）（英人経営）
   (1) カルカッタ、シドニー、ニューカッスル航路
   (2) カルカッタ、ラングーン、東南アフリカ航路
   (3) カルカッタ、ラングーン、神戸航路

2. Bibby Line 汽船会社　（英人経営）
3. Henderson Line　（英人経営）
4. Ellerman Line　（英人経営）
5. Hansa Line　（独人経営）
6. Norwegian Africa & Australia Line（諾威人経営）
7. Swedish East Asiatic Line　（瑞典人経営）
   右は何れも印度—波斯湾—欧州航路
8. Bank Line　（英人経営）
9. Ellerman & Bucknall（英人経営）
   右は何れもラングーン、カルカッタ、北米東岸、又は南米西岸、及びケープタウン向け航路である。
10. Silver-Java Pacific Line（英人蘭人共営）
11. 印度—北米西岸航路
   日本郵船株式会社

12、大阪商船株式会社
何れも横浜ーカルカッタ定期航路
13、Scindia Steam Navigation & Co.（印度人経営）
印度、緬甸の沿岸航路に就航

第五、投資関係（産業事情を含む）

緬甸産業に対する投下資本額並に緬甸産業から吸収される企業利潤等を数字的に正確に明示することは、統計資料の不備に鑑み現在のところ殆んど不可能であるが、然し乍ら緬甸が英国資本の飽なき搾取に晒され、その資源が年々仮借なく剥奪されつゝあることは周知の事実である。即ち緬甸の主要生産業、交通業、金融業等は盡く英国人の独占に帰し、莫大なる利潤が其処より引出されて英国を富まし、英国人を利してゐることは殆ど疑ふ余地が無いのである。印度人や支那人は英国資本の手先として、或はその便乗者として、殊に緬甸の中小商工業に喰入り、緬甸の富をして内に蓄積せしめることなく、寧ろ外に運び出すことに寄与してゐる。斯くて緬甸の年三億留比の輸出超過も、緬甸国民の福祉には何等貢献することなく、緬甸人は単に輸出品の生産過程に於て僅少の労賃を得、或は一般筋肉労働の領域に於て糊口の資を得てゐるに過ぎない。而

もこの筋肉労働の部面に於てさへ、今や緬甸人は滔々たる下級外来者（特に印度移民）のために次第に圧迫を蒙って居るのである。

緬甸産業に於ける外来投資関係を、主要産業に関する一般事情の解明に関聯して、可能なる範囲に於て指摘すれば以下の如くである。

一、農業及林業

（一）農業

（a）概況

農業は緬甸の主要産業で住民の四分の三を支へてゐる。正味収穫可能の地域は一、六〇〇万エーカーを超ゆるものと推定せられ、その中一一〇万エーカー以上は二度の収穫が可能である。灌漑事業は給水一五〇万エーカーの広域に及んでゐる。米は世界有数の産出高を示し、其他小麦、豆類、棉花、煙草、胡麻、落花生等が主要農産物となってゐる。

（1）米

米作地面積は一千二百万エーカー、耕地全面積の六七%、緬甸総面積の四二%を占む。

主要産地	
アラカン沿岸地方	全産出高の八%
テナッセリム沿岸地方	〃　九%
西部山岳地方	一
北部山岳地方	〃　三%
乾燥地帯（マンダレー地方）	〃　一〇%
デルタ地方（下緬甸）	〃　七〇%

産出高

年平均収にて	七〇〇万ー七五〇万噸
玄米にて	五〇〇万噸見当

下緬甸地方は全産額の八五%を産出す。

輸出高及び輸出餘力

生産の五〇%即ち約三五〇万噸の輸出能力を有する。一九三九年度輸出高は三〇五万噸。

(2) 棉

産出地方　チンドウイン河下流地方及びプローム地方

耕作面積　三五万乃至四〇万エーカー

年産額　一〇万乃至一五万俵

輸出餘力　八万乃至一三万俵

（印度棉の輸出は凡そ五〇〇万俵）

(3) 落花生

栽培面積　八十四万五千三百エーカー

平均年産額十九万噸。乾燥地帯が主産地。

(4) 胡麻

栽培面積　百一万一千五百エーカー

年　産　六万五千噸、トングー及びマグウエ地方より産出す。

(5) 其他の農産物

総じて緬甸の栽培法は非科学的で、製品の標準化と販賣法の経済化を缺除してゐる。茶、桐油の如き欧洲人経営の農業に於てすら未だ試驗時代を脱してゐない狀態である。護謨の如きもその栽培面積は僅かに十万七千二百四十八エーカーにして、一九三九年度の輸出は九千九百七十噸に過ぎなかつた。

(6) 金融業者の農地兼併

緬甸対外貿易の急激なる発展は、緬甸の農業をして漸次食用作物（玉蜀黍等）から商業作物（特に米）へと轉換せしめるに至つたが、耕地の擴張に関聯して農業資本の需要が増大し、英国の併合に続いて入国した印度人金融業者が之に融資した。一九二九年の銀行調査委員会の計算に依れば、全国を通じて此等金融業者の総貸付高は七億五千万留比に上るが、農業金融はその三分の二を占め、

その中一千万留比が下緬甸の米産地に投下されてゐる。

然るに緬甸農民は此等の資金を極めて不生産的にしか使用せざりし為、遂に不経済借金の累積を来し、半世紀に亘つて土地は次第に農民から外国人にして非農業者たる不在地主の手に移行するに至つた。一九二八年に於ける下緬甸農民の所有耕地は同地方全耕地の七二・一%を占めてゐたが、一九三六年には五四・二%に減少した。上緬甸に於ても亦農民の所有耕地は同期間中に九〇%から八六・三%に減少した。かつて金融業者の所有耕地は今日では一九三〇年当時の実に四倍に達するに到つてゐる。殊にマドラス出身の高利貸チエテイヤー（Chettier）の兼併地は既に四、五億留比の巨額に達すると謂はれてゐる（農耕地の四分の一を支配）。

(二) 林　業

森林は緬甸の産業生活に於て重要な役割をなして居り、その約二千二百八万一千九百四十三エーカーの土地は登記森林によつて覆はれ、未登記のものも約九千百二十六万七千九百二十六エーカーと推定せられてゐる。政府は年々約三万一千七百七十二噸のチーク材を伐採し、個人会社としては主して孟買緬甸貿易商会及びスティール・ブラザース商会が伐採に当り、その採伐量は両者を合して四十五万二千四百九十三噸以上に及んでゐる。

他の伐採免許者に依る伐採は約四百三十六万六千七百七十二噸、薪料としては約百十六万三千六百七十九噸の伐採が推定されてゐる。政府の森林收入は年平均一千五百万留比前後で、近年はその中約四二%を林務局豫算に廻してゐる。従業員数に於て農業、機業に次ぎ当国産業中第三位を占め、直接間接合して四十二万五千人を擁してゐる。石油と共に外国資本が優勢である。

二、鉱　業

緬甸の鉱産物は石油を第一とし、錫及びウオルフラム鉱（タングステン）、銅、鉛、亜鉛等の重要戰略物資に亘つてゐる。

石油企業は英人経営の三大会社即ち緬甸石油会社、英緬石油会社及び印緬石油会社がその実権を掌握し、其他の諸鉱業は同じく英人経営の緬甸会社（Burmah Corporation Ltd.）が之を独占してゐる。緬甸会社は資本金一億八千万留比、最近に於ける配当率は六％四分の一である。

五四

（一）石　油

1、主要油田及び産油量

緬甸に於ける主なる産油地はIndaw, Yenangyat, Singu, Yenangyaung, Minbu, Tagaing, Padaukbin, Ngahlaingdwin, Yenanma等であるが、北緯二四度のIndawが最北端に位し、北緯一九度一五分のThayetmyo地域が最南を占めてゐる。主力をなすものは中央部のYenangyaung及Singu油田である。

(1) Indaw油田

緬甸中央地方の最北に位しチンドライン河上流のPantha の東南約二十二哩の地点にある。出油地域は約一六〇エーカー。一九三四年の産油量は三、〇九五、二四五ガロン。

(2) Yenangyat 油田

パユツク市の西南イラワヂ河の右岸に位す。一九三五年の産油量は三〇、四一四、七三九ガロン。

(3) Singu 油田

Myingyan地方にあつてイラワヂ河に臨むシングー市の南方約二、五〇〇エーカー。一九三五年に於て四六五の油井が掘られてゐる。同年に於ける産油量は八三、五九〇、五九〇ガロン。

(4) Yenangyaung 油田

イラワヂ河口より約二百哩、マグウエ地方Yenangyaung市の東方約二哩の地点に位す。僅か八〇〇エーカーの小地域にも拘らず一九〇〇年以来三〇億ガロンを超ゆる大産油をなしてゐることは、世界油田中稀に見る現象で現在も猶緬甸は素より印度最大の油田として著名である。産油井数は一九

五五

三五年に於て三、〇三〇と発表され、又同年に於ける産油量は一二九、八一〇、九四六ガロンである。

(5) Minbu 油田

ミンブ地方からパユツク地方に及ぶ範囲内に位す。一九三六年に於ける産油井数は三七八と謂はれるが、一般に砂地で貯油に不適当な個所が多い為、産油量は少い。一九三五年に於ては三、八〇三、九四九ガロンに過ぎない。

(6) Padaukbin 油田

Thayetmyo 地方のPadaukbinの西北部に位す。現在の産油地域は僅か二〇エーカー位に過ぎない。地層構造が余り良好でなく機械掘りに不適当である。

(7) Yenanma 油田

Thayetmyo 地方のMinhla 地域にある。現在の産油地域は僅か二〇エーカー位で、浅い個所から少量の産油があるに過ぎない。

2. 輸送方法

五六

採油地より産出油を製油所へ輸送するにはパイプライン及び船舶が用ひられてゐる。パイプラインの主要なるものは次の如くで、緬甸石油会社の所有するそれは総延長三百哩に達する。

(1) Indaw 油田よりPantha 製油所に至る延長二七哩のもの、印度緬甸石油会社所有

(2) Yenangyat, Singu 両油田間を連絡する四吋管、緬甸石油会社所有

(3) 同八吋管、同会社所有

(4) Yenangyaung 油田よりSyriam 製油所に至る延長二七五哩の一〇吋管、同会社所有

又海上輸送には主として端舟が用ひられてゐる。即ち緬甸に於ては主なる会社がラングーン附近に製油所を有してゐるので、端舟二隻が蒸汽船に牽引せられてイラワヂ河を下り各自社の精油所へ原油を輸送するのである。

3. 原油生産高

一九三〇年以降に於ける原油生産高は次の如くである。

五七

一九三〇年	二五六、五五三、〇〇〇ガロン
一九三一年	二四三、九一四、五六八　〃
一九三二年	二四七、五七〇、二九五　〃
一九三三年	二四九、〇〇〇、八九九　〃
一九三四年	二五四、七六〇、〇七〇　〃
一九三五年	二五一、三三九、〇〇〇　〃
一九三六年	二六五、五七〇、〇〇〇　〃
一九三七年	二七四、六六四、〇〇〇　〃
一九三八年	二六三、八二三、〇〇〇　〃

4、精油高

最近に於ける緬甸の精油高は次の如く年産先づ九〇万噸と見て差支無い。

（單位　噸）

	一九三四年	一九三五年	一九三六年
航空機用揮発油	七、一〇四	九、六〇七	八、七六六
モーター揮発油	二五二、七二七	二八四、九七四	二九七、二三四
燈油其他	六一〇、〇一六	五九二、一九二	六二三、五五〇
計	八六九、八四七	八八六、七七三	九二九、五五〇

尚産出原油は緬甸石油会社のシクアム及びラングーン製油所、英緬石油会社の製油所並に印緬石油会社所有の二製油所（Seikgyi及びUpper Chindwinのpantha に在り）で精製せられるが、Indaw油田の産油を處理するPentha製油所を除いては、何れもラングーン及び其の近傍に存在する。緬甸原油は品質良好で大部分は燈火用として用ひられ、燃料に供せられるものは極めて少いと謂はれる。

5、企業者の概況

緬甸の石油企業に従事してゐる会社の中有力なるものは次の三会社である。

㈠　緬甸石油会社（Burma Oil Co., Ltd.）

本社は英国政府と特殊の関係を有し印度油田の大半をその掌中に収めてゐる。∵元来年産一一〇噸内外を産出するに過ぎないので産油会社としては大きいものではないが、其資本を他の大石油会社に投下して之等に自己の勢力を扶植してゐる点に於て大会社たるの実を備えてゐるのである。即ちRoyal Dutch Groupに次く英系資本団として、又世界有数の大資本団として世界石油市場に活躍してゐる。

一八八六年創立。本社はグラスゴーに在り、倫敦及びラングーンには事務所がある。資本金二億留比（一三、五〇〇、〇〇〇磅）。配当二二％半（普通株）。

主要財産

Yenangyaung、Yenangyat及Singu油田地に於ける多数鉱區

シリアム及びラングーンの両精油所。油槽船四隻、緬甸及び印度に所在する石油関係諸工場、延長三百哩のパイプライン等。

会社は上記石油鉱区中五五平方哩中の地域は三十五ヶ年間の採掘権（期限を更新し得）を、一五〇平方哩の地域は試掘権を政府から許可されてゐる。

㈡　英緬石油会社（Britisch Burmah Petroleum Co., Ltd.）

一九一〇年八月設立。本社は倫敦。緬甸石油会社と販賣協定を結んで印度及び緬甸で活躍してゐる。

同社資産の主なるものはYenangyaing油田に於ける一六五井の地域とSingu, Minbu及Ngukaindwinの各油田地域に於ける延長一二哩余に亘る鉱業権であり、ラングーンの近くには一二五エーカー余の面積を占める大製油所もある。

資本金は現在一、五〇〇、〇〇〇磅。

㈢　印緬石油会社（Indo-Burma Petroleum Co., Ltd.）

一九〇九年二月創立。緬甸で登記せられた。本社は倫敦に在り、資本金は現在一千五百万留比で、Steel Brothers商会がその株式の六九％を占有して居る。

同社はYenangyaung油田のTwingôn及Bemé両地域に油井地を有すると共に、緬甸及印度各所に石油利権を有してゐる。其他製油所二、

油槽船一、及び大貯油所があり、又ラングーン、カルカッタ、ボンベイ及びチッタゴングの各地に配給所を持ってゐる。

(四) 其他の企業者

右の大会社の外に緬甸石油事業に関係してゐる会社（外国人経営）は十会社以上を数へてゐるが、何れも前記三会社の子会社たるか、若くは資本的支配を受けてゐるものである。

緬甸人経営の採油会社も二、三あるが、全然精製工場を持たず、採取した原油は全部緬甸石油会社に買上られ、而とその買上数量は著しく少量に制限せられてゐる。

6. 輸出高並に輸出統制

石油は年平均五七、八万噸、約一億五千万留比が輸出せられる（生産量の半分）。印度を主要市場とするが、英国に向けられるものはその東洋艦隊の重要な燃料源となってゐる。

一九三九年以来石油業法を施行し、厳重なる規定の下に輸出を監督してゐるが、英独開戦以来は更に著しい強化を見せ、原則として印度以外の港への石油の輸出は之を禁止してゐる。

(二) 錫鉱

主要産地はカレニー及びテナッセリム地方。

産出量

一九三六年 四、五四六噸（四七〇〇千留比）
一九三七年 四、六三六〃
一九三八年 四、四一二〃

緬甸の錫生産高は世界総生産量の三・四%を占め、又英帝国内総生産高の七%余に当る。

(三) 鉛及鉛鉱

主要産地はシャン王国ボードウィン鉱山。

鉛産出量

一九三六年 七三、一五五噸
一九三七年 七七、六六八〃
一九三八年 八〇、二〇〇〃

鉛鉱産出量

一九三六年 九〇、九〇〇〃
一九三七年 九一、二〇〇〃
一九三八年 八七、六〇〇〃

(四) ウオルフラム鉱（タングステン鉱）

主要産地はタボイ、メルボー、カレニーの諸地方。

年産出量は四乃至五、〇〇〇噸、英帝国全産出高の八四・一五%を占む。支那に次いで世界第二の産額を誇る。

第十三表 金属鑛物産出高及輸出高

	産出量 一九三六年	産出量 一九三七年	産出量 一九三八年	輸出量 一九三七年 (噸)	輸出量 一九三七年 (千留比)	輸出量 一九三八年 (噸)	輸出量 一九三八年 (千留比)
鉄鉱	二六、三一六噸	二五、四二六噸	一八、〇五〇噸				
亜鉛鉱	六一、三〇〇	五八、六〇〇	五四、九〇〇				
亜鉛				一、五三六	五、一〇二	一、三三三	三、六八八
銅鉱	四、〇〇〇	三、七〇〇	三、五〇〇				
銅				一四六	二、二五〇	一三一	一、四六八
タングステン鉱				一〇、一四七	二〇、〇四一	一〇、六九〇	二〇、四一〇
タングステン	四、五五二	四、四九八	五、三四二				
ニッケル鉱	一、二九二	一、二四一	九四四				
コバルト	五、九一〇	五、四九五	四、〇三四				

(註)、タングステン鉱にはウオルフラム及錫の混合物鉱を含む。

(五)　其他の鉱産物

金銀、銅、ニッケル、クローム、アンチモニー、鉄等は埋蔵量は相当豊富であるが、概して能率の上がらぬ原始的採掘方法が用ひられ、従つて産出量は比較的少なく、而も搬出の困難に悩まされてゐるものが多い（第十三表）。

三、商業

緬甸の貿易及び国内大商業は何れも英国人に独占せられ、中小商業は印度人及び支那人に侵蝕せられてゐる。緬甸は殆ど無資本で発展の余力に乏しく、僅かに仲介業者として印度人商業者等に依存してゐるに過ぎない。

英国の Steel Brothers 商会は商業部門に於ても有力なる地歩を占めてゐる。

四、工業

緬甸の工業は未だ発達の初期に在り、全工場は最近の調査に依つても僅かに一、〇四八に過ぎない。

その中五割以上は精米工場で約六四〇、七分の一は製材工場（二〇〇）、其他は繰綿工場、落花生の搾油工場、印刷工業、製氷及び炭酸水素に関する機械工場である。

近代的工業と目せられるものは主として英国人の経営にかゝる（精油、製材、製鉱其他の採掘業等）。

印度人、支那人は精米所、セメント、紡績及びマッチ工業に進出してゐる。

日本綿花株式会社は棉産地に繰綿工場を三個有し、精米所二個を所有してゐる。

緬甸人は家内工業の領域に於て僅にその地歩を保つてゐるに過ぎない（アマラプーラの絹織物其他の機織、銀細工品、チーク材木彫、パガンの漆器、バセーン及びマンダレーの洋傘等の土産品）。

五、交通、運輸

緬甸の国内交通は主として河川と鉄道とによつてゐる。

(一)　河川

イラワヂ、シッタン、チンドウイン、サルウインの諸河川が交通路として大いなる役割を果してゐる。

イラワヂ河は約九百哩上流に至るまで、二百噸前後の船が遡江出来る。チンドウイン河も雨季にはイラワヂ河に合する所から三百二十哩上流のホマリン迄ボートの通行が可能である。

サルウイン河は二百哩上流迄百噸位の船が遡江出来る。

此等の諸川は乾燥期には減水して航行が不便となるのを免れない。

デルタに於てはクリークが道路の役割を果してゐる。而して之等の諸川並にデルタの水運がイラワヂ・フロティラ会社によつて独占せられてゐることは既に述べた如くである。

(二)　鉄道

緬甸の鉄道は総延長二千五十九哩で、主要鉄路はラングーン＝マンダレー間、マンダレー＝ミトキーナ間、ラングーン＝プローム間及びペグー＝アルターバン間の諸線である。鉄道は国有であるが、印度より分離の際譲渡せられた関係上、その収益金の大部分を対印債務の弁済に当てねばならない状態となつてゐる。

河川、鉄道の外に自動車路が約三千五百哩の延長を有してゐる。

(三)　航空路

内国に於ける航空路は現在二條に過ぎぬが、緬甸は国際空路の発着地として重要視せられてゐる。即ち英系のインペリアル航空路及び和蘭のK・L・Mは週三回、仏系のエール・フランセは週二回此地を通過する。

最近支那の昆明とラングーンとの間に航空路が開設せられたのは、無論援蒋ルートの一翼としての意義を有するものである。

六九

七〇

第六　国際金融関係

一、通貨制度

緬甸は一九三七年四月より政治的に印度から分離したが、分離に先立ち両国政府は両国分離後の貨幣制度関係調整に関して一箇の協定を締結し、緬甸分離後少なくとも三年間両国の通貨及為替は引続き之を印度準備銀行の管理に委ね以て現在状態の攪乱を最小限度に抑制せんとすることに協力した。

印緬分離して今や既に四年を経過したが、右の條約は未だ廃棄せられず、従つて金融に関する限り、緬甸は今以て殆んど印度と同体であると見て差支へない。即ち緬甸は未だ独特の中央銀行を樹立することなく、印度準備銀行をして中央銀行的機能を司らしめてゐる。又緬甸総督は緬甸の貨幣政策、通貨及び鋳貨を直接管制する権限を自らの内に留保してゐるが、事実上は依然として印度の通貨並びに金融政策に追随してゐるに過ぎない。かくて緬甸の金融を語ることは自ら印度の貨幣、為替、銀行を語ることゝなり、本来独立の観察対象とはなり得ないのであるが、今便宜上一應その主要事項に就いて略述すれば左の如くである。

(一)　貨幣

1、貨幣の名称

留比（十六アンナ）。アンナ（十二パイ）。パイス（四分の一アンナ即ち三パイ）

2、貨幣の種類

硬貨と紙幣（旧紙幣と銀行券）の二種。

a、硬貨

金貨　無し、旧金貨は地金として売買せられるのみ

銀貨　一留比、半留比、四分の一留比

七一

白銅貨　四アンナ、二アンナ、一アンナ

銅貨　一パイス、一パイ

b、紙幣　旧政府紙幣と銀行券あり、何れも五、十、五十、百、五百、一千、一万留比の七種

銀行券は印度準備銀行のみが之を発行。

3、法貨　緬甸に於ける法貨は次の如し。

a、緬甸紙幣　在緬甸（蘭貢）印度準備銀行発行の銀行券

b、印度紙幣　印度政府発行の旧紙幣及び在印度準備銀行発行銀行券

c、印度留比銀貨及び補助貨幣

4、本位貨幣

緬甸は現在銀本位国ではなく、銀本位から金本位となり、又銀本位に帰り、次に金塊本位から金為替本位と変遷し、遂に一九三一年九月英国の金本位制離脱と共に「ペーパー・スターリング」即ち英国紙幣磅へリンクするに至つた。現在準備銀行は一般に法貨の提供に対し、一留比に付英貨電信為替一

七二

志五片、六四分の四九を売り、又要求次第法貨を提供して英貨電信為替一志六片、一六分の三を買ってゐる。斯くて緬甸（従って印度）の本位制度は為替本位とも謂ふべき性質のものとなってゐる。従って緬甸の本位貨幣は抽象的に言へば印度留比、具体的に言って留比銀貨（一留比及び半留比）である。

(二) 為替

対英為替が総ての対外決済の準備となることは言ふ迄もない。

対英為替は政府が準備銀行をして一留比に対し一志六片、一六分の三にて買ひ、一志五片、六四分の四九にて売らしめ、結局一志六片を基準として一般の需給に応じ、之をコントロールしてゐる。

対日為替は印度為替と日英為替の裁定により決定せられる。大体七〇乃至八〇留比が日本の一〇〇円に相当する。

七三

二、金融機関

中枢的金融業務を始め一般有力金融業は印度をはじめ総て諸外国系金融機関の掌握するところである。

(一) 印度系銀行

1、印度準備銀行（Reserve Bank of India）

一九三四年三月公布の印度準備銀行法により創設せられたる中央銀行にして、一九三五年四月より開店、孟買、カルカツタ、デリー、マドラス、蘭貢の五ケ所に店舗を備へ、半官半民組織の株式会社である。対政府銀行業務の外、発券業務、通貨安定工作、金融統制、手形再割引等を行ふ。一般銀行は其の預り金残高の一定割合に当る金額を此準備銀行に準備預ケ金として預け入れる義務を負ふてゐる。

公称資本金　五〇、〇〇〇、〇〇〇留比

七四

発券流通高　二、三六六、三〇六、七三八留比

（一九三九－四〇年度）

2、印度帝国銀行（Imperial Bank of India）

準備銀行創設以前は中央銀行的なる地位を占めて居り、其割引率は常に印度全体の金利の基準をなした。今は其地位を準備銀行に譲り、完全なる一有力商業銀行として存在する。従来の有力なる州立銀行の合併により成立した銀行である。

公称資本金　一一、二五〇〇、〇〇〇留比

3、印度銀行（Bank of India）

公称資本金二千万留比。蘭貢に支店を設く。本店は孟買に在り。

(二) 外国系銀行

英国系銀行を主とし、米国、佛国、和蘭系等、印緬を通じ十九行に及ぶ。主として為替業務を取扱ふが、国内一般銀行業務にも発展せるものがある。何れ

七五

も蘭貢其他に支店を設く。

a、英国系銀行

1、ナシヨナル・バンク・オブ・インディヤ（National Bank of India）

本店倫敦、公称資本金四百万磅

2、ロイヅ・バンク（Lloyds Bank）

本店倫敦、公称資本金七三、三〇二、〇七六磅。

3、マーカンタイル・バンク・オブ・インディヤ（Mercantile Bank of India）

本店倫敦、公称資本金三百万磅。

4、チャータード・バンク・オブ・インディヤ（Chartered Bank of India）

本店倫敦、公称資本金三百万磅。

b、米国系銀行

七六

1、ナショナル・シティー・バンク・オブ・ニューヨーク（National City Bank of New York）
本店紐育。公称資本金七千七百五十万弗。

c、和蘭系銀行
1、ネーザランド・バンク（Netherland Bank）

d、支那系銀行
1、中国銀行
2、交通銀行

e、日本系銀行
1、横浜正金銀行
孟買、カルカッタ、カラチ、蘭貢に支店を設く。
2、三井銀行、台湾銀行は緬甸には直接支店を持たないが、孟買に在って活躍す。

其他外国銀行にはトーマス・コック銀行、バルタザー・エンド・ブラザース

七七

銀行、スコット・カムパニー、ドークン銀行等がある。

(三) 其他の金融機関

以上の外国銀行の外に国内に於ける「株式銀行」「共済組合制度」「土地抵当銀行」等も亦金融機関として相当の役割を果して居り、殊に一般民間の金融機関として、印度人高利貸チェティヤー（Chettier）の営む「フンデイ割引」及び「動産及不動産見返り金融」は、国内金融上に侮り難い勢力を持っておる。

三、借款

緬甸は英国の植民地であり、その事業資金は主として英国政府若くは英国人の直接投資の形態に於て調達せられる。而も緬甸政府は直接外国と借款契約をなす権限を有しない。かくて緬甸には支那に於けるが如き対外借款は現在存在してゐない。唯印度との間には一九三七年四月以来の政治的分離の結果として

七八

財産分離の必要が生じ、その為約六億留比に近い対印債務が緬甸側に残されるに至った。この額は緬甸にとっては勿論必ずしも小額とは謂ひ難く、殊にその大部分が鉄道評価額によって占められてゐることは注目に値する点である。

緬甸の対印債務

対印債務総額	五九五、六四〇、三〇〇留比
内緬甸鉄道評価額	三五〇、一〇〇、〇〇〇〃
内印度政府恩給債務中緬甸分担金	七八、〇三九、三〇〇〃

七九

第七、経済戦略点の指摘

緬甸は英国の重要植民地にしてその東方第二国境線を結成し（第一国境線はシガポール）、又支那に対する英米の軍事的経済的進出の重要ルートを構成してゐる。然し乍ら本邦はその地理的近接性に於て英米に比して絶対有利の立場を占めて居るが故に、武力的乃至軍事的に之を制圧することは比較的容易であらう（南支基地、佛印基地の利用。又泰国基地の獲得を先決條件とす）。

唯、政治的経済的には英国勢力が今尚絶対優位を占め、之を壊滅し之を敗退せしむることは一朝一夕の努力のみでは到底不可能である。要は本邦の経済的実力を養ひ、貿易、投資等を通じて漸次その地方を鞏固にすると共に、緬甸国民の親日傾向を益々助長し、その反英独立運動を愈々激化せしめ、之をして皇国本然の使命たる八紘一宇の大精神に合致せしむるべく指導援済することが何よりも肝要である。緬甸に対する政治的・思想的且宣傳的工作の基調は総て茲

八〇

第十四表　緬甸主要戦略資源一覧表

資源名	生産　生産高	生産　主要生産地	生産　比率（%）	輸出　輸出高	輸出　輸出先	輸出　比率（%）
米（玄米）	五、〇〇〇千瓲 （平均）	デルタ地方 乾燥地帯 テナッセリム沿岸地方 アラカン沿岸地方 北部山岳地方	七〇 一〇 九 八 三	三、〇四九千瓲 （一九三九－四〇年）	印度 セイロン 海峡植民地 日本 其他	六二・〇 一三・〇 四・〇 四・〇 一八・〇
石油	二六三、八二三千瓲 （一九三八－三九年）	エナンジャン油田 シング油田 エナンボアト油田	四八 三二 一二	一九五、三六六千瓲 （一九三八－三九年）	印度 海峡植民地	九九・九
鉛塊	八六、六〇〇瓲 （一九三八－三九年）	シャン聯邦州（ボードウイン鉱山）、		八一、三五九瓲 （一九三八－三九年）	英本國 印度 日本 其他	六二・〇 八・〇 一七・〇 一四・〇
ウォルフラム鉱（タングステン）	四、六九一瓲 （一九三九－四〇年）	タボイ州 アグイ州 カレニー州		四、六九一瓲 （一九三九－四〇年）	英本國 佛國 米國 独逸 伊太利 其他	六八・〇 六・六 五・二 四・五 三・八 一・九

に在りと謂はなければならない。而して対緬甸工作が我が南方政策の一環であることは茲に改めて説く迄も無いであらう。

緬甸が印度経済に多大の寄与をなしてゐることは上来既に述べ来つたところであるが、従って之を抑へることは印度を制圧する所以であり、それは更に直接英国経済の大動脈の一を切断することゝなるのである。

今主要戦略物資に就き英国及び印度を中心としてその対緬依存関係を摘記すれば即ち第十四表の如くである。

其六　英領マレー篇

（英領北ボルネオを含む）

英領マレー篇

目次

一

二

三

マレー資源地圖

附屬主要統計表

四

五

六

（マレー）

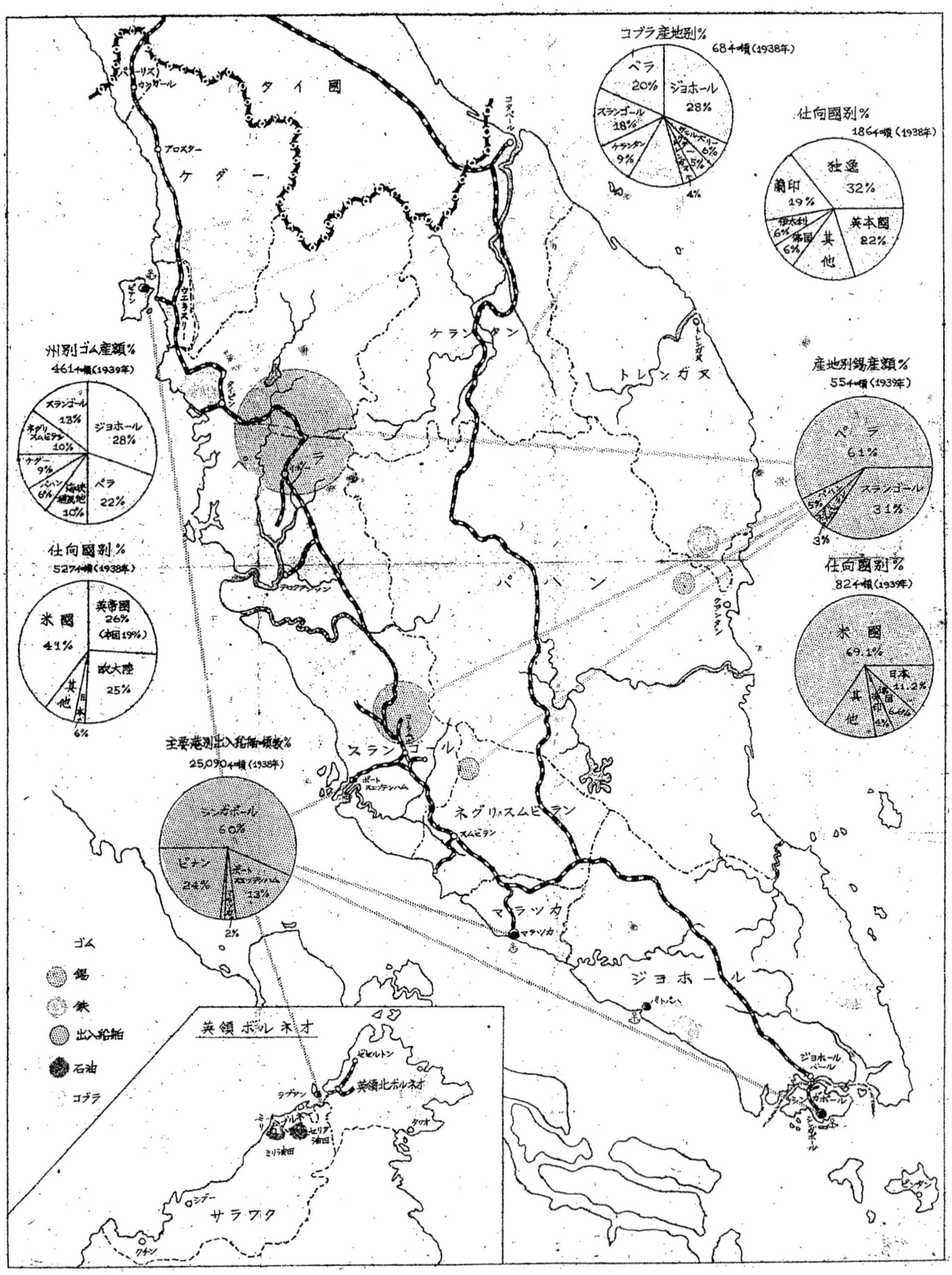
コプラ産地別%
68千噸(1938年)
ペラ 20%
ジョホール 28%
スランゴール 18%
ケランタン 9%
4%
仕向國別%
186千噸(1938年)
独逸 32%
蘭印 19%
英本國 22%
伊太利 6%
佛國 6%
其他
タイ國
ケダー
アロスター
ピナン
ウエルスリー
ケランタン
トレンガヌ
ペラ
パハン
クアンタン
州別ゴム産額%
461千噸(1939年)
スランゴール 13%
ジョホール 28%
ネグリスムビラン 10%
ケダー 9%
パハン 6%
海峡殖民地 10%
ペラ 22%
仕向國別%
527千噸(1938年)
米國 41%
英帝國 26% (本國19%)
欧大陸 25%
其他
日本 6%
産地別錫産額%
55千噸(1939年)
ペラ 61%
スランゴール 31%
5%
3%
仕向國別%
82千噸(1939年)
米國 69.1%
日本 11.2%
其他
スランゴール
ポートスエッテンハム
ネグリスムビラン
スムビラン
主要港別出入船舶噸数%
25,090千噸(1938年)
シンガポール 60%
ピナン 24%
ポートスエッテンハム 13%
2%
マラッカ
ジョホール
ジョホールバール
シンガポール
ビンタン
ゴム
錫
鉄
出入船舶
石油
コプラ
英領ボルネオ
英領北ボルネオ
ラブアン
ミリ油田
セリア油田
シブー
サラワク
クチン

第一　英領マレーの概観

一、自然的地理的條件

（一）英領マレーの範囲

一般には海峡植民地、マレー聯邦州、マレー非聯邦州を指稱するも嚴密にはなほボルネオ島のサラワク、ブルネー、ラブアン、英領北ボルネオ及ココス島、クリスマス島等の英帝國所領を包含する。以下便宜上サラワク王國及び北ボルネオ会社に統治されてゐる英領北ボルネオを分離して取扱ふ。

（二）面　積

總面積五三、一九六平方粁、日本の約五分の一に当る（第一表）。

（三）気　候

海岸性熱帯の気候特徴として一定の高温、高湿度と驚くべき降雨量が多い。気温は一年を通じて大差なく大体八〇度前後の間にある。たゞ当地方は季節風帯にあるため冬季の北東季節風と夏季の南西季節風に影響されるところが多い。

（四）地　勢

マレー半島は地形上一般に平坦、河川は小なるも水路に富んでゐる。海岸線は延長二千粁に達しジョホール州に於いて最も発達してゐるが東海岸には良港なく且つ強風に災され又西海岸は一般に泥床をなしてゐる。たゞ海峡には島嶼が散在し良港を擁してゐる。

（五）人　口

英領マレーの人口は一九三一年の國勢調査の当時総数四三八五、三四六人であつたが、これに基いて算定した結果は一九三八年末に於いて五、二三八、九五九人

一

二

第一表　英領マレーの面積及人口（一九三一年）

地方	面積 平方哩	人口 総数	人口 男	人口 女
海峡植民地				
シンガポール	二八一・五	五五九、九四六人	三五三、七四八人	二〇六、一九八人
クリスマス島				
コヽス島				
ピナン（註）	四一〇	三五九、八五一（註）	二〇八、三〇七	一五一、五四四
マラッカ	六四〇	一八六、七一一	一〇五、〇八三	八一、六二九
ラブアン	三五	七、五〇七	三、九四三	三、五六四
計	一、三六六・五	一、一一四、〇一五	六七一、〇八〇	四四二、九三五
マレー聯邦州				
ペラ	七、九八〇	七六五、九八九	四六四、七五一	三〇一、二三八
スランゴール	三、一六〇	五三三、一九七	三二七、四一四	二〇五、七八三
ネグリスムビラン	二、五八〇	二三三、七九九	一四八、三八一	八五、四一八
パーハン	一三、八二〇	一八〇、一一一	一〇五、五〇八	七四、六〇三
計	二七、五四〇	一、七一三、〇九六	一〇四六、〇五四	六六七、〇四二
マレー非聯邦州				
ジョホール	七、三三〇	五〇五、三一一	三二三、四一三	一八一、三九八
ケダー	三、六四〇	四二九、六九一	二三七、八三一	一九一、八六〇
パーリス	三一〇	四九、二九六	二六、〇二七	二三、二六九
ケランタン	五、七五〇	三六二、五一七	一八四、七〇五	一七七、八一二
トレンガヌ	五、〇五〇	一七九、七八九	九二、三五四	八七、四三五
ブルネー	二、二〇〇	三〇、一三五	一五、四二三	一四、七一二
計	二四、三〇〇	一、五五六、七三九	八七九、七五三	六七六、九八六
総計	五三、一九六・五	四、三八五、三四六	二、五九八、〇二三	一、七八七、三二三

（註）プロヴィンス・ウエレスリー・ディンディンスを含む。

で一平方哩九八人强に当る（第一表）。

（註）　一九三九年末に於ては五、三四七千人、一平方哩当り約百人なり。

人口構成——英領マレー半島の人口内容について最も注目すべきはその種族的構成にある、即ちマレー半島は俗に人種博覧会の異名ある如く多数異民族の集合地帯であり、一九三一年國勢調査人口総数について見るもマレー人四五％、支那人三九％、印度人一四％、欧洲人〇・四％を始め極めて雜多な種族構成をなしてゐる（第二表、第三表）。

而して支那人は海峡植民地及マレー聯邦州に、マレー人は非聯邦州に、印度人は聯邦州に特に多く、うち所謂華僑を除き大多数は農業に従事する。これを階級的構成から見れば彼等は一様に欧洲人の支配下にあり経済的にその搾取の対象となつてゐる。欧洲人中政治的支配者である英人は人口数最も多く同地の官公吏たるの外一般に金融、商業、栽培業、鉱山業の資本提供者又は事業管理者である。

次に注目すべき点はその特異なる人口動態である、即ちマレー人口は本世紀の初頭より僅か三十年にして殆ど二倍に増加したがその異常なる膨脹はゴム栽培業及鉱山開発による移民の流入に基づくもので、彼等は大半出稼人であるため從つて男女数の烈しい不均衡もマレー人口構成の一特徴である（第一表）。マレー人口のかゝる増加傾向については現在すでに飽和状態に達しつゝあると見る向が多い。

なほ日本人は一九四〇年現在約六、四〇〇人で大部分は新嘉坡に住み一部は半島に於てゴム栽培、鉄鉱山及満俺等の採掘に従事してゐる。

第二表　英領マレーの國籍別人口表

國籍別	人口数（單位千人）	総人口に対する％
欧洲人	一七・八	〇・四
欧亜人	一六・〇	〇・四
マレー人	一、九六二・〇	四四・七
支那人	一、七〇九・四	三九・〇
印度人	六二四・〇	一四・二
其他	五六・一	一・三
計	四三八五・三	一〇〇・〇

二、社會的歴史的條件

(一) 沿　革

英領マレーの沿革は迂余曲折を経て侵攻せるイギリス勢力の拡大史に外ならずそれ自身イギリスの植民政策の性格を物語るものである。以下にまづその年代記を摘要する。

一七八六－九年　ケダーより彼南島英人に割譲せらる。
一八〇〇年　ケダーよりプロヴィンス・ウエレスリー割譲。
一八一九年　ジョホール王との協約に依つてマラッカを漫得、ラッフルズ、ジョホール王と條約を締結して新嘉坡を取得す。
一八二四年　英・蘭條約により新嘉坡、マラッカに於ける英國の主権を認めらる。
一八二六年　ペラよりパンコル島とスムビラレ諸島を割譲。
一八三七年　海峡植民地新嘉坡を政治中心地と定む。
一八四六年　ブルネーのサルタンよりラブアン島を割與。
一八六七年　海峡植民地、印度事務省の管轄より植民省に移管。
一八七三年　ペラ英國の保護下に入る。
一八七四年　スランゴール英國の保護を受く、ディンディンス割與。
一八八五年　ジョホールの保護並に指揮を條約により規定。
一八八六年　ココス島英國の領有となる。

第三表　英領マレー人口の地方別百分比（一九三一年）

地方別	欧洲人 %	欧亜人 %	支那人 %	マレー人 %	印度人 %	其他 %	計 %
海峡植民地							
シンガポール	一・五	一・三	七四・九	一一・八	九・一	一・五	一〇〇
ピナン	〇・四	〇・七	四九・一	三三・〇	一六・一	〇・七	一〇〇
マラッカ	〇・二	一・一	三四・九	五一・〇	一二・四	〇・四	一〇〇
ラブアン	〇・三	〇・五	三〇・一	六六・六	一・八	〇・七	一〇〇
計	〇・九	一・〇	五九・六	二五・六	一一・九	一・〇	一〇〇
マレー聯邦州							
ペラ	〇・三	〇・二	四二・四	三五・六	二〇・八	〇・七	一〇〇
スランゴール	〇・五	〇・四	四五・三	二三・一	二九・二	一・五	一〇〇
ネグリ・スムビラン	〇・四	〇・三	三九・五	三七・三	二一・四	一・一	一〇〇
パハン	〇・二	〇・一	二九・〇	六一・四	八・二	〇・八	一〇〇
計	〇・四	〇・二	四一・五	三四・七	二二・二	一・〇	一〇〇
マレー非聯邦州							
ジョホール	〇・一	〇・一	四二・六	四六・四	一〇・一	〇・七	一〇〇
ケダー	〇・一	－	一八・三	六六・六	一一・八	三・二	一〇〇
パーリス	－	－	一三・二	八〇・八	二・〇	四・〇	一〇〇
ケランタン	－	－	四・九	九一・二	一・九	二・〇	一〇〇
トレンガヌ	－	－	七・四	九一・五	〇・八	〇・三	一〇〇
ブルネー	〇・二	－	八・九	八九・六	一・三	〇・一	一〇〇
計	〇・一	－	二一・四	六九・六	七・二	一・七	一〇〇

（註）南洋叢書第三巻、一二頁による。

一八八七年　ネグリスムビランなる一聯邦構成せられ英人知事の管理に入る。
一八八八年　パハン英國の保護を受く。
一八八九年　クリスマス島英國領となる。
一八九五年　ペラ、スランゴール、ネグリスムビラン、パハンの四州聯盟條約によりマレー聯邦を形成。
一八九六年　海峡植民地総督、マレー聯邦統監となる。
一九〇九年　ケランタン、トレンガヌ、ケダー、パーリス等の諸州盤谷條約により英國の保護領となる。
一九一四年　ジョホールに英人総務顧問を置く。
一九二三年　新嘉坡に海軍根據地設定に決す。
一九三三年　地方分權制採択に決定。
一九三四年　ディンディングズ、ペラ州に復帰。
一九三五年　マレー聯邦総務長官制廃止。

八　七

（イ）海峡植民地

英國のマレーとの史的関係は一六〇〇年英王が東印度商会に対し十五ケ年間有效の勅許状を下附した時に始まり、こゝに当時東洋の商權はすでにこの方面に進出せる和蘭、葡國と英國との三者の相争ふところとなつた。

マラッカ　十六世紀初頭葡國人アルベケルケはマラッカを占領し西欧人として最古の東洋侵略據点たらしめた。爾来一世紀以上マラッカは葡國人によつて占められたが一六四一年より一七九五年まで和蘭人が葡國人を駆逐してこれを領有した。然るにこの間印度を根城に東進した英人は遂に一七九五年同地を蘭人より奪取し一八一八年一度び和蘭にこれを還したが更に一八二四年のロンドン條約により東洋植民地に於ける英蘭両國の支配分野の最後的決定を見るに及び改めてマラッカは英國の領有に帰した。

檳榔島　一七八六年英東印度会社はケダー酋長より年額六、〇〇〇弗を代償として檳榔島割譲に成功しマレー半島に対する最初の據点を築いた。更に一八〇〇年英國は年額一〇、〇〇〇弗に増加することにより対岸のウェレスリーを同じく奪取、当時の競争者和蘭の勢力に割込んだ。かくて前記年代記の示す通りマレー半島をめぐる重要地帯は悉く英國の領有に帰することとなつた。

なほ一八四六年ブルネイ土侯より割譲を受けたラブアンは一八八九年迄独立直轄領として統治されたが、後英領北ボルネオ会社にその行政を移管され、一九〇五年海峡植民地総督がラブアン総督を兼ねたが、超えて一九〇七年海峡植民地に合併され新嘉坡の一部に加へられたものの一九一二年再びこれより独立することとなつた。

(ロ) マレー聯邦州

ペラ、スランゴール、ネグリ・スムビラン、パハンの四州よりなるマレー聯邦州は一九世紀初頭より近隣の英植民地と通商し一八七四年いづれも英人顧問を聘するに至り、一八九五年聯邦を組織し更に一九〇九年聯邦議会を構成した。一九三三年英國の地方分権政策によりかなりの自治権を與へられた。

九

(ハ) マレー非聯邦州

マレー非聯邦州はマレー半島のジョホール、ケダー、ケランタン、トレンガヌ、パーリス、及びボルネオ島のブルネーよりなる。これら各州はマレー聯邦州と同じく早くより英植民地と通商し次第にその保護下に入つた。

(ニ) 政　治

英領マレーの行政区分は直轄植民地たる海峡植民地、保護領たるマレー聯邦州及び其他の諸州である。

海峡植民地は新嘉坡、彼南、ウエレスリー、マラッカ、ラブアン、クリスマス島、ココス島よりなり、その行政組織は総督と之を補佐する参議会及び立法議会より構成されるが実権は総督にある。

マレー聯邦州はペラ(ヘディンディンを含む)、スランゴール、ネグリスムビラン、パハンの四州よりなり英國の保護國として聯邦を形成し総監は海峡植民地総督これを兼ね、地方行政は形式上各州サルタンの支配下にあるも実質上は

一〇

英人知事の手中にある。

マレー非聯邦州はジョホール、ケダー、パーリス、ケランタン、トレンガヌ、ブルネーの各州に分れ総監は海峡植民地総督の兼務、州内行政は土侯サルタン又はラジヤが英人顧問の指揮下にこれを行つてゐる。

一一

第二　英領マレーの外國貿易

一、英領マレーの外國貿易の特色

英領マレーは英國の原料植民地として英本國重工業の商品市場たると同時に一面ゴム、錫の如き特産原料品の輸出地である、従つてその外國貿易構成は先進國に対する原料品の輸出と、輸出の大小に應ずる先進國の工業商品輸入である。

英領マレーはその特殊なる地理的環境より東洋に於ける一大仲継貿易地となり、その純貿易を超える仲継貿易によつて特殊な商業利潤を獲得してゐる。

英領マレーの外國貿易は近代工業の対象たるゴム(世界総生産額の約四〇%)錫(世界総生産額の約三五%)の主要産地として第一次欧洲大戦後飛躍的に発展した。即ち戦後一九二〇年の貿易総額は戦前一九一三年のそれに比し約二倍

一二

半に達した（第四表）。

英領マレーの外国貿易は世界経済の波動に対し無防衛的なる原料植民地の常として輸出原料品の世界市場に於ける價格変動に依つて著しく影響づけられ、原料商品の消費減退、價格下落は直ちに輸出貿易面に反映し、これが更に輸入面に作用してその大さを制約する、卽ちマレー外國貿易の盛衰はゴムと錫の需要と價格の大小に拘束される。

英領マレーの外國貿易を系統的に見れば、再輸出のための蘭印物産の輸入、再輸出を含む米國へのゴム・錫の輸出、英國、日本よりの日用品の輸入、在住移民の消費を目的とする支那及印度よりの多額の雑品類の輸入を主軸としてゐる。

二、貿易総額

英領マレー対外貿易の変化を知るためいま前大戦直前の一九一三年以降一九四〇年に至るまでの貿易総額を示せば第四表の通りである、卽ち英領マレー対外貿易は前大戦の刺激を受けて飛躍的に増大したが一九二六年度を最頂として爾来下向線を辿り、其の後世界恐慌の苦吟を経て一九三四年より再び上向線を辿り一九三七年度は輸入六億七千九百万（海峡）弗、輸出入億九千七百万弗差引出超二億一千七百万弗を記録し、総額に於いて十五億七千七百万弗に達した。而して翌三八年度は前年に比し四億二千万弗の激減を示したが今次欧戦勃発とともに再び好調に復し三九年度は輸入六億二千四百万弗、輸出七億七千九百万弗、出超一億二千五百万弗総額十三億七千三百万弗と何れも前年の比を遥かに超へ、一九四〇年に入つて輸入八億二千七百万弗輸出一一億二千七百万弗総額一九億五千四百万弗（出超三億弗）と飛躍的上昇をなした、これは当領輸出貿易が今次欧洲戦のため欧洲市場を失つたに拘らずゴム・錫に対する合衆國の需要激增によつてその輸出高價額共に記録的昂騰を見たためで、もし平時であれは非常な好景気に見舞はれたであらうが、ゴム、錫以外の産物が比較的市價安であつたこと、取引に於ける戦時制限が加はつたこと、労賃及輸入物資價額が

昂騰したことのために阻止された、従つてゴム・錫関係業者と一部軍需関係業者を除く一般の平和企業活動は却つて窮屈に曝されマレー戦時経済の跛行性を物語つてゐる。

こゝで英領マレー貿易について注意すべきはマレー貿易は上記の如く通常出超を呈するを特色としその額は概ね一億弗を下らないがこの出超額が政府の対外支弗、公社債利弗、及投資配当、さらに華僑の本國送金等に充当されるものでこの対外受弗関係が同地の為替相場に重大関聯を有し、もし輸出貿易が不振を来すときはこの対外收支バランスが破れ、為替の逆調乃至対内的不況に見舞はれるのである。

第四表　英領マレーの外國貿易趨勢（單位　千海峡弗）

年次	輸入	輸出	出超額	総額
一九一三年	四七九、四五五	三八八、九三〇		八六八、三八五
一九二〇年	一、二七〇、二一二	一、〇二四、〇四六		二、二九四、二五八
一九二二年	五八七、八七一	五四三、〇九三		一、一三〇、九六四
一九二四年	六六六、六九三	七二五、〇八五		一、三九一、七七八
一九二六年	一、〇五〇、一一二	一、二七三、四七四	二二三、三六二	二、三二三、五八六
一九二八年	八七九、五〇五	八五二、〇二六	△二七、四七九	一、七三一、五三一
一九二九年	八九八、五六八	九三一、一二九	三二、五六一	一、八二九、六九七
一九三〇年	七一六、一一六	六七一、二一四	△四四、九〇二	一、三八七、三三〇
一九三一年	四五七、六一七	四二九、八二八	△一七、七八九	八八七、四四五
一九三二年	三八〇、三七八	三六六、三〇一	△一四、〇七七	七四六、六七九

一九三三年	三五八、二一五	四〇一、七九一	四三、五七六	七六〇、〇〇六
一九三四年	四六七、一五六	五六六、六四五	九九、四八九	一、〇三三、八〇一
一九三五年	四七五、四八八	五八一、九六三	一〇六、四七五	一、〇五七、四五一
一九三六年	五〇三、〇二四	六二七、七六二	一二四、七三八	一、一三〇、七八六
一九三七年	六七九、九一三	八九七、二二一	二一七、三〇八	一、五七七、〇三四
一九三八年	五四六、六一〇	五六九、三一五	二二、七〇五	一、一一五、九二五
一九三九年	六二八、一四一	七五〇、一九四	一二五、〇〇〇	一、三七八、三三五
一九四〇年	八二七、二二七	一、一二七、一七九	二九九、九五二	一、九五四、四〇六

（註）一九一三－三六年の分は東亜經済調査局編南洋叢書第三巻二二一頁所載。

一九三七－三八年の分は東洋貿易研究第十九巻第二号所載、馬来対外貿易統計細目報告による。

一九三九年の分は第五表参照。　一七

一九四〇年、馬来対外貿易統計。　一八

△　本表には金銀貨及地金銀を含むも小包郵便物を除外す。

三、主要國別貿易總額

英領マレーに於ける貿易を相手國別に見ると一九三九年度に於いてまづ輸入面では蘭印の三〇・九%を筆頭に泰國一六・七%、英本國一四・四%、日本七・九%、サラワク五・六%の順となり、輸出面では米國四二・九%、英本國一〇・八%、日本八・五%、蘭印、佛蘭西各々五・四、五・六%で米國の比重が圧倒的である。一九三七－三九年の最近三ケ年に於けるその主要相手國別輸出入表を示せば第五表を得る。

更に英領マレー外國貿易総額に於ける各主要國別百分比を示せば第六表の如くで、これまた米、蘭印、英國、タイ國、就中前二者の比重が絶対的である。即ち一九三九年度についてこれを見るに米國二四・七%、蘭印一七・一%、英

第五表

英領マレー主要國別輸出入表（總貿易）　（單位 百万海峡弗）

國名	一九三七年 輸入		一九三七年 輸出		一九三八年 輸入		一九三八年 輸出		一九三九年 輸入		一九三九年 輸出	
蘭印	二四・三	三二・四%	三五・五	三・九%	一五二・二	二七・四%	四〇・九	七・一%	一九四・三	三〇・九%	四〇・九	五・四%
英國	二〇八・二	一五・七	一〇〇・二	一一・一	一〇二・三	一八・四	八二・一	一四・二	九〇・八	一四・四	八一・一	一〇・八
タイ國	九四・一	一三・六	一四・四	一・六	八七・九	一五・八	一五・七	二・七	一〇五・五	一六・七	一四・四	一・九
ビルマ	二八・九	四・二	四・〇	〇・四	二五・一	四・五	三・五	〇・六	二五・〇	四・〇	三・〇	〇・四
支那	二七・六	四・〇	七・一	〇・六	二三・九	四・三	三・二	〇・六	三・〇	〇・四	〇・三	—
サラワク	三三・七	四・九	一一・五	一・三	二四・一	四・三	八・八	一・五	三五・三	五・六	一〇・八	一・四
米國	一五・九	二・三	三八八・九	四四・二	一七・一	三・一	一七二・八	二九・八	一八・三	二・九	三二一・九	四二・九
印度	一七・四	二・五	二四・五	二・七	一六・三	二・九	二一・三	三・七	一八・二	二・九	二六・四	三・五
佛印	一三・四	一・九	一・一	〇・一	一四・七	二・六	一・五	〇・三	一七・五	二・七	二・〇	〇・三
濠洲	一四・五	二・一	三一・三	三・五	一三・一	二・四	二六・七	四・六	一七・四	二・七	二〇・八	二・七
日本	四〇・五	五・八	六〇・七	六・七	一二・四	二・二	五三・九	九・三	一二・四	一・九	六四・二	八・五
独逸	一三・三	一・九	二九・四	三・三	一一・二	二・〇	一八・二	三・一	八・一	一・三	七・一	〇・九
フランス	三・三	〇・五	六九・九	七・七	三・一	〇・六	四三・五	七・五	三・〇	〇・四	四二・〇	五・六
其他	五七・一	八・二	一一六・四	一二・九	五一・六	九・五	八七・五	一五・一	一〇七・四	一七・七	一六二・二	二二・〇
計	六九三・二	一〇〇・〇	九〇三・九	一〇〇・〇	五四六・〇	一〇〇・〇	五六九・六	一〇〇・〇	六二八・一	一〇〇・〇	七五〇・一	一〇〇・〇

（註）本表は主として三井物産本店業務部資料発行参考記事摘要別号三（昭和十五年九月二十三日）、々（同冊一二三頁）。

第六表　英領マレー貿易総額の主要國別百分比（単位百万弗）

國名	一九三九年 総額	一九三九年 %	一九三八年 総額	一九三八年 %	一九三七年 総額	一九三七年 %
米國	三四〇	二四・七	一九〇	一七・〇	四一五	二六・三
蘭印	二三五	一七・一	一九三	一七・三	二六〇	一六・五
英國	一七二	一二・五	一八五	一六・五	二〇八	一三・二
タイ國	一二〇	八・七	一〇四	九・三	一〇九	六・九
日本	七七	五・六	六六	五・九	一〇一	六・四
サラワク	四六	三・三	三三	二・九	四五	二・九
フランス	四五	三・三	四七	四・二	七三	四・六
印度	四五	三・三	三八	三・四	四二	二・七
濠洲	三八	二・七	四〇	三・六	四六	二・九
支那	三〇	二・一	二七	二・四	三三	二・一
ビルマ	二八	二・〇	二九	二・六	三三	二・一
佛印	二〇	一・四	一六	一・四	一五	一・〇
独逸	一五	一・〇	二九	二・六	四二	二・七
其他	一六二	一一・八	一一九	一〇・六	一五五	九・八
計	一、三七三	一〇〇・〇	一、一一六	一〇〇・〇	一、五七・七	一〇〇・〇

（註）英領マレー貿易統計による。

本國一二・五%、タイ國八・七%、日本五・六%で今次大戦勃発の前年一九三八年度に比し米國は実に七、七%の飛躍を遂げ、これに反し英本國、独逸、佛蘭西は何れも激減を示してゐる。それは今次大戦勃発以来マレー当局が採つた厳重な貿易統制によること大である。即ち為替の維持、主要戦略物資の貯蔵確保及びそれらの價格保持を主眼として枢軸側非スターリング地域との貿易を極度に制限又は禁止した。その結果マレー貿易の合衆國市場への依存度は急激に倍加され一九四〇年の対米輸入は三八、〇三七千海峡弗で前年に比し一一〇%増、輸入総額八二七、二二七千海峡弗中四・五%に達した。この額はもし近隣地域からの再輸出品を除外すれば英帝國に次ぐものである。同年に於ける英帝國よりの輸入額は前年に比し三〇%増、遂に対欧大陸輸入額は四〇%減であつた。

（註）一九四〇年マレーの対南阿輸入額は九〇%、対加奈陀輸入額は六〇%増加した。

ところでマレーの輸入貿易は一九四〇年に於いて極端な貿易統制策と欧洲市

一九

場の喪失にも拘らず前年に比し三〇%の増加を示したがその増加分は主として再輸出向ゴム・錫が近隣生産地より増加搬入されたゝめで、それに対して一般消費材物資と國防用物資の輸入は何ら増加しなかつた。

二〇

次に同年に対する輸出貿易を見るに総額一、一二七、一七九千海峡弗（前年比五〇%増）中対米輸出額は五九一、九三一千海峡弗（五二%）で前年に比し八五%増であつた。これは全くゴム錫の輸出増加に負ふものであつて第二義的物産たるコプラ、ココ椰子油、サゴ粉、パイ罐等を主とする欧大陸市場は三四%減を示してゐる。たゞ同年前半に於いて対佛輸出は一八%を増し又同年に於ける対英帝國輸出は特にカナダ、豪洲向が実質的に増加してゐる。

（註）数字は米商務省貿易週報一九四一年四月十九日号による。

四、英領マレー貿易のブロック別百分比

英國マレーの外國貿易を各ブロック別に検討すると第七表に示す如く一九三

九年度に於いて輸入では英帝國ブロック三二・七%、米洲ブロック二・九%、英國を除く欧洲二%、東亜圏五二・八%となり、輸出では英帝國二七・五%、米洲四二・九%、欧大陸八・一%、東亜圏一六・六%、これを今次大戦勃発前の一九三八年に比較すれば英帝國及欧大陸は何れも激減を示し、逆に米洲の特に輸出に於ける進出実に目醒ましいものがある。これは云ふまでもなく前者が戦争の重圧に災されて東洋への商路を閉されたことに起因し、後者は欧洲に対する戦争需要と軍備拡張に刺激されて英領マレーを始めとする南洋地域に特産するゴム・錫等の如き重要原料を大量に買付したることを意味するものである。

しかしてこれを現実の世界情勢の動向に照して所謂英米ブロック対枢軸ブロックに分けて見ると英米の占むる比率は七〇・四%に上る。

二一

第七表　英領マレー貿易の各ブロック別百分比

國名	一九三六年 輸入	一九三六年 輸出	一九三七年 輸入	一九三七年 輸出	一九三八年 輸入	一九三八年 輸出	一九三九年 輸入	一九三九年 輸出
A、英國ブロック								
英本國	一五・二%	八・八%	一五・六%	一一・一%	一八・四%	一四・一%	一四・四%	一〇・八%
英領諸國	一六・六	一四・八	一七・四	一三・六	一八・〇	一七・六	一八・三	一六・七
A計	三一・八	二三・六	三三・〇	二四・七	三六・四	三一・七	三二・七	二七・五
B、米ブロック								
米國	一・八	四六・四	二・三	四四・二	三・〇	二九・八	二・九	四二・九
アルゼンチン				〇・六		〇・五		
B計	一・八	四六・四	二・三	四四・八	三・〇	三〇・三	二・九	四二・九
C、欧ブロック	四・七	一二・〇	四・九	一五・六	五・四	一五・五	二・〇	八・一
D、東亜ブロック								
日本	六・四	七・六	五・八	六・七	二・二	九・三	一・九	八・五
支那	?	?	四・〇	〇・六	四・一	〇・六	〇・四	〇・五
タイ國	?	?	一三・六	二・六	一五・八	二・七	一六・七	一・九
佛印			一・九	〇・一	二・六	〇・三	二・九	〇・三
蘭印	二一・八	六・一	三二・四	三・九	二七・四	七・一	三〇・九	五・四
D計	三八・二	一三・七	五七・七	一三・九	五二・一	二〇・〇	五二・八	一六・六
其他	二三・五	四・三	二・一	一・〇	三・一	二・五	九・六	四・九
合計	一〇〇・〇	一〇〇・〇	一〇〇・〇	一〇〇・〇	一〇〇・〇	一〇〇・〇	一〇〇・〇	一〇〇・〇
A＋B	三三・六	七〇・〇	三五・三	六九・五	三九・四	六二・〇	三五・六	七〇・四

二二

二三

（註）一九三六年は三菱経済研究所編「太平洋に於ける経済関係」中より、一九三七－三八年は馬来貿易統計報告書より、一九三九年は馬来貿易研究第十九巻第十二号十二頁より採る。

二四

五、主要商品別構成

(一) 概説

英領マレー対外貿易を商品の種類別に概観するとまづ第八表の如く一九三八年度に於ける貿易内容は輸出入総額で食料品二億二千六百万弗（二〇%）、原料品四億六千万弗（四一%）、完成品四億三千万弗（三九%）に分類されその各輸出入絶対額に於いては原料輸出額の三億二千六百万弗を主位に完成品輸入額の二億四千七百万弗がこれに次いでゐる。この傾向は英領マレーの各年の対外貿易についても看取し得るところで原料植民地としての同地域の経済的地位を如実に物語るものである。

而して右表中食料品に含まれる主なる輸入品は米、バター、砂糖、塩、乾魚檳榔子、パン粉、肉類、麦粉、煙草、酒等であり輸出品は米、檳榔子、塩、乾魚、パイ罐、サゴ粉、煙草、タピオカ粉、胡椒、砂糖等である。

次に原料品に含まれる主要輸入品はゴム、錫鉱、コプラ、石炭、豆油、ジエルトン等、輸出品はゴム、錫鉱、コプラ、鉄鉱、パーム油、ココ椰子油、ジエルトン、石灰、籐などがある。

完成品に属する主要商品目としては

輸入品――石油、機械類、液体燃料、潤滑油、発動機油、自動車、綿織物、人絹織物、鉄及製品、セメント、錫板、医薬、化学肥料等

輸出品――錫、石油、発動機油、液体燃料、自動車、綿織物、人絹織物等である。

これら品目中ゴム、錫、コプラ、鉄鉱、パーム油、サゴ粉、タピオカ粉、パイ罐、乾魚、檳榔子などは英領マレーの主要物産であり、同品目商品にして輸出入両面に重複してゐるのは同地が仲継貿易地として再輸出向商品を多量に集散するためである（第九表参照）。

第八表　英領マレー國別類別貿易（百万海峡弗）

	食料品 輸入	食料品 輸出	原料 輸入	原料 輸出	完成品 輸入	完成品 輸出	計 輸入	計 輸出	総計
一九三八年									
英本國	二八	七	〇	六四	七四	一〇	一〇二	八一	一八八
英領諸國	四一	二五	二四	二七	三四	四六	九九	九八	一九七
其他諸國	九七	二八	一一〇	二三五	一八九	一二七	三四六	三九〇	七三六
合計	一六六	六〇	一三四	三二六	二四七	一八三	五四七	五六九	一、一一六
総計	二二六（二〇%）		四六〇（四一%）		四三〇（三九%）		一、一一六（一〇〇%）		
一九三七年									
英本國	二九	一〇	一	七三	七六	一五	一〇六	九八	二〇四
英領諸國	四四	二七	四〇	四〇	三四	五三	一一八	一二〇	二三八
其他諸國	九六	二八	一八七	四四〇	一七三	一一一	四五六	六七九	一、一三五
合計	一六九	六五	二二八	五五三	二八三	一七九	六八〇	八九七	一、五七七
総計	二三四（一五%）		七八一（四九%）		五六二（三六%）		一、五七七（一〇〇%）		

次に個々の主要商品についてこれを検討すればまづ輸入貿易では一九三八年度に於いて総額五億四千七百万弗のうち、ゴム七千四百万弗（一九三七年一億四千万弗）を筆頭に、米五千三百万弗、発動機油四千五百万弗、錫及錫鉱三千万弗、鉄及鉄製品二千二百万弗、機械類二千百万弗、液体燃料一千九百万弗、綿織物一千八百万弗、煙草一千七百万弗、石油一千六百万弗、自動車及部分品一千二百万弗、砂糖、ミルク類各一千万弗強、コプラ七百万弗、其他では米以外の穀物一千二百万弗、ビール其他飲食物四千六百万弗、石炭等があり、しかしてこれらのうち南洋地域の特産物として世界市場に送り出さるべきゴム（一三・六%）錫（五・五%）コプラ（一、三%）石油・液体燃料（六・四%）、米（九・九%）等を含む再輸出向原料商品群の輸入総額中に占める比率の大であることは屡説の如く注目すべきところである。

輸出貿易では同じく一九三八年度に於いて総額五億六千九百万弗中ゴム二億七千万弗（四七・九%）を大宗として錫九千六百万弗（一六・九%）、発動機油三千五百万弗（六・二%）、コプラ一千二百万弗（二・三%）、米一千三百万弗（二・四%）、獣脂油一千二百万弗、石油一千二百万弗（何れも二・二%）液体燃料八百万弗、乾魚、鉄鉱石、パイ罐各七百万弗、椰子油五百万弗等で当地の代表的輸出特産物たるゴム、錫、コプラの三品目だけで輸出総額の実に六七%を占めてゐる。

さらにこれら主要商品についておの〳〵主要仕向國別、来源地別状況及生産状況を見れば次の如くである。

(二)　ゴム

第九表　英領マレー貿易の主要商品別百分比（単位百万海峡弗）

Ⅰ　輸入

品名	一九三六年	一九三七年	一九三八年	一九三八年の総額に対する％
ゴム	九四・八	一四三・五	七四・三	一三・六
米	四三・〇	四七・八	五三・八	九・九
発動機油	三六・八	四九・二	四五・八	八・四
錫鉱	三〇・七	四二・六	三〇・一	五・五
鉄製品		二九・二	二二・七	四・一
機械類	一〇・七	一七・三	二一・〇	四・〇
液体燃料	一七・一	二二・五	一九・三	三・五
綿織物	一四・五	二二・一	一八・四	三・四
煙草	一五・六	一八・九	一七・九	三・三
石油	一四・〇	一三・〇	一六・〇	二・九
自動車	六・一	一五・三	一二・六	二・三
砂糖	七・七	九・〇	九・九	一・八
ミルク類	七・九	一〇・二	九・九	一・八
コブラ	一〇・八	一四・〇	七・〇	一・三
其他	一九三・三	二二五・四	一八七・九	三四・四
合計	五〇三・〇	六七九・九	五四六・六	一〇〇・〇

（九の二）（マレー）

Ⅱ　輸出

品名	一九三六年	一九三七年	一九三八年	一九三八年の総額に対する％
ゴム	三〇三・二	四八五・〇	二七三・〇	四七・九
錫	一四一・四	一八九・八	九六・三	一六・九
発動機油	二七・五	三七・八	三五・五	六・二
コブラ	一九・一	二二・八	一二・五	二・二
米	一〇・八	九・九	一三・四	二・四
獣脂油		一四・八	一二・三	二・二
石油	一〇・四	九・七	一二・二	二・二
液体燃料	五・七	七・九	八・三	一・五
乾魚	七・〇	六・九	七・五	一・三
鉄鉱石		七・一	七・四	一・三
パイン罐	八・七	八・八	七・三	一・三
椰子油	七・八	七・八	五・七	一・〇
其他			七七・九	一三・六
合計	六二七・八	八九七・一	五六九・三	一〇〇・〇

（九の二）（マレー）

英領マレーのゴム年産額は世界栽培ゴム総生産額の約五〇％を占め、英領ボルネオ及サラワク王國の生産額を加算すれば一九三八年四〇一・四千噸、一九三九年は英領マレー生産額四六一千噸、世界総生産額は一、〇〇一・九千噸であつた、その大要は次表に示す如くである。

第十表　世界ゴム生産高（単位千英噸）

	一九三六年	一九三七年	一九三八年	一九三九年
英領マレー	三五二	五〇三（四〇・二％）	三七〇・八（四二％）	四六一（四六％）
セーロン	四九	六九	一七	－
サラワク	二一	二五	一七	－
蘭印	三〇一	四二六	三〇六	－
英領ボルネオ	八	一三	九	－
佛印	四〇	四三	五八	－
其他、合計	八一三	一、一三三	八九〇・七	一、〇〇一・

第十一表　世界ゴム消費高（単位千英噸）

	一九三七年	一九三八年	一九三九年
米國	五四三、一（五〇・一%）	四一一（四五・三%）	五七七（五三・五%）四
英國	一一二・〇	一〇三・〇	一二五・四
カナダ	二四・〇	二五・〇	三二・〇
濠洲	一八・〇	一二・八	一六・〇
独逸	九六・五	八七・〇	七二・〇
佛國	六一・〇	五九・〇	六二・〇
伊太利	二三・〇	二五・〇	二二・〇
日本	六〇・〇	四六・〇	四四・〇
其他総計	一、〇八三・二	九一一・三	一、〇七八・七

三〇

しかしてゴムは当領輸出品の大宗として通常輸出総額の四〇―五〇%を占め錫と共に当領経済に最も重要な影響力をもつてるが特に今次大戦勃発後この二大特産物に対する需要激増によつてその輸出貿易に占める比重は益々大きくなつた。最近に於ける当領ゴム輸出高は次の通り

	数量	價格
一九三八年	五二 万噸	二七〇 百万弗
一九三九年	五五・三	三七四
一九四〇年	七七・三	六二九・六

（註）合衆國商務省貿易週報今年四月一九日号に依れば一九四〇年一―一一月のゴム・錫両品の輸出高は前年同期に比し七五%増、当領輸出総額の八〇%以上に上つた（前年は七一%）。

三一

即ち一九四〇年のゴム輸出総額は近隣からの再輸出額二二万噸を含めて七七二、七三〇噸で前年比四〇%増、又平均價格も約二一%上廻り輸出價格は前年の三六四、一四〇、八四〇海峡弗より六二九、五九〇、六〇〇海峡弗に達した（六八%増）。

（註）海峡弗対米弗比價は一九三九年、一海峡弗＝〇・五一七米弗、一九四〇年、一海峡弗＝〇・四七米弗である。

ゴムの輸入

一九三八年中に於けるゴムの輸入額は一五六千噸（七四百万弗）でそのうち九〇%は乾燥ゴム、一〇%は湿潤ゴムであつた。最近五年間に於ける輸入量は次の通りである。

一九三四年	二一一、〇〇〇噸
一九三五年	一七五、〇〇〇〃
一九三六年	一六八、〇〇〇〃
一九三七年	二一三、〇〇〇〃
一九三八年	一五六、〇〇〇〃
一九三九年	二七七、八五一〃
一九四〇年	二三四、三一九〃

三二

最近に於ける主要輸入来源地別百分比を示すと、

来源地別百分比

	一九三七年	一九三八年	一九三九年
蘭、印	六五%	五一%	五三%
タイ國	一五	二六	二二
サラワク及北ボルネオ	一五	一四	一七
佛印、ビルマ其他	五	九	八
合計	二一三千噸	一五六千噸	一七八千噸

三三

で蘭印よりの輸入額が年々過半を占めてゐる。

ゴムの輸出

一九三八年中に於けるゴム輸出額は五二七千噸（二七三百万弗）でこれを仕向地別に百分比すれば左の通りである。

仕向地別百分比

	一九三七年	一九三八年	一九三九年	一九四〇年
米國	五四%	四一%		
欧大陸	二一	二五		
英本國	一二	一九		
英領諸國	六	七		
日本	五	六		
其他諸國	二	二		
合計	｜	五二七千噸	五五三千噸	七七二千噸

三四

かくの如くマレーゴムの主要市場たる合衆國の地位は圧倒的で一九三八年の四一%より一九四〇年には五七%に飛躍してゐる。これは今次欧戦後米政府が貯蔵用として大量買付をしただけでなく民間業者も争つて買占めたためであり、更に英國軍需供給者が対米綿ゴムバーター協定の結果としてゴム買付を行つたによる。

（註一）　合衆國は戦時不足物資又は戦時緊急物資の輸入確保のために、これら物資中代表的なるゴム・錫が英領及英勢力圏内にあるところから英國と協調する方策をとりまづ英國と棉花ゴムバーター協定を結んで八五、〇〇〇噸を確保し、更に一九四〇年七月ゴム貯蔵会社を設立して國際ゴムカルテル（英勢力が支配的）との間に一〇一一五万噸を同年末迄に買付け、その後これを一八万噸に増加する第二次協定を結んだ。

三五

（註二）　一九四〇年英領マレーのゴム・ストックは合計三一、二一〇噸でその内訳は取引業者一八、三四七噸、港湾倉庫三、四一二噸、其他九、四五一噸であつた。

（註三）　英領ボルネオ一九三六—三九年の輸出貿易平均額一、一五〇万海峡弗中ゴム輸出額六四〇万海峡弗（五五・八%）である。

（註四）　一九四〇年に於ける英領マレーの各港湾別ゴム輸出量は次の通り（マレー貿易統計）。

新嘉坡	五二六、三八一噸
彼南	一六〇、四〇三〃
ブエッテンハム	八四、二二八〃
マラッカ	一、七五五〃
合計	七七二、七六七〃

（註五）　國際ゴムカルテルはゴム需要の激増に伴ひ國際ゴム限産協定による輸出割当率を次の如く引上げた。

一九三八年	五五・〇〇%
一九四〇年	八三・七五〃
一九四一年第一四半期	一〇〇・〇〇〃

三六

ゴムの栽培形態

英領マレーの農地総面積四九八万エーカー中ゴム園面積は三二八万エーカー（六六%）を占め、これを各州別、栽培規模別に表示すれば、

英領マレーのゴム園面積（一九三五年末）

	海峡植民地	聯邦州	非聯邦州	計
小園	一二五、六八八エーカー	五三九、七六〇エーカー	五〇七、四三九エーカー	一、一七二、八五六エーカー（三六・七%）
エステート	二〇七、五二五	一、〇四〇、〇〇〇	七七四、四四三	二、〇二一、九六九（六三・三%）
計	三三三、二一四	一、五七九、七六〇	一、二八一、八八二	三、一九四、八五六（一〇〇・〇%）

三七

でその産額はマレー輸出貿易の大宗となつたが前大戦当時急激に発展した結果、却つて一九二〇年以来極度の苦境に襲はれ政府は所謂スティヴンソン計畫を樹てゝ輸出調節を企てたが、失敗に帰し一九二八年同計畫を廃棄、更に一九二九年の世界恐慌に遭ふに及び一九三四年六月より國際ゴム制限協定を実施するに至つた。

しかし最近世界的軍拡時代が現出するとともにゴム價は次第に立直りその生産高は前表の如く一九三六年の三五二千噸から一九三九年四六一千噸に増加した。

その栽培形態はエステートと小園に分れる。エステートは次表の如く主として欧洲人経営による百エーカー以上の大規模栽培植経営を謂ひ、小園は主に支那人又は土人経営による百エーカー以下の小規模栽培地を指す。

所有者別エステート面積（エーカー）

	海峡植民地	聯邦州	非聯邦州	合計
欧人	一二九、二三〇	八四九、七七七	五〇六、〇七八	一、四八五、〇八五（七四）%
支那人	六三、一六六	一二二、五二八	一六六、三二六	三五一、九二〇（一七）
印度人	一三、二一九	五三、一三二	三〇、四五一	九六、八〇二（五）
其他	一、九一一	一四、五六三	七、六八八	八八、一六二（四）

次に小園面積は全面積一、四一七、三七七エーカー（内十九三七年現在切付休止面積三三一、〇九五エーカー）でその各州別百分比は、

ペラ	二三%	ペナン・ウエレスリー	四%
スランゴール	一三〃	シンガポール	二〃
ネグリ・スムブラン	一〇〃	ジヨホール	二八〃
パハン	六〃	ケダー	九〃
マラッカ	五〃		

しかしてエステート、小園の生産高比率は次の如く一九三八年に於いてエステート六七・九%、小園三二・一%である。

エステート小園別ゴム生産高（単位　噸）

	エステート	%	小園	%	合計	%
一九三七年	三一四、六五八	六二・五	一八八、四六九	三七・五	五〇三、一二七	一〇〇・〇
一九三八年	二四五、二二〇	六七・九	一一四、六七八	三二・一	三六〇、八九八	一〇〇・〇
右内訳						
マレー聯邦州	一二九、七二八	六九・四	五四、三三〇	三〇・六	一八四、〇五八	一〇〇・〇
海峡植民地	一九、一九三	六六・〇	九、九〇六	三四・〇	一九、〇九九	一〇〇・〇
マレー非聯邦州	九七、二九九	六六・五	五〇、四四二	三三・五	一四七、七四七	一〇〇・〇

かくの如く英領マレーのゴム栽培に於いてエステートの地位が年々大を加へてゐるが殊に國際ゴム制限カルテルを実施して以来、強力なる欧洲資本をバックとするエステート経営形態が生産合理化を楯に資力なき土人の小園経営をますく圧迫してやがて自己の隷属下に置くに至つたことを注目すべきである。

（三）錫

錫鉱の輸入　一九三八年中に於ける錫鉱輸入額は次表の如く二七・七六五噸（三〇百万弗余）であつた。

左表の如く輸入錫鉱中その大半はタイ國より輸入せられ、これらの錫鉱は後述の如く当領新嘉坡及び彼南に於いて精錬せられ、世界市場に輸出又は再輸出される。

錫鉱輸入来源地別表（単位千噸）

	一九三六年	一九三七年	一九三八年	一九三九年	一九四〇年
泰國	一七・六	二二・二（七一%）	一八・九（六八・二%）	二二・九（五四%）	—
ビルマ	四・二	四・三	四・四（一六%）	五・一	—
佛印	二・三	二・四	二・五（九%）	二・一	—
日本	〇・六	〇・九	〇・八	—	—
蘭印	—	—	—	一〇・二（二四%）	—
南阿聯邦	一・二	〇・六	〇・二	〇・二	—
其他合計	二六・九	三一・一	二七・七	四二・六二四	六二・三五二

錫の輸出　一九三九年中に於ける精錬錫の輸出額は総額八万二千噸（註）うち六九%は米國で、これは全年中の米國錫消費高の約七五%に相当してゐる、いま一九三七年より全四〇年までの輸出錫仕向國を表示すれば次の通りである（単位千噸）。

（註）一九四〇年中に於ける輸出高は一三〇、九三〇噸にして前年に比し四八、八四六噸（五九%）を激増し價額も二億八千万弗（八〇%増）そのうち合衆國市場は前年の六九%から七八%に上つた。

第十二表　錫輸出仕向國別統計（単位千噸）

	一九三七年	一九三八年	一九三九年	一九四〇年
米國	六四・四	三六・六	五六・七（六九・一%）	一〇二・一（七八%）
日本	五・一	八・五	八・三（一一・二%）	
英國	七・三	四・二	〇・五	
佛國	四・四	三・九	五・四（六・六%）	
印度	二・八	二・六	三・三	
伊太利	二・九	二・五	一・二	
和蘭	一・四	一・一	〇・七	
其他合計	九三・一	六一・一	八二・〇八九	一三〇・九三

（註）三井物産業務部資料課参考記事摘要別号其三（一六、八、二三）。

錫の採鉱

英領マレーは世界一の産錫國として世界産量の三一四〇%を占め、國際錫カルテルの割当標準噸数に於いても次の如く第一位にある。

國際錫委員会による割当標準噸数（一九三八年）

マレー	七一、九四〇噸	（四三・四%）
ボリヴィア	四六、四九〇〃	
蘭印	三六、三三〇〃	
ニゼリア	一〇、八九〇〃	
合計	一六五、六五〇〃	

一九三七、八、九年に於ける領内産額はそれぐ七・七、四・三、五、五万噸で採鉱能力は年一〇万噸に達すといはれる。

（註）一九四〇年領内産錫輸出額八四七五一噸で同年國際錫カルテルの輸出割当より四二八〇噸少かつた。しかし一九四一年前半期から更にこの

割当が増大し、休止鉱区や新鉱区が開発又は増加された。錫鉱労働者は二三％、企業活動は二六％増加した。

錫鉱産地（附図参照）

主なる錫鉱産地はペラ、スランゴール、東部パハン、ネグリセムビラン、ジヨホイル州でケランタン、トレンガヌ州にも小規模鉱区がある、就中ペラ州のキンタ鉱区は世界的大鉱区である。一九三五年度におけるマレー聯邦内各州錫鉱生産高を見ると左の通りである。

ペラ	四二〇、八〇〇擔	（六一・三％）
スランゴール	二一三、一七九〃	（三一・一％）
ネグリセムビラン	二一、四八二〃	（三・一％）
パハン	二九、七六一〃	（四・五％）
計	六八五、二二二〃	（一〇〇・〇％）

錫の採鉱様式

英領マレーに於ける錫鉱業の開発は支那人の努力にまつところ極めて多く第一次世界大戦前まではその産額の八〇％までが支那人の手中にあつた。然るにその後錫の世界的需要増大するとともに支那人の旧式小規模採鉱法に代り欧洲人経営会社の近代的採鉱法が進出し年産額の六八％は彼等欧洲人の支配下にある。錫鉱会社は一九三八年現在一一四社に及ぶがこれらは勿論大半が欧洲人（特に英國人）資本の支配に服し、就中パハン・コンソリデーテッド会社は世界最大を誇り、その他ペタリング錫会社、南部マレー錫浚渫会社、南キンタ・コンソリデトテッド会社等が代表的である。

次に英領マレーの錫鉱は通常七二－七五％の純分を包含し、現行採掘方法も極めて雑多である。その主なるものは次の六種である。

浚泥式採鉱法――欧人会社の採用せるものでその産量最も大である。

砂礫洗滌法――多く支那人が採用する。

水力採鉱法――自然水圧、人工水圧、無圧力法の三種あり広く用ひら

れる。

竪坑式採鉱法

砂質地に於ける塹濠法

椀掛け法

（註）一九三四年現在マレー聯邦内に活動せる桝槽浚渫船は一二〇台で中ペラ州七〇台、スランゴール州三九台、ネグリスムビラン州一〇台、パハン州一台であつた。

錫の精錬

英領マレーに於ける錫の精錬は採鉱と経営を異にしその大半が新嘉坡及び彼南に於いて行はれる、一九三八年中マレー聯邦州に於いて精錬されたのは僅かに一四〇噸（三七年三一八噸）に過ぎなかつた。

しかして代表的なる錫精錬会社は新嘉坡の海峡商事（註）彼南の東方精錬二社で前者は六万噸、後者は三万噸の各年産能力を有する。現に両社は東南洋各地

の錫鉱を輸入精錬してをり、最近に於ける精錬高は一九三六年八・四万噸、一九三七年九・五万噸、三八年六・三万噸、三九年八・二万噸であつた。

なほマレー錫鉱の将来性については、可能採掘量百万噸前後とも見られ遠からず資源枯渇を来す虞ありと云はれる。

（註）新嘉坡には同社の外に Ban Hock Kim 会社がある。

（四）コプラ

輸入高――一九三八年中のコプラ輸入量は一一八千噸（七百万弗）で輸入相手國は蘭印九〇％其他諸國一〇％であつた。

輸出高――一九三八年中のコプラ輸出高は一八六千噸（一二百万弗）でその主要相手國百分比を示すと

独逸	三二％	伊太利	六％
英本國	二二％	一佛國	六％
蘭印	一九％	其他	一五％

また領内純輸出量は六八千噸（五百万弗）であつた。

(五)　ココ椰子油

輸入高ー一九三八年

總額　五二〇〇噸　三六三千弗

相手國別百分比

蘭領ボルネオ	五三％
ジャワ	二％
比島	四〇％

輸出高ー一九三八年

總額　五〇、〇〇〇噸　五、六四七千弗

主要相手國別百分比

英領印度	三八％
英本國	二六〃
エジプト	七〃
ビルマ	七〃
スマトラ	六〃
其他	一六〃

ココ椰子の栽培

ココ椰子はコプラをとる樹であり、土民に食料、飲料、燃料、建築材料を供給する有用樹である。馬来産ココ椰子は六四ー六六％の椰子油を含有する。

ピナン、ウェルズリー、ペラ、スランゴール、ジョホール、ケランタン、諸洲の海岸平野地帯に多く産し、最近にては相当大規模のエステート栽植面積を有する。一九三五年現在に於ける植栽面積を地方別に示すと次の通りである（海峡住民地馬来聯邦農務局年報）。

ココ椰子地方別植付推定面積表（一九三五年）

單位　英反

地方別	百英反以上農園	百英反以下農園	合計
ペラ	五二、三四五	六三、八一一	一一六、一五六
スランゴール	三七、五九〇	七二、六二二	一一〇、二一二
ネグリセムブラン	一、〇六九	四、九二〇	五、九八九
バハン	二、八四二	一四、四四六	一七、二八八
馬来聯邦州合計	九三、八四六	一五五、七九九	二四九、六四五
シンガポール	ー	ー	八、三六〇
マラッカ	ー	一三、三四〇	一三、三四〇
ウェルズリー	一七、五九八	一九、二二三	三六、八二一
ピナン	ー	ー	一〇、〇四五
ラブアン	ー	三、四二二	三、四二二
ブルネー	ー	一、三七〇	一、三七〇
クリスマス島	ー	一九	一九
海峡植民地合計	ー	ー	七三、三七七
ジョホール	八、三〇〇	一六六、七八五	一七〇、〇八五
ケダー	八五三	二八、二一八	二九、〇七一
パーリス	ー	三、八二九	三、八二九
ケランタン	ー	五七、二七一	五七、二七一
トレンガヌ	ー	二五、〇〇〇	二五、〇〇〇
馬来非聯邦州合計	一一〇、〇五一	一七四五七五	二八三、二五六
英領馬来合計	ー	ー	六〇八、二七八

(六) 米

輸入高－一九三八年

総額　八二五千噸　五三、八二二千弗

主要供給地別百分比

タイ國　六五%

ビルマ　三一%

佛印　三%

英印　一%

輸出高－同年（再輸出を含む）

総額　二〇二千噸　一三、四〇〇千弗

主要仕向國別百分比

蘭印　七九%

サラワク　一五%

北ボルネオ　二%

其他諸國　四%

(七) 石油

輸入高－一九三八年

総額　一六二千噸　一六、〇〇〇千弗

主要相手國國別百分比

スマトラ　六七%

サラワク　三二%

其他　一%

輸出高－一九三八年

総額　一一九千噸　一二、二〇〇千弗

主要相手國別百分比

濠洲　四五%

日本　一五%

其他　四〇%

（註）新嘉坡は極東に於ける石油分配の中心地である。

(八) 自動車

輸入高－一九三八年

客用自動車｛数量　三、一六八台｝｛價額　六、八五八千弗｝

営業用自動車｛数量　一、九六三台｝｛價額　二、二九一千弗｝

主要来源地別百分比

客用車

英國　六〇%

カナダ　二五〃

欧洲諸國　八〃

米國　四〃

其他　八〃

営業用車

カナダ　七四%

英國　一五〃

米國　九〃

其他　二〃

輸出高－一九三八年

客用車　一、七七三台

営業用車　八六三台

主要輸出先別百分比

蘭印　七五%

タイ國　一八〃

其他　七〃

(九) パーム油（一九三八年）

輸入高

総額　一六三噸　一八・七千弗

来源地別百分比

スマトラ	九五%
サラワク	五〃

輸出高

総額　五四、五四〇噸　六、二四〇千弗

仕向國別百分比

英本國	五六%
カナダ	三四〃
其他	九〃

五八

(一〇) 発動機油

輸入高－一九三八年

総額　三、四〇〇千ガロン　四六、〇〇〇千弗

主要来源地別百分比

スマトラ	七四%
サラワク	一一〃
イラン	五〃
其他	一〇〃

輸出高－一九三八年

総額　三六一千噸　三五、〇〇〇千弗

主要仕向國別百分比

濠洲	四四%
日本	二八〃
新西蘭	九〃
蘭印	八〃

五九

英本國	五%
其他	六〃

(二) 液体燃料

輸入高－一九三八年

総額　六三二千噸　一九、〇〇〇千弗

主要相手國

スマトラ	七六%
蘭領ボルネオ	一四〃
其他	一〇〃

輸出高（但し再輸出）－一九三八年

総額　二八二千噸　八、三〇〇千弗

主要仕向國別百分比

エジプト	二七%

六〇

タイ國	一三〃
英本國	九〃
南阿聯邦	九〃
蘭印	六〃
其他	三六〃

（註）海外貿易に従事せる商船の液体燃料積載量は二二万噸、五九千万弗。

(三) パインアップル（一九三八年）

輸出高

総額　七三千噸　七、二六三千弗

主要仕向國百分比

英本國	七四%
カナダ	一二〃
其他	一四〃

六一

（三）織物（一九三八年）

輸出高ー一、八〇〇万弗

相手國別百分比

英本國	四〇％
日本	二三〃
印度	一八〃
支那	七〃
香港	六〃
其他	六〃

再輸出高ー三、四〇〇千弗

仕向國別百分比

タイ國	五五％
蘭印	一九〃
サラワク	一三〃
北ボルネオ	七〃
其他	六〃

（四）石炭（一九三八年）

輸入高ー四六七千噸

輸入来源地別百分比

日本	三五％
南阿聯邦	二八〃
スマトラ	一六〃
蘭領ボルネオ	一一〃
印度	五〃
其他	五〃

（註）領内生産高　四七八千噸

（五）其他主要産物

農産物ー油椰子（パームオイルの原料）、タピオカ、アレカナット（檳榔子）等がある。

鉱産物ー錫の外陶土、石灰、褐炭、方鉛鉱、金、鉄、満俺、燐鉱石、灰重石、がある。そのうち鉄は年産一六〇万噸、含有量六五％前後の豊富な赤鉄鉱で邦人資本の独占下にあり、我邦鉄鉱供給源として見逃し難い重要性を有する。鉱山は石原産業のスリメダン鉱山（ジョホール州）と日本鉱業のズングン及ロンビン鉱山（トレンガヌ州）を主とする。その産出額は一九三六年に於いて、ジョホール五七五、七一四噸、トレンガヌ一、〇三六、四三三、計一六二万噸、一九三九年一九四万噸であった。

又満俺はトレンガヌ・ケランタン両州に産し、いづれも日本鉱業の経営下にあり年産三六千噸、石炭はスランゴール州バトアラン炭坑が唯一のもので年産四〇万噸前後である。

その外畜産物として水牛、牛、豚があり又近海地方に於ける水産物にも見逃し難いものがある。

（註）金はブキ・カヂヤン附近に Raub Australian Gold Mining Co. の鉱山あり、一九三七年産高二万オンス、その他錫鉱と共に産出したるもの同年一万オンス。

満俺はケランタン及トレンガヌ州に産し日本に向けられる。一九三七年産額一八万五千噸。

燐鉱石はクリスマス島に産し年産額一六万噸（一九三八年）。

第十三表　英領マレーの重要鑛産物需給表（一九三七年）

	生産	輸出	輸入
	英噸	英噸	英噸
銅鉱	一〇	二六	－
銅			八八〇
鉛		八九	五七八
亜鉛		一一六	四六〇
錫鉱	七七、五四〇	一、三九一	三一、五〇四
錫	九五、三七二	九三、一〇六	四
タングステン	七七八	二、六六四	
ボーキサイト		一二、六二八	
マンガン		三四、〇二四	
水銀		六、八九二封度	二、六三四封度

（註）銅生産は一九三六年とす。
出所：*The Mineral Industry of British Empire.*

第三　海運関係

一、主要港湾

英領マレーは極めて恵まれたる地理的環境にあり東洋方面に於ける一大仲継貿易地たることは既述の通りである。現在英領マレーに於ける遠洋航路の寄港地としては新嘉坡、彼南、ポートスエッテンハム、マラッカ、ラブアン等がありそのうち最も代表的なのは新嘉坡で港湾設備も完全であり当領外國貿易及沿岸貿易の中心をなすと同時に対外並に沿岸運輸の中心地をなしてゐる。今日殆ど世界各國の船舶が同港に輻輳してゐるが沿岸運輸の大半は英國船によつて行はれ、その主なるものは海峡汽船会社で *Blue Funnel* とP・M二社がこれに次ぎ対蘭印諸島間はK・P・M社が主として当つてゐる。

以上の主要港を除くほかに地方的港湾としてはジョホール西海岸にムア、バトパハ、カカップ、プーチヤン、ペナツト、スンガランがあるが遠洋船の出入できるのはバトパハのみである。トレンガヌ州にはクアラ、トレンガヌ、ケママンの二港がありケママンには埠頭設備があつて冬季の北東季節風期を除き日本向鉄鉱を積出してゐる。ケランタン州にはトウムパツト、バチヨワリ、スメラクの三港があり、新嘉坡、盤谷間を沿岸船が往来してゐるがこれまた北東季節風に災される、ケダー州でアロースター、スンゲーパタニ、ラウカウ井の小港があり小帆船を出入せしめる。パーリス州ではカンガール、サンラングが海上との交通点をなしてゐるが何れも小港に過ぎない。

二、船舶出入情況及呑吐力

英領マレーの主要港湾別並に國籍別出入船舶隻数及噸数を表示すれば夫々第十二表及第十三表の通りで一九三八年度に於いて同地出入船舶総噸数中新嘉坡六〇％、彼南二一％、ポートスエッテンハム一三％、マラッカ四％、ラブアン一%で、これを國籍別に見ると一九三六年度に於いて英國三一・七%、独逸二三・七%、日本一八・二%、その他では和蘭、諾威、佛蘭西も相当の比重を占めてゐる。

第十四表　主要港湾別出入船舶数及噸数

港名		対外貿易	沿岸貿易	合計	港別%
新嘉坡	隻数	五、八八一	五五八	六、四六九	六一
	噸数	一五、三四二、〇六五	二八〇、二八三	一五、六二二、三四八	六〇
彼南	隻数	二、一七三	一〇七	二、二八〇	二一
	噸数	六、〇六三、六一四	六七、〇九四	六、一三〇、七〇八	二四
ポートスヱッテンハム	隻数	九九九	三三一	一、三三〇	一三
	噸数	三、一〇〇、〇一八	一九三、五一三	三、二九三、五三一	一三
マラッカ	隻数	二二三	二〇四	四二七	四
	噸数	五二七、五一六	九九、一九四	六二六、七一〇	二
ラブアン	隻数	六六	五八	一二四	一
	噸数	五七、三一九	五七、五三六	一一四、八五五	一
合計	隻数	九、三四二	一、二八八	一〇、六三〇	一〇〇
	噸数	二五、〇九〇、五三二	六九七、六二〇	二五、七八八、一五二	一〇〇

マレー主要港出入船舶國籍別噸数

國名	隻数	噸数	%
英國	一、八五九	四、九〇一、七八五	三一・七
ドイツ	二、三五五	三、六七一、〇八六	二三・七
日本	六六一	二、八一〇、三三六	一八・二
其他	一、四四六	四、〇五九、三九二	
合計	六、三一八	一五、四四二、五九九	

（備考）純登録船籍七五噸以上、一九三八年マレー貿易統計による。

第十五表　國別地方港別輸入貿易額表（一、〇〇〇海峡弗）

（一九三五年）

國別	新嘉坡	彼南	マラッカ	ラブアン	クリスマス、ココス島	馬来聯邦州	馬来非聯邦州	総計
英國	四七、九二三	一四、九二六	四六八	一八	一三	一、五二四	一三三	七五、一一八
南阿聯邦	二、六〇一	一一六	—	—	—	三	—	二、七一九
カナダ	二、八七五	四六四	—	—	—	九八	—	三、四三七
印度	八、七二七	三、〇六七	六五	—	七	一、四一六	二	一三、二八四
英領北ボルネオ	三、〇〇一	—	—	五五	—	—	—	三、〇五六
ビルマ	五、三三七	一〇、七一四	七〇二	三	—	四、五六六	—	二一、三二四
香港	二、九七一	四二〇	—	三	—	八七一	三九	四、三〇四
サラワク	二一、一七三	—	—	二〇	—	—	—	二一、一五七
濠洲	六、三四〇	一、八三三	二六	九	—	一、三九二	四	九、五〇四
蘭印	一三二、八七〇	九、八六一	二六七	四	—	七、三九〇	六二	一五〇、四五四
佛印	九、二六四	六六	一九	三	—	五三	七四	九、四七九
日本	二四、三八一	四、三一七	二	—	—	六一四	一、〇九一	三〇、四〇五
米國	六、一〇二	一、七五六	四	—	二六	一、三三四	九	九、一二〇
独逸	五、一一三	一、二三〇	一五	—	四	六〇〇	一	六、九七四
泰國	二九、七一九	二六、七六一	三、三一四	—	—	六、五五六	三、三九七	六七、七四七
其他								
総計	三四四、四四二（七二%）	八四、二七二（一七・七%）	四、〇八二	一四八	一六八	三八、五六二（八%）	三、八一四	四七五、四八八

（備考）一九三五年度統計、貨幣及地金銀を含む、南洋年鑑九八七頁による。

國別地方港別輸出貿易額表（一、〇〇〇海峡弗）（一九三五年）

國別	新嘉坡	彼南	マラッカ	ラブアン	クリスマス、ココス島	馬來聯邦州	馬來非聯邦州	總計
英國	三七、八七六	一二、一九一	三、二三二	—	—	三〇、八六九	九、八〇七	九三、九七三
南阿聯邦	一、六八二	九二	一〇	—	八五	二二四	一一	二、一〇七
カナダ	八、七一九	九八九	三〇五	—	—	一、六五一	一二五	一一、七八九
印度	九、七一五	八、八八八	—	—	—	一三五	—	一八、七三九
英領北ボルネオ	二、三一九	—	—	一五八	—	六	—	二、四八三
ビルマ	一、六二五	一、九五三	—	—	—	二六	—	三、六〇四
香港	四、一一七	二、一一四	七	—	—	二〇二	—	五、四四〇
サラワク	八、一八一	二	—	三四	—	—	一	八、三一九
濠洲	一九、九五四	四三二	一〇	—	—	六七二	八八	二一、一四七
フランス	一二、五七三	五、二〇一	九三三	—	—	九、五五七	一、七三一	二九、九九六
独逸	五、二三八	一、八九一	四二三	—	—	一、二三一	三三一	九、一〇四
伊太利	七、五六〇	六、二〇八	四三八	—	—	三、一二一	六八一	一八、〇〇七
和蘭	二、〇一六	一、八二六	六五	—	—	九七四	九二	四、九七四
米國	九八、五九〇	六九、三六九	八、二八八	—	—	二七、七七四	九、六七五	二一三、五九二
日本	四〇、四四四	二、八七〇	一一	—	一、九八四	一、一七一	六、二一一	五二、六八九
佛印	二、五二七	一	—	—	—	一	五四	二、五八三
蘭印	三四、一一七	四、四〇八	四九	—	三五	四〇	一一	三八、六六〇
タイ國	九、六二七	三、一九九	—	—	—	一四〇	二〇九	一三、一七四
其他								
總計	三二九、九五九（五七%）	一三四、七八一（二三%）	一四、二六四	四六六	二、四九八	八〇、七五三（一四%）	二九、二四二	五八一、九六三

備考　貨幣及金地銀を含む。

英領マレー地方別貿易統計（一九三八年）（百万海峡弗）

地方別	輸入	輸出	總額	%
新嘉坡	三六九	三二一	六九〇	六一
彼南	一〇五	一二五	二三〇	二〇
マラッカ	六	一四	二〇	二
ラブアン	〇、一	〇、四	〇、六	—
クリスマス島及ココス島	〇、三	二、〇	二、三	—
馬來聯邦州	六八	八〇	一四八	一三
馬來非聯邦州	六	三八	四四	四
計	五五五	五八〇	一、一三五	一〇〇

次に英領マレーの輸出入貿易を各國別、各地方港別に表示すると第十四表の如くで一九三五年度に於いて新嘉坡は輸入七二%、輸出五七%、彼南は輸入一七、七%、輸出二一%、マレー聯邦州輸入八%、輸出一四%を占め、これに依つて当該港の貨物呑吐力の一半を知り得る。

（註）　マレー聯邦州の主要港湾はポートスエッテンハムである。

三、主要航路及海運會社

欧洲航路

英國—Blue Funnel 外二社

佛國—Messageries Maritimes and Chargeurs Réunis.

和蘭—Stoom Maatschappij Nederland, Rotterdam Lloyd, and Holland Oost-Azie Line.

独逸—Hamburg Amerika Linie, Norddeutscher Lloyd,

「Deutsch Australisch-Dampfschiffs Gesellschaft, und Stinnes Line.

日本ー日本郵船及大阪商船

伊太利ーLloyd Triestino

スカンヂナヴィアー瑞典極東海運会社

印度航路

孟買ーPeninsular & Oriental Steam Navigation Co.

日本郵船及大阪商船

カルカッタ－英印汽船会社 Apcar & Ind-China Steam Navigation Co.

マドラス　英印汽船会社

ビルマ航路

英印汽船会社、海峡汽船会社

比律賓航路

Spanish Mail 及不定期線

印度支那航路

Massageries Maritimes and Chargeurs Réunis

日本及支那航路

各欧洲航路及 Apcar, Indo-China, China Navigation Co. 其他

加奈陀及北米航路　多数あり。

濠洲航路

新嘉坡ー北西部諸港、フレマントル間 Blue Funnel and West Australian Steam Navigation Co. 外

新嘉坡ーメルボルン其他濠洲港間 Austral East Indies Line

南阿及南米航路

日本郵船及大阪商船

海岸航路

海峡汽船会社、マレー東洋英印汽船会社、シヤム汽船会社、サラワク汽船会

社

其他各種支那汽船会社経営の航路あり。

而今次欧戦開始後に於ける東亜・欧洲定期船航路に於ける各国船主の使用船腹数の異動は第十六表の通りである。

第十六表　東亜欧洲定期船航路各国船主使用船腹異動表

船主	国籍	戦前の使用船腹		戦時の使用船腹		減少船腹	
		隻数	総噸数	隻数	総噸数	隻数	総噸数
日本郵船	日本	二一	一八四、五四七	八	七七、五五四	一三	一〇六、九九三
大阪商船	日本	五	四三、二一八	〇	〇	五	四三、二一八
ベンライン	英	一七	九六、七八三	一	五、三一七	一六	九一、四六六
青筒線	英	二八	三四五、五八九	一一	一九五、八二三	一七	一四九、七六六
グレンジャーライン	英	一〇	八七、五八六	六	五四、八一七	四	三二、七六九
彼阿社	英	一六	一九一、〇四二	五	四一、五八〇	一一	一四九、四六二
H・A・L	独	一六	一一九、三〇四	〇	〇	一六	一一九、三〇四
N・D・L	独	一五	一四一、四六八	〇	〇	一五	一四一、四六八
リックマース・ライン	独	七	三七、一二八	〇	〇	七	三七、一二八
N・N社	仏	一四	一五九、八三四	〇	〇	一四	一五九、八三四
ロイド・トリエステーノ	伊	一一	一一四、〇五八	〇	〇	一一	一一四、〇五八
H・O・A・L	蘭	五	三四、四六〇	〇	〇	五	三四、四六〇
東亜会社	丁	七	五七、一六七	〇	〇	七	五七、一六〇
瑞典東亜	瑞	八	四六、六八二	〇	〇	八	四六、六八二
ヴィルヘルムセン	諾	九	六五、四〇〇	五	三二、九八八	四	三二、四一二
合計	(一五社)	一八九	一、六三二、六六六	三六	三〇八、〇七九	一五三	一、三二五、八一七 (八一・〇%減)

(備考) 日本郵船調査による。戦前は一九三九年七月末現在、戦時は一九四〇年六月下旬現在である。

第四　投資關係

英領マレーに對する列國の投資額については確実な資料がないが大約次の如く推定される。

	百万海峡弗（平價換算額）	
英國	九二六	（六一・六％）（註一）
華僑	四九三	（三二・八％）（註二）
米國	四八	（三・二％）（註三）
日本	三六・二	（二・四％）（註四）
合計	一、五〇三・二	（一〇〇・〇％）

（註一）The Economic Journal, June 1933 に於て Sir Robert Kindersley の一九三一年末推定額。

（註二）東洋貿易研究誌昭和十五年十月号に於て外務省通商局柿沓氏一九三八年末推定額。

（註三）The United States Bureau of Foreign Trade & Domestic Commerce の一九三〇年末推定額。

（註四）南支那及南洋情報第六年第二十二号一一頁に於ける台湾総督府調査課の推定額。

右の如く英、米、日、支四國合計で約十五億三百万弗となり、うち英國六一・六％、華僑三二・八％、米國三・二％、日本二・四％。

これをおのおく投資内容について見ると、

英國

政府公債及市債	三四、三	百万海峡弗
公益事業	三四・三	〃
鉱山業	六八・六	〃
ゴム栽培業其他	七八八、四	〃
計	九二六・	〃

米國

ゴム	三四、一一三	千海峡弗
石油	三、八九六	〃
商業	五九一	〃
其他	九、三七一	〃
計	四八、〇〇〇	〃

日本

栽培業	二七、〇〇〇	千円
漁業	一、二〇〇	〃
鉱業	九、七〇〇	〃
商業	三、三〇〇	〃
計	四一、二〇〇	〃
	（三六、二〇〇千海峡弗）	

支那（華僑）の投資内容については採るべき資料がないので不明ではあるが、華僑がマレー經済の中心をなしてゐる点から見て、大企業への投資はなくとも多数の中小企業、就中商業・錫鉱業・小口金融業に根を張ってゐることには疑の余地がない。

第五　金融関係

一、貨幣制度とその沿革

英領マレーの経済は前述の如くその特殊の地理的環境にもとづく一大仲継貿易地たること、ゴム・錫・コプラ等の重要原料品の特産地（その輸出額は総輸出額の七〇%以上である。）であること、および極めて複雑なる人種構成の上に成り立つもので、従つて英領マレーの金融がこれら特産物の生産並に取引、貿易決済および外國為替取引を中心として動くことは当然である。

然るに同地方は元来葡、蘭、英の東洋に於ける勢力争奪の中心地であつた、め永らく政治経済上の統一なく、土人の文化程度また低位にあつたため通貨制度も頗る混沌乱雑であつた。かくて英國はこの地の実権を收奪するやまづ植民地経営の実效を添げるため同地領有以来通貨制度の整備改善に腐心し遂に一九〇六年金為替本位制を採用して今日に及んでゐる。金為替本位制とはスターリング為替本位の貨幣を有するもので、その法定比價は一九〇六年より貨幣法の定むるところにより海峡弗六〇弗に対し英貨七磅即海峡弗一弗に付英貨二志四片換と定められてゐる。

しかして同地に於ける現在の通貨の種類は硬貨及紙幣（海峡植民地政府発行紙幣及銀行券）の二種で紙幣は通貨総額の約八〇%を占めてゐる。海峡植民地政府が初めて紙幣を発行したのは一八八九年五月で、銀行券は一八九九年の法律第一四号に依り香上銀行、及チヤタード銀行に対し銀行券発行の権能を賦與したものである。爾来海峡植民地政府紙幣はこれらの銀行券を当時標準貨であつたメキシコ弗、香港弗、大英銀貨と相並び商取引の媒介に使用せられてゐたが、一九〇三年の貨幣法によりこれらの銀貨は法貨たることを廃せられ重量純分殆どメキシコ銀と同一なる海峡弗に統一されたのである。

更に右一八八九年の紙幣法は一九一五年に修正を見、一九二三年更に新貨幣法が制定された。新貨幣法に基づく現行通貨種類は

硬　貨

金貨（スターリング）法貨たるのみにて市場の流通なし

銀貨　一弗貨、五〇仙貨（無制限法貨）、二〇仙貨、一〇仙貨、五仙貨

白銅貨　五仙貨。

銅貨　一仙貨、半仙貨、1/4仙貨

紙　幣

政廳紙幣　一万弗、一千弗、百弗、五〇弗、一〇弗、五弗、二弗、（何れも無制限法貨）

銀行券　香上銀行券、チヤータード銀行券

二、國際金融との関係

まづ対外主要國貨幣平價は右の海峡弗一弗に付二志四片を基準としてなされ、その主なるものを挙げれば次の如くである。

比較	英國	米國	日本	英印	蘭印
海峡弗一弗に対する外國貨	二志四片	〇・五六五六米弗	一・一三九円	一・七五ルピー	一・四一1/4ギルダー
外國貨に対する海峡弗	七磅＝六〇弗	一米弗＝一・七六七八八	一円＝八七・七六九仙	一留＝五七・一四三仙	一盾＝七〇・七九六仙

上述の如く英領マレーはいまだ近代的工業國化されるに至つてゐないから従つて金融活動に於ても対内的には見るべきもの少くその金融活動の主動力は特産物たるゴム、錫等の貿易関係にある。故にゴム・錫等の世界市場に於ける價格変動は直ちに同地の外國為替取引に至大の影響を加へ、これが國内景気を左右することとなる。輸出貿易が旺盛となり出超が継続的に高まるときは為替の逖調、通貨の増発、物價の昂騰は甚しくなるわけで今次欧大戦勃発以来の現象もこのことを例証してゐる。即ち二三の例を次表に示せば、

外國貿易趨勢　（単位千海峡弗）

	一九三六年	一九三七年	一九三八年	一九三九年
輸出	六三八、七六八	九〇五、一〇五	五八一、五五四	七五〇、一九四
輸入	五一二、九〇〇	六九八、四五二	五五九、四一〇	六二八、一四二
輸出超	一二五、八六八	二〇六、六五三	二二、一四四	一二二、〇五二

重要農産物物價指数（一九二〇年＝一〇〇）

一九三七年平均	八五・九
一九三八年上期平均	六〇、八
仝　下期平均	七三・〇
一九三九年上期平均	七四、五
仝　下期平均	八四・五

紙幣発行高　（単位千海峡弗）

年次	発行総額	民間流通高	銀行保有高
一九三七年末	一〇四、九七五	八四、二二三	二〇、一六七
一九三八年末	一〇五、三〇〇	七三、〇五四	三一、七一九
一九三九年六月末	一〇五、二六〇	七五、二〇五	二九、四三六
一九三九年末	一二六、二一五	九二、五二五	三三、一一九

（註）　昭和十五年正金銀行週報第二二号による。

次に英領マレーの外國為替は通貨價値が英貨務にリンクされてをり、かつ貿易決済がロンドンを通じて行はれる都合上対英為替標準に建てられ従つて同地の外國為替中ロンドン宛務為替が主位にあり、次いで対蘭印、ギルダー為替及び対印度ルピー為替が重要である。これは対蘭印、対印度貿易が同地の対外貿易

と極めて緊密なる相互依存関係があるためで、新嘉坡がゴム錫等南洋特産物の中心市場であると同時に、仲継貿易港である関係上当然のことである。又ルピーとの関係については貿易外に同地在住の印度人の本國送金、チエッテイ（印度高利貸）の資金回送等特殊取引関係がある。米弗との関係は米國がゴム・錫の圧倒的輸出仕向國であるにも拘らず、その取引決済がロンドンを通じて行はれるため従来ほど緊密ではなかつた。円為替については対日貿易乃至投資関係の比重が英米蘭等に比して劣勢にあるため未だ重要視されるに至つてゐないが、今後の世界情勢の変化とともに注目すべきものがあらう。さらに英領マレー人口の三九％を占める支那人特に同地の経済界に隠然たる勢力を有する華僑、支那人労働者の本國送金をめぐり、上海、香港に対する銀為替も見逃し難い重要性を有する。新嘉坡に於ける銀為替相場の基調は実に彼等の手中にある。またこの間にあつて支那人投機業者の活動も注目すべきものがある。而してこれら為替賣買業者の内代表的なるものは和豊銀行、香上銀行、横浜正金銀行である。

三、金融機関

英領マレーの金融は既に明かなる如く対内的取引金融又は企業金融が少く対外貿易が主であるから金融業者の業務も為替賣買に集中されるのが必然である。新嘉坡に於ける銀行の第一歩は一八〇四年カルカッタ、ユニオン銀行支店の開設にあり、次いで一八五九年チャーダード銀行支店が設けられた。その後新嘉坡の発展と共に漸く各地銀行が支店又は代理店を置くに至り本店銀行の新設も数行に及んで、現在英領マレー全土内にある銀行数は本店を有するもの七行十五店、支店を有するもの十三行三十店、合計二十行四十五店に上る。その主なるものを挙げれば第十七表の如く英國系五、日本系三、支那系六、和蘭系二、米國系一、佛國系一、白國系一である。内最も特色あるものはチャーダード銀行、香上銀行で、チャーダード銀行は一八五三年ロンドンに創設されマレー全土に八支店を有し香上銀行と共に同地域最有力銀行である。為替業務について

は香上銀行と覇を争ひなほマレー諸州の國庫金を取扱ふほか地方金融の調節を計つてゐる。香上銀行は一八六七年香港に創立、チャータード銀行とともに英國の極東制覇の金融面を受持つて来たものでマレーには新嘉坡外五支店を擁する。同地の為替業務の支配的地位にあるのみでなく海峡植民地政廳の金庫銀行として重要なる役割を果してゐる。

其他の金融機関

郵便預金に関する事務は海峡植民地、マレー聯邦州、非聯邦州の凡ての郵便局が取扱つてゐる。又印度人の営むチエ、ティードは一種の高利貸的庶民金融機関で中流以下の薄資者に対する貸金を専業とし、一部は為替賣買に従事してゐる。當舗（質屋）支那人の経営で中流以下の支那人、印度人を顧客としてゐる。信局、下層支那人の送金機関として活動してゐる。

第十七表　英領マレーに於ける各國銀行一覧表

銀行名	資本金	本店所在地	支店所在地
英國系			
チャータード銀行	三 百万磅	ロンドン	新嘉坡外七ヶ所
香上銀行	五〇	香港	同
有利銀行	三	ロンドン	同
ピーオー銀行	五	同	新嘉坡
東方銀行	二	同	同
日本系			
台湾銀行	一五 百万円	台北	新嘉坡
横浜正金銀行	一〇〇	横浜	同
華南銀行	二五	台北	同
和蘭系			
蘭印商業銀行	一〇〇 百万盾	アムステルダム	新嘉坡
和蘭商業銀行	六五	同	新嘉坡・彼南
米國系			
花旗銀行	一五〇 百万弗	紐育	新嘉坡
佛國系			
印度支那銀行	一二〇 百万法	巴里	新嘉坡
支那系			
四海通銀行	二 百万海峡弗	新嘉坡	新嘉坡
華僑銀行	四〇	同	新嘉坡外三ヶ所
Lee Wah Bank	一〇	同	新嘉坡
其他			

第六 ブルネー王國

一、面積、人口

面積六四七五平方粁、人口は一九三一年の國勢調査によれば三〇、一三五人、中支那人二六八三人。

二、歴史及政治

一八八八年英國の保護國となり一九〇六年英人知事が任命され事実上海峡植民地総督の指令下にある。

九五

三、産物

主なる産業としてはゴム栽培と石油業があり、石油は一九一四年より採油、主要油田たるセリヤ油田は英國マレー石油会社の経営下に一九三三年より採掘され、年産原油四〇万噸の外多量の天然ガスを産してゐる。なほこの原油は油送管によりサラワク王國のルートン精油所に於いて精油される、その他相当量に上る石炭埋蔵源を有するが、現在の採炭状況は微々たるものである。

四、貿易

輸出―石油、ゴム、天然ガス等約四〇〇万弗。

輸入―米其他食料品、機械等三〇〇万弗。

九六

第七 サラワク王國

一、面積、人口

面積一二九、四九五平方粁、人口一九三五年推定数四四二、九〇〇人、マレー人、メラナウ族、ランドダイヤ、シーダイア族、カヤンケンヤ族、ビサレット族等二十種以上に及ぶも支那人の活躍が特に顕着である。

二、歴史及政治

一九世紀中葉までブルネーのサルタン領土であつたが一八四〇年内乱起り、これを鎮圧した英人旅行家ジェームス・ブルックが支配するに至つて今日の王國となつた、一八八九年英國の保護國となつたが内政上はブルック王朝が統治してゐる。

九七

三、産物

重要産業はゴム栽培と石油採掘である。中でもゴムの栽培最も盛で國際ゴム限産協定に加入してをり一九三八年の割当基準生産量は三二、〇〇〇噸である。ゴムの外胡椒、サゴ椰子、ココ椰子、米、ゼルトン、カッチ、ダマル等があり、鉱産物としてはミリ油田の石油と上サラワク地方の金がある。ミリ油田は一九二〇年に出油を開始し蘭印に次ぐ東南アジアの大石油資源とせられ、英東洋艦隊の給油地として重要視される。現在サラワク石油会社の経営下にあり年産約三〇万噸である。

四、貿易

九八

輸入——米、鋼鉄製品、煙草、綿布、機械等二、〇〇〇万弗。
輸出——ゴム、液体燃料、金、ベンジン、サゴ粉、胡椒等二五〇〇万弗。

第八　英領北ボルネオ

一、面積、人口

面積七五五八六平方粁、人口一九三一年現在二七〇、二二三人、ヅスン族を筆頭に三十余種の多きに達する。ブスン族に次いでは支那人甚だ多く（四七、七九九人）、一九三六年現在の邦人は九八〇人である（サラワク在住者を含む）。

二、政治

英領北ボルネオ会社の統治下にありロンドンに勅住重役会がある。内務大臣の承認を経た総督が派遣され外交権を除く諸権限を賦與されてゐる。

三、物産

ゴム栽植最も盛で、英人、支那人、日本人経営のゴム会社三〇に及びゴム園面積一三万エーカー（一九三三年）に達する、一九三六年当願ゴム輸出割当量一九六〇万ポンドである。その他ココ椰子、サゴ椰子、米、マニラ麻及びビリアン、スランガン等の林産物がある、而して林業は英領ボルネオ木材会社（一九二〇年設立）が支配的である、製材所はサンダカンにある。鉱産物についてはまだ試堀の域を出てゐない。

四、貿易（一九三九年）

輸入

総額	六四九九千弗

穀物	一、〇八九千弗
綿布類	七八二 〃
食料品	
其他	八〇二 〃

輸出

総額	一三四五三千弗
ゴム	八、〇五四 〃
木材	二、四三六 〃
コプラ	三五六 〃
其他	

五、交通

ボカウ、ウェストン、ゼセルトン、テノム間に鉄道あり海運は新嘉坡との間に定期航路週一回があり、サンダカン、クチン、ミリ、ラブアン、ゼセルトン、クダに寄港する。又タワオには日本の南洋海運が寄港する。

第九　英領マレーの経済戦略的地位

(一)　輿件的に見れば英領マレーは第一にその自然的地理的環境より好個の戦略的位置を占めてゐる。即ち西太平洋の帰着点たる南支那海、印度洋、オセアニアを連絡する新嘉坡海峡は東南洋に於ける交通上軍事上の要衝でありこれを制せずして東南洋の支配は全く夢である。

一九二三年以来英国はこゝに巨大なる海空軍基地を設置し、附近一帯を牢固な要塞たらしめ最近に於いては米国との協力下に益々強化じつつある遠大な対日包囲陣形の本據として誇つてゐる。従つて東南洋に於ける英米の政治的経済的活動の前途はこの地の運命にかゝつてゐる。

第二に英領マレーは社会的人種的構成に於いて華僑の比重が圧倒的である。即ち一九三九年に於ける英領マレー人種別人口は次の如く総人口の四二・六%が支那人であることを物語つてゐる（単位千人）。

支那人	二、三〇〇（四二・六%）
馬来人	二、二四七
印度人	七四五
欧洲人	二六
混血人	一九
其他	五九
合計	五、三九六

更に当領の軍事的政治的経済的中枢地たる新嘉坡人口を分析すれば次の通り（単位千人）。

支那人	五七六（七七・八%）
馬来人	七五
印度人	六〇
欧洲人	一二
混血人	八
其他	九
合計	七四〇

（何れも当班海外経済事情一六四、一五号）

右の如く人口の種族的構成に於いて英領マレーは宛然華僑の国であるのみならず経済的活動に於いても例へばマレー錫産額の四〇%、錫鉱山労働者の八〇%、ゴム農園の四〇%、ゴム園労働者の二五%、ゴム加工業の九〇%、パイン罐業の一〇〇%を始め貿易、金融、国内商業等凡ゆる部面に於いて隠然不抜の勢力を擁してゐる。

故に英領マレーの社会三角形は現在その頂点を一握りの英人に委ねるとは云へ其の実質的勢力はむしろ華僑に依つて構成されるものとも見られ、彼等の向背如何は将来抗日支那政権の消長乃至我が対南方方策の遂行途上に多大の影響力を持つものと思はれる。

(二)　戦略資源及貿易関係より見たる英領マレーは熱帯特産品たるゴム・錫を代表とする戦略原料品の供給源として列国争奪の的である。即ちゴム・錫とともに

世界産額の四〇%以上を占め、当領輸出貿易に占める両者の比重は、

一九三八年　六五%
一九三九年　七一〃
一九四〇年　八〇〃

と累年激増を示しその　的重要性を物語ってゐる。しかしてその輸出額及仕向先は次の通りである。

ゴム

	一九三八年	一九三九年	一九四〇年
英國	一九%	—%	—%
米國	四一	五四	五七
日本	六	—	—
輸出合計	五二七千噸	五五三千噸	七七二千噸

錫

	一九三八年	一九三九年	一九四〇年
英國	七%	—%	—%
米國	五五	六九・一	七八
日本	一四	一一・二	—
輸出合計	六一千噸	八二千噸	一三一千噸

かくの如く今次大戦勃発によるゴム、錫の需要増大は顕著であり、仕向國中に於いて米國の比重は決定的である。即ち米國は海外依存ゴムのうち六〇%以上、同じく錫の七〇%以上を英領マレーに仰いでおり（第十八表参照）、かくしてこれら物資支配者としてこの英帝國との協調と地域的にはアジア市場の確保と絶対不可欠とするのである。このことは米國の戦略資源上に於ける最弱点たる同時にこの弱点を補はんとする努力のうちに我が東亜共栄圏建設方策との

第十八表　合衆國錫需給表（單位噸）

		一九三六年	一九三七年	一九三八年
供給量	國内生産	一一一	一六八	一〇九
	再製産	二五、〇〇〇	二七、〇〇〇	二一、〇〇〇
	輸入高	七五、六四三	八七、八〇[illegible]	四九、九九四
消費量		八三、四〇八	九〇、五六六	
産地別輸入高	英國	八、四四〇	七、二〇四	三、二八七
	和蘭	四、四八五	二、四四七	二、二一六
	英領マレー	五四、三七二	六六、七〇九	三六、六七三
	蘭印	二、七三八	四、一〇五	三、〇九六
	香港	三、五五四	二、〇六八	一、二〇四
	支那	一、〇二九	四、四六七	二、〇八四
	其他合計	七六、〇三〇	八八、一一五	四九、六九九

（註）出所＝當班資料「アメリカの非鉄金属」（新井氏）

第十九表　英國輸入商品の極東依存度（一九三七年）

商品類別		輸入総額	極東依存高	%	地域名
食料品	粗糖	四四,三一八 千cwt	一,二五七 千cwt		蘭印
	茶	四四七,四二四 千lb	五三,六四八		
			三三		ビルマ
			三四,五九六		蘭印
			（一,八四六）		和蘭
			一三,四六六		日本
			一,三九一八		支那（香港ヲ含ム）
	煙草	二六七,四六〇 千lb	一,一六五		
			五三		ビルマ
			三五〇		北ボルネオ
			八六二		和蘭
	粉米（飼料）	三一〇 千噸	二六五		ビルマ
	棉実油	二三四	七		ビルマ
	落花生油	二五六	五六		ビルマ
	コヽヤシ油				
原料品	大麻	七九,九七〇 噸	三七,〇三一		比島（一九三八年）
	スクラップ	九五四 千噸			
	アルミニウム	一七一九,六八〇 cwt	四五八四	〇・六	印度・ビルマ
	マンガン鉱	二八三,八七一 噸	二六五,六九七	九四・〇	同
	鉛	三七五,一七八	三三五,二六五	八七・〇	印度・ビルマ・濠洲・カナダ
	錫	二一,四七三	二一,四七三	一〇〇・〇	
			六,一六九	二九・〇	海峡植民地・濠洲
			一五,三〇四	七一・〇	蘭印（和蘭）・支那
	錫鉱石	五〇,九三五 噸	一八,〇五一	三五・〇	英領マレー（ナイゼリアを含む）
	タングステン鉱	一二,三九八	一二,三九八	一〇〇・〇	
			七,九二四	六四・〇	印度・ビルマ・マレー
			四,四七四	三六・〇	支那（ポルトガルを含む）
	アンチモニー	三,〇四二 噸	三,〇三〇	九七・〇	支那（佛・白・ユーゴースラビヤを含む）
	雲母	三,三一八	三,八六九	八九・〇	印度・ビルマ
	マグネサイト	四九,七〇六	八,〇九三	一六・〇	印度・ビルマ・カナダ
	ゴム	二,九三三,〇三九 センタル	二,八三四,三七六	九六・〇	
			一,九七八,九七〇		英領マレー
			三三八,六九三		印度
			二八,八九七		ビルマ
			四八七,八六一		蘭印
			九,九五五		佛印
	燐鉱石	？			クリスマス島

（註）出所＝渡辺佐平氏「英國の貿易機構」

第二十表　合衆國輸出入商品の地域別依存度（一九三七年）

	原料品		食料品		半製品		完製品	
	輸出	輸入	輸出	輸入	輸出	輸入	輸出	輸入
北米	二〇・二	八・六	三〇・〇	三五・一	一八・七	二二・四	二八・四	二八・〇
南米	一・〇	一四・四	四・六	二五・四	六・六	八・三	一五・五	〇・四
欧洲	六一・二	一五・三	五五・七	一七・七	四二・五	三九・〇	二七・九	四九・七
亜細亜大洋洲	一七・二	五七・五	七・五	一七・二	二九・七	二九・〇	二〇・四	二一・六
亜弗利加	〇・四	四・二	二・二	四・六	二・五	一・三	七・八	〇・二

（註）出所＝国松氏「アメリカ貿易機構」

宿命的衝突を示唆するのである。

ゴム、錫以外の物資についてはさほど重要性を認め得ないが序に英米両国の輸入物資に於ける東南洋地域依存度を総括的に表示すれば第十九表第二十表の如くである。

次に英領マレー貿易の量的構成について若干の検討を加へれば一九三九年に於けるその主要國別百分比は

輸入

英帝國　三二・七%
（本國）（一四・四）
米國　二・九%
日本　一、九〃

輸入、

英帝國　二七・五%
（本國）（一〇・八）

一〇九

米國	四二・九%
日本	八・五〃

で輸入の三六%輸出の七〇%が英米の壟断するところであり、この対英米依存度が今次欧戦勃発以来益々独占的上向線を辿ることは彼等の経済戦略的意図より見て自明である。

要之彼等は巨大なる経済力と多年扶植した懐柔機構とを動員してゴム・錫その他当領物資の排他的買占めを行ひ此等物資の日本への流入を阻止すると共に当領と日本との離間を策するもので、経済力に於いて圧倒的劣勢にある日本のこれに対する方策は一に武力的発動をまつのみである。

其七　香港篇

香港篇

目次

総括圖表

附属主要統計表

三

四

五

總括圖表（香港）

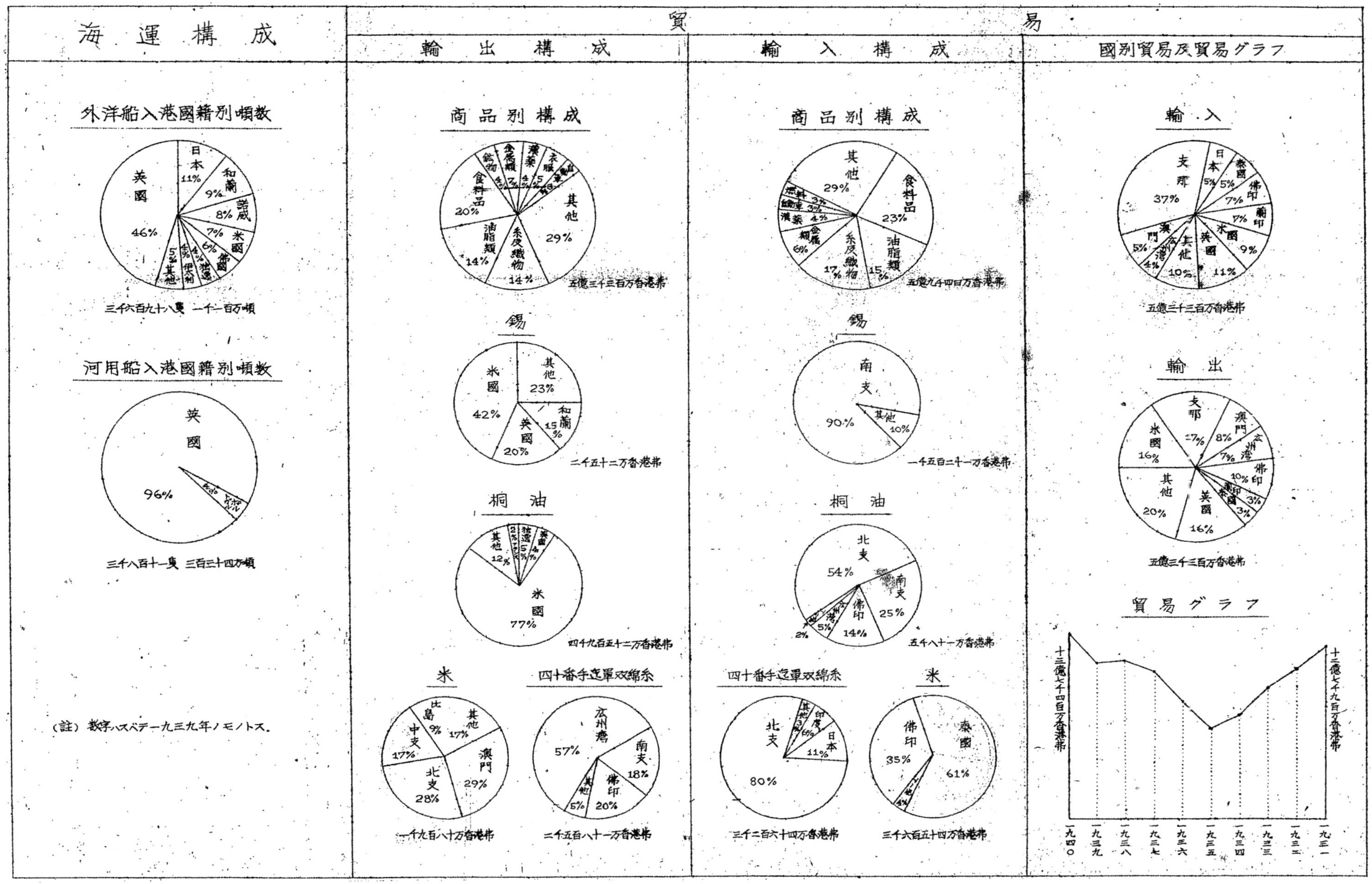
海運構成
外洋船入港國籍別噸數
英國 46%
日本 11%
和蘭 9%
諾威 8%
米國 7%
独逸 6%
佛國 4%
5% 其他
三千六百九十八隻　一千一百万噸
河用船入港國籍別噸数
英國 96%
三千八百十一隻　三百三十四万噸
（註）数字ハスベテ一九三九年ノモノトス.
貿易
輸出構成
商品別構成
其他 29%
糸及織物 14%
油脂類 14%
食料品 20%
五億三千三百万香港弗
錫
米國 42%
其他 23%
和蘭 15%
英國 20%
二千五百十二万香港弗
桐油
米國 77%
其他 12%
四千九百五十二万香港弗
米
比島 9%
其他 17%
澳門 29%
北支 28%
中支 17%
一千九百八十万香港弗
四十番手迄單双綿糸
廣州灣 57%
南支 18%
佛印 20%
其他 5%
二千五百八十一万香港弗
輸入構成
商品別構成
其他 29%
食料品 23%
油脂類 15%
糸及織物 17%
金属類 6%
燃料
薬
4%
3%
3%
五億九千四百万香港弗
錫
南支 90%
其他 10%
一千五百二十一万香港弗
桐油
北支 54%
南支 25%
佛印 14%
5%
2%
五千八十一万香港弗
四十番手迄單双綿糸
北支 80%
日本 11%
印度 6%
其他 3%
三千二百六十四万香港弗
米
泰國 61%
佛印 35%
4%
三千六百五十四万香港弗
國別貿易及貿易グラフ
輸入
支那 37%
日本 5%
泰國 5%
佛印 7%
蘭印 7%
米國 9%
英國 11%
其他 10%
澳門 5%
4%
五億三十三百万香港弗
輸出
支那 27%
澳門 8%
7%
佛印 10%
3%
3%
英國 16%
其他 20%
米國 16%
五億三千三百万香港弗
貿易グラフ
十三億七千四百万香港弗
十三億七千九百万香港弗
一九四〇
一九三九
一九三八
一九三七
一九三六
一九三五
一九三四
一九三三
一九三二
一九三一

第一　概観

一、自然的地理的條件

(一) 位置

英領香港植民地は英国王領植民地（Crown colony）の一にして、英国の領土たる香港島及び九龍半島、並に英国の租借地たる九龍半島北方隣接地域（所謂新界 New Territories）及びその附屬島嶼を包含する。

東経百十三度五十二分乃至百十四度三十分及び北緯二十二度九分以北、深圳湾北岸、九龍租借地境界、大鵬湾海岸線を連ぬる線に至る範囲にして、香港植民地総面積は新界を合し、約三百九十平方哩、内香港島は二十九平方哩である。

香港島は一八四三年四月五日の英国皇帝特許状（Charter）を以て皇領植民地の地位を與へられ、其後漸次其の地域を拡張して今日の香港植民地を構成するに至った。

香港島は広東省南岸に位し、珠江の河口を扼し広東より約八十余浬、澳門を隔つる事四十余浬なり。香港島は周囲二十七哩その長さ西北より東南へ最長十一哩、その幅は南北二哩乃至五哩、附近諸島嶼を合し面積三十二平方哩である。

香港の港湾内は約十一平方哩にして二十七呎乃至六十四呎の水深を有し、陸岸は二十呎乃至三十呎に達する。風景絶佳にして鋸歯状の丘陵に依って圍まれてゐる。

(二) 氣候

最高は九月に約九十四度、最低一月に三十二度平均して七月八十一度内外、一月五十九度内外である。十月より東北風あり之より二月まで殆んど雨を見ない。三月より七月迄は雨期で、雨は一年に八十七吋、風は六、七月南々東、其他は東々北風多く夏季には大風の襲来を見ること頻繁である。

(三) 人口

人口は香港、旧九龍、九龍租借地を通じ、

一九三五年　九六六、三四一人
一九三六年　九八八、一九〇人

内支那人が大部分にして、九六六、三五八人、外国人は国籍四十四ヶ国に亘り、約二万人内英国市民六千六百人、印度人三千四百人、ポルトガル人三千人、日本人一千五百人、米国人三百五十人内外である。

今次事変発生以来支那人の香港に避難する者多く、一九三七年に十万人、一九三八年上半期に十万人、其後更に増加し総人口は、約百三十万に達する見込である。尚欧洲大戦勃発してより、英国人の引上げを行った者が相当数に達する。

一九三八年七月現在に於て
総人口　一、〇二八、六一九人
支那人　一、〇〇五、五二三人
外国人　二三、〇九六人

尚一九四〇年十一月九日香港政庁は移民統制法を制定して華僑の入国を制限した。

二、社會的歴史的條件

香港の経済組織の特色は、その資本市場とコンツエルン式の企業結合にある。香港経済界の主流は英国資本で一九三六年投下資本一億五千万弗に達する。支那資本は多く零細な企業よりなり、約六千万弗に達する。

香港の資本市場の機能は極めて狭隘で、専ら株式の形態に於ける資金の需給調整に限られ、社債及び金融機関に依る長期の貸付は殆んど欠除してゐる。しかもかくの如き資本市場に於て公開せらるゝ株式が、分散的な潜在資金に依存するのではなく、少数の資金供給者に仰ぐ事である。即ち少数株主への集中の傾向が見られる事である。

右の資本市場の特質を企業の面から具体的に見れば企業の結合、自己資本構成比率の高度化となつて現はれてゐる。

英国の香港領有は一八四一年に行はれたが主として広東、澳門等の商人の要望に基くものであつた。領有初期に於ける香港は悪疫に加ふるに、一八六六年ボンベイに発生した金融恐慌の深刻な影響を受け、所謂「荊棘の道」を歩んだ。十八世紀後半漸く発展の緒につき十九世紀の後半以来確固たる地位を占める若干の貿易商社が出現した。之等貿易商社は二、三の例外を除けば少額の資本金を有する私会社形態の貿易商に過ぎなかつた。然るに彼等は、最初茶、阿片の貿易によつて巨利を博したが其後本国に於ける産業の発達、交通機関の進歩に伴ひ本国産業家に奉仕する手数料商人の地位に没落し、商業利潤獲得の限界が狭められるに至つたが、かゝる事情に対処し支那市場に於ける独占的地位を確保し、在支経済活動の新生面を開かんがためには、更に強大な資本力を以て新規事業の創設を必要とする事情に直面した。即ち保険、海運、倉庫、埠頭等の補助商業部門の自己経営から独立企業としての新設、電力、瓦斯、電車等公共事業の

五

創設、支那側民族産業に拮抗する工業部門に於ける活動、在支貿易商社のための金融機関の創設等だつた。然してかくの如き方面への発展は一八六二年の英本国に於ける有限責任会社條令、一八六五年の香港会社法の制定発布に依つて促進された。

かくの如き経過によつて貿易商社は単純なる貿易商社たる事を脱して、「特殊商社」とも言ふべきものとなり、各々謂はゞ財閥を形成したのである。而も之等の商社が協力して、一八六四年香港上海銀行を設立したが、其後銀行の顕著な発展の結果、香上銀行が却つて上位に立つに至つた。斯くして頂点に香上銀行を頂き、その下に銀行に対する出資者として重役を派遣する大貿易商社が位置し、更にその下に各種の企業が支配に服してゐる。しかも之等の被支配会社は単に上下の支配関係のみで連絡してゐるばかりでなく、横の重役兼任関係が存在し、実質的に香上銀行の支配は香港の全企業に及んでゐる。斯様な企業結合は前記の香港資本市場の実体的基礎をなして居る。

六

右の事実と関聯して注意をひくのは、資本構成上の特質である。香港の公[illegible]

在香港英國商社資本系統圖

（1939年9月現在）

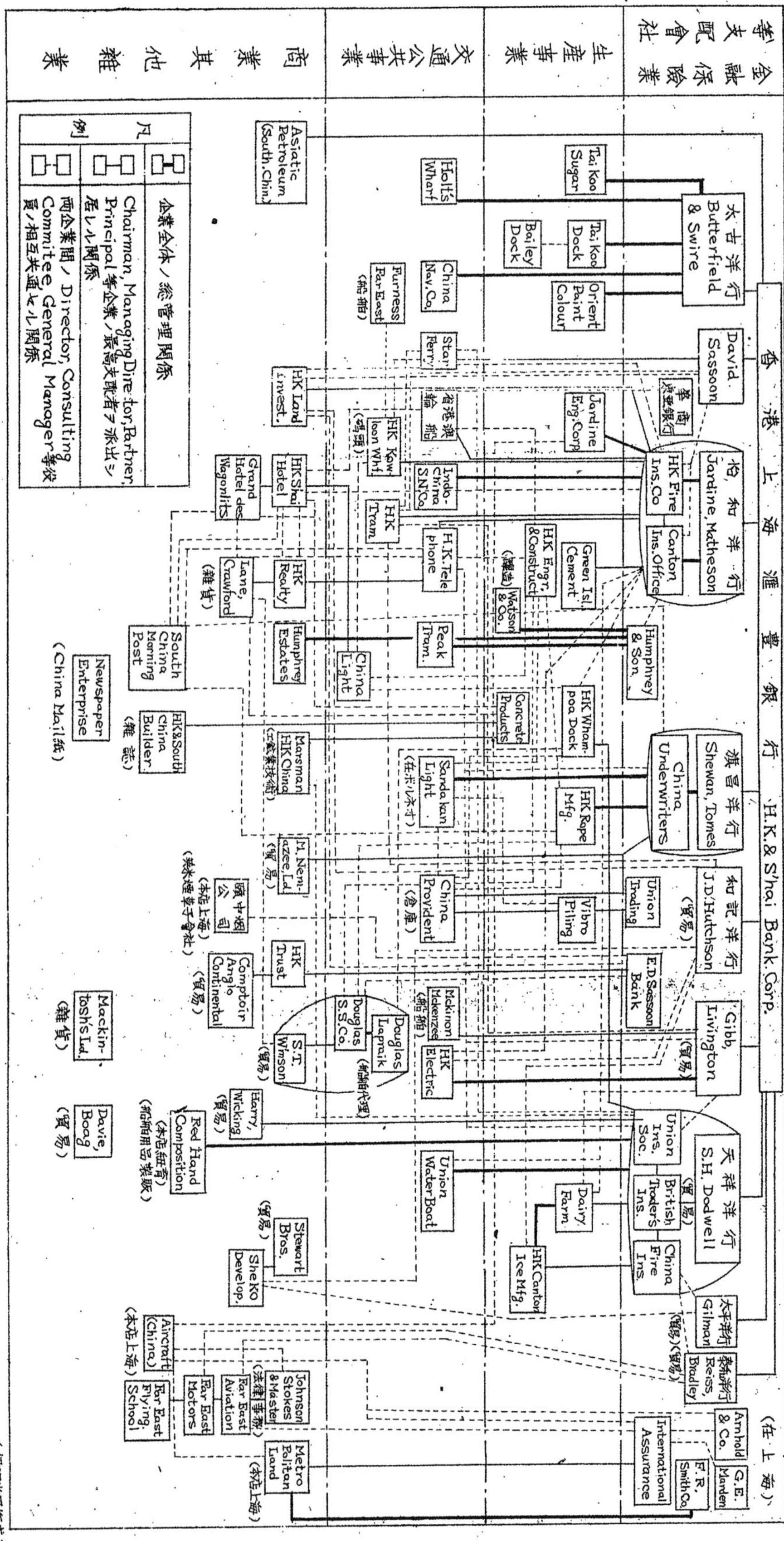

（伊沢光男作成）

第一表　在香港英國公開株式會社資本構成

（一九三六年、單位千香港弗）

	使用総資本	自己資本	%	他人資本	%
公開株式會社三一社	一、三六七、五五一	三〇六、七二八	二二・四	一、〇六〇、八二三	七七・六
金融を除く二六社	一二五、七九五	一〇三、九五五	八二・六	二一、八三九	一七・四
業種別内訳					
工業八社	二一、三二五	一四、〇二七	六五・八	七、二九八	三四・二
公共事業七社	三八、六三八	三五、〇四〇	九〇・七	三、五九八	九・三
航運業三社	一五、七七五	一一、六六一	七三・九	四、一一三	二六・一
其他八社	五〇、〇〇五	四三、三二六	八六・四	六、六二九	一三・六

（香）

株式会社に於ては自己資本の構成比率が極めて高度な点であり、金融業を除けば平均八六・一%に達する。其の半面長期他人資本は社債にしても、借入金にしても僅かに二、三の例を見るにすぎない。これは企業に対する株主の支配力が甚だ高度な事を意味するものであり、而も先に述べた様に株式資本は少数の株主に集中して居り、而も其の株主とは前記の貿易商社である。かくの如き高度の自己資本構成率と株式資本の少数の株主への集中とは、顕著な特長として注意を惹く。

七

第二　條約

香港の領有は広東及び澳門等の英国官吏乃至商人の要望に基いてゐる。一八、一九世紀の変以来支那官憲の英国対支貿易への圧迫は益々激化した。斯くして安全な商業根拠地の必要は極めて切実となり、其の意味で香港島は既に一八三〇年代に早くも英国の着目するところであつた。

その後林則徐の阿片焼却、英国領事エリオットの投獄、英人の通商禁止を直接の刺戟とする阿片戦争の勃発となつた。珠江附近の英国商船は全部香港島に引上げ、一八四〇年にはヴィクトリア市を占領した。一八四一年川鼻戦争の結果、仮條約により香港島は支那より英国に割譲され、一八四二年江寧條約に依つて清国をして該割譲を確認せしめた。

英国船アロー号事件、佛人宣教師殺害事件を端緒として英佛聯合軍広東を占領するや、英国政府は広東領事バークスをして、広東地方官憲に交渉せしめ、

八

彼の名義にて九龍半島尖端約四平方哩の平地に永代借地権を設定せしめ、一八六〇年の北京條約に依り右地域を英国に割譲せしめた。

日清戦役後の三国干渉の代償としてロシヤが旅順、大連の租借をなすや、英国はこれに対抗せんがために、威海衛の租借と同時に、一八九八年「香港地域拡張に関する條約」に依り九十九ケ年の期限を以つて、元広東省新安縣の一部たりし九龍半島及び南大澳島及び南了島其他附属島嶼を租借した。該條約に就ては附属地図に於て特に附近水域に線を劃して Boundary of area leased to Great Britain となせる地域内の水域をも租借権の及ぶ範囲とした。前記限界内の水域に於ては清国の税関監視船に対しても其の権限の行使を認めない。但し清国軍艦に対しては該水域の使用権を保持せしめた。租借地は面積三百五十六平方哩、その四分の一は小島嶼である。

一九三八年法幣安定を目的とする一千万磅の借款が成立するや、同時に香港にこれが運用委員会設置され、事実上法幣は香港の指示に服することとなつた。該資金運用委員会は、香港上海銀行支配人A.S. Henchman、渣打銀行支配

九

人W.E. Thomas 国民政府財政顧問たる英蘭銀行代表者 Cyril Rogers 中国銀行経理貝祖詒、交通銀行経理　唐氏の五人を以て組織されてゐる。

第三　貿易

一、香港貿易の盛衰

英国の香港領有は支那に対する安全な商業根拠地を得るためだつた。而して十八世紀以来順調な発展を遂げ、経済的にのみならず、政治的にも英国の対支政策の根拠地として重要なる意義を有して来た。十九世紀後半に於て対支貿易額の四割が香港を経由した事実は香港の重要性を如実に物語つてゐる。

香港領有以来英国は此処に一大工業地帯を建設せんと企図したが、自由港たる香港は外国工業特に本邦工業の側圧から脱する事が出来ず僅かに立地條件の有利な一部工業が栄えてゐるにすぎない。

かくの如き事情により香港は支那及び南洋各地に対する仲継貿易港として、発展し来つたものにして、香港に於て消費されるのは、輸入額の一割内外に過

ぎない。然るに二十世紀以来仲継貿易を生命とする香港は、上海の抬頭、後には大連の勃興並びに米国、独逸等が東洋への直接航路を開拓するに及んで、次第に後退して来た。この事は香港の支那貿易に於て占むる地位の消長に如実に表現されてゐる。即ち一九二九年支那貿易の一六・九パーセントを占めてゐたものが、一九三六年にはセ・五パーセントに惨落してゐる。殊に支那事変発生以来の対支貿易の激減は注目に値する。

然れども対支貿易に於ても、沿岸封鎖の今日に於ても種々のルートを通じて蔣政権との貿易は公然として行はれつゝあり、殊に香港が誇る港湾の優秀性、倉庫、ドックなどから見ても、南支に於ける貿易の中心地は依然として香港に於て、香港貿易の将来については、徐々に減退する事は予想されるが、地理上設備上あらゆる條件に於て香港に代る港湾が完成しない限り、消滅しないであらう。

香港貿易統計は輸出入監督局の設けられた一九一八年以降の作製にかゝる。香港貿易の最好景氣時代は大戦直後の一九二〇年で、貿易総額二十数億弗に達

したが其後漸減の一途を辿り、殊に一九二五年は広東に於ける排英経済断交の勃発により、十億弗に激減、翌一九二六年には六七億弗に惨落したと傳へられる。一九二五－一九三〇年間は所謂「香港罷工時代」で香港貿易は深刻なる打撃を受け、一九二五年七月以降一ヶ年間に商店の破産するもの一、五六二件その損失六千万弗といふ異常な混乱に陥り、ために政廳は統計作成を中止するに至つた。

統計作成を再開した一九三一年は十二億七千万弗に達したが、其後世界的不況と上海の抬頭に伴ひ、漸次減退し一九三三年には十億弗を割り一九三五年には六億三千万弗に惨落した。一九三七年は事変勃発により中南支向け貨物が全部香港を経由した等の事情により、十億弗を突破し、一九三二年以後の記録を作つた。

然るに一九三九年欧洲大戦の勃発と共に、米国よりの武器輸送等のために船舶の徴用を受くるもの多く、更に独逸海軍の海上封鎖、商船撃沈等のために英国は極度の船腹不足に直面してゐる。他方香港の第二の困難は、輸入免許制

及び割当制の結果としての英本国並に他の英帝国版図への輸入制限に起因するものである。

かくの如き事情のため香港の貿易は、異常の困難に当面してゐる。されば香港の貿易は一九三九年十一億二千万弗、一九四〇年十三億七千万弗と未曾有の活況を呈してゐるが、諸物價の騰貴を考慮する時、金額増加の半面に或る程度の量的減退の存することを注意しなければならない（香港政廳の統計局は数量を公表しない）。即ち一九四〇年に於ける平均價格の一九三九年に比し、騰貴せるものゝ内、最高は鉱物の四四・八二パーセント最低は食料品の二九・五八％にして、全商品の平均騰貴率は三五・三九％である。従って一九四〇年は一九三九年に比し数量に於て、大約九％の減少となる。

而して一九四一年に入って配船制限は一段と強化され、英国向輸出は完全に中絶することが予想される。一九四一年一月より四月に至る香港貿易を前年同期に比較して見るに

	一九四一年一月－四月	一九四〇年一月－四月	増減
輸入	二四九、七〇〇千香弗	二七〇、四〇〇千香弗	二〇、七〇〇（減）
輸出	一九三、六〇〇	二一〇、九〇〇	一七、三〇〇（〃）
合計	四四三、三〇〇	四八一、三〇〇	三八、〇〇〇（〃）

即ち輸入二千万弗、輸出一千七百万弗の減少を示してゐる。更に本年度に於ける諸物價の騰貴を考慮すれば、数量に於ては、相当著しい減少が存するものと考へられる。

殊に一九三八年我軍の南支攻略以来、香港の南支貿易が殆んど杜絶してしまつた事は、香港に大打撃を與へてゐる。この事は香港の将来に対する一つの暗示を與へるものである。

二、地域別国別貿易

香港貿易を地域的に見ると、元来香港は英国の対東洋、南洋の経済的據点とするところであり、又英国の政治的勢力と相俟つて、東亜、南洋諸地域との貿易が圧倒的に多く、次に英帝国（属領を含む）、米国（比律賓を含む）、欧洲大陸の順序である。対東亜貿易は香港貿易の約半ばに達する。東亜と南洋を合計すれば一九三九年に於て輸入四億一千九百万弗（七〇・六パーセント）輸出二億七千万弗（五〇・六パーセント）にして香港貿易の過半を制する。従って東南洋市場の喪失は香港にとって致命的打撃である。

されば今次欧洲大戦勃発と共に香港は磅貨の領内よりの外流防止困難なる地方としてカナダ、ニユージーランド共に磅ブロックより除外されたが、一九三九年十一月以降海峡植民地に於て対非磅ブロック外諸国との貿易を統制するに及んで異常な難局に逢着するに至つた。この点に関しては、最近円満なる解決

第二表

輸出入統計表（単位百万香弗）

年度	輸入	輸出	合計	入超
一九二二	四八九・七	四八七・八	九七七・五	一・九
一九二三	五四五・二	五四〇・〇	一〇八五・二	五・二
一九二四	六〇八・三	五四一・〇	一一四九・三	五七・三
此間政廳統計中絶				
一九三一	七三七・七	五四一・九	一二七九・六	一九五・八
一九三二	六二四・〇	四七一・九	一〇九五・九	一五二・一
一九三三	五〇〇・九	四〇三・一	九〇四・九	九七・八
一九三四	四一五・九	三二五・一	七四一・〇	九〇・八
一九三五	三六五・〇	二七一・〇	六三六・〇	九四・九
一九三六	四五二・四	三五〇・九	八〇三・三	一〇一・五
一九三七	六一七・一	四六七・三	一〇八四・四	一四九・八
一九三八	六一八・一	五一一・九	一一三〇・〇	一〇六・二
一九三九	五九四・一	五三三・三	一一二七・四	六〇・八
一九四〇	七五二・七	六二二・八	一三七四・五	一三〇・九

第三表　地域別輸入・出表

輸入

地域別	一九三七年 金額	一九三七年 百分率	一九三八年 金額	一九三八年 百分率	一九三九年 金額	一九三九年 百分率
東亜	二八七,九四一	四六・六	二七四,八一三	四四・四	三〇九,八六四	五二・一
南洋	一一〇,三四六	一七・八	一一一,六二六	一八・〇	一〇九,九七二	一八・五
英帝國	八八,八三三	一四・三	九三,二八〇	一五・〇	七〇,三七九	一一・八
米國（含比）	五四,三八三	八・八	五七,〇〇二	九・二	五四,四六二	九・一
欧大陸	五一,一七七	八・三	五四,一八三	八・九	二五,九九三	四・四
其他	二四,三八三	三・九	二七,二六四	四・四	二三,五二九	三・九
合計	六一七,〇六三	一〇〇・〇	六一八,一六八	一〇〇・〇	五九四,一九九	一〇〇・〇

（香）

輸出

地域別	一九三七年 金額	一九三七年 百分率	一九三八年 金額	一九三八年 百分率	一九三九年 金額	一九三九年 百分率
東亜	二三七,〇〇九	五〇・七	二六四,七六七	五一・七	一八四,〇九五	三四・五
南洋	五三,七三五	一一・五	五三,五五六	一〇・四	八六,一三二	一六・一
英帝國	七二,三九二	一五・四	六九,五二一	一三・五	八七,〇二四	一六・三
米國（含比）	五四,三三五	一一・六	六一,五四三	一二・〇	八八,二四一	一六・五
欧大陸	二一,八七六	四・六	三二,〇一六	六・二	二七,二四三	四・三
其他	二七,九七五	六・二	三〇,四九九	五・九	六四,六五〇	一二・一
合計	四六七,三二二	一〇〇・〇	五一一,九〇二	一〇〇・〇	五三三,三八五	一〇〇・〇

を見たが、他方支那事変による沿岸封鎖強化に伴ひ、香港の対支貿易は大打撃を蒙りつゝある。かゝる例外的現象を別としても、東南洋諸方に対する各先進国の直接船路の開拓、土着産業の発展等と共に香港貿易は衰退の一途を辿りつゝあった。

されば事変発生以来香港貿易は異常の躍進を見せてゐるにも不拘、当局者は「これは一時的現象であり、揚子江及漢口が近く活動力を回復するに相違ないから、既に香港の発展に不可欠の要因となった製造工業を助成促進しなければならぬ」と述べてゐる。

一九三七年と一九三九年を比較するに、輸入に於て東亜は著しい増加を見せてゐるが、これは援蒋ルートたる広州湾、澳門及び治安回復に伴ふ北支よりの輸入増加のためであり、英帝国及び欧洲大陸は大戦の影響により激減してゐる。輸出に於ては一九三八年我軍の南支進出に伴ひ南支貿易が杜絶した為東亜は激減してゐるが、他はいづれも増加してゐる。

国別貿易に於ては支那が圧倒的に多く、英国（属領を含む）、米国（比律賓を含む）の順位にして佛印、蘭印、泰国等は年によって順位を異にし、日本はその以下にある。欧洲大戦勃発以来独逸は香港市場から姿を消した。

今一九三九年に於ける主要国の状況を見るに次の如し。

第四表　主要国別貿易

国名	輸入（千香弗）	輸入 %	輸出（千香弗）	輸出 %
日本	二七,四三〇	五	六,五五四	一
支那	二二三,二〇六	三七	九〇,二一七	一七
北支	一六六,三一七	二八	四五,一〇七	八
中支	一三,七六八	二	二二,一七二	四
南支	四三,一二一	七	二二,九三八	四
澳門	三二,八七二	五	四五,〇三八	八
広州湾	二六,三五六	四	四二,二八六	七

香港は英国の対支貿易の足場とするだけに次表に見る如く圧倒的数字を記録してゐる。しかし一九三一年以来輸出入共漸減の傾向にあつたが、事変勃発以後、上海の貿易港としての機能喪失と共に急激に上昇傾向を見せて来た。対支貿易は従来多くは出超であるが、一九三九年には一億三千三百万弗の入超を記録してゐる。しかも貿易額に於て前年度に比し一億五千万弗の減退を示してゐるが、之は北支の治安回復に伴ふ北支よりの輸入増加と、一九三八年我軍の南支進出により、南支向輸出が殆んど杜絶の状態に陥つた為である。即ち南支向

佛印	四〇、六五九	七	五五、四七九	一〇
蘭印	三九、四三〇	七	二五、一六〇	三
泰国	二九、八八三	五	一五、四九三	三
英帝国（含属領）	七〇、三七九	一一	八七、〇二四	一六
米国（含比律賓）	五四、四六二	九	八八、二四二	一六
独逸	一三、〇六五	二	一二、六一二	二

一九

け輸出は一九三八年の一三九、六四三千弗に比し一九三九年は二二、九三八千弗にして一億一千六百万弗の減退を示してゐる。北支よりの輸入は一九三八年の一五、一九八千弗に比し、一六六、三一七千弗と五千百万弗を増加してゐる。従来輸出に於ては南支が全体の四割、輸入に於ては北支が一割三分内外を占めて居た。

然し最近に於ける香港の対支貿易は衰退の一途を辿りつゝあるものと云ふべく事変後の活況は異常現象と見るべきである。この事は逆に支那貿易に於て香港の占むる地位を検討すれば一層明瞭となる。即ち一九二九年に支那貿易に於て一六・九%を占めてゐたが、一九三二年以後激減し事変前の一九三六年には七・五%に惨落し、香港の将来を暗示してゐる。

今一九三九年に於ける国別貿易を概観するに、

(一)　支　那

北支よりの輸入一億六千六百万弗、輸出四千五百万弗にして、前年に比し輸入五千百万弗（五割）増、輸出千七百万弗（三割五分）減を示し、主要輸入品

二〇

第五表　對支貿易（單位千香港弗）

年度	輸出	%	輸入	%
一九三一	二九四、九九九	五四・四	二〇〇、四二二	二七・一
一九三二	二七九、八一八	五九・二	一六九、九九三	二七・二
一九三三	二二七、〇〇六	五六・三	一五五、一八七	三〇・九
一九三四	一五六、二四四	四八・〇	一四六、四八八	三五・二
一九三五	一三二、八〇四	四九・〇	一二三、三一四	三三・七
一九三六	一四九、七三九	四二・六	一五二、〇四二	三三・六
一九三七	一九〇、四〇〇	四〇・七	二一一、三二〇	三四・四
一九三八	二三〇、七二六	四五・〇	二三三、二六三	三七・七
一九三九	九〇、二一七	一六・九	二二三、二〇六	三七・六

（香）

第六表　支那貿易に於て香港の占むる百分率

年度	輸入 %	輸出 %	輸出入合計 %
一九二九年	一七・〇一	一七・一八	一六・九〇
一九三〇年	一六・五九	一七・六七	一六・九三
一九三一年	一五・六八	一六・二一	一五・七〇
一九三二年	五・七一	一五・四四	五・六七
一九三三年	三・五五	一九・七六	八・五九
一九三四年	二・八六	一八・八五	八・四二
一九三五年	二・一七	一〇・二六	七・六八
一九三六年	一・八八	一五・〇七	七・五〇
一九三七年	二・〇〇	一九・四二	一〇・一四
一九三八年	二・七五	三一・八七	一六・二四
一九三九年	二・六四	二一・五六	

（香）

は綿糸布、桐油、茶、豚毛等、輸出品は米、砂糖、染料、自動車等である。

中支より輸入千三百万弗、輸出二千二百万弗にして前年に比し、輸入百万弗増、輸出六百万弗減を示してゐる。主要輸入品は茶、輸出品は肥料、白米等にして輸出減の主要原因は独逸産硫安肥料の輸出減による。

南支よりの輸入四千三百万弗、輸出二千二百万弗にして前年に比し輸入六千二百万弗（六〇%）、輸出一億千七百万弗（八五%）と激減してゐる。右は我軍の南支作戦の影響にして、主要輸出品たる綿糸布、米、自動車、ガソリン等、輸入品たる錫、桐油、ウオルフラマイト、茶等いづれも激減してゐる。

(二)　澳門、広州湾、佛印

南支貿易の激減は其の隣接地たる澳門、広州湾、佛印との貿易に著しき繁栄をもたらした。注意すべきは援蔣ルートとして蔣政権地域との交易がその大半を占むるものと推定さるゝ点にある。

澳門は輸出四千五百万弗、輸入三千二百万弗にして前年に比し輸入千九百万

弗、輸出二千五百万弗を増加してゐる。主なる輸入品は生糸、雑貨、食料品、輸出品は米、落花生油、煙草等にして南支産生糸が澳門に出廻り当地へ輸出されるのは注意すべきである。

広州湾との貿易は輸入二千六百万弗、輸出四千二百万弗、前年に比し輸入千七百万弗、輸出三千三百万弗の増加にして、主要輸入品は豚、牛、食料品、桐油、主要輸出品は綿糸布である。この中桐油、綿糸布等は前年迄言ふに足らざる額なりしに蔣政権の門戸となつてより急激な増加を見せてゐる。

対佛印貿易は輸入四千万弗、輸出五千五百万弗にして前年に比し、輸入六百万弗、輸出三千二百万弗を増加す。主要輸入品は米、桐油、輸出品は綿糸布、自動車類、ガソリン、機械類にして、これらは一九三九年に至つて激増し専ら蔣政権領域との交易品と推定される。

(三)　泰国、蘭印、馬来

泰国との貿易は米の輸入激減し、輸出は綿糸布、雑貨にしていづれも減少し

第七表　香港主要國別貿易額――輸入（單位香貨千弗）

年度＼國名	日本	北支	中支	南支	澳門	廣州湾	佛印	泰國	蘭印	比律賓	英領馬来	緬甸	印度	濠洲	米國	英國	独逸	佛國	白耳義	和蘭	其他	計
一九三一	六八、三〇三	一〇二、五六一	一三、六三九	八五、三二二	一〇、四二四	九、九一〇	五〇、六八一	四七、一二九	七九、九五〇	一、七二二	一五、一九七	五、九九九	一七、五八三	六、二八八	五七、二〇〇	七八、二五一	三七、五六〇	四、二六一	一五、〇一八	四、五一三	二七、三二九	七三七、七四〇
一九三二	二一、二八〇	八六、六四二	一一、六九二	七一、六五九	八、八七八	八、三四六	五三、六六九	五七、八二三	六一、六二〇	一、六四三	九、一一二	六、二五六	一七、六四九	一三、〇四五	四六、一二五	七六、九〇五	二五、七〇八	三、六三八	一二、九二〇	五、五三四	二五、九〇五	六二四、〇四八
一九三三	二五、二八九	七七、四二五	九、三二〇	六八、五四二	七、八八九	七、二三四	四三、三七三	五〇、一八四	三八、八八六	一、一六〇	五、九五一	四、四〇四	一八、三一〇	八、〇九七	三一、二〇九	五三、一七一	一九、〇七九	二、五五〇	八、四一六	四、四六五	一八、〇六三	五〇〇、九二七
一九三四	三六、六八九	七四、〇一五	七、三五五	六五、一一八	七、九六八	五、八三三	二六、二四五	三八、四六四	三四、六七五	一、一二九	五、四九六	八一四	八、二七六	六、六九八	二九、三四三	三三、五四二	一三、五三七	一、九七七	四、八八〇	四、五二六	一〇、四一一	四一五、九一九
一九三五	四三、一三三	六一、九一五	五、九〇五	五五、四九三			三二、五七三	二〇、五三五	三二、五七六		六、二一五		四、四四〇	八、四一九	二六、四六二	二三、八九七	一六、三四六		四、七八八		三二、二九三	三六四、九九〇
一九三六	五八、〇三九	七〇、三三三	七、一四六	七四、六四三			二五、七六〇	二九、七八〇	三八、三三四				五、七五五	九、一一四	三三、一八一	二九、〇〇八	三三、六一八		六、四九九		四三、一一〇	四五二、三五〇
一九三七	五八、〇四三	八四、一八四	一一、一九五	一一五、九四一	一一、〇四四	七、五三四	四〇、七七九	二二、六五二	四六、九一五	二、六〇七	九、一二五	一三、二〇二	六、四三四	一三、三五〇	五一、七七六	四六、七三二	三〇、八九七	三、五七七	九、九九〇	六、七一三	二四、三八三	六一七、〇六三
一九三八	一八、七八〇	一一五、一九八	一二、四九六	一〇五、五六九	一三、六四九	九、一二一	三四、四一九	三六、二四一	四〇、九六六	二、二九七	七、六〇〇	五、一三八	一一、七二四	一二、四〇四	五四、七〇五	五六、四一四	三九、〇三九	三、七四七	六、〇一三	五、三八四	二七、二六四	六一八、二六八
一九三九	二七、四三〇	一六六、三一七	一三、七六八	四三、一二一	三二、八七二	二六、三五六	四〇、六五九	二九、八[illegible]三	三九、四三〇	二、五六二	一二、九五九	一、〇[illegible]五	九、五六四	七、一二五	五一、九〇〇	三九、六九六	一三、〇六五	二、六三三	五、八六五	四、四三〇	二三、五二九	五九四、一九九

第八表　香港主要國別貿易額――輸出（單位香貨千弗）

國名＼年度	一九三一	一九三二	一九三三	一九三四	一九三五	一九三六	一九三七	一九三八	一九三九
日本	二七、五二三	一三、四九二	一三、八八四	一一、四四七	一一、四九七	一七、九五五	一九、七七九	三、三一八	六、五五四
北支	六六、一一六	五七、三〇〇	四四、九二八	三六、七七八	二〇、一四三	二九、〇一七	三八、五一七	六三、九三五	四五、一〇七
中支	四八、七二四	四六、三四五	三〇、七〇七	二〇、一四九	一七、四一七	二〇、二七一	二八、六五八	二八、一四八	二二、一七二
南支	一八〇、一五九	一七六、一七三	一五一、三七一	九九、三一七	九五、二四三	一〇〇、九五二	一二三、二二五	一三九、六四三	二二、九三八
澳門	二五、六五一	二二、四三〇	二一、三八四	一七、三六四	一三、二九五	一三、〇〇一	一七、〇九五	二〇、八三九	四五、〇三八
廣州湾	一八、七五三	一三、四八九	九、九六五	八、〇二八			九、七三五	九、八八四	四二、二八六
佛印	三三、九三二	二九、九〇二	二四、二七三	二四、〇九五	一四、四五九	一七、三七〇	二四、〇〇四	二三、一五五	五五、四七九
泰國	二三、六一五	一六、三八七	一四、五四六	一四、六六四	一〇、四四一	一四、五〇五	一四、一七二	一五、九六九	一五、四九三
蘭印	一四、二二八	一〇、七八九	九、五七五	八、五〇六			一五、五五九	一四、四三二	一五、一六〇
比律賓	一〇、六六一	一三、七三一	九、四三一	五、二九一	五、〇二三	一、五〇〇	一三、二〇七	九、五〇二	一一、三五七
英領馬來	三四、二七八	二三、六一三	二一、四一九	二四、七六五	一七、〇〇六		三九、七九九	三六、八八一	四五、九八五
緬甸	一、九八七	一、九一二	一、五七三	一、七一九			三、四六七	三、一二四	五、三四二
印度	八、五一〇	[illegible]	五、五八一	四、二三三			五、三五九	五、四四五	九、三六四
濠洲	一、六〇五	一、六三六	一、三六三	一、六〇九			二、八九三	二、八五三	三、九一七
米國	二〇、一六七	一八、三〇八	一九、二八四	一八、五七三	二一、二四八	二八、四三六	四一、一二八	五三、〇四一	七六、八八四
英國	五、二四七	三、四六二	四、五二四	六、三六三	七、五五三	一三、二八三	二〇、八七四	二一、二一八	二二、四一六
独逸	一、五七九	一、六五六	二、八七三	二、五八九			一一、八八九	一三、一三八	一三、六一二
佛國	四九〇	四七〇	三、六八六	四、九〇二			四、五五八	八、八五八	七、一二九
白耳義	四六三	一七三	一、一〇六	一、一九〇			一、三七三	二、六五五	一、三二〇
和蘭	八八六	五六二	一、一五六	一、四一五			四、〇五六	七、三六五	六、一八一
其他	一八、四七三	一三、〇五二	一一、四五三	一三、一一八	三一、五二五	七五、三五五	二七、九七五	三〇、四九九	六四、六五〇
計	五四二、〇四七	四七一、九六〇	四〇三、〇九二	三二五、一〇五	二七一、〇〇三	三五〇、八六五	四六七、三二二	五一一、九〇二	五三三、三八五

（香）

第九表　國別主要商品輸入額

（單位千香港弗）

		一九三八年	一九三九年
日本	糸及織物類	九,四四五	二〇,三九九
	燃料（瀝青炭）	五,二七八	二,六六八
北支	糸及織物類	三七,一三八	五七,一八一
	油脂類（桐油）	一二,六四四	三三,二八四
	食料品	二八,一四九	二六,八三七
	雑貨	八,二三二	一五,一二九
	漢薬類	六,六四一	一〇,七五〇
	種子	一〇,四九七	六,五四八
中支	食料品（茶）	七,三九三	六,二四九
南支	金属（錫塊）	一九,九八六	一四,〇五二
	油脂類（桐油）	一六,三三九	一三,六七九
	鉱物類（ウオルフラマイト）	七,〇〇四	三,七五三
	雑貨	一四,五八八	三,四一二
	食料品（茶）	一一,九六八	三,四七三
澳門	雑貨	四,五七三	八,六六一
	食料品	二,九四九	七,九二三
	糸及織物類（生糸）		七,七七三
廣州湾	生獣（豚・牛）	四,〇五二	一〇,九八二
	雑貨	二,四八八	四,三五六
	食料品		三,九四七
	油脂類（桐油）		三,七一〇
佛印	食料品（米）	一九,八五二	二〇,五〇三
	油脂類（桐油）		八,一四七
泰國	食料品（米）	三二,七一七	二六,三三八
蘭印	食料品（砂糖）	一一,八七三	一七,九八四
	油脂類（燃料油）	二四,六八五	一五,六九七
	燃料		二,三六一
馬來	燃料		四,六六七
	雑貨（生ゴム）		三,五三〇
緬甸	食料品（白米）	四,八三五	
印度	燃料（瀝青炭）		三,五三〇
	糸及織物	七,五九七	二,四九八
濠洲	食料品	一〇,四四三	四,二七三
英國	糸及織物	一二,二〇二	八,〇五四
	雑貨	八,二一五	五,四一八
	機械類	七,三一五	五,八九四
	金属類	七,一七五	四,八〇三
	肥料	三,七九四	
	自動車	二,五四九	一,〇五一
	煙草	二,一二三	
	酒類	二,一三一	
	食料品	二,一二七	
米國	自動車	九,〇八三	九,四八四
	油脂類	九,〇四〇	一〇,〇〇七
	食料品	七,三九五	八,七八六
	雑貨	七,九七一	六,四一六
	金属類（錫板）	六,五六八	三,七八九
	紙類	二,九四六	二,一八九
	漢薬類	二,八三三	二,四六〇
	機械類	二,〇二七	
独逸	染料及鞣皮剤	一〇,八七五	二,二一二
	雑貨	四,六三四	二,〇六六
	肥料	四,三四四	
	金属類	四,一九六	
	機械類	三,八八三	
	化学薬品	二,八九八	
	紙類	二,三五〇	
白耳義	金属類	三,九九四	二,八三四
和蘭	食料品	二,七四八	二,二五六

第十表　國別主要商品輸出額

（單位千香港弗）（香）

國別	商品	一九三八年	一九三九年
日本	鉱物類（ウォルフラマイト）		二、五四一
北支	食料品（氷、砂糖）	二〇、六八九	一五、〇三七
	雑貨	九、二四六	九、一〇二
	染料及鞣皮剤	六、六一六	三、一六五
	金属類（錫板）	四、九一三	
	自動車類	四、三一三	二、三二四
	油脂類	二、〇九三	
中支	肥料	八、五八七	五、七一五
	食料品（台米）	六、九六〇	五、二六二
	油脂類	二、六六六	二、六二六
南支	糸及織物類	三〇、五四九	六、四五四
	食料品（米）	二三、二二五	
	油脂類（燃料）	二一、一三二	
	自動車類	一二、九八〇	三、二〇九
	雑貨	一〇、二七七	四、〇七一
	金属類	九、五四五	
	種子類	六、五八〇	
	機械類	四、〇三八	二、〇四三
	化学薬品	三、五二九	
	煙草	三、五一五	
澳門	食料品（氷）	八、六四〇	一五、〇二五
	油脂類（落花生油）	二、〇三八	六、二二二
	雑貨	二、三〇七	四、一五六
	煙草		二、八九五
廣州湾	糸及織物類		二七、一六八
佛印	糸及織物類	六、四九五	一〇、六九四
	食料品	六、六九九	五、〇〇四
	自動車類		一〇、四〇三
	油脂類（ガソリン）		五、〇三八
	金属類		四、二五三
	機械類		二、九一五
泰國	糸及織物類	四、五三二	
	食料品	三、六二六	
	雑貨	二、五八六	
蘭印	雑貨	四、五六八	四、五六九
	衣裳類	三、四一八	三、四三九
	食料品	二、五七四	二、九〇六
比律賓	食料品	四、九一六	六、一七〇
馬來	食料品（砂糖）	一三、一九七	一七、四二二
	雑貨	六、五〇七	六、四三四
	糸及織物類	三、七五五	四、一九二
	衣裳類	三、一九七	三、九一四
英國	衣裳類（ゴム靴）	四、一六三	六、五四五
	金属類（錫塊）	七、一〇一	四、五〇六
	食料品	四、一五四	二、三五三
	雑貨	二、五九八	四、八六七
	油脂類（桐油）	二、四一五	三、〇四五
印度	糸及織物類		二、四五四
	漢薬		二、三九四
	雑貨	二、〇五九	
米國	油脂類（桐油）	三二、一五八	四〇、〇〇二
	雑貨（豚毛）	六、四五九	一〇、五五三
	金属類（錫塊）	五、五一八	九、三三二
独逸	食料品	五、一六二	七、四一六
	鉱物類（ウォルフラマイト）	四、五〇七	五、三三二
	雑貨	二、六〇九	二、七九八
	油脂類（桐油）	四、二三八	二、七七七
佛國	鉱物類（ウォルフラマイト）	四、九五一	
	糸及織物類		二、一八〇
白耳義	鉱物類	二、一九二	
和蘭	鉱物類（ウォルフラマイト）	三、一一四	
	金属類（錫塊）	二、三〇四	三、五五三
ソ聯	食料品（茶）	九、三九一	一四、五七三
	鉱物類（ウォルフラマイト）		七、六七七
	金属類（錫塊）		四、四八四
	油脂類（桐油）		二、六二四
	雑貨		二、三二九

である。

対蘭印貿易は砂糖、石炭の輸入増加し、石油類は激減してゐる。

馬来との貿易は石炭、生ゴム等の輸入増加し、砂糖、雑貨、綿糸布の輸出が増加してゐる。

(四) 欧米諸国

対米貿易は輸出入共著しく増加してゐる。輸入品は石油類、自動車類、小麦粉、錫板、等にして輸出品は桐油、錫塊、豚毛である

対英貿易は前年に比し、輸入千七百万弗、輸出百万弗を減少してゐる。輸入品は綿糸布、機械類、雑貨、輸出品はゴム靴、錫塊、桐油である。

対独貿易は輸出は前年と大差なく、輸入は半減してゐる。輸出品はウオルフラマイト、桐油等にして、輸入品は従来染料、硫安肥料、金属類、機械類、化学薬品等であるが、欧洲大戦以来香港市場から姿を消した。

(五) 日本

事変以来対日貿易は激減してゐる。主要輸入品は綿糸布、石炭、輸出品はウオルフラマイトである。

三、商品別構成

香港貿易に於ける主要商品次の如し、

輸入（パーセンテージは一九三九年）

生動物	二・三八%	漢薬	四・三四%
食料品	二三・一一	燃料	二・七六
金属類	六・三二	油脂類	五・〇五
糸反織物	一六・六九	自動車	二・二九

輸出

漢薬	四・三六	食料品	二〇・三七
金属類	七・〇二	鉱物類	四・一一
油脂類	一四・〇六	糸反織物	一三・六一
自動車	三・八四	衣服類	五・三四

而して今次事変勃発以来輸入に於ては、生動物、漢薬、食料品、燃料、機械類、金属類、油脂類、糸反織物、自動車等がいづれも著しい増加率を示し、輸出に於ては化学薬品、漢薬、染料、食料品、鉱物類、油脂類、糸反織物、自動車、衣服類等が増加を示してゐる。

個々の重要商品につき、一九三九年に於ける状況を見るに次の如くである。

(一) 食料品

食料品中米[illegible]輸入は四千四百万弗、輸出二千二百万弗にして支那避難民増加のため、当地消費が著しく増加してゐる。輸入相手国は、佛印、泰国にして、仕向け先は北支、澳門、比律賓等である。

砂糖は大部分蘭印より粗糖を輸入し太古糖房に於て精製の上馬来北支等に輸出する。

茶は輸入千二百万弗、輸出二千万弗、北支を主とし中支、南支より輸入し七〇パーセントをソ聯に其他米国等に輸出する。

小麦粉は輸入八百万弗、輸出四百万弗にして、前年に比し激減してゐる。輸入相手国は前年の濠洲に代り米国が五〇パーセントを占め、其他濠洲、カナダより輸入し、北支、澳門に輸出される。

(二) 糸反糸織物

輸入九千九百万弗、輸出七千二百万弗、輸入相手国は北支、日本、印度にして輸出先は広州湾、佛印等である。

生糸は輸入七百万弗、輸出九百万弗にして従来の南支に代り、澳門より輸入され、佛印、印度等に輸出される。密輸額が相当額に達する。

(三) 油脂類

桐油は輸入五千万弗、輸出四千九百万弗にして前年の六割増を示し、昨年は

第十一表　主要商品別輸入額（單位千香港弗）

品名	一九三四年 金額	一九三四年 %	一九三五年 金額	一九三五年 %	一九三六年 金額	一九三六年 %	一九三七年 金額	一九三七年 %	一九三八年 金額	一九三八年 %	一九三九年 金額	一九三九年 %
生動物	九、二三三	二・二一	七、九二九	二・一七	八、〇四二	一・七七	八、八二〇	一・四三	一〇、二六二	一・六六	一四、一六九	二・三八
建築材料	七、二六二	一・七四	六、七三〇	一・八四	六、六三五	一・四六	八、〇二六	一・三六	八、六七六	一・四〇	七、七四九	一・三〇
化学薬品	五、七二四	一・三七	四、五二一	一・二一	五、四〇八	一・一九	九、九七二	一・六二	九、二五三	一・四九	七、七三五	一・三〇
漢薬	一六、八二五	四・〇四	一三、〇一八	三・五六	二〇、二六五	四・四八	二一、一一七	三・五九	一九、五九二	三・一六	二五、八二七	四・三四
染料	三、六九六	〇・八八	四、二六一	一・一六	四、七三六	一・〇四	八、一七〇	一・三二	一六、〇八五	二・六〇	八、一〇二	一・三六
食料品	一二六、五三七	三〇・四二	一〇八、〇二五	二九・六〇	一二三、四一一	二七・二八	一五五、三四二	二五・一七	一五三、四四一	二四・八二	一三七、三六八	二三・一二
燃料	一一、四六三	二・七五	一〇、六二八	二・九一	一一、〇三三	二・四三	一六、〇一二	二・五九	一七、二七三	二・七九	一六、三九八	二・七六
金物類	二、九三七	〇・七五	二、六五一	〇・七三	三、九三七	〇・八七	六、九一四	一・一二	六、〇〇三	〇・九七	四、七二一	〇・七九
酒類	三、九六一	〇・九五	二、九二二	〇・八〇	三、三七九	〇・七四	四、〇六一	〇・六五	四、九二一	〇・七九	四、八五九	〇・八二
機械類	六、九四六	一・六七	六、七四〇	一・八四	九、〇六〇	二・〇〇	八、八六五	一・四三	一七、一三六	二・七七	一〇、六八七	一・七九
肥料	二、〇四六	〇・四九	三、四三五	〇・九四	八、八八六	一・九六	一三、三四八	二・一六	九、八三一	一・五九	七、七四八	一・三一
金属類	三三、一七三	七・九七	三二、七八四	八・九八	四一、〇三二	九・〇七	六七、三九一	一〇・九二	四八、一四四	七・七九	三六、九八一	六・二二
鉱物類	一、一〇〇	〇・二六	二、一九〇	〇・六〇	二、八二一	〇・六二	一二、七七四	二・〇七	八、〇六四	一・三〇	五、五五三	〇・九三
種子類	六、一〇一	一・四六	五、一四一	一・四一	六、五六六	一・四五	九、三六〇	一・五一	一三、八二二	二・二三	九、八六八	一・六六
油脂類	三三、九〇二	八・一五	三三、九七三	九・三〇	三九、九九四	八・八四	七三、九八五	一一・八二	七八、二二三	一二・六五	八九、四四三	一五・〇五
塗料	一、四四〇	〇・三四	一、四五一	〇・三九	一、七五〇	〇・三八	三、二九七	〇・五三	二、三三八	〇・三七	一、九四二	〇・三三
紙類	九、七三三	二・三四	八、八七一	二・四三	一三、四一七	二・九六	一六、〇八八	二・六〇	一四、七三四	二・三八	一〇、六四〇	一・七九
綿織物	六六、五五一	一六・〇〇	五三、六七六	一四・六九	六七、九七五	一五・〇二	七六、八四一	一二・四五	七九、八三二	一二・九一	九九、二〇〇	一六・六九
鉄道材料	三五四	〇・〇八	五六三	〇・一五	八四	〇・〇一	一、〇六七	〇・一七	三三〇	〇・〇五	一四六	〇・〇二
煙草	六、三八四	一・五三	五、八六三	一・六〇	五、八九一	一・三〇	八、一四九	一・三二	八、一一三	一・三一	九、五八七	一・六一
自動車	三、三七四	〇・八一	三、九三八	一・〇七	六、五八四	一・四五	六、二二四	一・〇一	一四、一四〇	二・二八	一三、六三七	二・二九
衣服類	四、〇四一	〇・九七	三、六一一	〇・九八	四、一二三	〇・九一	四、四四七	〇・七二	五、〇七三	〇・八二	四、四四〇	〇・七四
袋物							二、四一〇	〇・三九	二、二五九	〇・三六	二、一二一	〇・三五
電気器具							四、四五八	〇・七二	七、〇八〇	一・一四	五、〇九五	〇・八五
皮革							九、三五〇	一・五一	六、一三二	〇・九九	四、九七三	〇・八四
鞣皮							三、一三七	〇・五〇	二、七四七	〇・四四	二、三三一	〇・三九
燐寸及材料							一、三五一	〇・二一	一、六四二	〇・二六	二、九二八	〇・四九
其他	五三、一九〇	一二・七八	四三、〇七五	一一・八〇	五七、六三一	一二・七三	五七、〇七二	九・二四	五四、〇二六	八・七四	五〇、〇五四	八・四二
計	四一五、九一九	一〇〇・〇〇	三六四、九九〇	一〇〇・〇〇	四五二、三五〇	一〇〇・〇〇	六一七、〇六三	一〇〇・〇〇	六一八、一六八	一〇〇・〇〇	五九四、一九九	一〇〇・〇〇

第十二表　主要商品別輸出額（單位千香港弗）

品名	一九三四年 金額	一九三四年 %	一九三五年 金額	一九三五年 %	一九三六年 金額	一九三六年 %	一九三七年 金額	一九三七年 %	一九三八年 金額	一九三八年 %	一九三九年 金額	一九三九年 %
生動物	三〇〇	〇・〇九	一六八	〇・〇六	一三四	〇・〇四	八七	〇・〇二	一〇七	〇・〇二	四六〇	〇・〇九
建築材料	三、八七二	一・一九	三、五〇二	一・二九	五、五一三	一・五七	四、六四七	〇・九九	四、三三六	〇・八四	三、一一三	〇・五八
化学薬品	三、三二五	一・〇二	二、八九四	一・〇六	三、四四一	〇・九八	六、五三五	一・四〇	九、〇七四	一・七七	六、八八〇	一・二九
漢薬	一一、七八九	三・六二	一〇、三一八	三・八〇	一三、七六一	三・九二	一七、〇四五	三・六五	一五、七一四	三・〇六	二三、二六八	四・三六
染料	三、二二四	〇・九九	三、五五三	一・三一	三、六〇六	一・〇三	五、三〇九	一・一四	一一、三七八	二・二二	八、八四三	一・六五
食料品	一〇二、一七〇	三一・四二	八二、一八九	三〇・三二	九一、九二二	二六・一九	一二八、六三六	二七・五三	一二〇、六九一	二三・五七	一〇八、七五四	二〇・三九
燃料	一、〇八七	〇・三三	七八一	〇・二八	三九六	〇・一一	五四〇	〇・一二	一、一二五	〇・二二	七三一	〇・一四
金物類	二、一一〇	〇・六五	二、〇四一	〇・七五	三、〇七二	〇・八七	五、二一六	一・一二	三、〇一三	〇・五八	四、三六九	〇・八二
酒類	一、二二六	〇・三七	七六一	〇・二八	八九四	〇・二五	一、三九八	〇・三〇	一、三六三	〇・二六	一、四九五	〇・二八
機械類	五、八三三	一・七九	七、三九二	二・七二	九、九四七	二・八三	四、八六一	一・〇四	六、四七〇	一・二六	六、九九五	一・三一
肥料	三、五二〇	一・〇八	四、八八二	一・八〇	一〇、二二一	二・九一	一一、八〇七	二・五三	一三、一五四	二・五六	八、一〇九	一・五二
金属類	三一、〇五五	九・五五	二八、七二一	一〇・五九	三六、九七三	一〇・五三	四四、五六九	九・五四	三六、三二八	七・〇九	三七、四八一	七・〇三
鉱物類	二、九三二	〇・九〇	二、八二九	一・〇四	八、四四五	二・四一	一七、五〇二	三・七四	一六、三八八	三・二〇	二二、五〇三	四・二二
種子類	四、三二九	一・三三	三、四三六	一・二六	四、〇四七	一・一五	五、七九三	一・二四	一〇、五七八	二・〇六	六、四七〇	一・二一
油脂類	二五、七五三	七・九二	二五、六五七	九・四六	三三、〇八〇	九・四三	六〇、九九二	一三・〇五	七七、二八〇	一五・〇九	七五、〇三七	一四・〇七
塗料	一、三三八	〇・四一	一、一九六	〇・四四	一、四三〇	〇・四〇	一、七六九	〇・三八	一、七一三	〇・三三	一、八一七	〇・三四
紙類	六、九六三	二・一四	五、六四四	二・〇八	七、八九四	二・二五	一〇、四四三	二・二三	一〇、三八一	二・〇三	八、三六二	一・五七
糸及織物	四八、七〇三	一四・九八	三四、一〇九	一二・五八	四〇、〇六九	一一・四二	四六、五一八	九・九五	五五、八三〇	一〇・九〇	七三、六二〇	一三・八〇
鉄道材料	一、五二一	〇・四七	一、〇六一	〇・三九	一、一五五	〇・三三	八七二	〇・一九	八〇八	〇・一六	一三七	〇・〇三
煙草	四、二九五	一・三二	三、二三六	一・一九	四、三二一	一・二三	七、四一五	一・五九	八、七〇三	一・七〇	九、六五三	一・八一
自動車	二、〇三九	〇・六三	三、〇六一	一・一三	七、九七〇	二・二七	五、九三二	一・二七	二〇、〇三三	三・九一	二〇、四六四	三・八四
衣服類	八、四七八	二・六〇	六、二二三	二・二九	一二、五九一	三・五八	一九、六八四	四・二一	二〇、五六一	四・〇二	二八、五一九	五・三五
袋物							三、八六〇	〇・八三	二、八七六	〇・五六	三、二八六	〇・六二
電気器具							七、八三三	一・六八	八、八五七	一・七三	一〇、一六七	一・九一
皮革							五、七七四	一・二四	三、九六六	〇・七七	七、六二〇	一・四三
鞣皮							九三六	〇・二〇	七九六	〇・一六	一、〇〇〇	〇・一九
燐寸及材料							一、五二三	〇・三三	一、五三五	〇・三〇	一、九六九	〇・三七
其他	四九、三四六	一五・一七	三七、三九三	一三・七九	五一、九一三	一四・七九	四九、七八四	一〇・六五	四八、八四一	九・五四	五三、二四〇	九・九八
計	三二五、一〇五	一〇〇・〇〇	二七一、〇〇三	一〇〇・〇〇	三五〇、八六五	一〇〇・〇〇	四六七、三二二	一〇〇・〇〇	五一一、九〇二	一〇〇・〇〇	五三三、三八五	一〇〇・〇〇

主要商品別國別輸出入額（單位千香港弗）

商品名	輸入 一九三八年 國別	輸入 一九三八年 金額	輸入 一九三九年 國別	輸入 一九三九年 金額	輸出 一九三八年 國別	輸出 一九三八年 金額	輸出 一九三九年 國別	輸出 一九三九年 金額
小麥粉	[illegible]	[illegible]	[illegible]	[illegible]	[illegible]	[illegible]	[illegible]	[illegible]
白米	[illegible]	[illegible]	[illegible]	[illegible]	[illegible]	[illegible]	[illegible]	[illegible]
砕米	[illegible]	[illegible]	[illegible]	[illegible]	[illegible]	[illegible]	[illegible]	[illegible]
茶	[illegible]	[illegible]	[illegible]	[illegible]	[illegible]	[illegible]	[illegible]	[illegible]
瀝青炭	[illegible]	[illegible]	[illegible]	[illegible]	[illegible]	[illegible]	[illegible]	[illegible]
硫安肥料	[illegible]	[illegible]	[illegible]	[illegible]	[illegible]	[illegible]	[illegible]	[illegible]
錫塊	[illegible]	[illegible]	[illegible]	[illegible]	[illegible]	[illegible]	[illegible]	[illegible]
ダイナマイト	[illegible]	[illegible]	[illegible]	[illegible]	[illegible]	[illegible]	[illegible]	[illegible]
ガソリン類	[illegible]	[illegible]	[illegible]	[illegible]	[illegible]	[illegible]	[illegible]	[illegible]
燃料油	[illegible]	[illegible]	[illegible]	[illegible]	[illegible]	[illegible]	[illegible]	[illegible]
潤滑油	[illegible]	[illegible]	[illegible]	[illegible]	[illegible]	[illegible]	[illegible]	[illegible]
綿糸	[illegible]	[illegible]	[illegible]	[illegible]	[illegible]	[illegible]	[illegible]	[illegible]
生糸	[illegible]	[illegible]	[illegible]	[illegible]	[illegible]	[illegible]	[illegible]	[illegible]
燈油	[illegible]	[illegible]	[illegible]	[illegible]	[illegible]	[illegible]	[illegible]	[illegible]
落花生油	[illegible]	[illegible]	[illegible]	[illegible]	[illegible]	[illegible]	[illegible]	[illegible]
アニリン染料	[illegible]	[illegible]	[illegible]	[illegible]	[illegible]	[illegible]	[illegible]	[illegible]
白砂糖	[illegible]	[illegible]	[illegible]	[illegible]	[illegible]	[illegible]	[illegible]	[illegible]
黒砂糖	[illegible]	[illegible]	[illegible]	[illegible]	[illegible]	[illegible]	[illegible]	[illegible]
巻煙草	[illegible]	[illegible]	[illegible]	[illegible]	[illegible]	[illegible]	[illegible]	[illegible]
葉煙草	[illegible]	[illegible]	[illegible]	[illegible]	[illegible]	[illegible]	[illegible]	[illegible]
貨物自動車シャシー	[illegible]	[illegible]	[illegible]	[illegible]	[illegible]	[illegible]	[illegible]	[illegible]
自動車附屬品	[illegible]	[illegible]	[illegible]	[illegible]	[illegible]	[illegible]	[illegible]	[illegible]
ゴム靴	[illegible]	[illegible]	[illegible]	[illegible]	[illegible]	[illegible]	[illegible]	[illegible]
[illegible]	[illegible]	[illegible]	[illegible]	[illegible]	[illegible]	[illegible]	[illegible]	[illegible]
豚毛	[illegible]	[illegible]	[illegible]	[illegible]	[illegible]	[illegible]	[illegible]	[illegible]
落花生	[illegible]	[illegible]	[illegible]	[illegible]	[illegible]	[illegible]	[illegible]	[illegible]

（備考）一九三九年又は一九三八年度に於て各商品總輸出又は總輸入額が五百萬弗以上に達せるものを摘出し、國の輸出入貿易額百萬弗以上に達せる

南支より出廻はれるも今年は北支を主とし、南支、佛印、広州湾より輸入し米国へ七〇パーセント、英国へ四パーセント、独逸へ五パーセント、其他へ輸出する。米国への輸出増加は桐油を担保とする対蒋クレヂットの設定に依る。

ガソリン類は広東陥落以後輸出入共四割方減少し各々六百五十万弗、大半は米国より一部蘭印より輸入し、概ね佛印経由重慶に輸出される。

(四) 金属類

この中、錫塊は輸入千五百万弗、輸出二千万弗、輸出先は大半が英米である。事変以来重慶の輸出統制令に依り密輸が激増してゐる。

(五) 燃料

石炭、殊に瀝青炭が大部分を占める。印度、日本、蘭印等より輸入し、工業用、船舶用として当地で消費される。

(六) 自動車類

輸入千三百万弗、輸出二千万弗、大部分は米国より輸入し佛印経由重慶に送られてゐる。

其他重要仲継貿易品は豚、硫安肥料、ウオルフラマイト、燈油、落花生油、アニリン染料、巻煙草、葉煙草、ゴム靴、シングレット、豚毛等である。

四、金銀の輸出入

金銀の輸出入を見るに主として輸入は支那へ、輸出は英国へ依存してゐる。一九三七年は事変発生のため支那より香港へ金銀の逃避甚だしく、輸入三億八千万弗（九八パーセント）を占め、輸出は三億九千五百万弗の中、九一パーセントの三億六千百万弗を英本国に輸出してゐる。

第十四表　最近三年間香港金銀國別輸出・入額（單位千香港弗）

	一九三五年 輸入	一九三五年 輸出	一九三六年 輸入	一九三六年 輸出	一九三七年 輸入	一九三七年 輸出
英吉利	八、一八五	一六二、三六〇	二六	九六、〇四一	四、一一九	三七〇、〇〇三
英本國	八、一一九	一五八、二一四		七〇、三三八	三、九八一	三六一、六二二
英属領	六六	四、一四六	二六	二五、七〇三	一三八	八、三八一
日本	一、六〇四	一〇六	五	一二八	一	二六一
独逸						六九四
佛蘭西		三五		一七		二八
佛領印度支那	三六二	二、九六六	四六四	一、九八〇	二八一	四六六
廣州湾	四、四三九	八二	六九四	一二八	三一二	一三八
合衆國	一〇	三七、五四四		二七、〇三八		五、四九八
比律賓	五六	三一九	一八	七七六		三五九
和蘭		一九		七		四七
蘭領印度	七	二、〇二九		三、四二二		一、九八〇
タイ	三、七〇四	三七八	三、二二二	九七六	九二五	八七六
支那	一七、三四五	九、七七八	六七、九五五	一三、一〇一	三八〇、二一二	一四、七〇五
北支	二、六六四	四、五二〇	四五、六四三	二、五二一	一三七、〇一九	七、三〇一
中支	四、七五三	一、四三七	二、五二二	一、五三七	八、三四〇	七、三七七
南支	九、九二八	三、八二一	一九、七九〇	九、〇四三	二三四、八五三	二七
其他諸國	三、〇七三	三四三	三三九	二〇一	六〇一	一七二
合計	三八、七八五	二一五、九五九	七二、七二八	一四三、八一五	三八六、四四九	三九五、二二七

（香）

金銀輸出・入額（單位千香港弗）

年度	輸入	輸出	合計
一九三一年	六六、〇五七	一二一、七七四	一八七、八三一
一九三二年	八五、二七二	一四〇、〇一四	二二五、二八六
一九三三年	三八、一一三	一三四、一三三	一七二、二四六
一九三四年	七八、〇八一	一二八、四八〇	二〇六、五六一
一九三五年	三八、七八五	二一五、九五九	二五四、七四四
一九三六年	七二、七二八	一四三、八一五	二一六、五四三
一九三七年	三六八、四四九	三九五、二二七	七六三、六七六
一九三八年	九、六〇一	一八八、一二二	一九七、七二四
一九三九年	五、三二三	七五、四〇二	八〇、七二六

五　貿易機構

(一) 制度

香港は自由港にして、酒、煙草、石油等を除き無税である。その関係上密輸入の盛んな事が、香港貿易の特色をなしてゐる。

然るに一九三九年欧洲大戦勃発と共に、香港は英帝国植民地の一環として本国と行動を共にし、種々の制限を強化し、自由港としての機能を喪失するに至つた。

即ち一九四〇年防衛條令第五十條に基き、三月二十九日附を以て要輸出品目表を発表し、戦時体制の強化につとめる事になつた。

要輸出許可品目は

1、穀類　2、油種子
3、動物植物魚より採取せる油脂
4、魚類、　5、果実及野菜

二九

6、其の他食料品　7、飼料
8、鉄及鋼　9、鉄合金
10、非鉄金属類　11、雑金属
12、燃料　13、肥料
14、織物原料　15、生皮、革、外皮類
16、雑品

にして、二〇八種に及ぶ。

我国に関係ある商品は次の如し。括弧内は一九三八年に於ける対日輸出金額にして、単位千香港弗である。

1、五倍子　（二〇〇）
2、生魚　（一一三）
3、白米　（四五）
4、白砂糖　（三四）
5、銅　（七六）

三〇

6、鉄鋼屑　（一五二）
7、鉛　（一九）
8、錫　（三三）
9、アンチモニー　（八二）
10、マンガン　（五八）
11、牛皮　（五五一）
12、写真用品　（一三四）

更に一九四〇年四月十日香港政庁は、香港々湾内に在る船舶及航空機はその国籍如何を問はず許可なくして香港植民地より、出港及び離陸する事を禁止した。

(二) 貿易商社

香港は人口上は華僑が絶対多数を占めてゐるが、経済上に於ては英国資本が絶対的に優勢である。領有当初より東洋貿易の足場として、発展につとめた結

三一

果、貿易関係に於ても英国が支配的地位にある。

著名な英国貿易商社としては、

怡和洋行
太平洋行
太古洋行
老沙遜洋行

等がある。

三二

第四　海運

香港の港は広さ約十七平方哩、東に鯉魚門佛堂門の両水道あり、西にKap-sing-Mun Pass及びLamma channelの両海峡あり、水深二十四呎乃至七十八呎にして天然の良港である。尚英国の海軍根拠地である。背後支那大陸の一大ヒンターランドを控へ有利な地理的位置を占めてゐる。広東より八十哩、澳門より四十哩、上海より八百七十哩の地位にある。

一、国別入港船舶噸数

(一) 外洋船舶

外洋船舶入港数は一九三九年、三千六百九十八隻、千百六万七千二百三十噸にして、前年と大差なく、前々年に比し約千隻、三百万噸減少してゐる。

三三

一九三九年に於ては

英国	四六パーセント
日本	一一 〃
和蘭	九 〃
諾威	八 〃
米国	七 〃
佛国	六 〃
伊太利	四 〃
独逸	四 〃
丁抹	三 〃
瑞典	一 〃

三四

にして英国は絶対優勢である。一九三八年に比し日本船、米国船は若干増加し独逸船、英国船は減少してゐる。支那船は一九三七年三九四隻、五百三十万噸(四パーセント)で八位を占めてゐたが、事変発生により殆んどその姿を消

第十五表　香港外国船入港隻数及噸数

	一九三七年 隻数	一九三七年 噸数	一九三八年 隻数	一九三八年 噸数	一九三九年 隻数	一九三九年 噸数
英国	二、一六二	五、八七四、九一〇	一、九九一	五、六九七、〇五三	一、八二六	五、〇六〇、四四五
日本	六七一	二、一七八、九〇一	二〇六	八五〇、〇〇七	三五五	一、二三五、〇一四
和蘭	二二八	八八七、二五九	二〇三	八五八、六六八	一八九	九〇五、〇八九
諾威	五三五	九七七、六九八	三九二	七五五、六〇五	四一六	八一八、七七二
米国	一五九	一、一〇一、七六二	八七	四五三、八二七	一一三	七四九、六三六
佛国	一八七	六一一、五九七	二〇八	六六三、五七〇	二二八	六三九、四九八
伊太利	五七	四一一、〇六六	六五	五二五、九九五	六八	四八八、五七七
独逸	一三八	七三九、二九三	一四四	七二二、五六九	九一	四七三、九〇六
丁抹	一一七	三四〇、一六九	一一二	三一三、六八五	一一九	三六〇、三一六
瑞典	二〇	七七、六一三	三三	一〇六、五四七	五一	一四〇、五八六
巴奈馬	一四	四五、六六一	二四	五四、八八七	三七	七〇、一八七
葡萄牙	七九	四四、七四九	七五	四二、二二三	一三六	六一、九五二
希臘	七	一九、一五四	三	八、四三九	一四	三三、三四六
支那	三九四	五三三、五〇二			四七	一三、六四三
匈牙利	一	一、五〇九	一〇	一五、〇九〇	六	九、〇五三
ソ聯	五	二、九九五	一	二、二八六	一	四、五七七
ホンデュラス	一	四六八			一	二、六三二
計	四、七七五	一三、八四八、三〇三	三、五五四	一一、〇六八、四四一	三、六九八	一一、〇六七、二三〇

香港への河用船入港隻数及噸数

	一九三七年 隻数	一九三七年 噸数	一九三八年 隻数	一九三八年 噸数	一九三九年 隻数	一九三九年 噸数
英国	二、九八五	三、〇六〇、五三四	三、一二〇	三、二五六、四七二	三、四二五	三、二三三、一一三
支那	八七一	三六八、七五五	—	—	—	—
葡萄牙	—	—	二七三	五九、八七〇	三八六	一一六、六一五
計	三、八五六	三、四二九、二八九	三、三九三	三、三一六、三四二	三、八一一	三、三四九、七二八

ジャンク(外国貿易)入港隻数及噸数

	一九三七年 隻数	一九三七年 噸数	一九三八年 隻数	一九三八年 噸数	一九三九年 隻数	一九三九年 噸数
廣東	一、〇〇五	二五三、九四三	五三四	一二九、二七七	一	六三三
西江	三、四一八	四五七、四九〇	一、八七〇	一一三、六二九	一、一一九	四〇、一四〇
〃門	二三二	三三、六三二	三〇五	四四、一五三	一七〇	五四、二七五
東海岸	一、四八一	五五、〇二三	一、八九六	四二、六一二	二、八二〇	五九、九七二
西海岸	五三	三、三七七	四	二二八	四四	一、八五六
計	六、一八九	八〇一、四六五	四、六〇九	三二九、八九九	四、一五四	一五六、八七六

してゐる。

(二)　河用船

河用船は一九三七年以後大なる変化なく、一九三九年入港数三千四百二十五隻、三百三十四万九千七百三十八噸である。事変発生以後支那船は完全に姿を消し、代つて葡萄牙船が擡頭して来た。英国船が圧倒的優勢で九六パーセント葡萄牙船が四パーセントを占めてゐる。

(三)　ジヤンク

ジヤンクは一九三九年四千百五十四隻、十五万六千八百七十六噸にして前年の四七パーセント、前々年の一九パーセントに激減してゐる。之は一九三八年日本軍の広東進出に伴ひ、珠江、西江、東江等広東省主要河川の下流に於ける通航不能に陥りたる結果にして、わづかに澳門、東海岸、西江よりの航行に依り維持されをる状態である。

三五

二、港湾設備

香港の港湾施設は英領後埋立、浚渫等を実施し、現在殆んど完全に浚渫及び護岸工事が施された。

港湾施設中浮標は政廳所有の浮標と会社所有の浮標とに分れ、次の如し。

政府所有浮標

A　級　（延長四五〇呎乃至六〇〇呎）　一八個
B　級　（延長三〇〇呎乃至四五〇呎）　二八〃
C　級　（延長三〇〇呎以下）　七〃
会社側所有　（六五〇呎以下）　一一〃
計　六四〃

政廳所有の浮標はABCの三級に分れ、使用料は各級夫々一日十六弗、十二弗、八弗である。

三六

寄港汽船は埠頭錨地に碇泊する。沿岸船は中流に碇泊し戎克が荷役してゐる。ヴイクトリヤ市の海傍街にある全水面約三哩半の埠頭は戎克及び艀船が利用する。大阪商船株式会社は長さ二百五十呎の桟橋を有し、ダグラスは吃水二十六呎の船舶二隻を繫留し得る桟橋を有する。

燃料の補給は私設貯炭所より行はれ、一ケ年の載炭量平均六万噸である。汽船用重油のストツク年平均五万五千噸である。埠頭からの給油量は毎時六百噸艀船からの給油量は毎時二百五十噸である。

清水は舷側より送水管により供給される。尚給水船会社一社あり。二百七十噸の運搬能力ある給水船八隻を有する。水道料金は一噸に付五十仙である。

倉庫は港湾設備中最も重要なる地位を占むるため、香港でも既に一八四二年に倉庫が造られた。現在の倉庫は九龍側と香港側とにあり、倉庫の総収容能力五十万噸、内九龍側三十万噸、ヴイクトリア街は二十万噸ある。小規模の私設倉庫は数多あるが、代表的なものは、九龍埠頭倉庫会社、太古洋行倉庫、均益貨倉の三である。

三七

(一)　香港九龍碼頭及貨倉公司（Hongkon & Kowloon Wharf & Godown Co. 怡和洋行の子会社にして拂込資本金四百五十万弗）の倉庫は大部分九龍にあり建物三十四棟収容能力三十五万噸、分庫は香港にあり収容能力七万五千噸。九龍倉庫は普通倉庫、特別倉庫に分れ、普通倉庫は、普通品倉庫、特別危険品倉庫、危険品倉庫に、特別倉庫は、保税品倉庫、爆発物倉庫、木材貯藏所に分れる。

(二)　太古洋行倉庫は九龍にあり、香港太古洋行（Butterfield & Swire）汽船の貨物を入庫するも、余地ある時は一般荷主の寄託に應ずる。収容能力は三万噸である。

(三)　均益貨倉（China Provident Loan & Mortgage）は四棟を有し収容能力三六、五四〇噸を有する。

其他一万噸以上の収容能力を有するものに、普安倉庫の三四、七五〇噸、裕発倉庫の一一、四八〇噸、アルフレツトホルツ会社の二五、〇〇〇噸等がある。

三、造船所

三八

香港黄埔船渠会社（Hongkong & Wampoa Dock Co.）は六個の乾船渠二個の船架を有し、造船所附設工場には各種作業に適する新式の機械器具を備へてゐる。

太古船渠会社（Taikoo Dockyard & Engineering Co.）も最新式の完全な船渠及び機械工場を有してゐる。更に海軍の要求により作った花崗岩の長さ七百八十七呎、幅頭百二十呎、底七十七呎六吋の乾船渠がある。小型船用の船架三個あるが其の最大のものは四千噸の汽船が入渠出来る。

ベーレー会社（Bailey Dock Co.）の造船工場は九龍にあり、長さ二百呎迄の船舶を建造し得る。

其他麦当路行（Magdnald & Co.）威林積有限公司（William C. Jack & Co., Ltd）及び英海軍船渠、支那人経営の船渠等存するも小規模のものである。

造船能力は不明なるも第一次世界大戦中、最高五万四千噸に達した。

三、船会社

香港を中心とし南支方面に活躍せる船舶は主として英国及び我国で、其他支那、米国、佛国、和蘭、瑞典、独逸等の東洋航路の船舶も香港に寄航してゐた。香港に寄港する支那船舶は一九三九年に三九四隻、五三三、五〇二噸に達し、招商等の船会社が活躍してゐたが、支那事変に依り大部分我海軍の徴用を受け全くその姿を消してしまつた。ついで欧洲大戦の勃発に依り独逸の船舶は東洋市場から姿を消し、その他英国の船舶も徴用により他航路に就航してゐるものが多い。

著名な会社を挙げれば

ピー・オー汽船会社（P. and O. Steam Navigation Co.）は英国系にして香港の繁栄に最も貢献した船会社である。一九三八年に於て支那沿岸航路の最大型は一万五千馬力登簿噸数一万七千噸、総噸数百八十万噸に達する。今次欧洲大戦に於て御用船として他航路に就航してゐる船舶が少くない。

ダグラス汽船会社（Douglas Lapraik & Co.）も英国系にして、一八八三年以来、香港、汕頭、厦門、福州間航路を開始し支那沿岸貿易を助成した。

印度支那汽船会社（Indo-China S. N. Co.）は英国貿易商社怡和洋行の子会社にして同社の系統汽船は東洋各地に活躍してゐる。

招商局は香港に入港する支那唯一の沿岸貿易船で事変前まで使用船三十一隻総噸数六万噸を数へてゐた。

昭和十四年八月末現在に於て香港に本拠を有する船会社、乃至香港に寄航する船会社を列挙すれば次の如し。

(一)　日本系　　七社

大阪商船株式会社
日本郵船株式会社
東亜海運株式会社

山下汽船株式会社
川崎汽船株式会社
国際汽船株式会社
三井物産

(二)　英国系　　十一社

Hongkong, Canton & Macao Steam Boat Co.
China Navigation Co.
Canadian Pacific
Indo-China Steam Navigation Co.
Douglas S. S. Co.
Douglas Lapraik & Co.
Furness (Far East), Ltd.
Sang Wo Shipping Co.
Bank Line (China) Ltd.

Hongkong Fuel Shipping Co.
P. and O. Steam Navigation Co.

(三)　仏国系　一社
Messageries Maritimes

(四)　独逸系　一社
Norddeutscher Lloyd

(五)　和蘭系　一社
Java-China-Japan Lijn

(六)　米国系　一社
Dollar Steamship Lines

四三

四四

第五　投資関係

香港に於ては、英国資本の勢力が圧倒的で支那資本も多少見るべきものがあるが、他の諸国は殆んど見るに足るべきものがない。

香港は仲継貿易を生命とするが、又原料生産地に近く、安價な労働力を得られるため、英国人はこゝに一大工業都市を建設せんとしたが、将来性を有するものは、金融業や立地條件の有利な造船会社、確実な需要を確保し得る食料品清涼飲料水製造会社等である。これは香港が自由港なるため、外国工業殊に本邦工業の側圧から脱する事の不可能なためである。而し香港工業製品の輸出は諸物價の騰貴に依るとは云へ、一九三九年の三千五百万弗より、一九四〇年には五千百万弗に激増してゐることは香港工業の発展を示すものである。

一九三六年の調査による支那系資本は、工業に於ては薬品、食料、飲料水、織物製造等を主要業種とし、総拂込資本金額五千百万弗である。このほか銀行及び不動産業の二公開株式会社拂込資本金が六百万弗に達する。商業は不明であるが香港を本拠とするものには大規模のものはない。従つて支那系企業の総拂込資本は大体六千万弗程度と推定される。

こゝでは主として香港に本拠を有する英国企業について略述する。

一九三五年に於ける英国企業は六九社、拂込資本金額一億四千七百万弗に達した。

一、工業

主要なるものは、造船、セメント、精糖、製麻等にして、一九三六年に十二社、拂込資本金一千九百万弗である。

(イ)　Green Island Cement Company, Ltd.（青州セメント株式会社）

同社は一八八九年設立、資本金一、九五四、九四〇香港弗にして、九龍紅磡に

四五

工場を有す。セメント製造を業とし、生産能力年間二十万噸。石炭消費量月二千噸、現在海防品を使用す。

(ロ)　Hongkong Rope Manufacturing Co, Ltd.（香港製綱株式会社）

一八八三年設立、資本金二百万香港弗。機械は米国製にして、原料はマニラ麻を使用し、年間五、六百万封度を生産する。

(ハ)　Taikoo Sugar Refining Company, Ltd.（太古糖房）

太古洋行の子会社にして一八八二年設立。資本金二十万磅。原料はジャバ産粗糖にして、年間十万噸の精糖能力を持つ。

(ニ)　Hongkong Brewery & Disillery Ltd.（香港ビール株式会社）

一九三〇年設立、資本金不明。製産能力、月三千函、ホップは米国より直輸入。

(ホ)　A. S. Watson & Co. Ltd.

一八四一年設立、資本金百五十万香港弗にして清涼飲料水年間七十万打を生産、

四六

(ハ)造船業には太古船渠株式会社、香港黄埔船渠株式会社、ベーレー会社等存するが海運の項参照。

次に支那人の経営にかゝるものとしては、護謨靴製造に

馮強製造樹膠廠	職工数千五百人
大行樹膠廠	〃　五百人
香港樹膠廠	〃　四百人

其他二、三存するが、最大のものは馮強で同社製造「宝塔」印は南洋方面に著名である。

製帽業には中華兄弟製帽公司（職工数五百人）其他四、五の工場が存するもその基礎は大して強固でない。

紡績業に至つては、工場数四百以上に及ぶが概して家内工業式のものが多く、工場の体をなしてゐるものは少い。

四七

二、貿易商業

経済的政治的に対東洋政策の根據地として英国が経営に努力して来た歴史的発展に相應じて、香港に確固たる地盤を有するのは英国貿易商社である。一八四一年英国の領有するところとなるや早くも広東、澳門方面に活動してゐた英国商人は直ちに相次いで香港へ移轉しはじめた。これらの商社はいづれも創始期の困難を克服して、十八世紀末以来急速な発展を遂げた。

而してこれら貿易商社は貿易によつて得た利潤を以て諸種の企業を営み、香港の全経済界を支配してゐる。

例へば怡和洋行（Jardine, Matheson & Co.）の如きは船運、海上保険、火災保険、造船、倉庫、精糖、製氷、紡績、金融、不動産、等各方面に営業の手を拡げてゐるのみならず、対支借款にすら乗出してゐる。他の商社も多かれ少かれ持株会社の形態をとつてゐる。

支那資本は多く零細な資本よりなり、特に見るべきものがない。

四八

一九三六年に於て英国商社三十二社、拂込資本金三千万弗に及ぶ、主要商社次の如し、

Jardine, Matheson, & Co.	（怡和洋行）	一八三七設立
Gilman & Co.	（太平洋行）	一八四二
Dodwell & Co.	（天祥洋行）	一八五一
Gibb. Livingston & Co.	（咖　行）	一八三五
Reiss Bradley & Co.	（泰和洋行）	一八四六
John D. Hutchison & Co.	（和記洋行）	一八八二
Shewan Tomes & Co.	（旗昌洋行）	一八四五
David Sassoon & Co.	（老沙遜洋行）	一八四四支店開設
Messers Butterfield & Swire	（太古洋行）	一八六九

三、航運業

四九

香港は貿易を生命とするため、航運業も早くから発達し、一九三六年に香港に本拠を有する英国会社五社、拂込資本金一千万弗に達した。主要なるものは

会社名	
Douglas Steamship	百万弗
Hongkong, Canton & Macao Steamboat	百二十万弗
Indo-China Steam Navigation	―

四、公共事業

香港の発展に伴ひ、公共事業は順調なる発展を遂げてゐる。一九三八年英国系七社、拂込資本金二千六百万弗に及ぶ。主要なるものは、

(イ) China Light and Power Co., Ltd（中華電燈電力公司）

一九〇二年設立　拂込資本金一千万弗

(ロ) Hongkong Electric Co., Ltd（香港電燈公司）

五〇

一八八九年資本金六十万弗にて設立せられ当初六年間は営業不振なりしも漸次発展し、払込資本金六百万弗に達し近年成績良好である。

(ハ) Hongkong Tramway Co., Ltd （香港電車公司）

一九〇四年設立、払込資本金三百二十五万香港弗にして、延長十四哩半、成績良好。

(ニ) Peak Tramway Co., Ltd （ピーク電車会社）

一八八五年、資本金七十五万弗にて設立、その事業はケーブルカーにして千三百呎の高地に達する延長四千六百九十呎の電車である。営業成績良好。

(ホ) "Star" Ferry

一八九八年設立、香港、九龍間の渡船を業として一日平均二万八千人を扱ってゐる。払込資本金八十万弗、

五、金融保険業

五一

東南洋に於ける金融の中心地として、英国は確固たる勢力を占めてゐる。金融業については次章に譲る。英国系保険会社次の如し。

会社名	一九三八年に於ける払込資本金
Canton Insurance	百万弗
China Underwriter	百二十五万弗
Hongkong Fire Insurance	八十万弗
Union Insurance	千二百八十二万四千弗

六、其他

倉庫業が主要なるもので其他を合し、一九三六年に入社、払込資本金二千九百万弗。主要会社次の如し

China Provident（倉庫）	二百二十万弗（払込金）
Hongkong and Kowloon Wharf（倉庫）	四百五十万弗（〃）

五二

Hongkong Land Investment（不動産）	七百五十万弗（〃）
Hongkong and Shanghai Hotels（旅館）	八百九十万弗（〃）

会社企業とは別に英国人所有の公私の土地建物及び香港政庁管理の広九鉄道に於ける評価額左の如し。

(イ) 英人所有土地建物　五億五千万弗

一九三四年度賃借料三千八百万弗を年七分の利率にて資本化したもの。

(ロ) 政庁所有土地建物　二千四百万弗

賃貸料一万七千弗を年七分の利率にて資本化せるもの。

(ハ) 陸海軍所有土地建物　一千万弗

(ニ) 広九鉄道　一千五百万弗

同線は全長百十一哩、英領内線は二十二哩、支那領内線八十九哩、資産価格は、一ケ年純益百万弗を年七分の利率にて資本化せるもの

総計　五億九千九百万弗

五三

第六　國際金融関係

一、通貨制度

香港植民地通貨制度は一九三五年末まで支那通貨と共に銀本位であり、香港弗の為替相場は銀の市價の騰落に伴ひ、屡々大幅に変動した。一九三五年十一月南京政府が銀の国有を実施し銀の輸出を禁止し、銀本位制を離脱した幣制改革に追随して、同年十一月銀の輸出を禁じ十二月五日の通貨條令に基き管理通貨制度をとるに至った。現在の香港弗の為替價値は外国為替買入並に賣却の力を有する為替資金を基本として維持されてゐる。上述の通貨條令実施に当り、香港政廳は発券銀行より一切の準備銀を徴収し、之に対し同額の銀証券を交付した。從って発券銀行は無担保発行限度を超過する発行準備として銀証券を保有して居り、以前の如く銀を準備しない。

五四

通貨條令により銀の官有が実施され、民間の十弗以上の銀の保有が禁止されために、流通通貨は銀行券、一弗政府紙幣、一仙及五仙のニツケル補助貨の四種である。

発券銀行としては、英国の香上銀行、渣打銀行及有利銀行がある。一九三九年末に於ける三銀行紙幣流通額は

香上銀行	一九五、二三三、二二八弗
渣打銀行	二五、五二四、六二四弗
有利銀行	四、八四三、七二七弗
計	二二五、六〇〇、五七九弗

香港内で流通してゐるのは、約四分の一、他は支那、南洋各地に流布してゐる。

一九三五年銀官有を実施以来、為替資金の運用は財務局長が之に当るのであるが、別に香港総督の任命せる Exchange Fund Advisory Committee が設置せられ、この委員会の審査を経て為替操作を為しつゝある。委員長は財

五五

務局長、委員には香上、渣打両銀行総裁が任命され、財務局は香上銀行を通じて市場に出動し、本資金の運用操作を行ひ、相場の安定維持に力むるのである。

一九三九年六月三十日現在為替資金を見るに、

為替資金総額	一三、二二六、一九五磅
内　譯	
磅証券	七三・四六％
倫敦に於ける磅預金	二六・四四％
銀地金として残存	〇・一　％
銀証券発行総額	一九二、一二二、八八七弗（一一、九〇七、五五四磅）

香港弗為替相場は銀本位より離脱して管理通貨制を実施してゐる現在に於ては、最早倫敦銀塊相場に左右されることはない。ホ事変前は法幣に追随して行く傾向を有してゐたが、其の後法幣の暴落により現在に於ては、独自の為替水準を維持してゐる。

尚一九三九年十二月二十二日の為替統制強化令により、香港は元来磅貨準備

五六

に依存してゐるのであるが、香港弗は広く南支一帯に流通しており実際的に於いて香港弗は外貨と見なすべき種類のもので、香港を通して磅貨の散逸する危険があるとの理由に基き、磅ブロックより除外された。

二、金融機関

香港は政治的経済的施設の完備せること、英本国極東政策の策源地たる事に依り、また支那本土政情不安なるため一般支那人遊資の地であり、南支一帯を郷里とする南洋、アメリカ各地華僑からの本国向け送金にして香港に集中する金額は極めて巨額に達する。中国銀行調査によれば左の通りである。

一九三一年	二五〇、〇〇〇千元
一九三二年	二〇〇、〇〇〇
一九三三年	一九〇、〇〇〇
一九三四年	一三七、〇〇〇
一九三五年	二一二、〇〇〇

五七

更にまた多額の貿易取引の決済を行ふ手形交換所として全支那及び南洋各地の金融中心地と言ふも決して誇称ではない。

金融機関としては英国系三銀行のほか、外国銀行、新式支那銀行及び銀号があるが、銀号は個人組織又は組合組織で、五万乃至二十万弗内外の資金を有し、その数凡そ百七、八十軒に達するも、漸次新式銀行にその地位を譲りつゝある。

尚英国系三銀行は発券銀行である。

(一)　英国系　三

	設立年	資本金
Hongkong and Shanghai Banking Corporation	一八六四	二千万弗
Chartered Bank of India, Australia and China	一八五三（本店ロンドン）	三百万磅
Mercantile Bank of India	[illegible]（本店ロンドン）	三百万磅

五八

(二) 米国系 National City Bank of New York		一八一四（本店ニューヨーク）	一億万米弗
(三) 仏国系	二		
Banque de L'Indo China		一八七五	七千二百万法
Banque Franco Chinoise		一九二五	
(四) 和蘭系	一		
Nederlandsch Indische Handels Bank		一八六三	六千万フローリン
(五) 日本系	二		
横浜正金銀行			
台湾銀行			
(六) 支那系	三		
中国銀行			六千万弗
広東省銀行			百二十万磅
東亜銀行有限公司			一千万弗

五九

、右諸銀行中南洋諸地域に亘り確固たる地盤を有するのは香港上海銀行である。同行は一八六四年香港在住の貿易業社によつて設立され、翌一八六五年四月から拂込資本金二百五十万弗を以て業務を開始した。更に一八六六年には香港政廳令に基く特許法人の発券銀行として改組された。

設立当初の銀行に関する顕著な特徴は英国資本のみならず、米、独、佛、波斯系印度資本等の国際的共同の上に立つてゐたことである。然るに欧洲大戦と共に、英国商社の独占的金融機関に轉換して今日に至つた。尚銀行は一九二一年第六回の増資を行ひ拂込資本金二千万弗となつた。

本来銀行は貿易業者の出資を基礎として設立されたのであるが、やがて逆に之等貿易業者を支持する強力な支柱となつた。近代の銀行は重工業と結びついた産業資本たる事を特色とするが、香上銀行は貿易業と結びついた商業資本たることを特色とする。けれどもこの結果として之等の貿易業者が香上銀行の重役

六〇

会を構成し、而も銀行固有の専任重役は一名も居ないといふ特異な現象となつて現はれてゐる。従つてこの事は現地の商人々によつて営業方針が樹立される事になり銀行の発展に資するところ頗る大であつた。

かくて香上銀行は香港に於けるのみならず東南洋に於て、非常な勢力を有するに至つた。今銀行発展の跡を拂込金及積立金、預金増加額、貸付増加額を通して見るに次表の如くである。

更に香上銀行は英本国の対東洋諸国借款投資協同機関としても有力に作用する。一八七五年の対支八分利借款を発端とし、一八九八年には怡和洋行と共同して支那の鉄道及び産業発達のために中英公司を設立した。日露戦争前後には総額七〇、一〇四、一六六磅に及ぶ対日借款に際して本国金融業者と協同参加した。一九三八年の一千万磅法幣安定借款に当つては、香上銀行三百万磅、渣打銀行二百万磅の資金を醵出し、同時に香港に該資金運用委員会が設置されるに至つた。これにより法幣は実質上英国の意のまゝに左右される事になり、支那金融工作の本據は香港に移つた。ちなみに該委員会は香上銀行支配人A.S. Henchman、渣打銀行支配人W.E. Thomas、英蘭銀行代表者Cyril Rogers、中国銀行経理貝祖詒、交通銀行経理唐壽民の五人の委員によつて構成されてゐる。

六一

六二

香港（上海）銀行業態（単位千香港弗）

年度	払込金・積立金	預金増加額	貸付増加額
一九二八年	九三三八一	五四七九九九	二六八四九六
一九二九年	一〇九〇〇〇	六五四七六六	三三五六二一
一九三〇年	一四八三五七	九二五三三九	四四八八七四
一九三一年	一二〇四三四	七七三四八一	四三二二八六
一九三二年	一三四〇〇〇	九三一六三八	四三九二五〇
一九三三年	一一九七八四	八七三九五三	三八八三一三
一九三四年	一〇六〇九七	六八三三九七	三一八九五五
一九三五年	一二九八四〇	七七六一六〇	四三五八六三
一九三六年	一三四八七三	八三七九四四	四九三八一二
一九三七年	一二四八七三	一〇六〇四一四	四六七三一四
一九三八年	一三四八七三	一〇八二八五一	四五四〇〇一

第七　戦略上より見たる香港

香港は他の殖民地と異なり、原料生産地としては無意義であり、工業に於ても見るに足るべきものを有しない。又本国製品の消費地としても無価値である。香港の重要性は中継貿易と金融にある。而も対本国貿易は五パーセント内外に過ぎず、大半は対支那及南洋貿易に依存する。この事は金融に於ても妥当するところであり、この方面に於ける英国の政治勢力と対応する。

勿論一面、香港が動乱常なき支那大陸を離れ、南洋の一方の出口を扼する南支那海の要地を占むる地理的優越性に依る。

しかれどもかゝる香港の地理的優位性も経済的には英国の政治力と密接に結合してゐる事を看過してはならない。この事は先には「省港罷工時代」近くは今次支那事変の明らかに証明するところである。従って香港に代る貿易港の出現は香港にとって打撃を与へる事は疑ひないところであるが、これに依って香

港の滅亡が到来するものと断ずることは出来ない。香港の盛衰は英国の東南洋に於ける政治勢力と運命を共にする。

されば香港の意義は英国の東南洋に於ける政治的拠点たるの点にあり、経済的発展はかゝる本国の政治勢力の地盤の上に開花したものにして、経済上に於ける香港の決定的弱点がこの点に存在する。

極秘

50部ノ内第15號

經研資料調第五一號

占領地幣制確立方策

昭和十七年二月
陸軍省主計課別班

東京大學圖書
E150357

目次

1.

第一、原則論

（緒說）

(イ)舊觀保存說ノ提唱

―占領地通貨ノ形式保存―

舊觀ハ既ニ馬來及比島進駐ノ皇軍ニヨッテ實行ニ移サレタコトヲ喜ブ。

通貨形式ノ舊觀保存ハ㈠占領當局ノ住民買撫、㈡南方諸地域特殊經濟性ノ採用、㈢通貨混亂、民心動搖ノ防止、㈣通貨政策施行上ノ便益、㈤住民ノ傳統、習俗ノ尊重ニヨル統治上ノ理由ヲ目標トシ、主觀的ニハ㈠我國貨ノ保存、㈡軍需物資調達上ノ便益デアル。之ヲ一言シテソノ最終目標ハ、東亞共榮圏ノ一環トシテ本邦ヲ中心トスル經濟建設上、各地域現在ノ資源保存ト開發トヲ圖ルニ最モ適當ナ通貨制度ヲ確立スルニ合理且ツ有利ナ段階ヲ作ルニアル。（拙稿、南方進駐ト通貨工作、主計課別班經研資料工作第一四號參照）

(2) 單純ナ外形保存ナリ

―舊態ノ實質保存ハ不可ナリ。地域別特殊幣制ノ樹立ナリ―

舊態保存トイフモ筆者ノ茲ニ提唱スルハ舊幣制ノ外形保存ニ過ギズ、舊態ノ實質保存ハ不可能ナリ窮極ニハ圓貨ニ連繫シ、圓域内ノ一地域ニ於ケル限定通貨ヲ作ルコト、ナルガ先ヅ地域内ニ於テ可能程度ニ管理、工作ヲ實施シ得ル性能アル通貨ヲ必要トスル。（後述、(二)ノ(1)參照）

(3) 新幣制ヘ移行ヲ目標トス

―通貨對策ハコレニ集中スルコト―

南方圏ノ占領期ハ一面經濟戰ナリ。戰後經營ノ施策ト通貨ノ舊態保存原則トハ緊密ノ關係アリ。施策ノ實現ハ各地域新幣制ノ樹立ヲ最後ノ段階トス。茲ニ達スル迄ノ諸對策ハ總テコレヲ目標トシテ實施スベキデアラウ。現地ニ於ケル軍票對策ハ勿論、軍票行使期間ニ於ケル本邦ノ諸對策モ亦コレヲ目標トスベキデアル。之ガ爲ニハ或地域ニ於テハ舊態保存原則ノ例外トナルモ已ムヲ得ズ。英領ボルネオノ如キ、ニユー・ギニアノ如キコノ例ナリ。

(4) 統治ト併行施策

―今後ノ併行ヲ覺悟セシムルコト―

過去白人ノ南方通貨政策ハ蹉跌多シ。極端ナル搾取ノ具ニ供シタ事モソノ一因デアル。我方今後ノ政策モ絶對ニ搾取ヲ避ケルトイフ譯ニハ行カヌガ、併且ツ之ヲ白人ノ施策ニ比スレバ住民ニ對シテハ原則トシテ遙カニ溫情ニ富ムモノデアラウ。舊態保存方策ハコノ意味ニ於テ統治ノ上ニハ有力ナ役割ヲ果スコト、ナル。併シ乍ラソレハ要スルニ舊形式ノ保存ニ止マリ、何トイツテモ曠古ノ大戰遂行中デアリ、實施ニ際シテモ或ル期間ハ或程度ノ副作用ヲ顧ミズ增發其ノ他ノ手段ヲ敢行スルコトガ已ムヲ得ナイ時期モ來ルデアラウコトヲ覺悟セシメナケレバナラヌ。戰時經濟ノ共同負擔デアル。統治方針ニ於テ然ルガ如ク通貨施策ニ當ツテモソレト併行シテ民心ノ緊張ガ必要デアル。

(5) 對策ハ地域別檢討ヲ要ス

―各地域各樣ノ特性アリ―

一概ニ南方圏トイフモ廣汎ニシテ各地域各樣ノ經濟條件アリ、東亞共榮圏ノ廣域經濟運行ニ際シテモ本邦現下ノ急需ヲ重點トシテ、各ソノ特殊條件ヲ極度ニ利用スルコトガ必要ナリ。通貨ノ部面ニ於テモ共通原則ノ實施ハ素ヨリデアルガ、原則ノ範圍内ニ於テ各地域ニ特殊ノ方策ヲ併行スル要アリ。

統制ハ必要ナリ。併シ乍ラ、對外的ニ、統制ノ目的ヲ最モヨク達成スルハ個々ノ地域ヲ對象トシテソノ特有性能ヲ發揮セシムル統制ナリ。通貨對策ニ於テ殊ニ然リ。別冊各地域幣制ノ經過ハ僅カニソノ外廓ヲ示スモノニ過ギヌガ、併且ツ過去ニ於テ如何ニソノ經路ガ複雜多岐デアツタカヲ示ス。

(二) 軍票對策論

―總　說―

(1) 軍票使用ノ前提

―現地通貨單位ノ軍票―

既ニ實行セラレテ居ル。今後占領地域ノ擴大ニ際シテモ此方策ヲ持續セラレンコトヲ希望ス。蘭印ニ於テハ盾ヲ、ビルマニ於テハ緬甸留比ヲ表示單位トシタ軍票ヲ使用スルコトナリ。軍票ハ新通貨ノ先行手段ナリ。

軍票面ニハ現地最近ノ幣制ニ準據シタ表示ヲナスコトヲ要ス。例ヘバ緬甸ニシテ印度留比ニアラズ「緬甸留比ナリ」ナリ。

(2) 舊通貨ト併行セシム

―占領地内通貨ノ二重流通ヲ認ム―

占領地ニアツテハ舊通貨ト同價ナリ。舊通貨ノ回收ハ新幣制ノ樹立ヲ待ツヲ可トシ、軍票ハ住民ヲシテ舊通貨トノ區別ナシニ受入レシメ〔

ルコトヲ要ス。進駐直後通貨取締令ヲ公布シ故意ニコノ状態ヲ攪亂シ軍票價値ヲ低落セシムルモノハ嚴重ニ處罰スベキデアラウ。

(一) 本　質

(1) 軍票ハ占領地暫定通貨ソノモノナリ

―新幣制樹立迄ノ過渡的通貨ナリ―

進駐直前ノ占領地通貨ト同一ナリ。各地域ノ敵性政府ハ對戰工作ニ於テ、通貨ニ絶ユル不健全方策ヲ施シタコトハ豫期セザルヲ得ヌガ、ソレハ占領地住民ニトツテハ一應已ムヲ得ザル結果デアル。占領地住民ノ戰禍負擔原則ナリ。舊通貨ノ整理ト新幣制ノ樹立對策トハ別問題ナリ。

(2) 占領地域ニ於ケル法貨ナリ

―舊通貨ハ便宜ソノ流通ヲ認メルニ過ギズ―

前項ノ如ク軍票ト舊通貨トノ併行ヲ認ムルコトハ通貨混亂、民心動搖ノ防止ト物價ノ激動ヲ抑止スルヲ眼目トスルモ、舊通貨ハ我軍當局ガ便宜上默認スル建前トスベキデアル。軍票ハ絶對法貨デアツテ、公課ハ勿論軍官民關係ノ取引モ之ニ據ルベクコレヲ拒否スルモノニ對シテハ嚴罰スベキデアル。政策ノ問題ニ非ズ。軍票ノ本質カラ云ツテ當然ナリ。

(3) 無關聯紙幣ナリ

―新幣制ヘノ引繼モ無拘束ナリ―

現地通貨軍票本來ノ結論ナリ。之ヲ獨立國ガ征服サレ、ソノ國家ガ再ビ獨立ヲ回復シタ場合アリト假定スレバ、ソコニ發サレタル此種軍票ハソノ國家自ラガ處理スベキモノナリ。從テ新幣制ヘノ移行ハ無條件無拘束ナリ。ソノ必要ハ我方ノ主觀的理由ニ基ク。

以上極メテ明瞭ナ本質論デハアルガ、宣撫ソノ他ニ際シ注意スベキ點ナリ。

(4) 無準備紙幣ナリ

―圓貨軍票ト異ナル處ナシ―

6.

住民ノ我圓貨其ノ他トノ兌換要求ハ一應拒絶スベキモノナリ。嚴密ニ云ヘバ圓紙幣ヲ以テスル本軍票トノ交換モ亦拒絶スベキモノデアル。

(5) 爲替價値ヲ有セズ

―占領地ニ於ケル暫定法貨ナリ―

軍政下、過渡的手段トシテノ通貨ニシテ他通貨ト無關係且ツ無準備ナリ。從ツテ法貨トシテノ流通力ハ占領地域内部ニ限ル。住民ハ原則トシテ之ヲ以ツテ地域外送金其ノ他ノ爲替ニ使用スルコトヲ得ズ。舊通貨ハ法貨ニアラズ。ソノ要求ニ應ズル必要ナキコト勿論ナリ。コノ原則ヲ標榜スル主目的ハ通貨取締令ノ側面的補強ニアル。原則ニ過ギズ、我方ニ於ケル除外例ハ自由ナリ。

(二) 價　値

〔參考、別冊、過去五ケ年ノ對南方貿易圖〕

(1) 軍票ハ占領地通貨ト等價ナリ

―占領地法貨ノ代表通貨ナリ―

軍票價値ノ決定ハ對内、對外ノ兩標準トナル。對内的ニハ占領地ノ新法貨デアル本質ニ於テ、舊通貨ト等價デアリ且ツ舊通貨ニ優先シテ絶對價値ヲ有スルモノデアル。兩者ノ間ニ相場ヲ附スルコトハ、例ヘソレガ舊通貨ヨリモ高價トナルモ原則トシテ禁止スベキデアル。兩者間ニ相場ノアルコトハ物價ノ兩建ヲ生ミ、混亂ノ原因トナル。

(2) 當初ハ高値ヲ持續スル傾向アリ

―過渡現象ニシテ不安定ノ素因トナル―

皇軍ノ進駐ト同時ニ軍票ハ到ル所住民ニ歡迎セラレ當分高値ヲ持續スベシ。住民ノ積極・消極兩心理状態カラ來ル現象ナリ。前者ハ白人ノ政治カラ離脱セントスル希望肯定ノ對象トシテ軍票ガ最モ民衆的デアルコト、後者ハ南方住民ノ被征服者根性カラ來ル阿諛的雷同性ナリ。軍票ガ現地通貨表示デアル限リコノ現象ハ過渡的ニシテ永續スベキ性質ノモノデハナイガ、場合ニヨツテハ等價工作ヲ必要トスルナラン。兩通貨間ニ開ノアルコトハ不安定ノ素因ニシテ延テハ投機ノ對象トナ

7.

リ、軍票反落ノ危険ヲ孕ム。

(3) 對円貨ニ合理的相場ヲ採用スルコト

—等價ハ尚早ナリ—

等價ハ適宜ナリ。但シソレナ早急ニ實現スルコトハ舊態保存ノ目的ト背馳シ、不自然ニシテ不利ナル作用ヲ伴フ。即チ

(イ) 平價切下ト同・ナリ

占領直前ニハ既ニ角円貨ト(別個ノ地位ニアリ、円貨ヲ初メ諸外國ニ對シテ特定ノ爲替相場アリ南方諸國ノ通貨ハ全部爲替相場ニ於テ円貨ヨリ高價値ヲ維持シタ(別冊参照)。物價ハコノ標準ノ上ニ立ツ。之ニ對シ円貨ト等價ヲ押付ケルコトハ少クモ理論上カラハ平價切下ナリ。

(ロ) 今後ノ狀勢ハ等價ヲ維持スルニ無理アリ。

差當ツテノ急務ハ物資獲得ナリ。之ニ對シ我方ノ供給物資ハ僅少ナリ。等價ハ現地物資及勞銀ノ騰貴ニ直接原因トナル。而モ之ヲ施行スルコトハ不自然ニ甚ク副作用ニ拍車ヲカケル。

(ハ) 現地通貨工作ノ障碍トナル

通貨對策、物價對策ニ先チ、等價ハ原則上現條件ノママ、増發ヲ必要トスル。爾後ノ増發モ亦對比級數的ニ膨脹スベシ。

(4) 併シ乍ラ從前ノ爲替相場トハ基準ヲ異ニス。

—新經濟圏構成標準ニ拠ルベキデアル—

(イ) 從前ノモノハ英、米貨連繋基準ナリ

政策的ニモ観念的ニモ根本的ニ適フ。

(ロ) 例ヘバ比島ノ鑛物、農林産、蘭印ノ石油、鑛物、農林産、馬來ノ鑛物、ゴム等ノ如シ。本邦ヘノ輸入ハ該産ノ經營費及運賃諸掛ノミヲ原價トスルモノニシテ、從前ノ如キ平常時企業採算カラ生ズル輸入價格(一現地ノ輸出原價)ニアラズ。故ニコレ迄ノ貿易表面ノ金高ヨリ激減スベシ。

占領地ニ影響スルモノハ經營ニ必要ナ勞銀、運送費等ニ止マル。

8.

(ハ) 我供給物資ノ原價形成ハ現地輸出物資ト異ル。今後ノ供給者ハ主トシテ我方ノミナリ。本邦ノ現狀カラ云ッテ原價ハ高クナルガ、ソレハ現地通貨ノ問題ニアラズ、輸入商品ソノモノ、原價高ナリ。

(5) 故ニ軍票價値ハ原則ト推論トノ綜和平均ナリ／

—甚ダシキ副作用ヲ伴ハザル切下相場—

以上原則論ヲPトシ、前項ノ推定論ヲQトシ兩者ノ實際ニ現レル力ノ程度ヲYトスレバ軍票價値ハ

$$X = \frac{P+QY}{2}$$

ト規定スルヲ得ベシ。之ヲ正確ニ算出スルコトハ至難デアルガ暫定的ニ大約左ノ通リトナル。

(一現地通貨單位百ニ付)

			(舊相場)
海峡殖民地、馬來	海峡弗	一五〇圓	(二〇一圓三〇)
ボルネオ	〃	一五〇圓	(二〇一圓五〇)
比島	ペソ	一六〇圓	(二一三圓〇〇)
蘭印	盾	一六〇圓	(二二八圓五〇)
ビルマ	留比	一一〇圓	(一二八圓六〇)

(6) 新幣制施行ニ際シテハ新價値再検討ヲ要ス

—但シ最終決定ナリ—

軍票回收ニハ相當ノ時日ヲ要スルノデアルガ、追ッテ新幣制ノ下ニ新通貨ヲ發行スルニ際シテハ現地ニ於ケルソレ迄ノ經過ヲ検討シ、新平價ノ改訂ヲ要スベシ。但シ通貨ニ關スル限リ平價決定ハ出來得ルダケ原則ヲ尊重シ、ソノ間ニ多クノ作爲ヲ加フルコトハ感心セズ。

頻繁ナ改訂モ亦弊害多シ。萬全ノコトハ素ヨリ望ムベカラザルモ對策ト平價トハ別問題ナリ。最モ合理的ニシテ且ツ決定的ナ基準ヲ定メ

9.

ルベキデアラウ。

(三) 限　度

(1) 初期發行ハ最少限ノコト

―軍行動ニ必要ナ限度―

戰費發行ハ臨戰地住民ノ貿換スベキ増發形式ナリ。コノ期間ニ於ケル軍票ノ發行額ハ後日ノ通貨對策上特別發行ノ性質ナリ。故ニ進駐當時ノ第一期ハ軍行動ニ必要ナ程度ニ止ムベキデアラウ。新通貨ニ對スル信望ヲ標準トス。同時ニ舊通貨ノ流通ヲ自由ナラシムルコトハ軍票ノ價値ニ大キナ効果ヲ與ヘル。但シ舊通貨ハ飽迄默認ノ建前デアルベキコト前述ノ通リ。

(2) 軍人軍屬ヘノ支給モ亦最少限デアルコト

―現地軍票預金勘定ノ設定―

本邦ヘ持歸リ或ハ野戰郵便爲替トナルベキ部分、即チ給與ニシテ現地デ外部ニ使用スルコトナキ部分ハ一定比率ノ下ニ支給高カラ控除シテ預金トシ現地軍票ノ支給ハ可成少額トスベシ。

(3) 軍（一民）政下財政ハ軍票一色トスベシ

―舊通貨ハ回收方針ヲ採ルコト―

第二期ノ發行ナリ。軍政府財政ハ總テ軍票ヲ以ツテ施行セラルベク、舊通貨ハ受入レヌコト、スルヲ可トス。増發ハ素ヨリ避ケ得ザルベキモコレハ第一期ニ比スレバ常態的發行ニ近シ。軍票ニヨル公課ノ納付ハ民間舊通貨ノ回收作用トナルベシ。

但シ舊通貨ヲ以ツテスル直接納金ハ政策上不可ナリ。不足ノ場合ハ一應舊通貨ヲ以ツテ當該機關ヨリ軍票ヘノ兌換ヲ要求セシメル形式ヲ採ラシムベキデアル。

(4) 事業資金ノ重點

―同時ニ舊通貨ノ回收ヲ圖ルコト―

第三期ノ發行ナリ。事業資金トシテノ需要ハ相當額ニ達スベシ。之ニ對スル資金供給ハ事業ノ選擇ト重點主義トニ依ルベク、本邦ニ於ケル監督官廳ト緊密ナ連繫ノ下ニ行ハルベキデアル。物資獲得上ノ緩急調節ト發行統制トノ併行ナリ。

同時ニ事業資金ノ供給ハ出來ル限リ舊通貨ノ收縮ヲ條件トシ、事業當事者ヲシテ其ノ間所在舊通貨ノ回收ニ努メシメルヲ可トス。一度入手セル舊通貨ハ軍票發行機關ヘ納付セシムベキデアル。

(5) 低金利政策ニ着手

―新幣制施行後ノ金融政策ノ先驅トシテ―

事業資金貸出ヲ利用シテ低金利政策ヲ實施スベキデアル。軍票時代ハ金融狀態更新ニ最適ノ時期デアル。新幣制樹立後低金利ハ徹底的ニ實現スベキデアルガ、軍票資金放出カラ先ヅソノ方針ヲ實現スベキデアラウ。

(6) 發行ニ伸縮性ヲ持タスコト

―舊通貨發行額ハ標準トナラズ―

舊幣制ノ最近發行額ハ的確ナ數字ヲ得ルニ困難デアラウガ、常態發行額ハ大凡戰時體制前即一九四〇年初頃ノモノデアラウ。當時ノ發行額ハ之ヲ産業、貿易狀態ト人口頭數割當トニ比較スレバ、各地共概シテデフレ傾向デアラウ。而シテコノ當時ノ發行ハソノ大部分ハ單ニ白人資本企業ノ必要ヲ標準トシタモノデアル。大東亞戰後ノ我企業經營ニ必要ナ額ハコレトハ全然別箇ノ建前ナリ。

軍票ノ發行ハ企業初期ノ草創時代ナリ。經營ノ進行狀態ニ從ヒ充分ニ伸縮性ヲ與ヘルモノデアルヲ要シ、舊發行額ハ標準トナラズ。ト云ツテモ無制限増發デハナイ。要ハ我物資獲得上不急不要ノ事業資金ヲ抑制シ、緊急施設ニハ自由ノ發行ヲ認メルコトデアル。

舊發行額ト舊通貨ノ始末トハ之ト別箇ノ問題トシテ處理スベキデアル。

(四) 機　構

(1) 發行ハ日銀國庫局ノ職分ノミニ限ラレズ

―軍票ハ現地通貨ソノモノナリ―

我國ノ外貨軍票發行ハ、初メテナリ。曾テノ西比利亞出兵ニ際シテハ間軍票ト鮮銀券トヲ併用シタ。

今回ノ現地通貨軍票ハ厳密ニ云ヘバ軍票ニシテ軍票ニアラズ。外貨ザルモノナリ。軍令ノ下ニ得ラル、特殊資金ナリ。

(2)　發行ノミノ機關デナイ

―植民地中央銀行ノ前身ナリ―

單ニ軍行動ニ必要ナ資金ノ爲メニ發行スルモノデナク、占領地中央銀行トシテノ職能ヲ有セシムル必要アル機關ナリ。即軍政下財政ノ施行ヲ擔當スルト共ニ將來ノ發券銀行トナリ貸出モ預金モ取扱フベキ性質ノモノデアル。

單純ナ發行機關ハ運行不充分トナルベシ。

(3)　統一的機關ノ不便

―各地域特有ノ狀態アリ―

本邦ニコレガ統一的機關ヲ設置シ、各地域ニソノ分立機關ヲ設クルコトハ餘リ有意義ナラズ。軍票ノ發行ハ軍經理局ノ監督デ足リル。開發資金ノ貸出ニシテモ許否ハ軍ノ統制下ニ置カルベキ性質ノモノナリ。而シテ各地域ニ於ケル軍票機關ハ夫々特有ノ狀勢ニ順應シテ運行セラルベキモノデアツテ、集中制ハ却ツテソノ完全運用ヲ妨ゲルノミデアラウ。

(4)　軍票信用金庫ノ提唱

―野戰經理部ノ管轄下ニ―

軍票ノ發行回收ニ關スル事務ニ發行部ヲ、資金ノ運用ニ付イテ資金部ヲ設置シ、軍政下ニ於ケル占領地金融調節ヲ圖ルト同時ニ通貨政策ノ前驅機關トシテ充分ノ機能ヲ發揮セシムベキデアル。本質上野戰經理部ニ隸屬セシメ占領地域擴張ニ即應シテ順次必要ノ場所ニ支金庫ヲ設置ス。

現ニ企畫セラレツ、アル南方開發金庫ハコノ資金部ニ該當スルモノト了解ス。

(5)　軍票信用金庫ノ代行機關

―正金銀行ヲシテ當ラシムベシ―

金庫ノ實際運行ハ植民地銀行ト殆ンド同一ニシテ可成リ煩雜デアル。12.ト同時ニ金融、爲替ニ關スル特殊ノ技能ト南方諸國ニ對スル認識ト經驗トヲ必要トスル。コレニハ正金銀行ヲシテ當ラシムルコトガ最モ適切ナリト信ズ。[redacted]、正金ノ上下一貫セル不撓ノ忠誠精神トソノ從業員ノ優秀性ハ長年ノ傳統ト訓練トニヨツテ初メテ得ラレタモノデアリ、一朝一夕ノ所産ニアラズ、南方ニ於テ此點ハ更ニ顯著デアルト確信スル。

(ロ)　新幣制論

―總説―

(1)　外貨軍票ト幣制改革

―不可分ノ關聯ナリ―

占領地通貨表示軍票ノ行使ハ占領地域ニ新幣制ヲ施行スルコトヲ歸結トスル。コノ軍票ノ本質ハ占領地通貨ソノモノデハアルガ進駐直前ニ於ケル當該地域ノ通貨ヲ繼承シタモノニ過ギズ。軍票ガ過渡的支拂手段デアル限リソノ行使期間ニ日ヲ逐フテ實質ハ變化シテ行クモノデアリ、國內ノ秩序回復シ我統治下ニヨツテ新經濟體系ニ移行スル時期迄軍票ノ實質ハ分化作用ヲ繼續シテ行クモノデアル。コノ作用ガ略々完成シタ時期ハ即新幣制實現期トナラウ。

(2)　新幣制ノ實施ハ軍政終期ヲ可トス。

―新基準ノ決定期ナリ―

軍政カラ民政ヘ移行スル直前ニ實施スルコトガ適切ナリト信ズ。コノ時期ハ國內秩序ノ回復セル時デアツテ我經營方針モ確立スル時デアリ、國內ノ經濟狀勢モ一巡リ推移ヲ終ツタ時デアル。最モ愼重ナ考慮ヲ要スル基準ノ決定ニ最適ノ時期ナリ。

(3)　軍票ノ回收ハ可成短期間ニ實行ノコト

―新通貨ノ流通促進ノ爲メ―

軍票ハ新通貨ノ代位ナリ。ソノ回收ハ住民ニトツテ別ニ苦痛ヲ與ヘザルノミナラズ寧ロ新安定通貨ヲ供給スルコトデアル。故ニ軍票ハ出13

来得ル限リ短期間ニ回収スベク、期間ノ決定ニハ單ニ國内遠隔地トノ距離ノ問題ヲ考慮スレバ足ルベシ。

(4)　舊通貨ノ回収モ亦迅速ヲ期スルコト

—通貨職能ヲ失ツタモノデアル—

新幣制ノ實施ハ新通貨經濟ノ樹立デアル。舊通貨ハソノ職能ヲ失フ。コレヲ長ク流通セシムルコトハ無意義且國内取引ノ混亂ヲ招ク。場合ニヨツテハ一定期限ヲ付シテ爾後ノ通流ハ一應禁止スル措置ヲ採ルコトモ必要ナラン。

(5)　實施ハ直前ニ發表ノコト

—内容ノ漏洩ハ混亂ヲ生ム—

新幣制ノ内容ハ秘密ニ取扱ヒ漏洩ヲ防グ要アリ。現地住民ニ對シテハ特ニ然リ。新基準ノ決定ヲ要スル場合ニ殊ニ然リ。内外ノ連絡ニヨツテ行ハル、資本逃避、通貨投機ヲ抑壓シ國内取引混亂ヲ防止スル爲ニ必要ナリ。

(一)　新幣制ノ性格

(1)　新通貨ハ舊通貨トハ無關聯ナリ

—外形ノミノ繼承デアル—

前來縷說シタ所デ自ラ明カデアル。要スルニ通貨ノ外形ヲ保存スルニ過ギズシテ、ソノ本質ハ舊通貨トハ關聯ナシ。コレ迄ノ英米貨連繫ヲ離レ、地域的ニハ南方各國ニ獨立シタ幣制デアリ、對外的ニハ日本ヲ宗主トスル共榮圏内ノ地方通貨デアル。過去ノ繼續ニシテ現在ニ殘サレルモノハ對日經濟關係ト住民ノ傳統生態トノ二點ノミナリ。新タニ出發スル幣制ナリ。

(2)　通貨方策ノ對象トナル

—個々ニ特殊ノ對象ヲ採ル—

外形保存ノ一ツノ目的ハ流通地域ノ限定デアリ、各地域ニ於ケル特殊事情ニ順應シテ通貨對策ヲ採リ得ルコトデアル。各地域ノ通貨ハ個々ニ通貨對策ノ對象トナル。

14

(3)　本邦ヲ中心トスル幣制ナリ

—住民ノ福祉ハ二次的ナリ—

統治ノ形式ガドウナルカニ拘ラズ、新幣制ハ本邦ニ對スル經濟關係ヲ中心トシテ作ラルベキモノデアル。東亞共榮圏理念ヨリスル當然ノ結論ナリ。住民ノ福祉増進ヲ貢献スベキハ素ヨリデアルガ、ソレモ共榮圏ノ觀點カラハ二次的ニシテ、ソノ觀點ノ範圍内ニ止マルベキデアル。緊急對策トシテハ戰爭目的ノ完遂ヲ、恒久對策トシテハ共榮圏經濟ノ運行ヲ大目標トシテ樹立セラルベキ性質ノモノデアル。

(4)　戰時通貨トシテノ機能ヲ發揮セシム

—健全貨幣政策ノ限界—

現在世界何レノ國モ戰時通貨政策ヲ採ラヌ處ナシ。南方諸國モ亦コノ環境ヲ脱シ得ルモノニアラズ。舊態保存ハ健全通貨觀念トハ全然別物ナリ。戰時通貨トシテ運用スルニソレガ効果的デアルトイフ點ニ出發シタ原則ナリ。

(5)　發行ノ伸縮性

—増發モ亦已ムヲ得ズ—

發行ハ軍票ト同様ニ伸縮ニ富ムモノトナル。必要ニ應ジ資金ノ供給ヲ潤澤ニシ、物資ノ出廻ヲ容易ナラシメルベキデアツテ、窮屈ナ準備制ニ固着セヌコトトナリ。今後ノ我植民地通貨トシテハ或程度ノ増發ハ已ムヲ得ズ。

(二)　ソノ体系

(1)　圓爲替本位ヲ採用

—圓域内ノ圓連繫通貨なり—

新通貨ハ公定相場ヲ以ツテ圓ニ連繫ス。即チ圓域内ノ一系通貨トシテ圓爲換本位ヲ採用ス。コレハ問題ノナイ點デアルガ、問題ハ今後各地域ニ中央銀行ヲ新設シタ場合、ソコニ現地準備ヲ認ムルヤ否ヤデアル。圓連繫通貨トスル以上特殊準備ヲ置ク必要ナシ。

15.

(2) 管理通貨ナリ。

―現地通貨管理ヲ先行―

新貨制ハ無準備ノ圓通爲替貨トシ、管理通貨制ヲ採用スルコトナル。通貨ノ價値維持トソノ補證ハ原則トシテ先ヅ現地ノ物資需還ニ據ル。可能ノ最大限度迄實行セラルベキモノデアル。

(3) 對南方圏内諸國及對第三國トノ關聯ハ圓貨ヲ經由ス。

―對外的ニハ圓貨ト同一運命ニ置カル―

新貨ハ圓貨ノ代表貨幣デアル。圓貨トノ間ニ公定相場アリトシテモソレハ現地ノ特殊經濟條件ニ基ク圓貨ノ變形形式ト見ルベキデアル。故ニ對第三國トノ關係ニ於テハ單獨直接ナ爲替比率ヲ生ムベキモノニアラズ、圓貨ニ附隨シ圓貨ヲ經由シテ決濟セラルベキモノデアリ、コノ原則ノ延長トシテ南方圏諸國相互間ニモ直接比率ナシ。

(三) 基準

(1) 通貨機能ノ發揮目標

―新事態ニ即應シタ機能ノ意味ナリ―

筆者ハ通貨保有論者ナリ。極端ニ云ヘバ通貨ハ「イヂラヌ」コトナリ。幣制改革ニハシバラク時ヲ貸スコトナリ。

通貨ハ博ク民衆ノ信認ヲ得テ初メテ完全ナ機能ヲ發揮ス。ドンナ幼稚ナ通貨デモソレガ一般民衆ノ信認ヲ得レバ完全ニ通貨トシテノ機能ヲ果ス。併シ乍ラカヽル主張ハ單純ナ觀念論ニシテ今回ノ我南方進出ノ場合ニハ適用サレ得ヌコトハ勿論デアリ、幣制ノ改定ハ絶對ニ必要デアルガ、保存論ノ關スル部面ハソノ新基準ノ決定ナリ。

基準ノ決定ハ通貨機能ノ發揮ヲ主眼トスベキデアラウ。依舊ソノマヽノ機能ヲト云フニアラズ。新經濟形態下ニ於テ最モヨク機能ヲ發揮シ得ル標準デアル。

新基準ノ決定ハ保存原則ノ最終段階ヲシテ目的達成上ノ鍵ナリ。

(2) 住民ノ無形財産、勞務報酬價値ノ變動

―新基準ハ重大ナ影響アリ―

有形財産ハ如何樣ノ幣制下ニアツテモソレニ即應シテ價格ハ騰落ス

16.

ルガ、無形財産即チ債權、有價證券ノ如キ定額收入ニヨル勞務報酬ノ如キハ新基準ノ如何ニヨツテ大キナ影響ヲ蒙ル。通貨制度變革ノ際動搖ヲ見ルハコノ方面ナリ。平價切下ノ例ヲ云ヘバ債權者ノ損失トナリ、勞銀ノ昂騰或ハ引上要求トナリ勞資抗爭ヲ生ム。

之ヲ南方住民ノ部落形式ニ見ルニ少數乍ラ各村落ノ有産階級ハ自治團體ノ支配力ヲ有シ、大小企業、プランテーションニ於テモ相當多數ノ勞働者ヲ必要トスル。統治上曾テ白人ノ嘗メタ程ノ苦イ經驗ヲ繰返スコトモアルマイガ事業經營上カラハ通貨基準ノ急激ナ作爲的變革ハ避ケルベキモノデアラウト信ズル。

(3) 物價ノ抑制ト物資獲得

―新經濟態勢下ノ條件ヲ考慮スルコト―

軍票價値論(4)項ニ述ベタ處ト同一ノ論據ハ茲ニモ存在スル。新通貨基準ハ最終決定デアルコトニ於テ一層重要ナリ。

(4) 財政ノ均衡

―支出ノ急増ヲ考慮スルコト―

占領地財政ハ一應一切住民ノ負擔ニ於テ行ハルベキデアル。新平價ノ決定ニ際シテ通貨ノ直接影響カラ來ル支出ノ膨脹ヲ考慮スベキデアル。

(5) 軍票時代ノ推移ヲ研究スルコト

―先ヅ勞銀ノ動キガ主標トナル―

軍票行使期ハ少クトモ半年長クハ一年二年ニ及ブ地域アリト思ハル。コノ時代ニ於ケル住民經濟ノ推移ハ新通貨基準ノ尺度トナルモノデアルガ、ソレヲ最モ適確ニ表示スルモノハ民間自由企業ノ勞銀デアラウ。但シコレハ多クノ要素ヲ含ミ殊ニ戰爭ニヨル勞力需要ガ大キナ力トナルモノデアルカラソレヲ分離シタ考察ヲ必要トスル。而勞力需要ノ增減、物資ノ增減、內外日常生活必需品價格ノ騰貴等ニヨル物因ヲ通貨ノ增減率ニ乘ジタ係數デアル。

17.

(6) 圓等價說ニハ反對ナリ

―通貨機能ヲ標準トスベキデアラウ―

等價說ノ論據ハ東亞共榮圈廣域經濟運行上ノ理想デアリ、ソノ魅力ハ實際上ノ利便デアル。併シ乍ラ理想論バ更ニ一步ヲ進メテ通貨機能ノ強弱ヲ考慮スベキデアリ、之ヲ統治カラ云フモ帝邦抱容ノ大尺度ヲ考慮スベキデアラウ。利便說ハ公定相場ノ數字ノ具合デ大シタ相違ハナシ。

等價說ノ最モ大キナ過誤ハ南方諸國ガ決定的ニ圓價ヨリ高價値ナリトスル先入觀念ニアリ。素ヨリコレ迄ハソウデアツタガ、今後モ永久ニ然リトハ云ヘズ、筆者ノ合理的基準論モコレヲ前提トスルニ非ラズ。軍票行使時代ニ生ズル占領地ノ新經濟態型ハ豫測ヲ許サズ、況ンヤ貿易ノ數字トソノ住民ニ關係スル部分トガ前述ノ如ク（軍票價値論(4)項參照）從前ノ觀念ヲ以ツテ豫測スルヲ許サヌ環境ニ於テオヤ。

(7) 確立ト安定性ガ緊要ナリ

―管理ノ第一目標ナリ―

之ヲ要スルニ新基準ハ幣制ノ確立ト通貨ノ安定性ガ先決條件ナリ。管理通貨トシテモソレガ第一要件ニシテ、通貨政策ハコレヲ第一目標トシテ出立スベキコトハ何時ノ時代如何ナル處デモ變リナシト信ズ。恒久的ニ一定不變トイフコトハ到底難カシイコトデアラウガ、可能ノ範圍內デコノ目的ヲ達スルニ最モ適切ナ基準ヲ採用スベキデアルト信ズ。

(8) 通貨對策ノ効果ニ期待

―之ヲ織込ンデノ基準ナリ―

基準ノ安定ハ管理通貨制トシテハ相當困難ナ實際問題ナリ。通貨對策ト相俟ツテ維持セラルベキハ論ヲ俟タヌガ、不安定ノ病因ニ對シテ手術ノ可能ナ點ハ基準ノ決定ニ當ツテ當初カラ織込ムベキデアラウ。

18.

(四) 準　備

(1) 兌換義務ナシ

―現地準備ハ必要ナシ―

圓系通貨ナルモ圓爲替本位ナリ（前出(二)關係(1)項）現地ニ於テ圓貨ト兌換スル義務ナク要求ニヨリ公定相場ヲ以ツテ圓貨手形ヲ賣買スルモノデアル。圓貨ハ現地ニ必要ナシ。

押收又ハ民間徵收ニヨル在來ノ國內硬貨、地金銀、外國貨幣、外貨證券等ハ日銀ニ回送シテ圓貨ノ準備ニ充當スベキデアル。圓貨ノ準備ハ圓域全般ノ準備デアル。

(2) 日銀ニ準備勘定ヲ設置

―南方各國トノ個別清算勘定ヨリ振替―

新幣制ハ當初無準備カラ出發ス。必要アラバ或時期迄クレデイツトヲ設定スベキモ、南方諸國ノ常態トシテハ清算勘定ノ運用デ足ルベシ。一定時期ヲ經過スレバ清算勘定ヨリ一定額ヲ準備金勘定トシテ振替ヘ得ベシ。但シ現狀ヨリ判斷スレバコノ準備ハ漸次增加スベキモ開發事業ノ進捗次第デハ初期ハ必ズシモソノ傾向ガ著シイトハ考ヘラレズ、投資、資材供給等ガ相當額ニ達スルコトモ考ヘラレルカラデアル。收支トントンノ處ナレバ無準備狀態トナルモ爲替本位ノ運行ニ差支ナシ。

(五) 幣　種

(1) 紙幣ヲ單位トス

―本位硬貨、本位紙幣ハ發行セザルヲ可トス―

爲替本位本來ノ特質トシテ、本位貨幣ハ紙幣ナリ。コレ迄各地ニ存在スル單位硬貨、例ヘバ盾、海峽弗、留比銀貨ノ如キハ流通セシムル必要ナシ。從前ハ幣制信認ノ維持上コノ種硬貨ノ存在ヲ必要トシタガ、現在南方住民ハ既ニ紙幣ノ如何ナルモノカ且ツソノ使用上ノ利便ヲ知ツテ居ル。本位硬貨ノ流通ハ國外流出、改鑄、藏匿ヲ誘ヒ易ク無益ノ混亂ヲ招ク。速カニ回收シテ本邦ヘ回送シ、圓貨準備用途ニ充ツベキデアラウ。本位紙幣、一元單位紙幣ノ發行モ見合セタ方可ナリ。五單位例ヘバ五以上ノモノヽミニ止メ、以下ハ小額紙幣ヲ以ツテ代用セシ

19

ムベキデアラウ。爲換本位ノ單位ハ理論單位ナリ。之ニ對シ明確ナ兌換條件ヲ付スベキモノニアラズ。實質上カラモ多クノ場合ソノ必要ナク住民ノ需要ハ小額紙幣ニ商取引ハ大額紙幣ニ集中サル。

(2)　補助硬貨ハ在來ノモノヲ其儘使用

「最低單位貨ハ可成多額ヲ流通セシムベシ」

鑄貨、密輸等ノ危險ヲ防止シ得ル限リ補助硬貨ハ在來ノモノヲ當分其儘流通セシムルコトガ便利ナリ。但シ舊主標ノ存在ヲ明瞭ニ記スルモノハ漸次回收スル要アリ。最低單位ノ銅貨等ハナルベク多額ヲ殘存セシムベク、不足ノ場合ハ同品位ノモノヲ作リ供給スル必要アリ，銅貨ハ南方民族ニトリ普遍的ニシテ民衆ノ需要多キノミナラズ、物價抵制上ニ重要ナ役割ヲ果スモノデアル。場合ニヨツテハ亞鉛貨等ノ供給モ必要ナリ。

(3)　小額紙幣ノコト

「良紙質ノモノヲ潤澤ニ供給」

一元單位紙幣ニ代ル半元單位、五分ノ一、十分ノ一、百分ノ五單位ハ共ニ潤澤ノ供給ヲ必要トスベシ。

現在デハ各地域共住民ハ既ニ小額紙幣ノ流通ニ不安ヲ感ゼズ、問題ハ紙質ノミナリ。

文化一般ニ低ク敎養ノ程度甚ダ薄シ。小額紙幣ハ我皇化ノ普遍、共榮圈理念ノ鼓吹ニ最適ナリ。簡單ニシテ効果的ナ字句ト意匠トヲ印刷スルコトガ必要ナラン。

(六)　機　　構

(1)　本邦發券機關ノ進出ハ不適當ナリ

「別箇ノ新生機構ヲ必要トス」

新幣制ガ舊形保存ノマヽ、各地域獨自ノ條件ニ基イテ作ラル、以上本邦既存ノ植民地發券機關ノ進出ハ不適當デアルコトハ茲ニ說ク迄モナイ。南方圈ニハ東部シベリアト朝鮮、南支ト蒙疆ノ如キ關係存在セズ、經濟圈ハ廣ク大東亞全般ニ關聯ス。發券機構ハ日銀ヲ中心點トシテ分

20.

化シタ別個ノモノヲ創設スベキモノデアル。

(2)　投資モ亦新機構ノ運用ニヨルベシ

「本邦デハ現地事業ノ統制デ足ル」

南方開發ニ付テハ世上種々論議セラレテ居ルガ、我目前ノ喫緊事ハ既存物資ノ保存、既存生產力ノ維持デアル。開發ハソレニ次イデ來ルベキモノニシテ投資ハ先ヅ我ニ必要ナ物資ノ既存施設回復カラデアラウ。必要ナルハ現地資金ト資材及技術デアル。ソレハ現地發券機構ノ活用ニ俟ツ外ナク、本邦ニトツテハ先ヅ現地事業ノ綜合的統制ノ方ガ緊要ナラン。

(3)　中央銀行ノ創設

「舊機構ノ解體」

皇軍ガ進駐ト同時ニ敵性中央銀行又ハ敵政府ノ發券機關ヲ押收スルニ當リ、恐ラク內容ノ大部分ハ空虛トナツテ居ルノデアラウガ、尙且幹部又ハ行員ノ拘禁等ニヨリ舊形態ヲ復元セシメ、新機構ニ援用スルコト、ナラウ。

舊機構ハ一應解體ノ上新タニ發券銀行トシテ新機關ヲ創設スルコトトナルガ、ソノ資產負擔ノ淸算ハ善意ノ住民ヲ主標トシテ我方ニ繼承スベキデアラウ。

(4)　發券機關ハ中央銀行ヲ可トス

「國庫ノ發券ハ運行不自由ナリ」

戰前蘭印、緬甸ニハ發券銀行アリ、比島、馬來ハ國庫紙幣ヲ發行シタ。後者ハ統治關係ガ主因デアル。我統治下ニ於ケル機構トシテハ各地域全部中央銀行ヲシテ銀行券ヲ發行セシメルヲ適當ト考フ。發券銀行制ハ發行ノ伸縮性ニ富ミ、新形態ヘノ順應ニ適ス。

(5)　中央銀行ニ植民地銀行トシテノ性能ヲ與フ

「純粹ナ發券機關ノミトセズ」

植民地ノ發券銀行ハ單ニ發券ノミニ止マラズ。植民地經營ニ必要ナル月ユル業務ニ當リ得ベキ機能ヲ有スル要アリ。國庫ノ代用ハ勿論拓

21.

殖資金ノ供給ニモ充分組織ヲ有シ、之ガ爲ニハ預金貸出モ地方銀行ノミニ限ラス組合、團體等トモ自由ニ取引シ得ルコト、スル要アリ。但シソノ業務ハ發行券ノ確立ニ必要ナ限度迄ニ止マルベキハ勿論ニシテ、嚴ニ營利主義ニ傾カヌヤウ制限スベキデアル。
我南方開發金庫ノ支金庫ハ中央銀行ノ監督體トナル。

(6) 中央銀行ハ本邦ノ直屬機關トス

—住民ノ代表者參與ハ最少限ニ止ム—

統治形式ノ如何ヲ問ハズ中央銀行ノ資質ハ本邦ノ直屬機關トスベシ。我植民地經濟ノ核心ニシテ、ソノ運行ハ全然我方ノ責任下ニ於イテナサルベキモノデアリ、理論上カラモ圓爲替本位制デアル以上當然ノ歸結ナリ。重役中ニ住民若クハ華僑ノ代表者ヲ入レルコトガ已ムヲ得ズトスルモ、我方ニ絶對多數ヲ保守スベキモノナリ。株主制限ニ於テモ同樣ナリ。

(7) 爲替管理局、貿易金融機關

—通貨管理ノ一機構—

對本邦、對圓域諸國、對第三國ノ爲替ハ絶對統制下ニ置カルベキモノニシテ、爲替管理局ト貿易金融機關トヲ併置シ通貨管理ノ一機構トシテ充分ノ機能ヲ發揮セシムベシ。爲替業務ハ發券銀行ヲシテ直接之ニ當ラシメザルヲ可トス。業務ノ本質上危險多ク且ツ特殊ノ技能ト經驗トヲ要ス。南方圏ニ關スル限リ正金一行ヲシテ之ニ當ラシムルコトガ目的達成上最良ノ策ナリ。

(8) 邦人銀行、現地銀行ノ地位

—事業資金ノ供給—

本邦銀行ノ進出、地場邦人銀行ノ新設ヲ見ルニ至ラバソノ業務ハ現地ノ事業資金、商業資金ノ供給トナルベシ。
現地事業ノ經營ニハ本邦既存企業ノ進出ガ得策デアルコトニ於テ自然ノ歸趨ナリ。

(9) 拓殖銀行、農民銀行、信用組合

—中央銀行ノ拓殖資金部ノ延長—

創立早々ニハソノ必要ナカルベキモ開發ノ進捗ニ伴ヒ大企業資金ノ供給ニ拓殖銀行ヲ、奥地金融機關ノ中樞トシテ農民銀行ヲ、農民ノ金融機構トシテ信用組合ノ設置ヲ要スルコト、ナルベシ。總テ中央銀行ニ隷屬シ、金融政策ノ徹底ニ協力スルモノトス。

(ハ) 對策論

總說

(1) 對策ハ自ラ限度アリ。

—共榮圏完成迄ノ行程ナリ—

通貨對策ノ目的ハ安定ニ盡キル。但シソレハ戰時ニ於テハ至難ノ業ニシテソノ完行ハ到底望ミ得ズ、我南方圏ニ於テ特ニソウデアルコトハ前來諸說ノ通リナリ。可能ノ範圍ニ於テ最大限度ノ效果ヲ得ルコトニ止マル。ソレ以上ノ惡影響ハ已ムヲ得ズ。要スルニ共榮圏完成ニ至ル迄ノ經路ナリ。共榮ニ對スル行程上ノ共資時代ナリ。

(2) 對策ハ現地及本邦ノ兩者ニ分タル。

—後者ハ前者ニ追隨ス—

現地對策ニ萬全ヲ盡シ、ソノ足ラザル處ヲ本邦デ補足スルコト、ナ

23

ル。但シソレハ單ニ結果論デアル。實際ハ兩者併行シテ行ハルベキモノナリ。

(3) 戰時經濟ヘノ移行トインフレーション。

―先ヅインフレノ出發點ヲ見ヨ―

增發ト云フモ南方諸國共通ノ特殊條件ハ之レヲ直チニインフレーショント爲シ、直チニインフレノ悪影響ヲ生ズルト云フ一部者ノ概念ハ是正ヲ要ス。卽チ

(イ) デフレーションノ是正點ニ至ル迄ニハ相當ノ余裕アリ。各國多少ソノ高ヲ異ニスルガ、デフレノ是正ハ住民ノ經濟生活ヲ正常ニ復セシメ、彼等ヲ貧窮ノドン底カラ救ヒ全經濟ヘノ希望ヲ向上セシメル人道的見地カラモ必要ナリ。

(ロ) 從前ノ國際收支ニ於ケル搾取ヲ考慮スル場合。南方諸國ハ常態的ニ輸出超過國デアルガ、コレ迄ソノ貿易尻ハ本國ニ吸收サレテ居ル。住民ハ結局輸入物資ト同額デ輸出シタコトニナル。コレハ極端ナデフレーションノ影響ヲ更ニ深刻ナラシメタモノデアツテ、コノ限界點迄ハ無影響增發デアル。

(ハ) インフレーション防止對策ノ施行ハ比較的容易ナリ。消極的施策、例ヘバ消費規正、購買力吸集等ハ溫帶國民ニ比シテ困難デアラウガ、積極的施策ハ割合ニ容易ナリ。且後者ノ効果ハ前者ニ比シテ遙カニ强シ。生產增强、產業開發等ハ豐富ナ資源ト强烈ナ自然力トヲ以ツテスレバ比較的容易ナリ。消極的施策ニシテモ資金、物價、物資統制等ハ充分徹底セシメ得ベシ。

故ニ問題ハ何處迄ガ眞正ニインフレーションの悪影響ノ發生スル出發點デアルカヲ研究スルニアル。例ヘバ

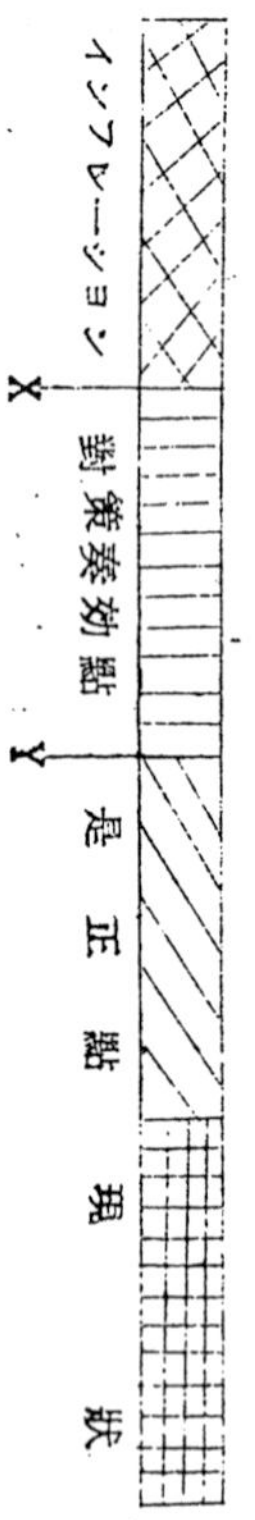

24

右YトXトヲ基準トシテ我對策ヲ樹ツベキデアル。

(一) 現地對策

(A) 緊急對策

(イ) 通貨取締令、

―軍政初期ノ第一方策―

南方諸地域住民ハ周邊諸國トノ通貨交流ニ付テハ比較的敏感デアツタコトハソノ地理的位置ト白人ノ征服史的系因カラ生レタモノデ此ノ習性ハ容易ニ終熄スルモノデナイ。コレヲ利用シテ寸毫ノ利益ト雖モ見逃サヌ支那人、印度人ノ存在モ亦厄介ナ條件デアル。只近年ニ至リ此地域住民ハ漸ク紙幣ノ利便ヲ覺ルニ至ツタコト、闇爲替ノ巣窟香港ガ壞滅シ新嘉坡ガ抹殺サレントシテキルコトハ、取締上ニ大キナ收穫デアル。通貨取締令ノ根幹ハ

1、通貨ノ僞造、鑄潰ニ對スル嚴罰

2、現地紙幣及硬貨外國紙幣、外國貨幣ノ輸出入禁止

3、地金銀ノ輸出禁止、輸入特許制

4、兩替商ノ特許制

等々デアツテ外國爲替關係事項ハ爲替管理ニ委シ得ベク茲ニ單ニ通貨ソノモノ、取締デ充分ナリ。

(2) 支拂猶豫令、拂出制限令。

―出來得ル限リ短期間ノコト―

占領地域ノ擴大ニ伴ヒ地方經濟界ガ混亂スルカ又ハ新幣制ヘノ移行ニ際シ必要ヲ生ズル場合ニハモラトリウム又ハ預金拂出制限令ノ公布ヲ要スルコトモアラウ。

(3) 爲替及貿易制限。、

―對日取引以外ハ禁止ノ建前ナルコト―

25

一軍政初期ニハ民間ノ貿易取引ハ許サルベキデナク、物資ノ移動ハ統制上一應軍ノ直接監督下ニ行ハルベキモノデアル。實際上カラモ船舶不足ノ現状デハ到底行ハレ得ベキデハナク、之ヲ通貨ノ方面カラ見ルモ不急ノ膨張ヲ招ク。貿易ハ一切許可制トシ對日取引以外ハ一應禁止ノ建前トスベキデアラウ。從ツテ爲替モ亦官金以外ハ一切ヲ許可制トシテ取扱ハシムベキモノデアル。

(A) 舊紙幣ノ始末

―舊政權ノ發行金額ハ一應住民ノ負擔ナリ―

戰時ノ軍費急増ニ從ツテ舊政權ハ紙幣濫發ノ傾向ニアルベク、ソノ發行額ハ果シテ幾何トナルカ恐ラク帳簿ソノ他ノ押收ハ困難デアラウガ原則トシテハ舊紙幣ハ全部ヲ一應引換ヘテヤルベキデアラウ。無辜ノ住民ニ損害ヲ負擔セシメザルコト、戰爭ニ基クインフレハ一般住民ノ負擔トナルコトノ兩方面カラデアル。但シ偽造紙幣ノ恐アリ引換期ハ可成短期デアルヲ要ス。

(B) 恒久對策

(1) 資金統制

―産業立地計畫ト併行―

占領地域ノ事業資金ハ軍票時代カラ既ニソノ需要ヲ見ルデアラウ。筆者ガ軍票金庫ノ設立ヲ提唱スル一ツノ理由デアル。軍票金庫ガ不可能ナレバコレト同性質ノ機關ヲ設置スルモ已ムヲ得マイ。中央銀行ノ創設後ハ資金關係ハ全部コレニ引繼グベキモノデアラウ。

資金ノ潤澤ナ供給ハ總ユル點カラ考ヘテ絶對ニ必要デアツテ從ツテインフレ抑止方策ニノミ固執スベキデハナイ。併シ乍ラ占領地ノ事業ハ我要求スル物資生産ヲ第一目標トスベキモ量的ニ地域分布系統的ニ再檢討ヲ要シ、新形態ノ物動計畫ニ從ツテ投資スベキモノデアリ更ニ恒久策トシテハ大東亞圏ノ産業立地計畫ニ順應スベキモノデアル。事情ノ如何ニ從ヒ絶對ニコノ計畫ニ即應シ得ヌ場合モアラウガ根本原則トシテハコノ線ニ沿ツテ決定セラルベキモノデアル。通貨ノ側面カラ

26

云フモ不急不要事業ヘノ資金供給ハ絶對ニ避クベキモノデアラウ。

(2) 物價低制

―輸出禁止令、公定價格制ノ採用―

占領後ノ物價ハ騰勢ノ一途ヲ辿ルベシ。何時ノ戰爭ニ於テモ同一ナリ。騰勢ハ民心ヲ刺戟シテ更ニ騰勢ヲ煽リ通貨ノ上ニ及ボス影響ハ尠カラズ。

先ヅ輸出禁止令ヲ公布シ、對日以外ハ一應市場ヲ閉スコトニヨツテ輸出品價格ヲ低制スル要アリ。南方市場ガ輸出ヲ根幹トスル上カラ絶對ニ必要ナリ。日本向輸出ハ敵産生産品ニハ固定的價格ヲ設定シ民産品ニ對シテモ生産ヲ減退セシメザル程度ニ於テ輸出價格ヲ決定スベシ。輸入品及土産生活必需品ニ對シテハ公定價格ヲ設定スベキモノト信ズ。配給機構ノ改善、華僑ノ處理ハ金融編ニ譲ル。

(3) 賃金統制

―米價ハ絶對標準ナリ―

物價低制ニ次イデ賃金統制ヲ實行スベキデアラウ。但シ南方ノ現状ハ、勞力ハ、事業擴張ニ不充分ナリ。勞働問題ノ解決ハ相當複雜且深刻ナ素因ノ檢討ヲ要スト考フ。軍政當初ニハ單ニ通貨ノ不自然ナ膨强ヲ防止スル程度ノ目標カラ出發スベキデアラウト考フ。

南方住民ノ生活標準ハ米價デアル。勞銀ハ亦コレヲ標準トシテ敏感ニ騰落スルモノデアル。之ガ爲メニハ或地域ニ於テハ賃銀統制ハ食糧政策ト併行スル要アルベシ。

(4) 消費規正

―可能ナルハ輸入品ナリ―

物價對策ノ一面ニ消費規正ノ必要アルベキモ、南方民族ノ生活ハ單純デハアルガ放恣デアル。物資節約ノ習慣ナシ。之ヲ極度ニ強制スル

27

コトハ統治上ニモ厄介ナ結果ヲ生ムベシ。可能ナルハ輸入物資ノ消費規正ナリ。コレ迄ノ消費量ノ半額位迄ハ切下ゲテモ氣候風土ノ關係上大シタ苦痛ハナカルベシ。

(5) 購買力吸集。

―公債ハ見込ナシ―

現在ノ一般民衆ノ資力デハ公債ノ募集ハ大シタ額ニ達シ得ザルベク、資力ノ尠ナイ上ニ公債ソノモノニ對スル認識ヲ缺ク。阿片ハコレ迄購買力吸收ノ一目的トシテ默認サレタ形デアルガ、勞力ノ減退ニ鑑ミ嚴禁スベキデアラウ。結局富籤或ハ富籤公債位ノ處デアラウガ、ソノ額ハ大シタモノトナラザルベシ。

(6) 爲替管理ノ施行。

―對日公定相場ノ維持ヲ主目的トス―

南方圏諸國ニ爲替管理ヲ施行スルトスレバ通貨對策ノ部面カラハ第一目標ハ對日公定相場ノ維持デアリ、第二目標ハ對日貿易ノ確保促進ニアル。軍政初期ノ爲替許可制ヨリ出發シ秩序ノ回復ニ伴ヒ、管理法規ヲ公布シテ爲替統制ヲ實施スベキデアラウ。（詳細ハ金融篇ニ讓ル）

(二) 本邦對策

(1) 事業統制。

―現地ノ資金統制ト併行―

前章資金統制ニ述ベタ通リノ施策ニ從ヒ、本邦ニアッテハ本邦企業家ノ進出ハ事業ソノモノ、大局的緩急性ノ考慮ト同地資金供給ニヨル現地通貨ノ狀勢ヲ參照シテ嚴ニ統制スベキデアラウ。（詳細ハ金融篇ニ讓ル。）

(2) 物資ノ裏付。

―住民ノ生存ニ不可缺ノ限度ニ止ムベシ―

28

南方諸國ニ對スル物資ノ供給ハ今後ハ對滿支物資供給ト全然同一性質ノモノトナルガ、諸國ハ全部圓貨ニ連繋スルモノデアリ、今後通貨ノ健全性ハ一ニ繋ッテ圓貨ノ補強如何ニアル。圓貨自體ノ補強ハ第一要件ナリ。隨ッテ今後ノ補強工作トシテ行ハルベキ物資ノ裏付ハ、諸國通貨ノ膨張ニ基キ發生スルコトアルベキ惡影響ガ本邦ノ物資獲得ニ障碍ヲ及ボシ惹イテ圓貨ニ累ヲ及ボス限界點ニ出發スベキデアル。大戰ノ大目的遂行ニ當ッテハ末梢的王道政治ハ不要ナリ。住民ノ單純ナル生活狀態デハ、本邦ノミガ供給セザルベカラザル物資ハ數量ノ上カラモ金額ノ上カラモ左程大量ノモノニアラズ。コノ點カラモ從前ノ如キ自由取引、自由市場ノ存在ヲ許サズ、現地ヘノ邦品輸入ハ絕對統制ヲ必要トスルモノナリ。

(3) 共榮圏諸國間ノ物資交流ヲ圖ルコト。

―本邦ノ供給責務輕減ノ爲メ―

尙考慮ヲ要スベキハ南方圏諸國及南支方面間相互ニ物資交流ヲ計ルコトナリ。本邦ニ必要ナル絕對數量以上ニ尙多クノモノガ可能ナルモノアリ、從前ノ貿易系路ヲ參考トシテ、可能ノ程度迄ハコレヲ助成スルヲ要ス。

(4) 第三國貿易ノ利用。

―コレ亦裏付物資ノ節約ナリ―

現狀デハ尙運輸ノ點デ不可能デアラウガ樞軸國トノ間ニ或ハ非敵性諸國トノ間ニ交通ガ回復スルニ至ラバ余剩物資ニツキ之等第三國トノ間ノ貿易ヲ回復セシムルコトモ亦通貨補強ノ上ニ大キナ効果ヲ擧ゲ得ルデアラウ。要ハ本邦ノ物資裏付ノ一部ヲ之等第三國ヲシテ負擔セシムルコト、南方余剩物資ヲ援用シテ本邦ヘノ第三國物資獲得ヲ計ルコトナリ。

29

第二　地域別方策

(イ)幣制ノ再檢討

(一)各地域幣制ノ特性

南方占領地域ノ幣制施策ハ前章一般原則ヲ外廓トシ、ソノ範圍内ニ於テ、各地域ノ特殊性ヲ考慮シ、ソレニ適合スル方策ヲ決定スルヲ要シ、ソノ爲メニハ茲ニ各地域ノコレ迄ノ幣制體系ヲ吾人ノ採ラントスル新幣制ノ視角カラ再檢討ヲ試ミ、先ヅソノ特殊性ヲ把握シ、之ニ對シテ加ヘルコトアルベキ敵性國ノ開戰前後ノ措置ヲ推定、研究スル要アリ。

今各地域別ニ、現制ニ到達スル迄ノ經路ノ史的變遷トソレニヨッテ到達シタ現行ノ幣制ノ特性ヲ見ルニ別冊附錄ノ通リトナル。(別冊各地域別幣制ノ經過ト現行制ノ摘要參照)

(ロ)敵性國ノ通貨措置

大東亞戰勃發前及開戰後ニ於テ南方敵性國ガ採ッタ措置ハドウカ、

30

ソレガ通貨ノ上ニドンナ影響ヲ及ボシタカヲ各地域別ニ觀ル。既ニ判明シテ居ルモノト筆者ノ推定ニヨルモノトノ兩者ヲ綜合スルニ大約左ノ通リトナル。

(A)比島

(1)爲替本位ノ放棄

開戰直前迄ハ弗ニ角交換ガ可能デアッタノデ、曲リナリニモ準備制ハ維持サレタモノト思フガ、開戰後ハ現行制ハ放棄サレ、兌換停止、紙幣本位トナッタト思フ。

(2)住民ノ蓄藏

皇軍上陸ト同時ニ一部住民ノ紙幣蓄藏ハ相當額ニ上ルモノト考フルモコレハ富有階級ニ可能ナノミデアロウ。一般民衆カラミテ全體トシテハ大シタコトナカルベシ。

(3)インフレノ程度

開戰前軍需資材ノ輸入、防禦諸施設ノ築造等ヲ急イダ譯デアルガ、必要資材ハ主トシテ本國カラノ輸送ニ仰イデ居ルモノト考ヘラレ、在米泡備蓄定中詳個替差金及利子決済費税ノ戻シハ著シク減少シタデアロウガ現地インフレハ大シタ程ニアラズト考フ。正常貿易ハ輸送關係デ輸出入共ニ減退シテ居ルト考ヘラレルカラ貿易トハナリ居ラズ。

故ニ直接需給ノ因ニナシタモノハ米軍需品ノ現地調達資材・労力及兵員ヘノ給料等加位デアロウ。而現ノ住民所需ヲ加ヘテモ総体ニ於テ大シタ巨額トハナリ得ラズト考フ。

(4)未發行紙幣ノ始末

皇軍ノ上陸ハ舊臘十日ニシテ一月二日ニハ既ニマニラ入城ヲ見タ。コノ間僅カニ三週間ナリ。米官憲ハ未發行券ノ搬出工作ノ余裕ナク、バターン半島又ハコレヒドールヘ持出シタリト考ヘラレ、使用範圍ハ極少ナリ。ミンダナオ島ソノ他諸地域ノ條件ハ一層良好ナラン。

(5)小額紙幣ノ發行

補助貨ハ開戰ト同時ニ蒐集セラレタルベク、新貨ノ鑄造ハ間ニ合ハ

31

ズ、寧ラク發券銀行ヲシテ或ハソノ他ノ方法デ、小額紙幣ヲ發行セシメ居ランモ、コレ亦前二者ノ紙幣ノ範圍ニ限ラレルヲ以ツテ大シタ巨額ノモノトハナッテ居ナイト考ヘラル。

(ハ)軍用票ノ維持

神速ナ皇軍ノ進撃デ宣傳工作ニ合ハザルベク、加フルニコレ迄ノ統治上ノ缺陷アリ、軍用票ハ住民ニヨリ容易ニ受入レラレテ居ルト信ズル。現地ペソ貨表示軍票デアルコトハ一層コノ傾向ヲ助成シタコトト思フ。

(ニ)為替管理・貿易管理ノ效果

日本ノ經濟壓迫方針ハ本國ニ比スレバ比較的寛大デアッタガ、尚且為替管理ノ方デハ相當ニ行過ノ嫌アリ、輸出、輸入、其ノ他對第三國貿易モ、生産狀況ニ對照スレバコレ又[illegible]ノ傾向ニアル由、結果ハ通貨擁護・[illegible]限化ニシテ今日トナッテハ却ッテソノ逆效果ヲ本邦ニ與ヘタコトトナル。

(ホ)本國ノ比島資産凍結

一月八日米國ハ比島ノ資産凍結ヲ決定シタガ通貨ニ關スル限リ在米為替基金及紙幣準備金ノ損失デアロウ。金額ノ多寡ニ拘ラズ現行制デハ已ムヲ得ザル結果ナリ。

(ヘ)現地準備金

國庫局及發券銀行ノ在庫準備ヲ我方ニ於テ押收シ得タルヤ否ヤ不明ナリ。恐ラクソノ全部ヲ持去ッタデアロウ。假ニ押收シ得タトシテソノ額ハ從前ノ狀況ヨリ見テ大額ナラズト考ヘラル。

要スルニ新幣制ハ一切無準備ト同様ノ條件デ新發足スベキコトトナロウ。

(B)英領馬來

(イ)為替管理

戰前早クカラ英本國ニ協力一致シタ為替政策ヲ採ッタ。渣打・香上・有利・イースタン・バンクヲ指定銀行トシテ、為替取引ヲ公定相場ヲ以ツテ集中シ、圓為替ノミハ正金ヲ指定銀行トシ、顧客ヨリノ為替買入ハ自由ナルモ賣却ニハ許可制ヲ布キ、内國勘定ト外國勘定トヲ設ケ、内國勘定ヨリ外國勘定ヘノ振替ニ許可制ヲ布イタ。

當初ハ本邦ニ對スル敵性取引制限ト云フコトヨリモ寧ロ資本逃避、通貨擁護ニ專念シ、ソノ行キ方ハ實際的效果ヲ擧ゲルニ適切デアッタ。殊ニ英本國及ソノ屬領トノ取引ヲ無制限トシタコトハ積極的擁護策トシテ良法デアル。

但シ東亞ノ形勢逼迫ニツレ本邦資金ノ絶對的抑壓ニ力メタコトハ勿論デアル。

(ロ)貿易管理

今次歐洲戰爭以來輸出入制限ヲ實施シ、各種鑛石・ゴム・皮革・羊毛・棉花・麻・コプラ・屑鐵・植物油ナドヲ輸出許可制トシ、此内本邦ニ必要ナモノハゴム・錫・屑鐵鑛デアル。輸入ハ英帝國・埃及・イラク以外カラノモノヲ取締リ輸入禁止品ヲ定メタ。本邦ニ關係アルモノハ清涼飲料・糖果・電球・電氣扇・ラヂオ・蓄音機・帽子・肌着・石鹸・自轉車・ゴム靴・自轉車チューブ・玩具等デアル。鑵詰・馬鈴薯・麥酒・電氣用品・化學藥品・自轉車部分品等ヲ要許可品トシタ。

當初ハ相當ニ余裕ヲ見セテ居タガ過去半年位カラ露骨ニ敵性ヲ示シ、本邦トハ殆ンド貿易杜絶ノ狀態トナッタ。

本國ヘノ軍需供給ト對敵制限トヲ目的トシタモノデアッタガ、一面多分ニ為替管理ノ側面アリ、通貨防衛ニ役立ッテ居ル。

以上二項ハ本邦ノ實力ヲ見縊リ、早急ニ大東亞戰ガ勃發セズトノ期待的予想ノモトニ昨年末マデ實行シ來ッタモノデアル。植民地通貨ハコレガ為メニ余程補強サレ來ッタト考ヘ得ル。

(ハ)通貨準備制ノ廢止

大東亞戰勃發後過去一ヶ月間ニ通貨發行準備制ハ完全ニ崩壊シタモノト考ヘラル。新嘉坡ハ英國ノ馬來抗戰ノ中心地デアルノミナラズ、聯合軍々需物資ノ根據地トナリ、軍隊ノ交叉點・軍需ノ集中點トナッタ模様デアルカラ、従前ノ通貨準備制下ニヨル發行ナドハ思ヒモヨラズ。在英資金ナドハ使用ヲ停止シ、無準備無制限ノ紙幣本位制トナツタモノト考フ。

(4) インフレノ程度

無拘束ノ發行制トナツテドノ位ノ増發ヲ見タカ、推定ニ困難デアルガ、當事者ガ英人デアル限リ最後迄萬一ノ回復ヲ考ヘテ相當愼重ナ態度ニ出タコトト思フ。増發ヲ必要トシタ直接要因ハ(一)防禦工事ノ増強ノ努力(二)濠・印度兵等ノ増加ニヨル支給(三)資材徴發料等ニ止マルデアロウ。従ツテ戰前最近ノ發行ガ一億八千萬弗トスレバ最高ソノ半分位ノ増發ニ止マルト考ヘル。新嘉坡ノ位置カラ考ヘテモ増發ト物價不足ハ急激直接的ナ物價騰貴ヲ來ス。此ノ點英人ハ充分ニ考慮シテ居ルモノト思フ。

(5) 通貨ノ藏匿

皇軍ノ上陸ト共ニ通貨ノ藏匿ガ始ツタト信ズル馬來ハ支那人ガ多イ、ノザコノ傾向ヲ一層助成シタコトト思フ。補助硬貨ノ拂底ハ殊ニ甚シカルベシ。

(6) 小額紙幣ノコト

從來氣候ノ關係モアリ、小額紙幣ハ余リ喜バレズ僅カニ十仙紙幣ノミガ出テ居タヤウデアルガ、今度ハ相當多額且五十仙ソノ他ノ新發行ヲ見タコトト思フ。

(7) 未發行券ノコト

第四項ノ通リノ状態デアルト考ヘルカラ未發行券ノ整理モ相當ヨク行届イテ居ルコトト思フ。皇軍ノ進撃ハ急速デアルカラ新嘉坡陥落直前迄ハ濫發スルヤウナ余裕ナシ。濫發ノ被害者ハ英人自体デアルカラデアル。之ヲ他地ヘ持出スニシテモ用途ナシ。

(8) 硬貨・地金準備ノ持出先

恐ラク既ニ印度ヘ送附シタデアロウガ尚多少殘ツテ居ルトシタラ最後ノ時間ニコレ又英印ヘ送ルモノト考ヘラル。要スルニ通貨ニ關スル限リ準備ハ一ツモ殘ラヌモノト考ヘル外ナシ。

(9) 我軍票ノ状態

以上ヲ綜合スルニ我現地通貨軍票ハ最モ好都合ノ環境下ニ置カレテ居ル。住民ニトツテ安全性多シ。歡迎セラレテ居ルコトト思フ。

(10) 英領ボルネオ

(11) 新嘉坡トノ隔離

今次開戰直前迄ハ海峡殖民地ト呼應シ寧ロソレ以上ニ徹底的ニシテ爲替・貿易管理處ガ殆ンド樞軸人ヲ寄セ付ケヌ有様デアツタ。我ガ皇軍ノ馬來上陸後交通ハ杜絶シタモノト考フ。通貨ノ上デモ獨立工作ヲ余儀ナクサレタデアロウ。

(12) コレ迄ノ流通額

先ヅコレ迄ノ通貨流通額ハドウカヲ見ル必要アリ。三國ヲ通ジ金融ノ最大需要者ハ石油事業デアルガ、ソレハ最近デハアングロサクソン石油會社一手ノ經營ニ移サレテ居ルノデ倫敦・新嘉坡デノ金融ヲ主トシ現地ノ需要ハ僅少ナリ。故ニ近年ノ統計ヲ得ヌガ、住民状態カラ見テ常時流通額ハ三國ヲ通ジ多クテ四・五千萬弗ニ過ギヌデアロウト推斷スル

(13) 増發ノ程度

皇軍ハ舊臘十六日上陸シタ。開戰以后一週間デアル。現在機構デハ短期間ニハ對敵通貨工作ハ難カシイ。以後ノ機構モ戰鬪ノ經過カラ觀レバ大シタモノデハナイト考ヘル。未發行券ノ持高モサホド巨額デハアリ得ズ。硬貨ハ殆ンド全部蘭領ヘ持チ込ンダコトト考ヘル。

(D) 蘭印

(イ) 貿易制限

本國崩壊後ハ英米經濟依存主義ニシテ、日獨伊同盟成立後ハ本國ニ對スル貿易制限ハ甚シク南方諸國中最モ酷ナモノデアツタ。準敵國級デアル。隨ツテ貿易全体ノ上カラ云ツテ輸入ハ激減シタガ、輸出ハ英米、殊ニ米國ヘノ軍需物資輸送デ増加シテ居ル。通貨ノ上カラ見レバ

バ貿易制限ハ寧ロ良好ノ結果ヲ與ヘテ居ルト考フ。

(ロ)為替管理

本邦ニ對シテハ南方圏諸國中最モ苛烈ナル制限ヲ設ケ、終ニ昨年七月二十八日資産凍結ヲ實行シタ。ソレ迄ニナク過去一ケ年ノ状態ハ凍結ト同様デアル。

一般為替管理モ亦相當ニ厳重ニ施行シ、對米為替基準ノ維持ニ努メ、先ヅ所期ノ目的ヲ達シ得タルモノノ如ク、一昨年九月ノ金再評價以來對米為替變動ナシ。

(ハ)準備制度ノ崩壊

昨年下半期以降軍備強化ニ狂奔シ、米國カラ器材資材ナドノ供給ヲ受ケタ分巨額ナリ。在米正貨ハ漸減シタモノト思フ。國内軍隊ノ増強モ急激ニ實行シテ居ルノデ財政膨張モ著シイト考ヘラル。從ツテコレ迄ノ準備状態ハ到底維持サレズ、通貨ハ余程増發サレタモノト考ヘネバナラヌ。

(ヘ)補助貨ノ缺乏

皇軍ノ馬來・英領ボルネオ上陸以來過去一ケ月間ニ蘭印民心ニハ余程ノ動揺ヲ與ヘテ居ルノデアロウ。蘭印ガ今回ノヤウナ大戰争ヲ經驗スルノハ初メテデアル。スマトラ方面ハ殊ニ動揺ガ激シイト信ゼラル。補助貨ハ藏匿ニヨリテ甚ダシク缺乏シ他ニ補供ノ途ナシ。政府ハ補助銀貨ニ代ル小紙幣ノ發行ヲ余儀ナクサレテ居ルト思フ。

(ト)領内保有準備

恐ラク既ニ濠洲又ハ米國ヘ移シタコトト思ハル。飛行機ノ連絡ハアリ、南方航路ハ尚繼續シテ居ル限リ、今日迄領内ニ保有シテ居ルモノトハ思ハレズ。

(チ)在米正貨ノ處置

米國ハ恐ラク近々ニ蘭印ノ資産凍結令ヲ公布スルデアロウカ、蘭印トシテハ現在殘ツテ居ル在米正貨ヲ倫敦ノ和蘭政府ニ引繼グモノト考フ。

36

(リ)未發行券ノコト

相當巨額ノモノヲ準備シテ居ルト思ハレル。地域若ク或ル程度迄ハ撤布ノ恐レアリ。占領後ノ始末ハ相當ニ厄介ナルベシ。

(ヌ)我軍票對策

以上何レニシテモ皇軍ノ攻略ト共ニ盾ハ無準備ノ紙幣ノミト考ヘザルベカラズ。我軍票ガ盾表示デアル限リ後日ノ對策ハ却ッテ都合ヨシ。

(ホ)緬甸

(イ)為替及貿易管理

欧洲戰勃發後緬甸ハ英印ノ全般的為替管理及貿易制限ヲ適用サレタガ、後英印ト分離施行ノコトトナッタ。後者ハ對敵輸出制限ヲ眼目トシタモノデアルガ、余剰生産品例ヘバ米ノ如キハ可ナリ最後ノ時期迄或種ノ制限ノ下ニ本邦ヘノ輸出ヲ認メテ居タ。但シ印度留比ノ側面強化ニシテビルマ通貨ノ補強ニアラズ。

(ロ)印緬分離制ノ停止

一九四〇年四月ハ分離制ノ實施完成期トナルガ、戰爭勃發デソンナコトハ問題トナラズ、現在デハ分離法ハ空文化シ去ツタコトト思フ。例ヘ實現サレタトシテモ印緬トノ通貨交流ハ無制限トナリ、實質的[illegible]果ハナイト信ズ。

(ハ)ビルマ・ルピート通貨

緬甸ハ重慶ヘノ供給物資仲繼地トナリ、米・石油ナドノ一部ハ直接ビルマヘ輸送サレテ居ルコトト思ハレルガ、ソノ決済ハ主トシテ紐育デ行ハレ生産額ガコレデ急増シタトモ考ヘラレヌカラコレカラ來ル金融市場ノ動キハ從前ニ比シ左程大シタモノデハアルマイ。

(ニ)[illegible]爆撃ト通貨缺乏

最近皇軍ノ強烈ナ空爆ニ國內民心ノ動揺ハ極端ニ達シタモノト考ヘラル。通貨ハ藏匿サレ、殊ニ硬貨ハ藏匿ト英印ヘノ逃避トデ甚シク缺乏シテ居ルト思ハル。コレハ今後相當長期ニ亘ルモノト考ヘラレルノデ政府ハ相當巨額ノ小紙幣ヲ發行スル外他ニ方法ナカルベシ。

37

(5) 増發

軍備ノ急激ナ増强・印度兵ノ増加、防禦工事ノ建築等デ準備銀行ハ巨額ノ増發ヲ余儀ナクサレテ居ルコトト思フ。ドノ程度デアルカハ予測ヲ許サヌガ、最近ノ印度準備銀行ノ發行額ハ三十億留比ト云ハレ、コノ内假ニ三億留比ガ緬甸ニ關スルモノト考ヘラレルノデ或ハソノ倍額位トナッテ居ルノデハアルマイカ。

但シ戰亂ニヨル英印人ノ大衆退去デ持出通貨モ相當巨額デアロウ。

(6) 未發行券ト準備

未發行券ハ印度トノ關係ニ鑑ミ、皇軍ノ占領デ印度トノ連絡杜絶、逆用シ、英當局退却ニ際シテハソノ全部ヲ放出サレル危險アリ。準備銀行支店ノ金銀準備ハ悉ク印度ヘ搬出シ、我占領後ハ文字通リノ紙幣氾濫ヲ覺悟セザルベカラズ。對策ハ特ニ愼重ヲ要ス。

一　比島

(イ) 現状ハ常駐發行ノ頂點カ

【今後ノ増發ハ對策ヲ必要トセン】

前章所説ノ如ク一九四一年六月末ノ紙幣流通高ハ約一億六千萬ペソナリ。以後半ケ月間ニドレ程ノ高トナッタカ推算ニ困難デアルガ最悪ノ場合ヲ想定スルモソノ倍額程度三億ペソ位ニ止マルデアロウ。人口一千六百萬人ニ割當テレバ約二十ペソナリ。コノ程度ナラバ先ヅ民度ニ比シテ相當額ナリト考ヘラレルガ、今後ノ増發ニ對シテハ對策ヲ伴フ要アルベシ。

(ロ) ペソ銀貨回收

【本邦ヘ回送ノコト】

前述數字デハ準備ニ約四百萬ペソアリ。民間ニモ相當アルベシ、ソノ幾分ヲ吸收シ得ルカ不明ナルモ適當ノ方法ニヨリ回收、本邦ヘ回送スベキデアロウ。現地流通ノ必要ナシ。

(3) 米弗貨ノ始末

【紙幣ハ本邦ヘ回收ノコト】

米國軍隊ノ進駐ニヨッテコレ迄ニ相當額ノ米弗貨ガ入ッテ居ル筈ナリ。適當ノ手段ヲ講ジ全部ヲ回收スベシ。島內流通、國外持出共ニ禁止シ新通貨トノ間ノ適正相場ニヨリ買上ゲタ方ヨカラン。回收額ハ全部ヲ本邦ニ回送シ利用ノ途ニ充テルベキデアロウ。

(4) 發券銀行ノ創設

【既存機構解消ノコト】

比島ハ米國國庫局ガ紙幣ヲ發行シテ居タ。コレハ全部解消、發券銀行ヲ新設スルヲ可ト信ズ。コレ迄存在シタ兩發券銀行モ營業ヲ繼續セシムベキヤ否ヤ多大ノ疑問アリ、愼重ナ研究ヲ要ス。ソノ發行權ハ當然消失スルモノナリ。

(5) 資金供給ノ圓滑ヲ計ルコト

【急速ニ實現ノ要アリ】

島內資源中鑛物ハ特ニ重要ニシテ鐵鋼・銅鑛ソノ他ノ非鐵金屬・材木・麻等ノ農林產品ハ本邦ノ急需品目ナリ。コレ迄ノ情報ニヨレバソノ開發狀態ハ不充分ニシテ我方ノ施設ヲ要スル處多キガ如シ。既存設備ハ急速ニ擴張ノ要アルベク、之ニ必要ナ資金供給ノ圓滑ヲ計ルベキデアロウ。

(6) 南部ノ特殊金融機構

【本邦企業ノ育成】

ダヴアオヲ中心トスルミンダナオ島ノ邦人企業ハ長年ノ努力ニヨッテ漸ク今日ニ至レルモノナリ。今後モ既存企業ハ素ヨリ凡ユル方面ニ邦人事業ガ勃興スベキモノト考ヘラル。在留者ノ多數ナルニ鑑ミ中央銀行ノ創設ト同時ニソノ分身及貿易金融機關ソノ他ノ特殊金融機構ヲ設置スベキデアロウ。

二　英領馬來

(イ) 新幣制ヘノ移行ハ比較的容易ナリ。

【補助硬貨ノ民衆信認ヲ尊重スルコト】

コレ迄ノ幣制ハ紙幣本位ト同意ナリ。住民大衆ハ殆ンド爲替本位ニハ無關心ナリ。故ニ新幣制ノ施行モ多クノ困難ナクシテ行ハレルデアロウガ、只奥地ニ於ケル補助貨幣信認ノ中心ガドコニアルカヲ最モ注意スベキデアロウ。ソノ中心ヲナス在來ノ補助硬貨ニハ當分ナルベク手ヲ付ケズ放任ノ儘トスルヲ可トスベシ。

(2) 支那人・印度人ノ取締ヲ厳重ニスルコト。

―移動搬出搬入ヲ制限―

馬來ニハ人口ノ三分ノ一、二百萬ノ支那人アリ。ソノ大半ハ勞働者ニシテ景氣ノ變動ニ從ッテ移動頻繁ナリ。定住者ハ奥地中心地ノ民間金融ニ有力ナ介在者トナッテ居ル。通貨取締ニ當ッテハソノ對象ヲ支那人ニ置キ相當嚴重ナ統制ヲ必要トスベシ。移動ニ對シテモ通貨ノ持出・搬入ヲ最少限度ニ止メ、檢査ヲ施行スル要アルベシ。

印度人ノ在留者ハ戰前三十萬ト云ハレテ居ルガ、開戰ト同時ニ大分減少シタデアロウ。コレモ支那人ト同程度ノ取締ヲ必要トス。殊ニ泰緬甸國境ノ出入ニ際シテハ嚴重ナ取締ヲ要スベシ。

(3) インフレ狀態尚甚シカラズト思ハル

―對策ハ今後ノ問題ナリ―

開戰後ノ増發ハソレホド大シタモノトハナラヌデアロウ。前章所説ノ如ク、三億弗前後ニ止マルベシ。コノ中ニハボルネオノ分ヲ含ムカラ實際ハ二億五千萬弗程度デアロウ。コノ程度ニ止マッテ居ルトスレバ、産業狀態ニ比較シテ尚眞正インフレ點ニ達シテ居ナイト考ヘラレ對策ハ今後ノ狀勢ヲ待ッテ決定スベキデアロウ。

(4) 發券銀行ノ設立

―舊制ハ問題デナイ―

比島ト同様ニ在來機構ヲ全部解消シ、新タニ發券銀行ヲ創設スベキデアロウ。舊制ハ全然本國ト特殊ナ資金關係ニ基クモノデ我方ニトッテ援用スベキ何物モナシ。

(5) 事業資金ノ調整

―錫及鐵鋼・ゴム資金―

40

本邦ヲ中心トスル産業關係ニ於テ馬來ハ一應再考ヲ要スベキ地位ニアリ、錫及鐵鋼ハ急ヲ要スベキモゴム産業ハ蘭印・泰・佛印トノ關聯ヲ考慮ニ入レル要アリ。食糧關係ニアッテモ自足ハ難カシク、南方圏ヨリ輸入スル必要モアル。從前ノ体型ニ基ク資金需要トハ系統ヲ異ニスベク、再檢討ヲ要スベシ。

(6) 支那人銀行ノ一部ヲ存置

―通貨工作ニ協力セシムル要アリ―

華僑馬來ニ於ケル存在ハ無視出來ズ前述ノ如ク住民ノ重要ナ構成分子デアル。勞力ノ供給者デアルト同時ニ經濟界ノ一機構トナッテ居ル。コレハ南方諸地域總テガ同様デアルガ、馬來ハ殊ニ著シイ。支那人銀行モ既設ノモノノ内敵性ヲ一掃シタモノハ存在ヲ許シ、我通貨工作ニ協力セシメル要アリト信ズ。

(ロ) 英領ボルネオ

(1) 新生機運ノ醸成

―通貨・金融機構ノ活潑ナ運行ヲ期待セシムベシ―

ボルネオ殊ニ舊英領地域ハ今次戰爭ニヨッテ生レタ新生地點ナリ。住民ノ皇化ニ浴スルコト最モ深カルベク、經濟的ニモ本邦ノ延長ト分身ト觀ルベキ地ナリ。今後ノ開發ハ活潑ニ行ハルベク、通貨・金融機構モ之ノ機運ニ順應シ清新ナ鋭氣ト健全潑剌タル機能トノ下ニ運行スル要アリ。

(2) サラワク弗ノ創成

―馬來ト絶縁セシム―

英領ボルネオハ英領デアッタガ爲メニ海峽殖民地ト同一幣制ヲ採用シタモノデアリ、英國資本系統ノ運用上獨立幣制ヲ施ク必要ガナカッタノデアルガ、我統治下ニ入ルニ及ンデハ從前ト全ク面目ヲ異ニス。馬來トハ無關聯トナル。經濟的ニハ寧ロ蘭印ノ一部デアッテ盾ヲ流通セシメテハトモ考ヘラレルガ、政策上カラソレハ絶對ニ避クベキデアル。英領ボルネオハ距離カラ云ッテモ、石油生産地ト云フ點カラ云ッテモ將來本邦ニ採リ重要ナ地點デアル。寧ロボルネオ全体ヲ蘭印カラ

41

創リ、獨立地區トセシムベキデアル。茲ニ盾ヲ流通セシムルコトハ拙策ナリ。

結局新弗貨ヲ作ルベキデアロウ。筆者ハサラワク王朝ノ外形ヲ尊重シテサラワク弗ノ創成ヲ提唱スル。新弗貨ハ海峽弗ノ形式ニ隨ツテ處理スベキデアロウ。

(3) 發券銀行ノ創設

―サラワクニ本店ヲ設置―

舊英領ボルネオノ全地區ニ渉リ獨立シタ銀行券ヲ發行シ得ル機能アルモノヲ創設シ、サラワクニ本店ヲ北ボルネオ・ブルネイノ兩所ニ支店ヲ設置シ、兩支店共本店ト略同一ノ機能ヲ有セシムルモノトスベシ。

(4) 新弗貨ノ基準

―現行軍票ト一切ノ舊通貨ハ新基準貨ト等價ナリ―

新弗貨ハ本質上海峽弗ニ準據スベキデアルガ、本邦カラ觀ル新植民地將來ノ經濟價値ハ相當ニ有望ナリ。

且ツ前章ニ説ク如ク現在迄ニ發行額ハ大額ナラズト推セラル、點デ通貨價値ハ相當ニ高ク見積ルベキデアロウ。假ニ海峽弗ヲ百弗ニ付キ百五十圓（軍票價値論(5)參照）トスレバコレハ百六十圓又ハ百七十圓トスベキデアロウ。現在使用ノ軍票ハ海峽弗表示ノモノト思ハレヨウガ、實質ハ將來創設セラルベキ新通貨ノ新基準ト等價ト認メ、一切ノ舊通貨モコレニ準ジ等價トシテ回收スベキデアロウ。

(5) 幣種ノ改定

―補助貨ノ回收ハ愼重ヲ期スルコト―

三地區ニ渉ル幣種ハ現行ノ如キ區々タルモノトセズ全部ヲ統一スベキデアロウ。紙幣ハ、單位紙幣ハ發行セズ。（新幣制・幣種參照）五弗以上適當ノモノヲ作リ、補助貨ハ現在北ボルネオニアルモノヲ全地區ニ認メ、ソノ回收ニハ時日ヲ貸スヲ要シ、急速ニ實現スルヤウノコトハ避クベシ。補助貨ハ不足スベキヲ以ツテ新小額紙幣ヲ發行シテ補足スベシ。

42

四　蘭　印

(1) 南方圏隨一ノ地域ナリ

―當面ノ目標ハ既存機能ヲ發揮セシムルニアル―

蘭印ハ膨大ナ面積カラモ、ソノ經濟力カラモ、資源カラモ我占領地區隨一ノモノデアル。ソノ經營ハ蓋シ南方圏諸地域中デ最モ愼重ヲ要スル處デアロウ。通貨工作ノ如キ特ニ然リ。今後ノ目標ハ大東亞共榮圏ノ一翼トシテコノ大地區ノ機能ヲ如何ニシテ最モヨク發揮セシメ得ルカニアロウガ、地域ノ廣大ト産業ノ多榮トハコノ機能ヲ充分ニ發揮セシムル迄ニハ多クノ施設ヲ必要トシ、相當ノ時日ヲ要ス。當面ノ對策トシテハ既存資源ノ高度利用デアル。通貨方策モ先ヅ之レヲ主眼トシテ實施スベキデアロウ。

(2) 健全貨幣ノ育成

―蘭人ノ遺シタ形態―

百年ニ渉ル和蘭人ノ通貨政策ハ健全貨幣ノ保育ニ一貫ス。ソノ徹底振リハ南方諸地域中他ニ比ヲ見ズ。情報ヲ綜合スルニ彼等ハ皇軍ノ進攻ニ脅威サレ乍ラ尚コノ傳統政策ノ線ヲ守ラントシテ居ルヤウデアル。

蘭人ノ健全貨幣政策ハ本國現地兩者ノ必要カラデアルガ現地ノ要因中ニハ吾人ノ繼承ヲ要スルモノモアル。即群島形成ノ地理的條件、産業ノ多角性、投下資本、一般民度等カラ通貨ノ安定ヲ必須要件トシタコトニアル。彼等ノ努力ハ一先ヅ成功シタ形態トシテ遺サレ來ッタ。今次ノ東亞戰ハコノ内容ヲ空疎トシタコトデアロウガ尠クトモソノ外廓形態ダケハ保存サレテ居ル。我統治下ニ入ッテモ蘭人ノ通貨政策ノ遺形ヲ踏襲スル要ハアル。

(3) 舊態ヲ保存・安定ヲ原則トス

―獨自性能ヲ有スル幣制機構ヲ作ルコト―

今後ノ資金需要系統ハ南方地域中最モ複雜デソノ所要額モ最モ巨額トナルデアロウト考ヘラル。加フルニ本邦トノ距離ハ遠ク、領内ノ交通モ長時間ヲ要スル。

43

カヽル地幣ノ幣制ハ可成リ強固ナ獨自性ヲ有シ強力ナ工作ヲ實施シ得ル機構ノ上ニ立ツコトヲ必要トス。ト云ツテモ原則的ニ我圓域ノ一部トシテ圓貨連繋通貨トスル上ニ繋則ヲ認メヨト云フノデハナイガ、幣制機構ニ充分ノ權能ヲ與へ、通貨安定工作上ニ獨自ニ迅速適切ナ措置ヲ採リ得ル制度トスルコトヲ云フ。

第一目標ハ要スルニ安定ナリ。ソノ必要ハ以上所説ニヨツテ明カデアロウ。但シ安定ト云フモコレ迄ノ商人ノ政策ノ如ク準備金ノ充實ヲ云フモノニアラズ、對日供給物資ト輸入物資トノ不均衡ニヨツテ生ズル通貨ノ動搖ヲ可能ノ極度迄抑制スルニアリ、對内的ニモ對外的ニモ獨自ナ行動權能ヲ與フルコト、本邦側ニアツテモ他ノ南方諸地域ニ比シ、物資供給ニヨリ高度ノ關心ヲ拂フコトデアル。

(ロ)發券銀行ノ創立。

ー外領・スマトラ・ボルネオ・セレベス支店ニモ發券機能ヲ與フルコトー

一切ノ舊機構ヲ解消シ、本邦ノ全面的支配下ニ新發券銀行ヲ創立スルコト同行ヲシテ新生盾銀行券ヲ發行セシムルコトノ外、外領スマトラ・セレベス・ボルネオノ中樞地ニ支店ヲ設置シ本店勘定ノ下ニ銀行券ヲ發行セシムル組織トスル必要アリ。今後ノ新經濟態勢ニ對處スルニハ廣汎ノ地域ニ亘リ舊來ノ單一發行店制デハ間ニ合ハザルベシ。支店ノ發行券ハ場合ニヨツテハ現地券トスルモ可ナリ

(ハ)幣種ノ舊形保存

ー民間流通銀貨ノ回收ハ急ガヌコトー

銀行券幣種ハ從前ノモノト同一トシ、少額紙幣モ亦銀行ヲシテ發行セシムルコトニ何ノ不便モナカルベシ。

舊發行準備ノ內金貨・金塊・銀貨等ノ幾分ヲ回收シ得レバ幸ナルモ到底予期シ難シ。民間流通銀貨ハ回收ニ從ツテ順次少額紙幣ヲ以ツテ代位セシムルヲ可トスルモ、ソノ回收ヲ人爲的ニ急ガザルベキコト馬來ノ場合ト同樣ナリ。

44

(ニ)ニユーギニアノ通貨處置

ー濠洲磅ハ廢止スベシー

ニユーギニアハ近ク皇軍抑壓下ニ置カル、コト、思フ。現在ノ英領ト蘭領トノ所屬別ハ通貨ノ上カラハ撤廢シ、全島同一幣制下ニ置クベキモノナリ。英領ノ濠洲磅ハ住民ノ生態トハ本則的ニ懸ケ隔レタモノナリ。コレ丈ハ保存原則ノ除外例トシテ廢止スベシ。

全島ヲ蘭印省ノ流通區域トシ、中心地ニ發券銀行ノ支店ヲ置キ、前項(ロ)ノ末段ト同一措置ヲ採ルヲ最モ適切ト考フルモ、政治的ニ分離ノ必要上通貨モ亦分離ヲ要ストスレバ、英領ボルネオノ場合ニ準ジ蘭印盾ヲ標準トシタ新通貨ヲ設定スルヲ可トスベシ。

(ホ)貿易金融機關ノ新設ヲ急グコト

ー爲替管理ノ單一代行機關ー

各地點ニ於ケル貿易金融機關ヲ急設スルヲ要ス。但シソノ機關ハ爲替管理ヲ代行スルモノニシテ單一統制ノ要アリ。

(ヘ)拓殖銀行ノ新設

ー通貨工作ノ補助機關トシテー

地域廣汎ニシテ開發企業ハ多岐ニ亘ルベク、官憲直接ノ管理下ニアルモノ以外、民間企業ノ進出ニ期待スルモノ多シ。

ソノ金融機關トシテ拓殖銀行ヲ新設シ、領內各島中心地ニソノ支店ヲ設置シ、發券銀行支店ト協同ジテ邦人企業ノ促進ヲ圖ルト同時ニ資金ノ重點統制ニヨリ通貨・金融政策ヲ徹底セシムベク、實現ハ可成急速ナルヲ可トスト信ズ。

四　緬　甸

(イ)緬甸弗(假稱)ノ新設

ー獨立幣制ノ樹立ー

緬甸ハ未ダ獨立通貨ヲ有セズ。印緬分離ノ實施ハ僅カニ一年前カラデアル。通貨ヲ英印ニ附屬セシメタコトハ全ク統治上ノ理由ニ基キ經濟的ニハ獨立性ハ充分ニアル。我統治下ニ入ルニ當ツテハ一切ハ英印

45

ト絶縁スベク、コノ機會ハ亦通貨ノ獨立ニ最適ノ時機デアラウ。ソレハ今後ノ我經營ニ尠カラザル利便ヲ與ヘルノミナラズ、同時ニ住民ニ清新ナ氣分ヲ與ヘル事デ統治上頗ル有效デアル。

筆者ハ假ニコレヲ緬甸弗ト呼ブ、他ニ民族ノ傳統ヲ表示スル恰好ナ語ガアレバ、（例ヘバ佛印ノピアストル・泰ノバートノ如キ）更ニ可ナリデアル。

何レニシテモ留比ナル語ハ廢止シタ方ヨシ。

印緬連繫ハ英國ニ好都合デアリ、我方ニ不都合デアル。目前ノ事象トシテハ、米及石油ノ供給ヲ絶ツテ英印ヲ封鎖シ、印度人ノ反省ヲ促スニアリ。

緬甸弗ハ緬甸留比ノ繼承貨幣ナリ。從ツテ現行軍票ノ代表價値デアル。緬甸弗ハ全然新條件ノ下ニ發足スル圓爲替本位ノ新通貨ナリ。

(2) 發券銀行ノ創設

―新緬甸弗ノ發行機關―

印度準備銀行支店ハドンナ狀態ニアツタカ不明デアルガ、一切ヲ清算シテ新發券銀行ヲ創設スベキデアラウ。新緬甸弗ノ發券機關トシテ完全ナ機能ヲ有スルモノデアルコトヲ要ス。

(3) 新通貨ノ基準

―圓ト等價―

筆者ハ現行軍票ト緬甸留比トノ間ノ交換比率ヲ百留比ニ付百十圓トシタ。（價値論參照）皇軍ハ年初既ニ南部國境ヘ侵入シタガ、策戰ノ關係上蘭貢陷落迄ニハ尚多少ノ時日ヲ要スルデアラウコトカラ開戰以來ノ增發ハ民度ニ比シ相當多額ニ達スルモノト考ヘラル。新通貨基準ハ結局圓ト等價トスベキデアラウ。

(4) 新幣制

―留比銀貨ノ全額回收―

新發券ハ五弗・十弗・廿弗・百弗位トスベキデアロウ。補助貨ノ内既存小額硬貨ハ、ソノ儘流通セシムルモ（圓等價比率ナリ）留比新貨

46

ハ全部回收スベキモノナリ。ソノ實行ハ相當困難デアラウガ、新通貨ノ流通ヲ保全スル上ニ絶對必要ナリ。少額紙幣ハ一弗以下適當ノモノヲ發行シテ漸次回收、補助銀貨ニ代位セシムベキデアラウ。

(5) 印度人・支那人ノ取締

―特ニ支那國境ノ監視―

印度人ハ由來通貨工作上最惡ノモノナリ。銀貨ノ國外持出ニハ特ニ嚴重ナ監視ヲ必要トス。支那國境ハソノ焦點デアルガ、恐ラク支那人ニ對シテハ閉鎖サレルモノト考ヘラレル。支那人ニ對スル注意ハ主トシテ國内ノ通貨攪亂行爲ニ向ケラルベキデアラウ。

(6) 華僑資金ノコト

―特ニ米資金―

最近ノ緬甸輸出ニ於テ一九三八―九年度四億八千萬留比ノ内、米ノ輸出ハ二億留比デアツテ、米ハ輸出ノ太宗トナツテ居ル。而シテ國内精米業ノ大半ハ華僑ニ依存スルコト多キ點ニ鑑ミ華僑資金ノ供給或ハソノ統制ニハ充分ノ手心ヲ用ヒ、コレヲ通貨工作ニ善用スル要アリト信ズ。

結語

以上南方圏占領地域ニ於ケル幣制確立方策ノ大綱ヲ述ベタ。素ヨリ單ナル私見ニ過ギズ、且ツ本則的外廓ノ説述ニ止マル處モ多イガ、總テヲ大東亞共榮圏ノ經濟的活動目標ニ集中スレバソコニ自ラ大原則ノ一貫セルヲ觀ル。ソノ實施ニ當ツテハ我軍官當局ノ大局的指導ヲ緯トシ現地ニ於ケル我官民ノ貴重ナル体驗ヲ經トシテ萬全ヲ期セラレンコトヲ切望ス。

（以　上）

47

部外秘

經研資料工作第二三號

南方勞力對策要綱

昭和十七年六月
陸軍省主計課別班

序

南方經濟對策は差當り、吾戰鬪力の維持增進を主眼とすべきものと考へらる。本要綱はこの根本方針に基き、南方に於ける勞力供出對策並びに供出されたる勞力の離散防止對策に就き、考慮せらるべき諸點を略述せるものである。殊に今後南方建設に於て勞力は隘路となる可き可能性あるに就き、この際勞力供出對策に關する參考意見を呈出す。

昭和十七年六月

陸軍省主計課別班

目次

寄贈 昭和38年度受入 東京銀行
東京大學東洋文化研究所圖書
A11781
東京大學圖書
<10>6470373132
東京大学東洋文化研究所

第一　勞力對策樹立の前提として考慮せらるべき事情

南洋勞力對策に關して先づ注意すべきことは各地の經濟・社會・政治事情に甚だしき差違のあることである。依つてその中、重要なりと思はるゝ二、三を指摘する。

一、勞力供出の多寡を基本的に決するものが人口密度たるは云ふまでもなき事にして、この點より見るに、南洋全体を通じ人口密度大なる土地は、佛領印度支那の東京デルタ地帯、メコン・デルタ地帯及び爪哇である。東京デルタ地帯は約一千五百平方粁の中に七十五萬の人口があり、その密度は一平方粁に付、五〇〇人である。爪哇にあつては一九四〇年の推定人口を基礎とすれば一平方粁に付三六六・三人强である。人口過剰を云々される吾國の人口密度が同じく一平方粁に付、一八九人なるを思へば、前記諸地の人口密度が如何に高いかを推察することが出來る。然るに同じく東印度でも外領の人口密度は一二・五人弱である。斯の如く南洋は人口の分布が頗る不平均である爲、勞力問題に於て勞力移動の問題が頗る重要である。

一、全人口一億三、四千萬中、華僑が九百萬近くを占め、又ビルマに於ては、一千四百六十七萬（一九三一年調なり。一九四一年調査にては一千六百八十二萬なり）中、約二百萬の印度人が居住する。この兩種屬は勞働者としては原住民より遙に優秀にして、從つて、單なる數字以上の重要性を有してゐる。依つて大部分同一種屬のみ居住する土地と異り、勞働人種といふ點に注目し、各種の勞力對策も、人種別に、少くとも原住民、華僑、印度人と三種に分けて考へねばならない。

而も之等三種の人口は生活條件特に從事産業、及勞働能力を異にするが故に、所要勞力の種類如何によつて、使用す可き人種を考へねばならぬ。

一、一般經濟事情が相當に異つてゐる。細かい點に非常な差があるのは固りであるが大きく見ても資本家的經營の産業が發達してゐる度合に大差がある。隣接的であるタイと馬來の如きは、この點から見れば正に對蹠的地域であると云へる。この差は動員し得る勞力量に大差を生ぜしめる。資本的經營の多き地域には、純勞働階級存するを以て、從來より經營せられたる産業にして縮少せらるゝ如き場合は、比較的多數の勞働者を一括的に利用し得べきも、然らざる地域に於てはかゝる勞働階級存せざるを以て人口大なるに拘らず、余剰勞力に乏しき事情にあり。之が好適例は佛印の東京地帶にして、過剰人口を目前に見ながら、大經營企業は勞力不足に惱みつゝある。

一、各地で政治事情を異にすることが、亦、勞力對策に多大の差を生ぜしめる。タイ。佛印は獨立國であるから、吾方の政治力行使も東印度や馬來に比して手控へなければならぬ。同じく占領地域にしても戰鬪の激しく行はれた土地と然らざる土地とでは、住民の日本に對する畏敬の度合、戰爭による破壞の程度等が異る。

更に現在の政治事情のみならず、過去の政治事情も異る。比島の如く、甘やかされた米國式の土地と、和蘭流に統治された東印度とは異る。

右の如く、各地事情の差は大であるが、併し、或程度共通なる根本事情も存在する。

第一に、全体としての經濟機構が類似してゐる。南洋の經濟機構は大体に於て三つの要素から成立つてゐる。その三つとは外人經濟、東洋外國人經濟（華僑及印度人）及び原住民經濟の三者で、之が上中下の三段になつて居る。之等三者は消費生活に於ても夫々異るが、擔當する經濟的役割が別個である。

外人經濟は一般に大企業で、その組織は資本主義的組織である。從つて形は多少異るが常に賃銀勞働者の勞力を使用して經營される。擔當部面は鑛業、農業、製造工業、交通業、商業、金融業の各般に渉るが、製造工業及鐵道並に沿岸海運の一部を除けば、輸出を目的とし、又は輸出産業の存在を前提として之と何等かの關聯を有するものである。

原住民經濟の擔當する業務も、抽象的に業種名だけから見れば、前者と同じく農、鑛、工、商、金融といふことになるが、經營の規模は頗る小さく、且つ内需を目的とする。之を例へば生産に就いて見るに、普通に吾々が南洋の輸出資源と稱してゐるものは、米及コプラを除き、殆んど外人經營の産物で、石油、錫、甘蔗糖、コーヒー、紅茶、ゴム、麻、キナ等皆然りである。外人經營の産物で主として内需を目的とするものは製造品（ビール、セメント等）に限られる。

之に反し原住民生産は主として内需を目的とし、タイ、佛印、ビルマの米にしても、いはゞ内需の余剰米を輸出してゐるので、コプラも同様である。原住民生産にして輸出を主目的とせるものは東印度の原住民ゴムのみと稱しても大して過言ではない。之等の原住民生産は自家勞力を主体とし、部分的季節的に雇傭勞働に依賴するに過ぎぬ。例へば稻刈に際して近隣の手助を求むる如き之である。從つて一般的にかゝる生産組織の中に、多大の勞力供出を求むることは困難であることを知らねばならぬ。殊に南洋原住民農業の生産技術は甚だ幼稚で、畜力を除けば全く人間の勞力にのみ依存してゐるので、この勞力が引抜かれる場合には直ちに生産に響いてくる。

以上二種の經濟の中間を行き、或意味に於て兩者の連環たる役割をも努めてゐるのが華僑經濟である。之を生産に就いて見れば、大經營は稀で、概ね中小經營である。生産の對象も或は輸出産物であり或は内需産物であるが、自給を目的とする經營は無く、總て商品生産である。ゴム。錫の如きは前者に屬し、野菜、製造工業の如きは後者に屬する。

使用せられる勞力は自家勞働のみなる場合は稀で、矢張り雇傭勞力に依存するが、一經營の雇傭數は概ね少數にして（爪哇の織布工業には數百人を雇傭するものがある）、雇傭關係にも近代化されない部面が相當に殘されてゐる。例へば經營者と出身地を同じくする者が多く使用される如き之である。

併し華僑經濟の特徴は封建的な商業資本が常に中心で、金融面及生産面へも、商業資本的に喰入つてゐることである。その現れは、原住民生産物の蒐貨が概ね華僑の手に把握されてゐることである。その把握の仕方には、地方市場で買集める處の純粹に商業資本的把握、靑田買や前貸（物品又は金錢）の形で行はれる高利貸的な商業資本的把握の二つに分ち得るが、その把握力が强く且つ廣いので、直接間接に勞力供出に關聯するところが深い。

右の如く原住民經濟との關聯に於ては、華僑はいはゞ支配者的地位に在るに反し、外人經濟に對しては逆に下部組織の地位に在る。その一つは所謂買辦の役割を務めてゐることである。もう一つは勞働者として雇傭されてゐることである。そして前者の役割によつて外人經濟と原住民經濟との連環となつて居る。

第二に、之は説くまでもない事ながら、南洋民の生活は獨り經濟生活のみならず、社會生活の根本も「村」に置かれ、その村は封建的農業に立脚してゐる。これよりして、村落共同主義の發達せること、慣習を甚だしく尊重すること、生地に非常な執着を有すること等の所謂封建社會生活者の特徴を共通に有する。

第三に、概ね民度低き爲、宗教心强烈にして、經濟的利害に敏感でない。又、生産技術の幼稚な停帶的な農業生活環境に住み、加ふるに抑壓政治の結果として、生活態度は消極的で敢て生活の向上を求めず勞働の如きも規則的繼續的に行ふ忍耐心に缺けてゐる。

以上に述べたる差違及共通點は、勞力對策に關聯深きものと思はるゝもの〻二、三を擧げたるに止るが、勞力對策が之等の差違點及共通點を考慮して樹立せらるべきは言を俟たない。併し乍ら南洋の如く、吾々から見て、特殊事情と思はれる事柄の多い土地に就いては、特に現地事情の尊重が最も肝要と考へられる。

6

第二　勞力對策要領

7

一、政治面よりの對策

(イ)現地住民をして邦人を畏敬せしむることが肝要である。これは獨り勞力對策と限らず、對南政策一般に關して肝要である。彼等の永い被抑壓生活は實に同情に値するものであり、之が解放は大東亞戰の主たる目的ではあるが、之を行ふには自づから順序があり時期がある。兎も角も日本が戰爭に勝たなければ「解放」も「向上」も總て無駄なのであるから、徒らに「解放」とか「親愛」とかのイデオロギーに興奮して現地民を甘やかして之を增長せしめ、又は、我に馴れしむる如きは嚴に愼むべき事である。現在は戰果の力に依つて、住民は邦人を尊敬し歡迎してゐるにしても、今後、日時が經過し、戰爭が彼等の經濟生活を壓し始めるに至る時、彼等の思想が變化すべきことは充分に予想せらるゝ處である。若し今日に於て增長せしめて置く時は、その時に當つて余分の手數を要し、加ふるにその效果不充分なる事態を生ずるであらう。之が爲め、政治上、相當に、力を以て彼等に臨むべきであると共に、邦人は日常の擧措を戒むる必要があらう。例へばオランダ人が原住民の前では豚を食しない様に努めた如きは、以て他山の石とするに足る。

併し威を示さんとして、必要不可缺ならざるに拘らず、彼等の慣習に干涉し、或は本來良き事にても現に彼等が欲せざる改良、新施設等を强行する如きは避けねばならぬ。併し一部に主張せられる如き原住民生活不可觸主義は批判の余地あるものである。南洋統治に於て、この主義を最も固く守つたものは和蘭で、前記所説も之に論據を求むるものであるが、近年東印度經濟の發展に伴ひ、次第に原住民生活の中に、その政治力を浸透せしめ來つてゐる。今後の事態を推測するに、到底原住民生活を放任して居けるものでなく、亦、置く可きものでもない。勞力供出に關しても、相當程度に原住民生活及華僑生活に介入せねばならないことも屢々あると思ふ。

(ロ)舊來の慣習及制度にして勞力供出上有利なるものは極力之を利用することも考へられる。その一つとしては東印度に於ける勞力供出義務制（私領地及村落に於ける勞力供出義務の如きも、利用價値充分なるものである。曾に現在制度の利用のみならず、强制栽培の如きも、場所によつては實行して差支へないのみならず、之を行ふことが却つて適當なる場合もあると考へられる。殊に新しい植物を原住民に栽培せしむる場合には、價格政策にのみ訴ふるは、却つて各種の弊害を生じて目的を達成し得られざる危險がある。一昨年來、當時の蘭印政府は米の强制栽培を施行して相當の成績を擧げた實例がある。

二　物資面よりの對策

勞力對策の根本となるものは、勞力供出者に物資を供給することである。之は詢に自明の事であるが、それだけに動かし得ざる一事である。

然るに、刻下の事情よりして、南方民が必要とする物資を充分に供與し得ない事は、之亦、明白な事實である。依而この點に關しては、右の諸點に就て考慮すべきものと思ふ。

(イ)　現地物資の活用

(ロ)　吾方の余裕ある物資にして、南方勞働民に需要せらるゝものを見出すこと

(ハ)　從前輸入せられたる物資、又はその原料の現地生產を圖ること

(ニ)　物資の配給をして、勞力の供出維持に役立つ樣、特殊の考慮を拂ふこと

(イ)、(ロ)に就きては、必需品の外、娛樂品、嗜好品奢侈品（例へば、フットボール、コーヒー、煙草、身邊裝飾品）の給與を計ること

(ハ)に就きては現に着手せられんとしつゝある棉花栽培の如きは輸入原料の現地生產企劃の大いなるものと思はれるが、かゝる大規模生產

とは別に、原住民又は華僑に小規模に棉花を栽培せしめ、之を織布として特定勞働者に配給する等原住民生産の活用を圖ること

(二)に就きては特定の勞力提供者には輸入物資、現地産物資共に配給の優先權を與へる。この場合、成可く華僑商人の手を通ぜず、直接配給とすることが所定の目的を達成するに好都合である。然し給付すべき土産物資の蒐貨に就ては、華僑商人の手を通ずることが概ね便利であるから、この點に就き、所定の物資を呈供せる華僑商人に對しては例へば綿布の如き輸入商品を賣渡す等の考慮が有用であらう。

三　金融面よりの對策

(イ)　大きくはインフレーションの進行を出來だけ抑制することである。南洋の如く、貨幣經濟の浸透度比較的に稀き經濟に於では、インフレーションは住民をして自給經濟に復歸せしむる危險多く、然る時は勞力供出に至大なる支障を來す惧れがある。

(ロ)　小さくは前貸其他の方法により、勞力供出者に金錢上の便宜を與へることである。南洋民は頗る貧困にして且つ貯蓄心乏しきを以て彼等が質屋、高利貸、その他の庶民金融機關に依存する程度は薄く而きものがある。この點を利用し、民間機關よりは低利且簡單に信用を與ふることは、尠からざる效果があると思はれる。

第一　泰國

第一部　勞働事情

一、農業勞働者

泰國の農業は自家勞作米作農業が壓倒的大部分を占め、プランテーション農業と稱し得るものの殆どない爲め、他の諸國に見る如き農業勞働者階級は少ない。米作農業は殆ど凡て泰人により營まれてゐるが、園藝作物の栽培には華僑も從事して居る。

米作農業は、中部のメナム河流域に於ては、自作農と並んで、小作農による經營が可成りある。經營面積は平均四町歩位である。その他の地方では自作農が多く經營面積は一町乃至二町歩位である。全國を通じて一毛作であり、且つ殆ど手入れを要しないが、植付期及び收穫期には一時に勞働力を要する。所要勞働力は大部分村落内で供給されるが、所によりて勞働力不足する所ありアユチヤヤ附近では季節的に東北部のラオ人が移動して農業勞働に雇傭される。

二、非農業勞働者

二四七二（一九二九年）年の調査によれば、職人及び手工業者九三九六七人（全体の一、二五%）工業勞働者一六四、五二六（二・三九%）、又一九三七年の調査では工業及び機械業從業者一二九、九五四人、鑛業從業者一五、〇七一人、運輸及交通業從業者は五八、八五七人で、工鑛業從業者も少ない。

農村に於ては今日尙家内工業が專業又は副業として營まれて居る。陶器、竹細工、編物、鍛冶等はその例である。東北部及び北部では、殆ど村落内で自給經濟を行つて居る。

又林業即ちチーク材勞働者が北部には若干居るが、これはラオ人が多い。

その他の工場勞働者、交通業勞働者一般苦力等の都市勞働者はバンコークに集中して居るが、華僑の從事するものが多い。バンコークの勞働市場を見ると、七五%が華僑勞働者であると云はれて居る。例へばバンコークに於ては埠頭人足、沖人足、鐵道人足及び舢舨水夫や陸上擔送者、人力車夫、馭者等は半數以上乃至九割までは華僑であり、──但し電車及自動車の運轉率は泰人の獨占である──約三千人を算すると云はれる精米工場從業者も華僑就中潮州人が殆ど大部分を占め、ペンキ工、大工、左官、錻力工も華僑が多い。

南部の半島部にある錫鑛山勞働者も約九割は華僑である。尤も最近はマレー人の泰人が大分進出して來た。今齊藤俊一氏の「華僑の研究」から、華僑勞働者と泰人勞働者の割合を引用すると次の通りである。

		總數	華僑	泰人	一ヶ月の賃銀
産業勞働	精米工	六、〇〇〇	六、〇〇〇		二四・〇〇パート
	製材工	三、〇〇〇	二、〇〇〇	一、〇〇〇	支五七・六〇 泰一九・二〇
	手皮工	五〇〇	五〇〇	〇	二四・〇〇
	製氷工	二〇〇	一〇〇	一〇〇	三〇・〇〇
	清涼水工	六〇	六〇	〇	二〇・〇〇
	鑄鐵工	二〇〇	一六〇	四〇	二〇・〇〇
	籐工	二〇〇	二〇〇	〇	三〇・〇〇
	染色工	四〇〇	三〇〇	一〇〇	三〇・〇〇
交通勞働	車夫	五、〇〇〇	五、〇〇〇	〇	三五・〇〇
	自動車運轉	一〇、〇〇〇	ー	八、〇〇〇	四五・〇〇
	ライター水夫	五〇〇	四五〇	五〇	三〇・〇〇
	穀物船水夫	二〇、〇〇〇	二〇、〇〇〇	〇	三〇・〇〇
	渡船夫	四〇〇	二〇〇	二〇〇	五〇・〇〇
建築勞働	左官	六〇〇	六〇〇	〇	二三・〇〇
	煉瓦工	四五〇	四〇〇	五〇	三二・〇〇
	家具工	五五〇	五五〇	〇	五〇・〇〇

	ペンキ工	七五〇	七五〇	〇	四〇・〇〇
	木桶工	七〇〇	四〇〇	三〇〇	二〇・〇〇
技術機械	製材機械工	一、〇〇〇	二〇〇	八〇〇	八〇・〇〇
	機械工業工	九、〇〇〇	八、〇〇〇	一、〇〇〇	七三・五〇
	車輛工	三、〇〇〇	六〇〇	二、四〇〇	七三・五〇
	透船工	一、五〇〇	三〇〇	一、二〇〇	八〇・〇〇
	河船工	七〇〇	七〇〇	〇	六〇・〇〇
	電氣工	六〇〇	三〇〇	三〇〇	六〇・〇〇
	鑄鐵工	二〇〇	一五〇	五〇	二〇・〇〇
	印刷工	四〇〇	三〇〇	〇	四〇・〇〇

三　勞働條件其の他

勞銀につきては右の齋藤氏の「華僑の研究」の外に泰國政府發行の統計年鑑にバンコック在住勞働者の勞銀及び勞働時間が揭げてあるがそれによると、

	一九三一—三二	一九三五—三六	勞働時間 週平均
苦力（日給）	〇・八〇	〇・八〇	五〇時間
製帆工（〃）	—	一・〇〇	五〇
大工（〃）	一・四五	—	五〇
鍛冶工（〃）	二・五九	二・四七	五〇
組立工（〃）	二・一三	二・〇七	五〇
苦力頭（月給）	七〇・〇〇	七一・〇〇	五〇
船機關士（〃）	三一・五〇	〃	

右の二表から推察される事は一般に勞働條件は良好で殊に華僑勞働者の賃銀は高い。之は泰人が近代的勞働者に適せず且つ數量的にも尠い爲めであると思はれる。

然し之等華僑はその賃銀收入の大なる部分を阿片吸飲に費消し、或はモルヒネその他の藥劑注射に使つて居る。

泰人勞働者は華僑に比して賃銀が安いが、勞働能率は之に劣る。例へば華僑が一人で擔ぎ得る米一表を泰人は二人で棒を以て擔ぎ、而も泰人は連日かゝる過激な勞働には堪へ得ない。

華僑勞働者は勞働組合の如き團体はないが、事實に於て「頭」に統制されて居る。即ち「頭」は就職の斡旋や共濟等の事務を行ひ、ボイコットの指令や、勞働條件の規正等を行ふ、或は又賃銀の前貸しや賭博の前貸をも行ひ絕大なる權力を振つて居るから、之等「頭」を摑む事が勞働力供出の重要々件である。

尙華僑勞働者が賭博を好む事は、他の南洋地方と全く共通であり、折角貯へた金を賭博の爲め一夜にして失ひいりまでも「頭」に隷屬せざるを得ないものも多い。華僑及び泰人の都巿勞働者の必要物資は、米、野菜、胡椒、乾魚、砂糖、鹽、植物油、及び綿製品等であり、阿片吸喰者の多い事も前述の通りである。

第二部　勞　力　對　策

タイ國は人口密度も高からず、資本的企業にも乏しい爲、勞力動員余力は甚だ乏しいと考へられる。殊に封建的な土地關係、雇傭關係等の制約によつて、タイ國農民は農業に緊縛されてゐるので、こゝから相當量の勞力を引拔くことは甚だしく困難なるのみならず、强いて引拔けば主として勞力に依存せる農業生産は必然に低下せざるを得ないと思はれる。從つてタイ國に關する限り、寧ろ多大の勞力を必要とする計劃を實施するごときは、可及的之を差控ふるが妥當なるべく、其他の場合に於ても、勞力使用に當りては、米作に支障を來さゞる樣注意することが肝要である。加ふるにタイ國は獨立國なるを以て、占領地に於ける如く、直接に農民に對して强力な政治力を行使することは穩當でない。

既に動員勞力が少量、且、局部的であるとすれば、勞力對策として特に採上げるほどのものもなく。前述せる勞働事情より考へて他地に於ける對策中、用ひ得べきものを用ゐる程度で概ね事は足りると考へられる。

第二　佛領印度支那

16

第一部　勞働事情

一、一般狀況

1、槪說　佛領印度支那に於ける勞働構成は強制勞役、契約勞働、自由勞働にして、強制勞役は現今に於ては一部殘存するに過ぎず、契約勞働、自由勞働が當面の問題なるも、前者は一九〇五年頃より發達せる南部佛印の交趾支那、東埔寨の近代開拓事業としての水田、ゴム園のプランテーションに於ける勞働力にして、後者は世界經濟恐慌以後に於ける佛印の植民地的發展に於ける勞働力なるも、工鑛業のそれを代表し、農業勞働者には自由勞働法を適用せざる點、及び契約勞働的特性を有する點は、植民地企業に於ける勞働の特徵なり。

佛印自体安南族の封建的諸關係の域にあり、佛本國はその植民政策によつて佛印の近代資本主義化を阻止し、又一方近代化の部面に於ては基礎的社會が後進性なる爲それを完成し得ず、前資本主義的農業經濟を基底として勞働關係も、農業に於ては契約勞働、半隸農

17

的層傭農民、零細小作農の勞働過程にあり、又鑛山勞働は東京の鑛山企業の發展と共に近代的鑛山勞働者の發生を見るも、その勞働者の社會的基礎が後進性なる爲、近代的勞働者としての技能、安定性、生活力を具備せず、トンキン・デルタの人口蓄積せる勞働給源を目前にして、勞働總力の不足に惱む次第なり。斯かる資本主義的諸企業に於ては當然所謂勞働階級の發生を見るべき筈なるも前述の如く浮動的半賃銀勞働者にして農繁期には一部歸農する者さへ生ずる狀態なり。

2、強制勞役　強制勞役の種類はイ、個人の爲の強制勞役――實例としては「西貢鉱行・輸送會社」の郵便物貨物及び旅客輸送に關する勞役なるも、自發的勞働者の徵募、適正賃銀の給與等より見て眞の強制勞役と見做すは妥當ならず。ロ、土着首長の爲の強制勞役――特にトンキン・デルタ西南山地に居住するムウン族等の未開民族首長の支配關係に於ける勞役提供にして、首長はこれに對し食糧を供給する傳統あり。未開諸族の原始的關係に對して佛印當局は消極的政策を採用せり。ハ、地方公益の爲の強制勞役――村落協同社會に於ける慣習的勞役奉仕共同作業にして、各村落は相互扶助の爲一定の勞働を供出す。ニ、一般公益の爲の強制勞役――第一に安南國王の封建的關係に於ける賦役にして、各村落は安南國の公益事業の爲年四十八日間の負擔あるも、事實は零細なる下層民徵募さる。印度支那當局は賦役を嚴重に規定せるも未だその殘骸を根強く保持す。

第二は未開地域に於ける運搬勞役の制にして、嘗て土着民を強制的に酷使せるも、現今は特定未開地域、交通機關の缺如せる地域にのみ限定せり。

3、契約勞働　契約勞働により鎮園的勞働補充の問題起りしは交趾支那、東埔寨の肥沃なる未開拓地域に水田、ゴム園が急激に增加し始めたる一九〇五年頃の事にして、殊に北部佛印の人口稠密なる

18

トンキン・デルタ、北部安南より多數の契約勞働者が、南部佛印の人口稀薄にして殆んど余剩勞働力無き各地プランテーションへ送出されたり。尙其後東京、老撾の鑛山開發の爲にも多數勞働者を必要とせり。一九一九年より多數の勞働者募集開始され、同年一月より一九二二年十二月迄九一四三人の勞働者西貢へ送出されたり。斯くして一九二三年耕地面積約三、〇〇〇〇陌がゴム園に當てられ約六〇〇〇人の勞働者入植せり。一九二七年に於ては一、四〇〇〇陌增加し、二八年には二、六〇〇〇陌に增加して契約勞働者は二、〇〇〇〇人を超過せり。斯くして發展せる契約勞働は植民地企業家の獨善的使役に依つて勞働者の不滿反感を醸し、徵募にも多大の障碍生ぜり、斯かる傾向を緩和する爲一九二七年十月二十五日總督令を以て契約勞働法を發布せり。

然れども企業家の勞働者酷使、諸設備の不完全等法網をくゞる悪質者續出し、殊に勞働者中には死亡、罹病、歸村者を出せり。

玆に於て北部佛印一圓に契約勞働者募集反對運動を惹起し、悪周旋業の活動も一應下火となりしも、尙無知なる農民中には彼等の手中に陷る者あり。

契約勞働者―南部佛印―をその數に於て見れば一九二六年一、二一七三人、二七年三、四四〇〇人となり、二八年には四、〇九〇〇人の最高數に達せり。以後募集は既述の反感其他の諸條件を伴つて困難となれるも、二九―三〇年には數字的減少は僅少なり。しかし世界經濟恐慌により植民地生產品殊にゴム相場の下落にて企業家は開發事業の中止、事業の縮少賃銀の引下げに依つてプランテーションを維持し、從つて勞働者數は激減せり、即ち一九三一年には一一九五〇人　三二年一、二二〇〇人、三三年一、一二五〇人にして又以後回復して三六年には二、〇八〇〇人、三七年には三、四三〇〇人となれり。

斯かる過程に於て不備なる契約勞働法を整備して、一九三〇年七

19

月十六日總督令を以て現行の新契約勞働法を發布せり。本法令によれば募集は行政長官の許可の下に、殆んど移住周旋業者によつて行なはれるを常とす。彼等は當局の指示によつて契約を求める勞働者を契約せしめ、契約の強要其他不法行爲は嚴重に取締られしも、周旋業者は無知にして貧困なる農民を悪辣なる手段を以て契約せしめる事多く、一方斯かる詐欺的行爲に對して當局は取締り法規の改正等諸對策を講ぜしも、其の不徹底は土着民の契約勞働に對する反感を醸せり。

イ、契約勞働の内容

契約期間三年、再契約三年以下にして、怠業は嚴重に取締られ、怠業日數は契約期間延長に加算す。契約條件は十六の項目にて規定され、身分、勞働條件、賃銀、前借の返済、貯金制度が主なる條項にして、植民地企業の契約勞働者としての諸條件は免れず。規定の勞働時間は十時間なるも實際勞働時間は九時間にして、特に[illegible]は二時間の休憩時間あり、休日は週一回の外年四日間なるも、勞働の都合にて左右さるゝを常とす。

ロ、賃銀

企業者より最少限月一回給與日に支給さる。一九三二年九月以前男子日給四十セント、女子日給三十セントなりしも九月以後男子三十セント、女子二五－二〇セントに引下げり。現物給與は住宅食糧にして、食糧に付きて見れば次の如し、

米七〇〇瓦－契約勞働者の十四才以下の子供下に對し四〇〇瓦、二才以下の幼児に對し二〇〇瓦補給さる）、野菜三〇〇瓦、鹽二〇瓦、茶五瓦、グリース二〇瓦、ニユオク・マム一五瓦なり。

以上の如くなるも半隷農的契約勞働者の生活水準は極度に低位に置かれ、勞働は過重にして困難を極め居れり。

契約違反に關しては勞働者、雇主兩者に對し規定され、その軽重により体刑、罰金刑を以て處分さる。然し違反者は續出し、勞働者

20

側に於ては開拓地域に於ける過重勞働、マラリヤの猖獗、生活環境の激變による歸郷心等で逃亡者が一九二八年には四四八四人の最高數を示せり。

斯くの如くにして契約勞働は佛印の前資本主義的農業社會を基礎として、植民地企業の勞働過程へ、零細なる勞働の鼎塊を提供せり。

ハ、自由勞働

前述の契約勞働は取締りの嚴重の爲、又一方經營の合理化により企業家は自由勞働者を以て補充する事とせり。自由勞働に關しては一九三三年一月十九日大統領令發布せらる。しかし本令は勞資双方に不詳にして、即ち勞働者側にありては農業勞働者を除外し、成年男子勞働者を默殺せる點、資本家側にありては、未だ經濟恐慌後の回復達成されず、殊に年小子女勞働者を多數擁する「東京紡績會社」は強硬なる意見を呈示して本令に反對せり。植民地に於ける資本家的佛人企業家の強硬意見は印度支那當局を動かし、[illegible]を無期延期とせり。然れども一九三六年七月成立せる人民戰線内閣は此の資本家の意見を無視して一九三六年八月十五日總督令を以て本令を實施し、更に同年十二月三十日大統領令にて現行自由勞働令を公布せり。

本令に於ても農業勞働者を除外し、強制勞役は禁止せるも、契約勞働に關しては一九二七年十月二十五日公布せる契約勞働法を基本とせり。

賃銀は最低賃銀制を採用し全勞働者に實施せり。亦強制勞役を基底とする公益土木事業にも本法を適用せり。支拂は最小限月一回金屬貨幣又は法定相場に換算せる流通紙幣を以て行はれ、其他の賃銀條件も一般自由勞働法と大差なし。前記契約勞働法が農業勞働者を對象の中心とせるに對し、本法は商、工、鑛業勞働者を主たる對象として規定さる。又鑛山業の飛躍的發展に伴ひ年少勞働者激增し、依つて一九三七年五月二十二日總督令により小年鑛夫に對す特別法

21

を公布せり。

農業自由勞働者は雇傭に關して何等保證を受けず、契約勞働者と殆んど變りなく勞働す。此處にも植民地勞働としての特性を有す。

佛印勞働者の能率技能は、生産關係の後進性、民度の低き事、歷史的宿命的な土着主義によつて低位にあり、生産上、大障碍となれり。鑛山勞働者に付いて見れば、右の外に安南人は山地生活を好まず又農繁期には歸鄕する者多く、人に蓄積されし勞働給源地を目前にして勞働力は常に不足せり。

歐人勞働者は極少數にして指導的地位にあり、又華僑勞働者は少數なるも技能能率共に優れ、又商才あり、常に土着勞働者の上位にあり。

5、勞働賃銀

賃銀は地域的の差異があり、亦各勞働種別によつて差別あり、當局は勞働の分布、需要供給の關係を考慮して、地域別に最低賃銀制を採用せり。以下各邦別最低賃銀を表に依つて略示す。

1、東京地區別賃銀表（一九三七年九月二十八日制定）（單位セント）

	州名	男子	女子	少年（十二—十八才）
第一區	河內　海防	二五	二〇	一五
第二區	河東　南定	二二	一七	一三
第三區	海陽　河南　興安　太平	二〇	一五	一一
第四區	北讓　北寧　建安　寧平　福安　山西　永平	二一	一六	一二
第五區	華平　諒山　老開　太原　高平　廣安　安沛　宣光	二六	二〇	一五
第六區	北金　松拉　毛衙　河讓　萊州	三三	二五	一九

22

以上は人口密度、地方資源及び勞働者の募集に關する地理的條件を參酌し決定されたるものなり。

2、老撾

商、工住民、勞働者最低賃銀表（單位セント）

	男子	女子 老人	少年（十六—十八才）	少年（十四—十八才）	少年（十二—十四才）
州都市地域	二五	一六	一二	一〇	九
中間地域	一八	一二	九	七	六
地方	一二	八	六	五	四

3、安南

商工勞働者最低賃銀表（單位セント）

	男子	女子	少年
新和	一四	一〇	八
義安	一二	九	七
廣治	一六	一二	八
都郎	二〇	一五	一一
廣南	一三	九	七
慶和	二二	一六	一一
康頓	二五	一八	一二
達拉	二五	二〇	一五

23

4、交趾支那

商工勞働者使用人賃銀（單位セント）

	男子	女子	少年
西部中部	三三	二五	一五
西貢堤岸	四五	三五	二〇
東部	三八	二八	一八

5、柬埔寨

商工勞働者、使用人最低賃銀（單位セント）

	州	男子	女子	少年（一六－一八才）	少年（一四－一六才）	少年（一二－一四才）
第一區	金邊　磅湛爾　岡本機	四〇	三〇	二〇	一六	一二
第二區	打橋　剛堡　巴丹孟　クラチエ	三五	二五	二〇	一六	一二
第三區	岡本川南　コムポン・スプ　菩薩　土敦特　白萊陽　スベ・リアン	三〇	二〇	一五	一二	一〇

勞働問題

佛印に於ては一九三〇年四月二十九日大統領令により調停制度實施され、同年六月二十日總督令を以て公布し、調停委員會を主要都市に設置し勞資爭議の解決に當る。地方長官を委員長とし、雇主、使用人を委員として構成す。調停實績は一九三一年東京に於ける百十三件中十五件、交趾支那九十件中二三件。一九三三年に於ける東京百三八件中三二件、交趾支那百六件中三二件なり。

勞働賃銀——最近の平均日給（單位＝比弗）

		一九三一	一九三二	一九三三	一九三四	一九三六	一九三七	一九三八
(1) 特殊勞働者（男）								
北部佛印	河内	〇、六三	〇、六一	〇、六一	〇、六一	〇、五四	〇、五九	〇、六〇
	海防	〇、七九	〇、五七	〇、六六	〇、五八	〇、五六	〇、五五	〇、五四
	其他東京の都市	〇、六二	〇、六四	〇、五八	〇、五三	〇、四五	〇、五三	〇、四九
	安南	〇、八一	〇、七〇	〇、六四	〇、六九	〇、五九	〇、六二	〇、六二
	鐵道	〇、八七	〇、八二	〇、七〇	〇、六六	〇、六一	〇、七一	〇、七三
	平均	〇、七四	〇、六六	〇、六五	〇、六二	〇、五六	〇、六二	〇、六二
サイゴン・ショロン	南部の鐵道	―	一、〇九	〇、九四	〇、九五	〇、九一	〇、九七	一、〇四
	其の他	一、五〇	一、三七	一、三〇	一、二二	一、一三	一、二〇	一、三〇
	平均	一、五〇	一、三五	一、二五	一、一九	一、一〇	一、一七	一、二七
(2) 普通勞働者（男）								
北部佛印	河内	〇、三六	〇、三一	〇、三〇	〇、二九	〇、二六	〇、二八	〇、二九
	海防	〇、三七	〇、三五	〇、三五	〇、三〇	〇、二六	〇、三〇	〇、三二
	其他東京の都市	〇、三一	〇、三三	〇、二九	〇、二六	〇、二七	〇、二九	〇、三二
	安南	〇、三七	〇、三五	〇、三一	〇、二五	〇、二四	〇、二五	〇、二六
	鐵道	〇、四〇	〇、四〇	〇、三一	〇、二九	〇、二七	〇、三二	〇、三五
	平均	〇、三八	〇、三六	〇、三三	〇、二九	〇、二六	〇、二九	〇、三二
サイゴン・ショロン	南部の鐵道	―	〇、五七	〇、四七	〇、四四	〇、四六	〇、四七	〇、五三
	其他	〇、七四	〇、七〇	〇、六四	〇、五六	〇、五四	〇、六二	〇、六四
	平均	〇、七四	〇、六八	〇、六二	〇、五五	〇、五三	〇、六一	〇、六三
(3) 普通勞働者（女）								
北部佛印	河内	〇、二二	〇、二二	〇、二二	〇、二〇	〇、一八	〇、二〇	〇、二一
	海防	〇、三一	〇、二五	〇、二三	〇、二一	〇、一七	〇、二一	〇、二一
	其他東京の都市	〇、一八	〇、一八	〇、一六	〇、一五	〇、一五	〇、一八	〇、一九
	安南	〇、二五	〇、二五	〇、二二	〇、一九	〇、一五	〇、一九	〇、一九
	平均	〇、二二	〇、二四	〇、二一	〇、一九	〇、一七	〇、一九	〇、二〇
	サイゴン・ショロン	〇、四五	〇、四四	〇、四一	〇、四三	〇、三八	〇、四二	〇、四二
(4) 特殊苦力	北部佛印	〇、四七	〇、四一	〇、四〇	〇、四〇	〇、三六	〇、四〇	〇、四五
	サイゴン・ショロン	―	〇、七五	〇、七七	〇、七五	〇、六二	〇、七三	〇、八四
(5) 特殊勞働者（女）	北部佛印	〇、二二	〇、二三	〇、二二	〇、二四	〇、一九	〇、二三	〇、二八
	サイゴン・ショロン	―	〇、四九	〇、三四	〇、五五	〇、四四	〇、四七	〇、四七
(6) 少年及び徒弟	北部佛印	〇、二三	〇、二一	〇、一八	〇、一七	〇、一五	〇、一七	〇、二八
	サイゴン・ショロン	〇、五〇	〇、四九	〇、三七	〇、三五	〇、三四	〇、三九	〇、四〇
(7) 職長・監督	北部佛印	一、〇〇	〇、九五	一、一四	一、〇八	一、〇五	一、〇八	一、〇九
	サイゴン・ショロン	二、〇〇	一、九〇	二、〇〇	一、九三	一、八五	二、〇五	二、二一

二、農業勞働者

佛印に於ける農業勞働者は、後進的農業經濟を基底とせる零細土地所有者の半農半勞働者、富農の家内勞働者、收穫期に於ける季節的出稼人（以上を近代的農業勞働者として規定するは妥當ならず、封建的生産關係に於て理解さるべきものなり）、及びコンセツシヨンに於ける近代的勞働者（とは云へその勞働の基底が後進的なるを以て半封建的特性を有す）なり。

斯かる勞働の諸形態には、自から佛印各邦に於て地域的特性あり。依つて以下地域別に綜說す。

1、東京

東京は人口稠密にして佛印勞働力の給源地なるトンキン・デルタを包含す。デルタ地域は一五〇〇方粁の領域に七五〇、〇〇〇人の人口を有し人口密度方粁當五〇〇人の過剰人口地域にして全縣人口密度は方粁當平均七三七人なり。

本地域の農業者はその九八％は五陌以下の零細農民にして、全体の約三分の二は半農半勞働者乃至賃銀勞働者なる半隷農的層農階級なり。

賃銀勞働者は二季作米田、及び畑作地域に於ては一年中勞働するも、人口過剰地域及び一季作地方に於ては他地域へ出稼ぎす。即ち五月米の收穫期には十月米の地方より、一方十月米の收穫期には五月米の地方より、又收穫は高地デルタより低地デルタに向ふ爲、勞働力も各交流し移動す。勞働層傭の形態は年傭勞働者、季節傭勞働者、月傭勞働者、日傭勞働者に分類さる。年傭勞働者は年給八―十二比弗（現物―生産物支拂の制あり）の外、食物、住居、被服二着、煙草を支給され、賞拂は毎月或は二―三ケ月半年又は全部前貸とす。農業勞働の外、家僕的家内勞働者となり、封建的色彩濃厚なり。

季節傭勞働者は一年中の三―四ケ月の出稼にして、賃銀は八―

27

十三比弗にして他に食物を支給され、又現物支拂の制もあり、賃銀の半分又は三分の二は前貸さる。月傭勞働者は一種の苦力にして月一―三比弗支給され、又食物も給與せらる。日傭勞働者は主として農繁期のみの勞働多く、賃銀も農繁期に高價にして農閑期に安價となり、賃銀の外三度の食事給與さる。又他に小土地所有者の勞働者、村有財産への勞働者あり。

コンセツシヨンに於ける勞働者は一般に近代的勞働者としての定住性に缺け、無料宿舍を與へるに不拘、可成遠隔の地より通勤する事あり、土地の習慣的行事、祭日、其他の儀式等にて缺勤者多く、又彼等は自由に休み天氣模樣にても怠業する事あり。勞働者を定住せしめる爲、高賃銀、年功賞與金を與へ醫藥（キニーネ）住居飲料水の設備、卸價の米の頒布等生活の安定を計れり。又分益小作の制よりの賃銀給與を好成績とす。

2、安南

安南に於ける農業勞働狀況は東京のそれに類似す。併し東京に於ける如く人口過剰にして移出民を送出する領域廣大ならず。一般に移住を好まず大地主へ農繁期に雇傭されるを常とす。邦外移住よりも、歐人コンセツシヨンの勞働者として邦内移住を行ひ、一方東京よりの移住者と共にプランテーシヨンの勞働を形成す。又不足勞働力に對し、山地のモイ族ミユオン族を傭入する事あり。安南人請負者をして監督せしめ、低位なる勞働力を利用す。賃銀は主として鹽、衣服、織物、瓶の現物給與なり。

農業勞働者中年傭勞働者は五比弗―五〇比弗の勞働賃銀にして、籾八〇〇瓩を以て給與せらる事あり。尚人に過剰地域に於ては低廉にして七―一〇比弗なり。一般に勞働狀況は封建的關係下にあり、家内勞働者としての特性を有す。月傭勞働者は食物の外二―四比弗南部安南では六比弗（北部は〇．五〇比弗）にして現物の場合は籾一二〇瓩と食物なり。季節傭勞働者は南部安南に於て三

28

ケ月、一〇比弗ー一二比弗にして食物も給與さる。日傭労働者の苦力は食物支給無く賃銀のみの場合及び三食支給極低賃銀の場合あり、人口過剰なる北部は安價にして南部は割高なり。又東京同様、村落共有財産に對する賃銀労働者あり。

3、交趾支那

交趾支那に於ける労働者も前者同様なるも、本地方に於ては一九〇五年頃より發展せるプランテーションの契約労働者（最近自由労働者を併傭す）の活動領域なり。（契約労働の項参照）

交趾支那に於ける契約労働者數

年	労働者數
1927	29,800
1928	35,000
1929	28,500
1930	22,200
1931	14,800
1932	7,800
1933	6,850
1934	8,650
1935	9,450
1936	12,100
1937	14,500

年拂賃銀は男子五〇ー八〇比弗、高賃銀は八〇ー一〇〇比弗の地域あり、婦人は四〇ー五〇比弗にして北部佛印より割高なり。その他宿舎、食事を給與し、祭日には衣服三着（二着仕事着一着晴着）又煙草も支給し、特に婦人の爲に蒟醤（キンマ）を給與す。季節労働者は年傭労働者に代へ合理的に雇傭し請負制度にて労働せしむ。尚季節労働者は集團をなし、親方が統率して收穫地域へ移住労働す。彼等は浮浪の徒多く労働能率は低位にあり、又、浪費賭博に耽るを常とす。

參考數字として前記年傭労働者の給與状況を次表に示す。

州名	1920	1930	1931	現物給與
Gaaanthoung	4比弗	8比弗	6比弗	食事住居煙草、キンマ
Phuoodienha	5	9	6 ー 7	同、衣服土ー衣服二着
Longhungtrung	7	12―15	8―10	同、衣服アリ

29

4、東埔寨

東埔寨に於ける農業労働はその基礎的社會がクメル族の封建社會なるを以て、クメル慣習による旧土地所有形態により、賃銀労働者は小數にして、特に輸出農作物の地域に限定さる。

日傭労働者は零細農民が大土地所有者の下に家族伴れにて出稼ぐを常とす。労働賃銀は季節により高低あるも收穫期に高く、即ち一日四〇セント食事一回、其他請負制あり。季節労働者、年傭労働者は輸出農作物の地域にて重要にして前記東京に類似するもその労働内容は隷農的色彩濃厚なり。又大土地所有者の下に債務奴隷あるは特異なる存在なり。

尚東埔寨の契約労働者數は一九三〇年の一〇、二〇〇人を最高とし一九三二年四、四〇〇人一九三七年九八〇〇人なり（契約労働の項参照）。

三、鑛山労働者

佛印に於ける鑛山労働者は前章農業労働者と同様、その基礎的社會の後進性に起因して近代的労働者としてでなく、半農半労的色彩濃厚なり。

労働者數は一九三七年に於て歐洲人二七一人（主として佛人）アジア人（安南人、支那人）四、九二〇〇人なり。最近の動態を示せば次表の如し。

鑛山使用者數

	ヨーロッパ人	アジア人
一九三〇	三七〇人	四、五七〇〇
一九三一	三五〇	三、六〇〇〇
一九三二	二五〇	三、三五〇〇

30

一九三三	二二〇	三、五四〇〇
一九三四	二〇〇	三、四八〇〇
一九三五	二〇一	三、九〇〇〇
一九三六	二一二	四、三八五〇
一九三七	二七一	四、九二〇〇

佛鑛産額の八二・六％が東京占むるを以て勞働者の分布も東京に集中す。他は安南に約二〇〇〇人老撾の錫鑛山へ一七〇〇人が主要なるものなり。

鑛業種別に勞働者の分布を見れば一九三七年に於て八二％は燃料用礦物勞働者なり。その分布は次表の如し。

鑛種別勞働者分布

年	一九三〇	一九三一	一九三二	一九三三	一九三四	一九三五	一九三六	一九三七
燃料用礦物	三八〇〇〇人	三一〇〇〇	三〇〇〇〇	二九七八〇	三〇〇〇〇	三四〇〇〇	三七二〇五	四〇五八〇
金屬鑛物	七〇〇〇	四八〇〇	三五〇〇	五六二〇	四五四五	四七五〇	六四〇〇	七八〇〇
其他燐鑛	五〇〇	二〇〇	―	―	二五五	二五〇	二四五	八二〇
合計	四五七〇〇	三六〇〇〇	三三五〇〇	三五四〇〇	三四八〇〇	三九〇〇〇	四三八五〇	四九二〇〇

以上の勞働力の給源地域は人口過剰なるトンキン、デルタなり。

（前記一、二章參照）

勞働能率は技能、性能、体力共に低位にして、一方民族的に宿命的に土着主義に固執して、勞働給源を目前にして勞働力は不足勝なり。

即ち安南人は勞働者として定住するを好まず、農繁期には歸鄉

31

する者續出し又安南人の祭日、村の祭禮、婚禮、葬式其他の儀式天氣模様による缺勤續出する次第なり。

一九三七年四月に於ける「東京炭礦會社」勞務狀況

	最小人數	平均人數	最大人數
契約人員合計	一、三四六九	一、四三九六	一、五〇四五
出勤者	八七四九	九二八九	九六九〇
定休者	一七〇九	一九一八	二一二四
病氣、負傷	二九〇	三一八	三九六
不規則なる缺勤	二三三七	二八七四	三五一七

勞働賃銀は安南人が遠隔地方への移住を好まざる傾向あるを以て老撾の如きは約五〇％高價なり。又華僑勞働者は安南人より四〇％、割高にして男子は女子より一〇％高く佛人は所謂高級者なり。一九三五年に付いて見れば、東京平均三〇―五〇仙、老撾六〇―一〇〇仙にして勞働種別により差異あり。

給與は商業に於ける如く貨幣と現物を以てす、此の實務には監督（勞働者仲介人）あり、特權を惡用する事多し。

勞働仲介人は勞働者の募集、監督、給與等に實務に當り、植民地企業に於ては勞資の中間に介在し重要なる役割を有す。彼等は勞働給源地の農村にて勞働者を募集す。依つて勞働者募集に關しては彼等を利用するの外道ない。募集人の外賃銀の支配、現場監督の下請人あり又食糧の準備給與に當る食糧給與人あり。

第二部　勞力供出對策

一、勞働給源の基礎的社會、經濟生活の封建的なるに留意し、土着勞働關係を利用す。直接には勞働仲介人をして勞働者を募集し、地域により土着土豪、大土地所有者等村落協同体の封建的支配下にある勞働力を利用すべし。

二、土着人は長き歷史生活すより民族的に宿命的に土着主義な

32

る故、其點逆に迷信的弱點を利用すべし。

三、勞働者は季節的移動あり。農繁期には歸農者續出す。收穫の地域的差異を利用すべし。

四、山地鑛山に於ては生活環境の安定を計る事重要なり。安南人は山地生活を好まず。

五、鑛山勞働者の怠業甚だしき故、出來得る限り現物給與をなし、又生活設備と同時に娯樂機關も利用すべし。

第三　馬來

33

目次

第一部　勞働事情

凡そ一國の勞働事情の根本を決するものは人口事情であるが、この點、馬來は南洋中、特異の地位を占める。卽ち本來の馬來人は全人口五百五十一万中、二百二十九万にして、百分比は四一・五%强である。從つて假りにマレー人のみ存在するとすれば、人口密度は一平方粁に付三九・九人から二三・三人に低下し、到底、あれほどの錫、ゴム等の生産を擧げ得なかつたと思はれる。これが爲め多數の東洋外國人の勞力が輸入され、現在では華僑二百三十六万、印度人七十五万等が在住し、華僑の如きは全人口の四二・八%を占め、馬來人を壓して第一位を占むる奇異な情態を現出してゐる。

右の人口中、何程が勞働人口として數へらるべきかといふに、馬來人に關しては何等の統計もないが、彼等の生業が槪ね米作農業であり、且つ、後述の農働統計に表はれてゐるところを以てしても、當面必要

34

な軍需資材の生産に關する限り、馬來人勞働は之を無視して差支へない。

一九三八年末調査に依れば、農園、鑛山及び工場の地域的、人種別勞働者數は左表の如くである。

	印度人	支那人	爪哇人	馬來人	其他	計
（農園）						
海峡植民地	一四、一四三	三、八一一	九四八	二、八〇七	一〇六	二一、八一五
馬來聯邦州	一三七、三五三	二八、九二五	一、七六二	二、二三四	六五八	一七〇、九三二
馬來非聯邦州	六三、一一四	二六、五二七	六、六六一	一〇、三〇九	五〇二	一〇七、一一三
計	二一四、六一〇	五九、二六三	九、三七一	一五、三五〇	一、二六六	二九九、八六〇
（鑛山）						
海峡植民地	〇	一一三	〇	〇	一	一一五
馬來聯邦州	五、二六二	三二、五八六	五一六	二、六一六	一、三八〇	四二、三六〇
馬來非聯邦州	一、七九九	一、〇五八	七七九	六一九	四四七	四、七〇二
計	七、〇六一	三三、七五七	一、二九五	三、二三六	一、八二八	四七、一七七
（工場）						
海峡植民地	六、〇一一	三六、二一三	六九二	六七〇	四六〇	四四、〇四六
馬來聯邦州	一、九九〇	二六、六九一	三七	三一四	一〇八	二九、一四〇
馬來非聯邦州	一九八	一、六四八	一〇	三八八	四〇	二、二八四
計	八、一九九	六四、五五二	七三九	一、三七二	六〇八	七五、四七〇
（總計）						
海峡植民地	二〇、一五四	四〇、一三七	一、六四〇	三、四七八	五六七	六五、九七六
馬來聯邦州	一四四、六〇五	六四、二〇二	二、三一五	五、一六四	二、一四六	二一八、四三二
馬來非聯邦州	六五、一一一	二九、二三三	七、四五〇	一一、三一六	九八九	一一四、〇九九
計	二二九、八七〇	一三三、五七二	一一、四〇五	一九、九五八	三、七〇二	三九八、五〇七

四十万の勞働者中、馬來人は僅に二万で、率から見れば四分に止まる。前述した如く、彼等の大部分は米作に從事してゐるに拘らず、米は全需要の三割五－六分を生産し、他は之を輸入に仰がざるを得ない狀態である。從つて今後と雖も馬來人から多くの勞力供出を望むことは出來ない。亦、能率の點から見るも、印度人及支那人に比して劣り、爪哇人勞働者にさへも劣るといはれる。

印度人勞働者は大部分タミール族で、その他テルグ人マラヤリ人等が加つてゐる。即ち南部印度の產である。彼等は熱帶的風土に良く馴れ、ゴム液採取人としては寧ろ支那人に優ると云はれる。併し相當の熟練を要する仕事に於ては、矢張り華僑に匹敵し得ない。加之、力仕事に至つては之亦華僑に及ばざること遠きものがある。前記統計を見るに、農園に於ては印度人約二十一万五千人に對し華僑は五万九千三百人であるが、鑛山に於ては前者七千餘人に對し後者は三万三千八百人、工場勞働に於ても八千二百人對四万人で華僑の斷然たる優勢を示してゐる。鑛山のみでなく、港の仲仕の仕事なども印度人では到底駄目で何としても華僑に俟たざるを得ない。彼等は忍耐心强く、能く激しい勞働に堪え、經濟心に富む爲め、之を刺戟することによつて良く働かせることが出來る。

賃銀は一般的に見て支那人が高く、其他は大同小異であるが、ゴム農園勞銀に就いては一九三七年四月、法律を以て印度人の男子五十仙女子四十仙を最低賃銀と定め、之が農園勞働者一般の標準となつてゐる。三八年にはこの金額は四十仙及三十二仙に引下げられたが、實際には少くても大農園に於ては前記三七年の水準を維持した。爪哇人勞働者の賃銀は自由勞働者のものは同じく日給制であるが、契約勞働によるものは夫々の契約によつて異る。併し所謂出來拂賃銀は少い。併し同じ農園でも油椰子園、茶園等にては作業の結果によつて支拂ふものが多い。

鑛山勞働の賃銀は出來高拂が支配的である。これは作業の性質にもよるが、鑛山勞働者の大部分を占める支那人勞働者が、定額拂よりも出來高拂を喜ぶことに因るものである。鑛山勞働の最低賃銀に關しては何等の規定もない。これは農園勞働者に比して公平を缺くものであるが、支那人勞働者は印度人と異り英國屬領の出身者でない爲めに、賃銀に限らず、一般に勞働保護を受くることが甚だ少いのである。

勞働者募集の方法は人種に依つて異る。爪哇人契約勞働者に就いては、蘭印政府の規定によつて蘭印の公認募集人を通じて雇傭する。支那人に於ては多く職業的周旋人の手を通ずるが、自由渡航者に於ては出發港の宿屋などが渡航費其他を貸與する例が多い。この借金の返濟は馬來到着後に行ふが、支那人は出身地の團体を作つてゐるので、返濟は實に確實である。一般に支那人勞働者の募集監督及び保護は華民保護局が之に當つてゐた。印度人勞働者の渡來にも二途あつて、一は公認苦力募集人たるカンガニーが南印度へ行つて募集して來るもの、他は自由渡航者である。後者の場合には渡航費等は自辨しなければならず、亦、支那人の如き出身地に依る堅固な團体もないので、大部分は一度カンガニーの手を經て渡航した者の、再渡航者が多い。この自由渡航者が相當數に上る理由は、馬來に於ける賃銀其他の條件が、故郷に於けるよりも優良なるに依ると報告されてゐる。

企業に雇はれてゐる勞働者の生活は、固り低いが、南洋としては比較的に高いといひ得る。これは勞働保護規定が比較的良く行はれてゐるものが多いことゝ、勞働者の大部分が印度人及支那人で、南洋民より經濟心が發達して居り、從つて節約で貯蓄を行ひ、殊に印度人の如きは、零細な金を貸付けるものが少くない。

生活内容は支那人と印度人では非常に違ふから一括して述べ難いが、米を主食とすることは兩者同一である。但し印度人は所謂半熟米を好む爲め、馬來ではこの半熟米が相當多量に賣られる。半熟米とは籾を一晝夜ほど水に浸し、後これを少時煮てから精白するものである。米の外に、補助主食として之亦兩者共に小麥粉を用ひて、パン又は煎餅の如きものの作つて食する。副食物としては支那人に就いては特に記する要はないが、印度人に就いては宗敎によつて異るので、多少厄介で

37

ある。周知の如く回敎徒は豚を食せず、印度敎徒は豚も牛肉も食しない。併しパーシー族は牛も豚も喰べるが、煙草は嗅煙草に限る。一般の食事としてはカレーライスであるから、從つて「辛いもの」は單なる調味料以上のものであることを知らねばならぬ。魚肉は一般に食する。

第二部　勞力對策

馬來半島は恐らく南洋各地中、勞力供出餘力の最も大なる地方と思はれる。之は前述したる如く、人口の五〇%以上が非土着人であり、從つて、土着人の如く、生活が「村」に結付けられて居らない。而も從來の企業勞働者の殆んど全部に近くが、勞働者として遠隔の地から移動して來た者であり、勞働にも習熟し、經濟心も強く、能率、堪久力等、勞働者として必要な條件を具備してゐることは、遙に土着民に勝つてゐる。且つ、從來の企業經營が錫、ゴム、パイナツプル等三、四の產業に集中され、所謂單一經營植民地であつた爲、それ等產業の生產力は、當面我方所要の生產力を遙かに超えてゐた。從つて當然、生產縮少より來る失業勞力量は相當程度に達するものと考へられる。從つて、問題は多數の失業者の發生より生ずる治安問題等の、こゝにいふ勞働對策の對象とは別種の問題が生ずることゝ想像される。

右樣の意味で、馬來に於ては勞力供出對策は他地よりも餘程、容易であると考へられる。

一、勞力對策上、第一に考ふべきは、米の供給確保である。馬來は從來の統計によれば、消費米の三割五、六分見當を生產するに過ぎず、不足米は總てタイ・佛印・ビルマより輸入されてゐた。然るに、遽に之が大增產を期待することは固り不可能であるのみならず、激戰地なりし爲、馬來農民使用の農具等が今後不足する惧ありて、却つて減產となるに非ざるやとの疑をさへも持ち得る。而も東印度の如く、直ちに米作水田に轉換し得る甘蔗園の如きものを有せず、いよいよ以て急速なる增產は不可能なる事情に在るを以て、米の確保は最も喫緊

38

の問題である。之が爲め、支那人々口の粗散計畫の如きも、當然考慮せらるべきである。

一、勞力源としては、華僑勞働者及在住インド人勞働者を主眼とすることが必要である。これは前述の勞働事情から見て説明を要しないと思ふが、馬來人は出來るだけ米の生産に從事せしめ、出來るだけ領内の米穀增産に資せしめる事が肝要である。米は年々五十數万屯の輸入があつたが、戰時狀態に於て之を支障なく繼續することは容易ならざることで、從つて米の自給率を高める一事は刻下、最も緊急のことゝ考へられる。依つて、極く局部的且つ一時的に馬來人勞力を供出せしめるは差支へないが、廣く且つ恒常的に捗ることは愼むべきである。勞働能率から云つても、繼續的な土木事業の如きは馬來人に向ない。

一、華僑勞力を利用するとせば、華僑人口の粗散計畫等が實施せらるゝ曉には、之が實施は餘程注意して行ひ、一度粗散させた華僑を再び輸入する如き事態を生ぜざる事が肝要である。

一、印度人は黨派心强く、宗教を異にする者は同席して食事をしない慣習を有する者さへあるから、單に印度人であるといふ理由で、簡單に彼等を混て一視する時は、思はざる不平や紛爭を生ずることがあるから、この點は特に注意を要する。

第四　ビルマ

第一部　勞働事情

序　言

ビルマ勞働事情の調査並に勞働力供出對策の樹立に際しては、豫めその産業事情一般についての概貌を知るを便なりとす。

ビルマは全人口の七割が農業に從事する典型的な農業國なり。しかも米作農業への集中程度大なるは周知の如し。その外の産業としては石油並にウオルフラム、鉛、亞鉛、銅、ニツケル等特殊金屬鑛業、及びチーク材を主体とする林業に見るべきものあり。一般工業の發達不充分なれども、前記農・鑛・林産資源との關聯の下に、精米、製材及び植物性製油工業は相當の發展を示せり。

今農・鑛・工各部門についての勞働事情を分析せんとするに當り、本邦への紹介資料不足のため滿足なる成果を期し得ず。唯ゝ得られし材料を能ふる限り活用して、實狀の究明に努めたり。

41

茲に特記すべきは、前記三部門を通じて、一の共通的な問題の伏在せる事なり。それはビルマ人勞働者と外來勞働者（特に印度人）との間における對立關係の存在なり。その摩擦は既にビルマ民族運動の有力なる要因となり、屢ゝ印緬兩民族間の騷擾を招きたり。

今後のビルマ經濟再編成、就中勞働對策の運營に際して、指導者たる日本人の特に留意を要すべき點なり。

以下この問題を中心に解明を試みる事とせり。

一、國籍別勞働人口構成

一九三一年の國勢調査によれば、總人口一千四百六十六万七千百四十六人（一九四一年度調査――一千六百八十二万三千七百九十八人に增加）にして、その國籍別左の如し。

	人口數	百分比
ビルマ人	九、五一〇、八八四	六四・九
其他土着種族	三、七〇九、一三八	二五・三
支那人	一九三、五九四	一・三
印度人	一、一九九、九九一	八・二
其他	三三、八九〇	〇・二
總計	一四、六四七、四九七	一〇〇・〇

然してその國籍別職業別人口構成比率は次表の如くなり。全人口の一割に達せぬ印度人が各職業に占める優越性は注目に値すべし。殊に

42

凡そ労働部面に屬する各項目におけるその高率よりして、ビルマ人労働者に對する壓迫を推定し得べし。

國籍別産業別人口構成比率

	全種族	ビルマ人	其他土着民	印度人	支那人	其他
耕地所有者	一〇〇・〇	四八・九	一・三	四〇・九	八・四	〇・五
耕地借地人	一〇〇・〇	六〇・六	〇・三	三二・四	六・七	—
農業勞働者	一〇〇・〇	三七・一	四・〇	五六・三	二・六	—
牧畜者	一〇〇・〇	一・二	〇・一	九八・一	〇・六	—
漁師及獵師	一〇〇・〇	二八・一	—	七一・一	〇・八	—
事務員	一〇〇・〇	二九・一	一・八	五六・五	五・六	七・〇
企業管理人及役員	一〇〇・〇	一八・九	〇・八	三〇・八	一三・八	三五・七
技工	一〇〇・〇	二五・七	〇・五	五八・〇	一三・七	二・一
不熟練及半熟練勞働者	一〇〇・〇	八・六	〇・二	八九・二	一・四	〇・六
技師及專門家	一〇〇・〇	二四・四	二・八	三四・四	三・八	三四・六
商業從事者及販賣員	一〇〇・〇	一二・七	〇・五	七一・四	一二・九	二・五
金利生活者	一〇〇・〇	三三・四	二・三	四六・四	五・二	一二・七
陸海空軍及警官	一〇〇・〇	一七・七	四・〇	六七・五	〇・五	一〇・三
一般公務從事者	一〇〇・〇	三三・八	三・四	一〇・九	三・〇	四八・九
宗敎從事者	一〇〇・〇	七・九	二・六	七〇・六	一・〇	一七・九
醫療從事者	一〇〇・〇	三四・二	二・〇	四五・二	九・二	八・六
掃除人及芥取人	一〇〇・〇	—	—	九九・九	—	〇・一
其他	一〇〇・〇	五〇・一	五・三	三六・四	二・六	五・六
記載不充分ナル者	一〇〇・〇	〇・三	二・六	八八・五	六・三	二・三
合計	一〇〇・〇	一五・二	〇・六	七四・八	六・六	二・八

先づ農業部門においてビルマ人の従業者數は約六百七十二万人、印度人は五十七万人と推定さる。各々の地主、小作人、農業勞働者への内譯の比率は左の如くと見らる。

	地主	小作人	農業勞働者
ビルマ人	四八・九%	六〇・六%	三七・一%
印度人	四〇・九	三二・四	五六・三
其他	一〇・二	七・〇	六・六
計	一〇〇・〇	一〇〇・〇	一〇〇・〇

卽ち地主數において略々匹適し、小作人はビルマ人が二倍を占め、農業勞働者は、印度人が壓倒的に優勢な地位を占めり。

これらの印度人の大部分は、印度より移入せるものにして、最近は稍々その數を減じたれども、毎年二・三十万人の新來者を見しものなり。しかし年々の歸國者も相當數あり、年平均五・六万人の増加を見るを常とせり。

彼等は季節的の移動勞働者にして、農繁期に傭はれ、農閑期には土木工事、精米所等へ傭はれるか、歸國するものなり。

生活費低廉なる印度人勞働者の移入は、ビルマ農民の脅威となりたり。一九三四年の調査によれば、印度人勞働者はビルマ農民生活費の三分の一を以て足れりと言はる。殊に世界恐慌の期間を通じて、米價の暴落により、ビルマ農民中、小作人或は勞働者に轉落せる者多數に及べり。しかも彼等は印度人農業勞働者との競爭に堪えず、兩民族間の摩擦を增せり。更に農村を離れ職を求めて都市へ殺到せるビルマ人勞働者群の前にも、印度人勞働者は大なる障壁を成したり。蓋し都市の精米所勞働者は素より、港內荷役勞働、交通勞働その他不熟練勞働の大部分は、既に印度人の絶對的に優勢を占むる部門なりし爲なり。かくして生活問題をめぐつて、兩民族の軋轢は騒擾事件にまで進展せり。

鑛業部門については、國籍別の人口構成不詳なり。しかも支那人を加へて、三民族は大体從業の地域を異にし、爲めに民族的對立は比較的回避せられたり。卽ち支那人は主として雲南省より緬・支國境附近及びシャン・ステーツ方面の鑛山に入り、印度人は南部のタヴォイ、マグエ等の錫及びウォルフラム鑛山に從業せり。これに對しビルマ人は官營石切場に働く以外は、農閑期に副業的に移動勞働者として働く傾向大なればなり。

又同一鑛山に働く場合にも、政治的・宗教的理由から、職場・宿所を異にする事多し。唯油田地帶のみは、この配慮を缺きたるため時に抗爭を招きたり。

工業部門についても國籍別人口構成を詳にし得ず。この部門には從來ビルマ人の進出少きため、民族的對立は避けられたり。主要工業たる精米業、製材業において、印度人勞働者の占める地位は、頗る高きものなりと見らる。殊に精米所に對しては、精米期に多數の印度人勞働者が流入し、その荷役の如き、彼等の獨占する所なり。

ビルマの勞働事情を知る一助として、各管區についての產業別工場從業員數を掲ぐれば左の如し。（一九三八年度）

管區別產業別工場從業員數

	總計	恒久的	定期的	恒久的 機械土木	恒久的 製材	恒久的 製米	恒久的 製油（植物性）	恒久的 其他	定期的 繰綿	定期的 其他
全ビルマ	八六、三八三	八一、七一八	四、六四五	九、六六四	一〇、八二九	四一、六九五	一、四二七	一八、一〇三	三、五〇七	一、一三八
アラカン管區	四、七三五	四、七三五	｜	一一九	六五	四、五三一	｜	二二	｜	｜
ペグー管區	四八、五〇七	四八、四八八	一九	六、二四〇	五、八〇二	二〇、五〇〇	二九三	一五、六五三	｜	一九
イラワディ管區	一〇、九九四	一〇、九九四	｜	｜	一一二	一〇、八三五	四〇	七	｜	｜
テナッセリウム管區	七、八九〇	七、〇七一	八一九	一七八	二、五六一	四、二一四	｜	一一八	｜	八一九
マグエ管區	三、四三九	二、八八〇	五三七	一、三〇一	二五	三七四	四七一	七一一	五三七	｜
マンダレー管區	八、四〇八	六、四六五	一、九四三	一、七九八	一、八〇八	六六〇	六〇七	一、五九二	一、九四三	｜
サガイン管區	二、四〇八	一、〇八一	一、三二七	二八	四五六	五八一	一六	｜	一、〇二七	三〇〇

（註）　從業員數は一日平均數を示す

二、勞働の素質

惠まれたる自然的條件と各本國の巧みな植民政策の効果により、一般に南方諸民族は享落を好み勤勞の熱意を缺く事は、識者の見解の一致する所なり。ビルマ人も亦この例に洩れず、怠惰にして持久的勞働を嫌悪し、勞働の素質悪く、能率低しと見らる。しかも生活程度高くして、印度人・支那人等外來勞働者との競爭に敗れ、生活上の壓迫を感じつゝある事前述の如し。

住民の多數が農業に從事せる事は、この部門こそ生活の最後の本據とせしが爲なり。しかもこの部門においてさへ、近時特に印度人の進出に脅かされつゝある實狀なり。

農業のみならず各產業部門において、支那人勞働者の勤儉貯蓄、印度人勞働者の低生活費は、到底對抗し難きものゝ如し。

唯素質に關し、三民族夫々に若干の特質を指摘し得べし。例へば鑛山勞働について、支那人は体質的に抗内勞働に適し、印度人は一切の不熟練勞働に適すると言はる。これに對しビルマ人は機械操作に適性を發揮し、工場内勞働に地歩を占めつゝあり。既に石油精製工場においては、六割以上を占めたり。今後一般工業勞働方面への利用を期待し得る所以なり。

三、勞働賃銀及勞働時間

植民地勞働の常として、一般に低廉なり。農業部門はまだしも、筋肉勞働者に到りては漸く最低生活を保持するに足る程度なり。しかも能率の極めて低き事を考慮すれば、實質的には苛酷ならずとの推論も出づべし。

農業部門において、小作料騰貴の傾向と印度人小作人の進出のため、ビルマ人小作人は苦境にあり。いま兩者の比較を一例を以て示せば、印度人は十エーカーの土地の耕作より、四百十籠の籾を收穫し、百八十籠を自分の生活に當て殘り二百三十籠を小作料として納め得べし。これに反しビルマ人は同一面積の土地より四百籠を擧げるに止り、且つ自己の生活費として二百籠を必要とするものなり。

二等地におけるビルマ人小作人の家計は次の如く、年々不足に喘ぐものなり。（小作地三三エーカー、籾價百籠百十ルピーとす）。

收穫量貨幣換算（一エーカー當り四一籠として三三エーカー）	一、四八八ルピー
耕作費支拂（一エーカー當り一四四八ルピーとして）	四七八
借金元利（地主に一五〇ルピー八ヶ月間二分で借用）	五五
地代（一エーカー當り一五.五一ルピーとして）	五一二
種代	二七
計	一、二四六
剩餘	二四二
家族食費　男二人一月一人五.七五ルピー	一三八
女二人一月一人五ルピー	一二〇
小兒二人一月一人二.五ルピー	六〇
計	三一六
差引不足	七六

更に又農業勞働者について見るも、近年その待遇は惡化を示し、雇傭期間中の宿泊費、食費の使用者負擔の特典は極度に制限せられたり。しかも印度人勞働者は年二〇―三〇ルピーの極端な低賃銀で生活し得るため、ビルマ人は一層競爭力を失ひつゝあり。

47

鑛山勞働の賃銀に關しては、一定の規準存せざるも、一九三九年の報告書に、次の數字掲げられたり。

熟練勞働者	日給	三―四ルピー
半熟練勞働者	〃	一ルピー八アンナ―三ルピー
不熟練勞働者（男）	〃	八アンナ―一ルピー
〃（女）	〃	五アンナ―一〇アンナ

次に工業勞働の賃銀に關しては、ヨーロッパ系從業員の受ける最高額とビルマ人の受ける最高額との間の懸隔著し。精米所、製材所等における最低賃銀は、職場により額を異にするも、苦力の一箇月一六ルピーから、ベルトマンの三二ルピー程度なり。他の工業勞働についても、三・四十乃至六十ルピーを通例とす。

工場從業員賃銀（月收　單位ルピー）

	最低賃銀	最高賃銀
製材所及製米所		
機關手	二〇	八七
油差	一七	五五
ベルトマン	三二	四二八
製材職工（半技術者）	三〇	二〇〇
トーン仕上工	二七	六三
木挽	二三	九五
苦力	一六	三〇
一般機械從業者		
機械技手	一〇	一三〇

48

機械組立	三〇	一二〇
鍛冶職	三〇	一二〇
造型職	三〇	一三五
旋盤職工	五二・一三	七〇・六
電線工夫	二二・八	一三二・八
大工	三〇	一五〇
其他雑従業者		
製本職	九・一二	一一七
活版職工	二六	一一七
植字職工	一六・四	一一〇・八
畫師	二一	一一二・八
ブリキ工	三〇	六〇
石工	五二	一二〇

尚勞働時間に關しては、金屬鑛山においては、法規により地下勞働九時間、地上勞働十時間の定めあり。しかし現實には晝夜三交替制にて八時間とするもの多し。

一般の勞働については、通常夏は午前七時より午後六時まで、冬は午前八時より午後五時迄從業するを常とす。その間正午より約二時間は午睡の時間に割かると見るべし。

ビルマ人勞働者の懶怠癖は拔け得べくもなく、三、四回繼續して働きたる後は必ず賃銀を請求し、賃銀を受取るや口實を設けて休む傾向強し。然して無一文になるまで遊ぶものとす。從つて彼等の就業日數は一月平均二十日を出でず、爲に雇傭主は事業の繼續に支障を來し、こゝに又印度人、支那人等の進出する間隙を與ふるものなり。

四、勞働者の生活狀態

怠惰にして賃銀低廉なるためその高きを望み得ずと雖も、ビルマ人の一般的性向として、派手好みなるため、生活程度は印度人勞働者を凌駕せり。

殊に宗敎心に厚く、そのための獻金を意に介せず、冠婚葬祭には身分不相應の支出を憚らぬものなり。

日常生活は頗る簡單なり。都會における家賃は三室で一箇月二乃至三ルピー程度にして食費も極めて安きため、一人一箇月五―六ルピーにても生活し得るものとす。地方農村においては一人一箇月三ルピー内外で生活するものもあり、支那人苦力と選ぶ所なきも、後者の貯蓄心によつて壓倒されつゝある如し。

飲酒、喫煙はすべてこのビルマ人の愛好する所にして、勞働者は安酒を印度人より購入せり。又阿片を吸飲する者あり。害毒漸次擴大の兆あり。賭博は彼等の最も好む所にして、何事につけても金を賭けるを常とす。特に競馬は最も盛んにして、勞働者は勞働者なりにその資力相應の賭博慾を發揮して熱中せり。

五、勞働問題及印緬移民協定

安易な生活に慣れ、規律的訓練を缺くため、賃銀値上げを要求するが如き爭議の發生は、比較的少なし。しかし民族意識は他の南方諸民族に比して強烈にして、特に生活上の直接的な競爭相手となりし印度人に對する反感強し。從つて勞働運動は屢〻民族運動の溫床となりたり。

既に一九三〇年以降、印度人金融業者兼不在地主たるチエテイヤーの排擊、印度人農民の排斥を旨として熾烈なる民族運動の展開を見たり。その後常に失業問題に絡んで印度人排斥を目標とする熾烈なる抗爭惹起せられ、一九三八―三九年には全國的な騷擾にまで發展せり。

印・緬兩民族の對立緩和のため、英國政府は一九三七年、印・緬兩國の政治的分離と同時に、移民協定の成立を導きたり。これにより何れ三箇年間は現在數を基礎として印度人移民を認める事とせり。その後一九四一年、制限は一層強化せられ、禁止的程度にまで高められたり。その新協定の内容次の如し。

第一條　印度人ハ印度政府發給ノ査證濟旅券並ニビルマ政府入國許可證ヲ所持セズシテビルマニ入國スルヲ得ズ。

第二條　入國許可申請ニハ一留比ノ税金ヲ支拂フベシ。

第三條　移民ニシテ政府ノ許可ヲ得テビルマニ滯在セントスル者ハ、一個人ニツキ五百留比、ソノ子供一人ニツキ二百留比ヲ支拂フベシ。

第四條　ビルマニ三箇年滯在セント欲スル者ハ入國税十二留比、並ニ滯在税一箇年五留比ヲ支拂フモノトス。

第五條　ビルマ入國移民ノ期間ハ一箇年ヲ越ユル事ヲ得ズ。

第六條　ビルマ人婦人ト婚約、又ハ同棲シタル者ハ退去處分ニ附スベシ。

第七條　移民ハビルマ入國前ニ二十留比ノ保證金ヲビルマ政府ニ納入スベシ。右金額ハ送還ノ場合ノ旅費ニ充當ス。

第八條　許可條件ニ違反シタル者又ハ許可ヲ得ンタメニ虚僞ノ申告ヲナシタル者ニ對シテハ六箇月ノ懲役又ハ一千留比ノ罰金ヲ課ス。兩者ヲ併セ課スルコトアルモ、コレラヲ超エザルモノトス。

第二部　勞力供出對策

建設工作に際しての勞働力供出對策の樹立については、前述の勞働事情に鑑み深甚なる配慮を要すべきものとす。特に他の南方諸地域に比較し、ビルマが持つ特徴として次の二點に注目すべし。

(一) 華僑勢力の大ならざる事

(二) 印度人との間の摩擦激甚なる事

しかもビルマ人のみを以てしては、勞働力の量は素より、質においても不充分たるを免かれず、印度人及び支那人勞働者の移入は必須の要件と見らる。

依つて民族的對立の回避に留意しつゝ日本の計畫的指導の下に、これら外來勞働者の招致を計ると共に、地域別産業別にその適正なる配置について考慮すべし。

地域的には

(一) 北部金屬鑛山の開發には、雲南省方面よりの支那人勞働者の移入を以て充つべし。

(二) 南部金屬鑛山には、既往の實績に基づき專ら印度人勞働者を利用すべし。

(三) 精米所荷役勞働及び都會の一般不熟練勞働については、印度人の利用を可とす。

(四) 下ビルマ米作地帶及び中部棉花地帶においては、專らビルマ人の利用を旨とすべし。

産業的には

(一) 農業勞働について、ビルマ農民に優先的待遇を與ふべし。

(二) 鑛山勞働は主体を印度人及び支那人勞働者に置くべし。

(三) 工業勞働に關しては、ビルマ人の才幹に着目して、その敎化育成を計るべし。

然し上述せし所は、恒久的對策に通ずる部面なり、作戰終結後間もなき現在において緊急にも破壊諸施設の復舊、農村荒廢の復興肝要なり。しかも印度人及び支那人の急速なる移入困難と思はれるが故に、その間自ら緊急的な對策を講ずべきものとす。

(一) 道路の修復、工場・鑛山施設の復舊工事については、專ら補虜を利用すべし。この際にも能ふる限り、前述の趣旨に基き、印・緬・支三民族の配置につき配慮すべきものとす。

(二) ビルマ人生活の本據たる農村の復興又緊要なり。これについては、急遽ビルマ農民の歸村を誘導すべし。特に彼等にとりて桎梏たりし、印度人不在地主、或は印・支人金融業者の壓迫排除に意を用ふべし。これら敵性外國人の所有地、債權は一應皇軍にて管理し、ビルマ農民に貸與すべきものとす。

(三) 油田地帯の修復最も緊切なり。これに對しては捕虜の利用の外、不足部分につきては地方ビルマ人の強制徴募を以て充つるべし。その他勞働力供出の一般的對策として、次の諸方策を講ずべきものとす。

(一) 誘導物資の補給、素より最小限度に止むべきものなるも、緊急に修復を要すべき油田及び金屬鑛山勞働者に對しては、現地にて調達したる米を以て、食糧の物的給付を計り、能率高き者に對して、衣服（日本製純綿、人絹等）の賞與的給與を策すべきものとす。その他彼等の愛好する酒、煙草等の給與に万全の策を講ずべし。場合によりては阿片の利用も可なりとす。

(二) ビルマ人の宗教心厚きを利用して、その活用を計るべし。これにつきては、民衆の信望厚き僧侶を優遇し、宣撫工作に充つべし。その効果必ず大なるものなりと認む。

民衆の宗教的儀禮は一切これを放任すべし。パコダ（佛塔）詣りのための休業はこれを許可すべし。

(三) 娯樂及び遊戯についても大いにこれを助長すべし。映畫、演劇舞踊の夜間巡回興行を勵行すべし。映畫は新劇、演劇は舊劇を好むと言はるも、いづれも輕き喜劇的なものたるべし。遊戯としては一種の蹴球、拳闘等を愛好せり。又既に一言した如く、賭博は特に熱中するものなるにつき、これを禁止せずして適宜に活用するを可とす。

53

第五　東印度

54

目次

第一部　勞働事情

一、勞働者の性格

勞働者としては東印度人と支那人と二種あり、支那人は主として鑛業勞働者、一部の林業勞働者並に農園の高級勞働者として使用されて居り、その他は東印度人である。支那人勞働者の多くは移民であり、東印度人は勿論東印度在住者ではあるが、東印度の人口分布は甚だ不平均にして、爪哇及マドラは過剩人口に惱みつゝあるに對し、スマトラ、セレベス、ボルネオ等の外領は人口頗る稀薄で、纒つた勞力は爪哇・マドラからの移入に待つ現狀である。勞働者としての能力を見るに支那人と東印度人とでは隔段の差がある。前者は肉体的に優れてゐるのみならず、忍耐心强くして能く激しい勞働に堪え、殊に、利益を與へればよく働くが、東印度人は概して筋力弱く、精神力も薄弱で規則的勞働を好まず、經濟心に乏しい爲め收入增加を以てしても、その勞働心を充分に刺戟し得ない。加ふるに生地を離るゝことを好まず、支那人が千里を遠しとせずして出稼に行くのとは全然趣を異にする。蘭領印度時代に於ける二者勞力の配分を見るに、正にこの一般事情に適合してゐる。卽ち前述の如く、鑛山勞働者就中、坑夫は全く支那人を以て之に當て、農園勞働は東印度人に擔當せしめた。工業勞働に於ては、兩者共に使用されてゐるが、能力には著るしい差があり、殊に東印度人勞働者には缺勤が多い。一言して云へば、東印度人は怠惰であると云ひ得るが、併し無論幾多の例外はあり、且つその「怠惰」なるものは彼等の生活環境の所產で、從つて根深いことを念頭に置かねばならぬ。第一に惠まれた南洋の自然の裡に生活せる爲め、衣食の爲めに忙しく營々として働く必要が無かつた。第二に彼等が生れ育つた村落社會は、幼稚な生產技術の上に立てる自給的色彩の濃厚な經濟を持ち、從つて營利觀念が發達せず、社會制度は慣習を重しとする停滯的な封建社會で、新しきものを拒み、村民は假りに企業心を持つても之を發揮する機會が無い。加ふるに和蘭の政策は彼等を「餓えしめず、成長せしめず」といふ政策であつた等の事情が重りあつて、今日の東印度人の「怠惰性」を生むだのである。

二、雇傭制度

此の如き性格の人間を多數集めて、一定の目的の爲めに働かせるには、特別の方法が講じられなければならぬ。所謂「契約苦力」の制度が之である。契約苦力制度の要點は二つある。一つは一定年限勞働することを約束させることである。もう一つは、刑罰を以て勞働の繼續を强制することである。これは或る意味に於て强制勞働で、近年國際勞働會議に於て批難多かりし結果、蘭印政府は漸減政策を採用するに至つてゐる。亦、之が募集に當つても、何分働くことも生地を離れることも好まない人間を集めることであるから、通り一遍の方法では成績が擧らないので、嘗ては誘拐その他の相當に暗い手段で集めたものであるが、その弊甚だしく、近年は公認募集人をして募集せしめてゐるが、それでもこの弊は根治出來てゐないもの丶如くである。

強制勞働をやると云へば聞えは甚だ惡く、事實、農園・鑛山の經營者は刑罰規定を濫用し、所謂、監獄部屋の勞働者たらしめる傾が多分にあつた。殊にそれが企業利潤の爲めに行はる丶限り、道德的非難は固り免れ得ないが、強制とは云へ募集そのものに於ては何等強制がある譯でなく、旁〻前記の性格をも併せ考へれば、善惡は別として、契約勞働制の存在は、東印度開發には不可缺のものであつた。

而も東印度には、別に本來の強制勞働が少くとも二種ある。その一つは私領地に於ける地主の爲にする賦役であり、他の一つは村から強制される賦役である。前者は一ケ年に三十日內外を地主の爲めに耕作とか土木工事とか、或は地主の家庭で働くもので、之に對して地主は食事を與へるが、その內容は洵に貧弱なものである。後者卽ち村の賦役は無償で村道の修繕とか共有地の耕作とかに從事する。これ等は封建性の遺物であるが、今尚殘存し、且つ相當の程度に用ひられてゐる。以前には政府の爲にする賦役勞働もあつたが、之は近年に到つて廢止され、その一部は人頭稅に變つたが、爪哇ではこれも廢され、現在では外領に殘つてゐるに過ぎない。

又、農園、特に甘蔗栽培園に於ては收穫時には一時に多數の勞働者を要する爲め、季節勞働者として周圍の農村から人手を集める。周圍とは云つても相當に遠くからも來る。これは農園自身が人を使つて募集するものである。

東印度には上述した如く、各種の勞働者があるが、之を使ひこなすことは非常な熟練を要する。智能低く勞働心に乏しい者に勞働させるといふことそのことが既に難かしく、良く彼等の氣分、思想、慣習等を知つてゐなければならない。その上、案外にずるくて、仲〻使ひ手を見る力がある。使ひ手が仕事に暗いことがわかると早速之を輕蔑し仕事を誤魔化すので監督には相當骨が折れる。從來、歐米人は苦力頭（マンドール）

57

を使つて彼等を使役してゐる。その反面、一度信服すれば從順に働くことは、他地の低度民と異らない。その邊のコツが仲〻むづかしいので、下手に毆つたりして一度彼等をして「仕方がない」と云はして了つたら、もう働かない。「仕方が無い」といふのは沒我子といふ樣な意味で、一種の諦めの言葉だが、東印度人はよくこの言葉を使ふ。「仕方がない」と思つて働くのならよいが、その反對だから洵に困るのである。

三、生活狀態

一般勞働者の生活は云ふ迄も無く低い。賃銀は仕事の如何、男女の差、契約苦力なりや自由苦力なりやによつて相違するが、大東亞戰直前の頃でボルネオ農園の苦力が男三十七仙、女三十一仙見當が普通であり、爪哇は之よりも幾分安い。支拂は月二回が普通である。從つて生活は非常に單純で米を主食とし、副食物としては乾魚、鹽魚に多少の野菜等で、調味料としては鹽、唐辛子、椰子油を用ゐる。嗜好品としてはコーヒー、茶、煙草の程度である。給與の方法は全部貨幣で與へる場合と、一部を現物で支給する場合とある。鑛山及外領農園等には後者が多く、爪哇農園では前者が多い。この區別は勞働者の働く場所が、需要品購入に便利なる場所なりや否やによつて定る。現物支給の場合には米は一ケ月男三十數立、女三十立見當である。現物支給の方法は經營者直營の販賣店によるものと、概ね華僑經營の賣店によるものとある。衣料としては木綿のシャツ及びサロンを一、二枚有する程度であり、寢具と云へば蚊帳と茣蓙一枚である。かゝる低い生活の反面、娛樂に關しては非常な關心を有する。その第一は賭博である。賭博に對する彼等の興味は驚く可きものがあり、之が爲めには長年に捗る苦力生活から貯蓄したいはゞ彼等の甦出資金を一夜に失ふことをも敢てする。次には音樂と踊りである。每夜の如く卽製の樂器を奏でて民踊を踊る彼等の姿は、恰も明日の勞苦を忘れてゐるかの如き感が

58

ある。その他、スポーツも亦彼等の好むところで、フットボール、運動會の如きは最も喜ばれる。

（附表）

鑛山勞働者數

	監督者數 歐洲人	監督者數 其他	勞働者數
錫	三七七	六八四	二一、四九〇
石炭	一七二	三五二	七、九六八
金・銀	一四四	七六	五、四三〇
石油及天然ガス	一、一三九	一、〇二〇	三〇、八四九
計	一、八三二	二、一三二	六五、七八二

（註）錫に就きては一九三八年。其他は一九三九年。

外領に於ける農園苦力數

	農園數	苦力數 支那人	苦力數 ジャワ人 男	苦力數 ジャワ人 女	其他の民族を含む合計
一九三七年	四九二	三二、三三九	一九八、三一二	一〇一、五九一	三三九、六五六
一九三八年	四九五	二六、〇六七	一九三、一八六	一〇一、二九三	三三二、四三九
一九三九年	四八四	一九、〇八三	一〇五、四一七	二〇、〇二三	三三三、九三六

工場及仕事場勞働者數（工場法の適用を受くるもの）

	歐洲人	東印度人 計	東印度人 女	支那人	計
西部爪哇	一、六三九	三六、八六三	一〇、六二五	二、六四二	四一、一四四
中部爪哇	五七八	二三、六五五	三、五九四	七七二	二五、〇〇五
ジョリジャカルタ	一六〇	七、〇九五	一、五二六	一五三	七、四〇八
スラカルタ	二一九	五、四三五	三〇〇	一一七	五、七七一
東部爪哇	一、〇八四	四四、七八〇	九、七二三	九八四	四六、八四八
爪哇・コドラ計	三、六八〇	一一七、八二八	二五、七六八	四、六六八	一二六、一七六
外領	七九九	二三、五八三	三、三一三	四、四三二	二八、八一二
計	四、四七七	一四一、四一一	二九、〇八一	九、一〇〇	一五四、九八八

（註）一九三四年の統計。新しき數字の發表なし。

第二部　勞力對策

以上の一般勞働事情から、勞力對策が考慮されるが、この際の對策は、大東亞戰完遂を主眼とするもので、民生向上は之を他日の問題とすべき――との方針の下に考ふべきものと信ずる。以下の勞働對策は總てこの方針を前提としてゐることを了承されたい。

一、勞力供出對策の根本は、彼等の必需品を與へることである。これは自明の事であるから説明を要しないが、今後吾方の對南輸出が當分の間充分なるを得ないと推定されるので、配給に特殊の考慮を拂ひ勞力供出者に對しては特に配給を行ひ、又、品物によつては特別輸出を行ふことも考慮せらるべきである。必需品としては前記の米、鹽、乾鹽魚、調味料及び綿布製品であるが、スポーツ用品例へばフットボールの球の如きものも出來れば與へるべきである。物が與へられなければ、他の百般の勞力對策も總て無效に歸すべきを銘記せねばならぬ。

二、勞働者募集對策

自由勞働者の募集には、特殊の知識手腕を要する場合多きを以て、從來之に從事せる者を極力利用する方途を講ずること。又、前述せる村落强制勞働制の如き封建的慣習を利用し、村の長老を適當に使つて勞力を供出せしむること。

三、宗敎心に訴へること。之が爲め、同敎僧侶の利用は多大の効果あるものと考へられる反面、新しき宗敎を現地へ持込むことは、當面、之を抑壓すべきものである。

四、娯樂を尊重すること。吾々の高い文明文化から見ての批判は暫く之を他日に讓るべきこと。

五、眞に不得止る場合の外、現地の慣習を利用すべく、之が改廢は最も愼重なるべきこと。

六、(ロ)に述べたるもの以外、必要あらば强制勞働を行ふこと。土着民と雖も强制勞働は之を喜ばないが、封建性の强い南洋社會の住民に

61

對しては、或程度强制が必要であり、之が彼等の心理に及ぼす不快感は、高度文明國民に對する如きものではない。現に今次世界大戰の勃發以後、蘭印政府は食料自給策として稻の强制栽培を行つたが、結果は良好と報告されてゐる。殊に、棉花の如き新しきものを栽培せしむる場合には、技術的にも放任し得ざるものであるから、指導を兼ねての强制は充分に理由あるものである。

以上各種の對策を併用して極力、勞力の供出保持を圖ることが肝要であるが、一つ注意すべきことは、爪哇が人口稠密であるところから、漫然と勞力過剩と考へ、供出對策を過度に强化し、以て稻作等の現地住民の必需品生産を阻害するの結果を招かざらんことである。

爪哇は明かに人口過剩であるが、その意味は爪哇の生産を以ては爪哇住民を養ひ得ないといふことで、必ずしも現在の生産を維持するに現在の人口では多過ぎるといふ意味ではない。特に農業に於ては必要勞力の季節性が强いから、例へば平常は勞力が餘つても、收穫時には餘らないといふことがある。現に爪哇に於ては稻刈には相當の遠距離から應援の刈手が集つて來る。從つて勞力供出に就いてもこれ等の點に充分の考慮を拂ひ、餘剩勞力の利用を圖ることを要する。但し全体として勞力が或る程度過剩であることは、離村者の都市集中傾向があることから推定し得る。

62

第六　比律賓

目次

第一部　勞働事情

一、勞働人口

最新の人口調査たる一九三九年一月一日現在の調査數字に依れば、比島勞働者總數は五百三十一萬九千百七十三名なり。內農業勞働從事人口最も多く、其の割合は勞働者三人の中二人の割合なり。而して、農業、鑛業、林業、製造業關係の勞働者數が全數の八〇%以上に當る。

農業勞働者數を內譯すれば、半數以上は米作に從事し、次いで玉蜀黍、椰子、砂糖產業の順位なり、勞働人口の詳細は、附錄(1)、(2)、(3)參照。

而して比島は米國領土なりしため、强制勞働の習慣全くなく、政府は寧ろ米國と同等の勞働形式を目指して立法の基準となし來りたる結果、一般賃銀勞働者は勿論、農業勞働者に於ても、その勞働形態並びに思想は民主主義的なる特徵を有す。右は、佛印或ひはジャワ方面に於ける强制勞働の習慣殘存せる地域と大いに異なる處にして、勞働對策樹立に際して、大いに考慮を要する點なるべし。

二、過剩勞働力所在地

過剩農産物の減産或ひは産業轉換に依りて生ずべき新規發生過剩勞働力は別として、從前のノールマルなる狀態に於ける、過剩勞働力所在地、即ち勞働力の源泉は一應地域的に分類するを得べく、更らに之を鑛業關係勞働力及び、農業及び土木關係勞働力に分類するを得べし。各項の詳細は、夫々對策要綱案の部に於て記述するも、概括的に言へば、鑛業關係勞働力は殆んど其の九割迄南北ルソンに在り、農業關係及び土木事業關係に要する勞働力の源泉は主としてヴィサヤ諸島（セブ、アンチケ、イロイロ、カピス等）にあり。之は同諸島人口が、土地及家屋所有者最も少く從つて浮動性多きを主要原因とするものにして、移住、出稼勞働の經驗も最も多し。

三、勞働の質

比島の勞働者は之を一般賃銀勞働者と自作及小作農を中心とする農業勞働者に二大別せられ、前者に對しては最低賃銀制及び八時間勞働法等の保護規定が適用されるも、後者に對しては適用なし。然し、何れの部門に於ても、其の勞働の質は低く極めて不生産的なるを特質とす。

一例を示せば、ジャワの砂糖は一陌當り二百三十擔以上の收穫なるに比島砂糖はせいぜい七十擔の收穫にしてその約四分の一弱を出でず、之は一方に於て、灌漑設備、品種の改良等社會的施設に於ける缺點が原因なるも、主として勞働の不生産性に起因するものなり。然も、勞働法規は勞働能率の低きにも不拘、表面的にはアメリカかぶれの形式を採用し、八時間勞働制及び最低賃銀一ペソの適用を法律的に强要せる結果、生産費がジャワ邊りに比較して倍以上となり比島砂糖の市場獲得に大なる支障を來すものなり。

米作に於ける不生産性も亦好例なり。即ち比島米作面積はその適地二百萬町步もあるに不拘、收量は日本の四分の一に過ぎず。之を反當收量にて比較するに、日本に於ては東北地方より北海道を加へての平均が一反步當り二石余なるに、比島は平均五斗なり。即ち日本の四分の一、或ひは日本の優良地に對しては八分の一に過ぎず。若し日本式の米作を行へば、現在の栽培面積を以て十分賄ひ得るにも不拘、その不生産性の故に自給不可能なる現狀にあり。尤も比島米作不振の原因中には農民の無智に乘じて不當の搾取を行ふ地主及び仲買人の存在を看過するを得ず。即ち、米作不振の原因として農村經濟機構の作用甚大なるを認め得べきも、之を米作技術及び國民性に限定して見るも、その原始的技術並に本來の怠惰性に起因する不生産性は嚴然たる事實なり。而して、斯る勞働の不生産性が比島經濟に及ぼす影響は甚大なるものありと思考せらる。

四、勞働賃銀

勞働賃銀の高低は勞働者の技能に相違して上下するのみならず、都會地と地方、勞働力豐富なる地域と稀少なる地域に依つても自然的相違あり。更に從事産業の種類を異にするに從つて相違あるも、概觀的に言へば、他の南洋諸地域の勞働賃銀率に比して、絕對的には相當高きものと言ふを得べし。

之はコンモンウエルス政府の採用せる形式的勞働保護政策、勞働立法の形式的アメリカ化主義に依る所多く、特に一九三九年以來は、八時間勞働法及び最低賃銀一日一ペソなる規定及び其他の保護法規（附錄參照）が制定せらるゝに至りて、此の傾向は强化せられたり。

然れども、實際の平均賃銀は政府指定の最低賃銀より低きものの如し。一九三九年以來の勞働爭議に於て、最低賃銀要求が爭議理由の大半を占むるもその一證左と思考するを得べし。

比島勞働省調査に依る一九三八－三九年度に於る平均勞働賃銀は、勞働者全般を通じて平均日收約六〇仙なるも、産業別内譯は次の如し。

鑛業關係		一比强
製糖工場、製材工場、運輸會社	約	一比
葉巻煙草工場	〃	四〇仙
甘蔗農場勞働者	〃	四〇－五〇仙

他方、普通農業勞働は最低賃銀制及八時間勞働法の適用外にあり、地主との歩合契約に依る作男の形式に於て收入を得るを常とするが、右勞働者の調査に於ては、米作期間五ヶ月として約一二五比乃至一三〇比の收入なりと計算さる。即ち一ヶ月平均約三十三仙、之に副收入を加へて年收二〇〇比以上には出でざるものと計上され居れり。

又勞働省發表マニラ賃銀統計によれば同年度男女勞働者總數の四割二分は一比以下、一比－一．二〇比が一割七分、二比以上の者一割四分となり、右は、勞働者中五割九分が政府指定の最低賃銀以下なる事實を示せり。

米商務省發行の比律賓經濟月報に依れば、一九三九年度及一九四〇年度の平均賃銀は一九三八年度に對して約五％高上せり。（州別勞賃の詳細は附錄(4)參照）

五　生活狀態

生活狀態に於ても、一般賃銀勞働者と農村勞働者間には形態を異にするも、生活程度の惡きことは普遍的事實なり。

(1)賃銀勞働者就中都市賃銀勞働者の貧困は、民族性に由來せる貯蓄心の缺如及び享樂性の强度（生活程度の高さを含む）に起因する所相當大なるも、彼等の生活形態が商品經濟社會の上に置かれ居る結果、主として收入額と物價との相對關係より生ずる實質賃銀の低下に基くものなり。最近に於ける實質賃銀低下傾向の一例を示せば前述の如く、一九三九年度及一九四〇年度は一九三八年度に對し、賃銀に於て約五％の高上を示したるに對し、生活必需品物價は、一九三九年度に於て五％乃至一〇％の騰貴をなせる（在マニラ總領事報告）模様なり。尚、比島統計局發表數字に基き、自一九三五年至一九三九年主要食料品價格及家賃騰貴狀況を示せば、食料品に於ては、最低二仙－四〇仙（一〇％－六六％）の騰貴を示し、家賃に於ては、一ヶ月十八比乃至二〇比のものは二〇比乃至二五比、二〇比乃至二五比なりしものは三〇比乃至三五比に騰貴せり。

尚、皇軍比島占領後の情報として傳へらるゝ所に依れば、最近マニラに於て、一般購買力の急激なる低下と其の上に發生せる特殊なるインフレ現象の現出しつゝあるものゝ如し。即ち、輸入品及び國産生活物資に於ても、靴、衣服等の不急物資の價格は比較的値上を見せず、バナナ價が法外の騰貴を示しまた戰前二仙のマッチが急激に十五仙に値上りせりと傳へらるるが、之は生活必需品個々に於ける地域的數量不足或は一般的不足に起因して起れるインフレの現れなると同時に、不急物資の騰貴薄は一般購買力の貧困を示すものと見られ、斯る情勢を基礎に推測するも、都市勞働者の生活は最近一層動搖せるものと思はる。

因みに、戰前一九四〇年八月勞働局調査せる都市賃銀勞働者家計調査の結果を示せば次の如し。即ち比較的生活程度の高き事を知り得べし。

調査勞働者數	七五九家族	
一ヶ月平均支出額	三四・八三比	
支出内譯		
食費	二〇・一四比	（五七・八二％）
住居費	三・七二〃	（一〇・六八％）
衣服費	一・七八〃	（五・一一％）
燃料、水道費	三・一六〃	（九・〇七％）

雑　貨　六・〇三〃（一七・三二％）

食費内譯

米及魚類　四七・二三％

獸　肉　一〇・八三〃

(2)農業勞働者は、農園に雇傭さるゝ勞働者と小自作農或は小作農たる所謂農民とに區別せらる。農園勞働者の收入は、統計に依れば、大体、農園收入の外に副收入としての出稼賃銀收入を加へ漸く生計を營むもの丶如し。小自作農及び小作農の收入は、地主との歩合契約に依る作物收入にして、之を賣却して金錢を得、必要商品を購入するが、地主或ひは雑貨商人たる金貸（カシケ）の暴利に苦しめられ、其生活は極度に貧困なり。カシケに對する暴利取締令は存在し、不動産擔保貸の利子は年一割二分、其他は一割四分と規定されあるも、事實上は農民の無智と弱身に乘じて二〇割乃至三〇割に及ぶもの多く、中には半年にして元金の五倍になるものさへ稀ならずと言はる。

米作農民は、副食物たる野菜及び家禽を栽培或は飼育し、概して自給自足の生活を營む。

六、勞働爭議、勞働組合、失業者（比律賓經濟月報ニ依ル）

(1)一九四〇年度爭議狀況

勞働爭議

件數一五八（内實際爭議三五件）（前年比六四件減）

參加人員一八、七二八人（前年比九、三七六人減）

内、勞働者側の有利に解決せるもの一一五件爭議理由に依る件數内譯

賃銀値上　四三件

賃銀引下反對　一

勞働時間引下　一八

69

小作爭議

件　數　一、二七〇（前年比　六〇件增）

參加人員　四、三七一人（前年比四一四人增）

内小作人側の有利に解決せるもの九八一件爭議理由に依る件數内譯

收穫の公平分配　七六二件

月給不拂反對　一二〇〃

(2)勞働組合數

年次	中央組合	支部	人員
一九三七	一六	ー	七、五九四
一九三八	八〇	一〇八	四六、四五六
一九三九	一六九	一八二	八四、〇一三
一九四〇	一九四	一九七	九六、八七七

右の外未登録組合百余あるものと言はる。

(3)失業者數

一九四〇年（二〇才ー六五才）

約五〇萬人。内三萬五千人は在マニラ市。

（州別失業者數ー附錄(5)參照）

第二部　勞力供出對策

一、一般對策（土木工事の增進）

土木工事の增進は、日本側及び比島勞働者側双方にとりて有無相通ずるの途にして、差し當りての勞働對策としては重要なる地位を占むるものなり。日本軍にとりて、土木工事が目下の急務なること言を俟たざる所なるも、一方比島勞働者にとりても、從來土木工事は、彼等の副收入を得るための最大の源泉にして、引いては不定期失業に對する唯一の救濟場所たりし事情に鑑み、現下の日本軍にとりては、土木

70

工事に勞働力を吸收することは、强制勞働に依らずとも比較的容易なるものと思はる。

右に關する諸條件を列擧すれば左の如し。

(1)能率は低級なるも數量豐富なること。

(2)單の土木工事を必要とする諸都市近郊に、平均的勞働力豐富なるため、比較的勞働者の移送を必要とせず、從つて移送の場合に於けるが如き諸設備を要せざること。

(3)都市近郊の勞働者は、大体從來より土木工事の經驗者たるもの多きこと。

(4)從來土木工事には請負制の慣習あるため、當該地域の親方を使用するを可とす。

(5)砂糖及び椰子產業方面より生ずる過剩勞働力は、適當なる產業轉換に依り適正なる吸收方法を講ずべきも、差し當つての失業に對しては、成る可く近接地域に於ける土木工事に動員し以つて生活保障の途たらしむるを要すべし。

二、宗敎及び娯樂的對策

(1)比島人は大半キリスト敎徒なるを以て、日曜日には敎會に通ふ慣習あり。從つて成る可く此の宗敎的慣習を無視せざるのみならず、形式的には尊重せる態度を示すを可とす。宣撫工作上有效なる右態度は勞働能率にも影響する所大なりと思考せらるが故なり。

(2)比島人は「飮む打つ買ふ」の享樂的人種なるも、飮酒の習慣は比較的少く、從つて酒の供給は必要なきも、ハイアライ、鬪鷄、競馬等は熱中の對象なれば、之を利用することは、インフレ對策の見地よりしても有效ならん。

尙、ダンスは特に比島人の熱中するところなり。尤も之はアメリカかぶれの弊風にて、將來は矯正すべきものなるやも知れずと雖も、差し當りては、勞働力保持の方策的見地より、從來の慣習に從ひて、勞働者慰勞ダンス會の開催を計るも一策なるべし。

三、勞働力誘導物資

前述の如く、酒類の給與は特に必要なきも、コーヒー及び煙草は嗜好品なるに付、給與を必要とす。尙、勞働供出に對する誘導物資としては、比島人が性格的にオシヤレにして身邊裝飾品を取り分け喜ぶ傾向あるため、假令品質は惡くとも、靴、ネクタイ、靴下、ハンケチ等特に華美なるデザインの品を與ふることが極めて有效なり。

右傾向は、都市勞働者の場合に限らず、鑛山勞働者の場合に於ても、敎會通ひと共に顯著なる特色なり。

但し、米作農民に對する米供出の對策物資としては、綿糸及び鹽を最も有効物資とす。之は、米作農民の生活が極めて低度なる上、大体自給自足の生活形態にして、衣服も自ら織る習慣なるも、只織布の原料たる綿糸及び鹽は、購入するを要し、且つ必需品たる關係上、欲望大なればなり。

四、鑛山勞働對策

鑛山勞働の場合は各種鑛山に依り、多少とも技術的相違ある故、可及的に既存從業員を使用するを便とするは勿論なれど、新たに勞働者を募集する場合は、成る可く近接地の親方に對して勞働者の募集方を命ずるを得策とす。何となれば、鑛山勞働の慣習は、從來、親方に對する請負制契約を主とするを以つて、親方相互の間に繩張り關係が存在すればなり。尙、成る可く近接地より募集するを得策とする理由は、輸送及びそれに關聯する諸種の手續並に設備上の煩雜を避けるを得、更らに、多少とも生活形態の相違より生ずる各種の摩擦を回避し得るためなるは勿論、比島鑛山に於ては、全家族同伴する習慣あるを以て、輸送並びに、住宅設備に支障を來たすことあればなり。

慣習に依れば、遠方より勞働者を導入せる場合は、食料雜貨の販賣店を經營するも、該地域勞働者雇傭の場合は、右施設無きものゝ樣なり。

不熟練勞働者一日賃銀は約七五仙乃至八〇仙、トラックに依る鑛產物運賃（請負制多し）は一噸一粁當り平均約二三仙見當なり。（因みに、比島鑛業の有利なる原因は、勞賃が比較的低廉なる上、鑛區が總て積出港に近く運送費低廉なる點なり。一例として滿俺生産費平均を示せば、一九三八年頃の安價時代に於て、山元生産費瓲當約五比、積出港迄運賃一比余、全生産費六比强、販賣價格一九比。生産費に對する賃銀の割合七五%）次いで、鑛山勞働者の全國的分布狀態を見るに、南北ルソンが最大地なり。一九四〇年度統計を示せば次の如し。

北部ルソン	一七、八七五人
南部ルソン	一一、四二七
中部ルソン	二、九二四
マスバテ、サマール	四、五〇五
ミンダナオ	四、一三七
其他	二、〇六〇

右の中最も有望なる地域はバギオ金山地域なるも、目下、該地域は治安未だ回復せざる趣なれば、止むを得ざれば、他地域の過剰勞働力を移送する等對策考究の必要あり。

五、農業勞働對策

農業勞働に對する對策の主眼は、勞働力の供出に非ずして、米作を中心とする主要農産物增産を通じての作物供出を目的とする勞働の整備なり。唯、過剰農産物減産に依りて生ずる失業勞働者對策の問題は隨伴すれども、右對策の主點は、過剰勞働力を差し當つて可及的に米作及び玉蜀黍生産に轉向せしむるに在り、殘余は適當に土木其他の臨時勞働に振り向けるを目下の緊急對策とすべし。尙、(イ)(ロ)(ハ)の一般的對策項目は當然適用さるべきものなるを以て、特に農業勞働に對して採用すべき技術的對策としては次の如き項目を擧げるを得。

(1) 品種の改良等の、農民の勞働を急激に大ならしむることなくして、容易に且つ必然に增産を結果するが如き指導。

(2) 季節的勞働の移動に對する調整

從來、地域に依り、米作及び甘蔗栽培に於て、植付期及收穫期に出稼勞働を雇傭する習慣あり、之は一方に於て、農業勞働者の季

節的失業に對する自然的救濟慣習でもありしため、此の移動の經路及時期を意識的に調整する必要あり。若しこの調整を誤れば、勞働力配置に關して有害なる混亂を招來するやも圖り難し。左の統計は古く現狀を知るには不適當なれども、何等かの參考迄に引用すれば、勞働の季節的移動狀態は次の如し。

即ち昭和七年の政府統計に依れば季節的移動勞働者總數は六〇萬人と計上され、移動經路及時期は左の如し。

○北部ルソン煙草栽培地は一月—五月（植付及收穫）に約二千人の勞働者を兩イロコス州より移入。勞賃（一〇—二〇%の現物分前）

○パンガシナン、タルラク、ヌエバ・エシハの米作地は植付、收穫期に同樣他州勞働者を移入す。

○イロカノ州では米が早期熟するため、製糖期にパンパンガ、ラグナ州甘蔗栽培地へ移動す。

○中央ルソンは道路よく、植付、收穫には約五千人が移動す。供給地はイロカノ、ラウニヨン兩州。

○西ネグロスの甘蔗栽培地に於ては、十一月—四月の製糖期に甘蔗畑勞働として數千人、アンチケ、イロイロ、セブより移動。

○タヤバス、ラグナ州椰子園はバタンガスから勞働者を移動す。

○中央ルソン及東部セブーのアバカ栽培は勞働力充分。

○乾燥期には、セブ、ボホール、シキホールよりミンダナオの椰子、アバカ栽培に少數移動。

即ち、移動勞働者募集適地としては、

(1) ルソン島—イロコス、ノルテ、イロコス、スール、パンガシナン、タルラク各州

(2) ヴイサヤ諸島—セブ、アンチケ、イロイロ、カピス各州、あるも、特にヴイサヤ諸島が適當なり。

（理　由）

(イ)人口稠密
(ロ)土地所有者少數
(ハ)移住習慣性大
(ニ)移住地域への運賃がルソンより安價なること
(ホ)農、工業が比較的不發展なること

次いで、移住勞働者募集に制限を附すべき地域としては、マニラ、西ネグロス、東ネグロス、パンパンガ、ブラカン、ラグナ、サマール州等なり。

（理　由）

農工業發達し、勞働力を常に必要とすること。

この募集適地は、(イ)の土木工事に關する勞働力募集に於ても參考とすべきものなり。

六、種族別對策

或るゴム園に於て雇傭せる各種族勞働者を基準として觀察せる種族別勞働能率調査に依れば、ボホラノ（ボホール島、セブ島に多し）及びイロカノ族（イロコス州に多し）が最も勤勉にして信頼するに足り、モロ族、ヤカン族は、余り信頼するに足らずとあり、信頼するに足らずとは、一日中働くを好まず、勝手に逃亡するの意味なり。從つて、午前の勞銀七〇仙、午後四〇仙、一日勞働なれば八〇仙乃至一比といふ規定を設くる場合あり。此點も考慮を要する處ならん。

尚、ルソン島住民は基督敎徒を主とするが爲めに、宗敎上の對策を特に必要とするも、ミンダナオのモロ族は性格單純にして、比較的臺灣蕃族と類似せるため、臺灣に於ける經驗を適用するを得べし。

75

附録一

産業別勞働者數

産業別	十歳以上の勞働者 數	百分率
農業	三、四五六、三七〇	六五、〇
家内及對人業務	※三三〇、七六四	六、二
專門技術及娯樂	一〇三、四一五	一、九
公共事業	四九、六二〇	〇、九
漁業	一八〇、五六九	三、四
林業及狩獵業	二六、八二〇	〇、五
鑛業及採石業	四七、〇一九	〇、九
製造工業	六〇一、三三五	一一、三

76

通信運輸	二〇三、五九六	三、八
事務員	四八、八九九	〇、九
商業	二七〇、七六六	五、一
總計	五、三一九、一七三	一〇〇、〇

※　主婦を除く

（一九三九年度人口調査報告書）

附録二

農業人口内訳

産業及職業	人口 男子	人口 女子	人口 計
農業計	二、九八一、五五一	四七四、八一九	三、四五六、三七〇
自作農及農地所有者	一、五五二、二七七	六四、〇九〇	一、六一六、三六七
アバカ	五三、六二六	一、三〇四	五四、九三〇
椰子	一四一、六三五	八、二九二	一四九、九二七
玉蜀黍	三一〇、〇九九	一六、二九八	三二六、三九七
果樹	六、二八一	四四六	六、七二七
牧畜及養禽	三、四〇七	五三三	三、九四〇
米	八八二、二四九	二五、五二五	九〇七、七七四
甘蔗	二六、六一四	六六五	三〇、二七九
煙草	二三、四三〇	一、一二三	二四、五五三
其の他	一〇一、九三六	九、九〇四	一一一、八四〇
農業労働者	一、四二九、二七四	四一〇、七二九	一、八四〇、〇〇三
アバカ	九五、七八四	八、〇五〇	一〇三、八三四
椰子	一三五、二一四	一一、九〇四	一四七、一一八
玉蜀黍	二四五、六五〇	九四、一〇二	三三九、七五二
果樹	五、七四四	一、二四八	六、九九二
牧畜及養禽	一五、三四三	一、四七六	一六、八一九
米	六二六、五〇五	一九三、二三六	八一九、七四一
甘蔗	一六五、六九二	二一、〇三五	一八六、七二七
煙草	一八、八七八	六、四五五	三五、三三三
其の他	一二〇、四六四	八三、二二三	一八三、六八七

（一九三九年度人口調査報告）

77

附録三

産業別婦人労働者數

産業及職業別	婦人労働者（主婦ヲ除ク） 數	婦人労働者（主婦ヲ除ク） 百分比
農業労働者	四一〇、七二九	三七、三
家事雇傭者	一九五、六三四	二七、七
料理人	一一、二二一	一、〇
女中	三七、六八三	三、四
洗濯婦	六〇、五六七	五、五
召使（種別不詳）	八六、四六三	七、八
刺繍及婦人服裁縫業	一一一、一八〇	一〇、一
小賣業	七六、七六七	七、〇
農業及農地所有	六四、〇九〇	五、八
土地織物業	五四、七八七	五、〇

78

家校教師	二六、四〇一	二、四
敷物製造業	二六、一九八	二、四
販賣係雇傭者	二〇、七三一	一、九
帽子製造業	二〇、四四八	一、九
其の他	九四、一八四	八、六
總計	一、一〇一、一五二	一〇〇、〇

（一九三九年度人口調査報告）

附録四

州別勞賃（單位ペソ）

(イ)

州別	農業 男子	農業 女子	農業 幼年者	製造業 男子	製造業 女子	製造業 幼年者
フイリツピン	〇、六三	〇、四二	〇、二九	〇、八〇	〇、四二	〇、二九
アブラ	〇、四三	〇、三〇	〇、二三	〇、七二	〇、三九	〇、三二
アグサン	〇、五五	〇、三七	〇、二八	〇、七〇	〇、三〇	〇、二〇
アルバイ	〇、五一	〇、三〇	〇、二〇	〇、八〇	〇、五三	〇、三三
アンチケ	〇、四五	〇、二九	〇、二〇	〇、四七	〇、二九	〇、二〇
バターン	〇、八〇	〇、四九	〇、三二	一、〇七	〇、五〇	……
バタネス	〇、七〇	〇、五八	〇、四二	〇、七五	〇、七五	〇、五〇
バタンガス	〇、七四	〇、四九	〇、三五	〇、九四	〇、六二	〇、三九
ボホール	〇、五〇	〇、三〇	〇、二一	〇、六〇	〇、三七	〇、二五
ブキノドン	〇、六四	〇、四二	〇、二三	……	……	……
ブラカン	〇、八〇	〇、五三	〇、三二	〇、九四	〇、五九	〇、三七
カガヤシ	〇、六八	〇、四五	〇、三一	〇、七六	〇、五〇	〇、四〇
北カマリネス	〇、七〇	〇、四二	〇、二九	〇、七〇	〇、六〇	〇、五〇
南カマリネス	〇、五二	〇、二六	〇、一六	〇、六八	〇、四九	〇、二七
カピス	〇、五四	〇、三六	〇、二五	〇、七二	〇、五〇	〇、三二
カビテ	〇、七七	〇、五五	〇、三三	〇、八八	〇、六六	〇、四〇
セブ	〇、三八	〇、二八	〇、一八	〇、五八	〇、四〇	〇、三七
コタバト	〇、六一	〇、四七	〇、三三	〇、八〇	〇、五〇	……
ダバオ	〇、七五	〇、五〇	〇、三二	一、四六	一、〇〇	……
北イロコス	〇、六九	〇、四七	〇、四〇	〇、六九	〇、四五	〇、三二
南イロコス	〇、五六	〇、三八	〇、三一	〇、六六	〇、四〇	〇、二九
イロイロ	〇、五二	〇、三六	〇、二六	〇、七三	〇、五〇	〇、三〇
イサベラ	〇、八一	〇、五五	〇、三二	〇、八〇	〇、四五	〇、三〇
ラグナ	〇、八〇	〇、五〇	〇、三三	〇、八二	〇、五九	〇、四六

79

(ロ)

州別	農業 男子	農業 女子	農業 幼年者	製造業 男子	製造業 女子	製造業 幼年者
ラナオ	〇、五八	〇、六〇	〇、三八	〇、八二	〇、七〇	〇、五〇
ラ・ウンオン	〇、六八	〇、四七	〇、三二	〇、六八	〇、三五	〇、二五
レイテ	〇、四四	〇、三〇	〇、二二	〇、五九	〇、三九	〇、二六
マニラ市	〇、六八	〇、三八	〇、一八	〇、九〇	〇、三八	〇、二〇
マリンヅケ	—	—	—	一、〇九	〇、七五	〇、五三
マスバテ	〇、六八	〇、三〇	〇、三〇	一、〇七	〇、四〇	〇、二五
ミンドロ	〇、八〇	〇、四八	〇、二八	〇、七二	〇、三九	〇、二二
西ミサミス	〇、六六	〇、四三	〇、三一	〇、六二	〇、四五	〇、三三
東ミサミス	〇、五一	〇、三五	〇、二〇	〇、九〇	〇、六五	〇、二〇
マウンテン	〇、五三	〇、四〇	〇、二五	一、〇〇	〇、八〇	—
西ネグロス	〇、六七	〇、四九	〇、三三	〇、九四	〇、六四	〇、五四
東ネグロス	〇、四三	〇、三一	〇、二二	〇、五〇	〇、四二	〇、二〇
ヌエバ・エシハ	〇、六四	〇、五二	〇、三八	〇、九九	〇、六八	〇、四四
ヌエバ・ビスカヤ	〇、七二	〇、五一	〇、三五	〇、八〇	—	—

80

バラクン	〇、五一	〇、三三	〇、二二	〇、五〇	〇、八〇	〇、三〇
パンパンガ	〇、八一	〇、五七	〇、四〇	〇、八〇	〇、六〇	〇、三七
パンガシナン	〇、六八	〇、四八	〇、三六	〇、八三	〇、六一	〇、四一
リサール	〇、八二	〇、六〇	〇、四六	一、〇二	〇、八一	〇、五六
ロンブロン	〇、五〇	〇、三二	〇、二〇	〇、八〇	〇、七〇	〇、五〇
サマール	〇、五二	〇、三二	〇、二二	〇、四七	〇、二七	〇、二〇
ソルソゴン	〇、四四	〇、二五	〇、一六	〇、六八	〇、三三	〇、二三
スール	〇、五八	〇、三三	〇、二五	一、〇〇	―	―
スリガオ	〇、六九	〇、四五	〇、二七	〇、六〇	〇、四二	〇、二〇
タルラク	〇、八四	〇、六四	〇、四七	〇、九三	〇、七二	〇、七二
タヤバス	〇、七八	〇、五一	〇、三九	〇、八八	〇、七〇	〇、四八
サンバレス	〇、七一	〇、四七	〇、四三	〇、七九	〇、五六	〇、四二
サンボアンガ	〇、六八	〇、四〇	〇、二八	〇、八四	―	〇、五六

(Bulletin of Philippine Statistics No4. 1939)

附録五

州別失業者（農夫及季節勞働者を除く）

州別	數	州別	數
合計	四七〇、三二二	レイテ	一八、六九七
アブラ	一、六四八	マリンヅケ	三、一一三
アグサン	一、一八七	マニラ市	二〇、〇〇〇
アルバイ	四、七二六	マスバテ	五、〇五〇
アンナケ	三五、四九三	ミンドロ	七、六〇四
バターン	二、三四六	西ミサミス	四、一五〇
バタネス	一〇	東ミサミス	一、六四〇
バタンガス	九、九九一	マウンテン	八、七一六
ボホール	一三、八五八	西ネグロス	二九、九六六
ブキドノン	六、〇八七	東ネグロス	九、四五二
ブラカン	一〇、一二九	ヌエバ・エシハ	八、〇一八
カガヤン	七、八七八	ヌエバ・ビスカヤ	三、〇七八
北カマリネス	一、四七〇	パラワン	一、七二〇

81

南カマリネス	三五、四九三	パンパンガ	一〇、一一九
カピス	一六、三三二	パンガシナン	一九、七四〇
カビテ	一〇、三四一	リサール	二三、六二〇
セブ	四一、五八四	ロンブロン	一、〇八一
コタバト	一、二七五	サマール	二八、八一六
ダバオ	二〇八	ソルソゴン	二、七九〇
北イロコス	一、七五二	スール	五、五五〇
南イロコス	一六、九六四	スリガオ	三、二一三
イロイロ	二七、〇八〇	タルラク	五、九一一
イサベラ	七三二	タヤバス	八、六六五
ラグナ	八、八八九	サンバレス	四、一六六
ラナオ	八八七	サンボアンガ	五、五四二
ラウニオン	四、九四一		

(Bulletin of Philippine statics, No4 1939)

附録六　「勞働法規」

八時間勞働法（一九三九・六・三發布）

（コンモンウエルス法第四四四號）

第一條　本法ハ之ヲ八時間勞働法ト稱ス。

第二條　他人ニ雇傭サレタル者ノ法定作業日ノ勞働時間ハ一日八時間ヲ起ユルコトヲ得ズ、作業繼續的ナラザル場合ニ於テ作業ニ従事セザル時間ニシテ其ノ就働地ヲ離ルル事ヲ得、而シテ完全ニ休憩シ得ル時間ハ之ヲ算入セズ。

第三條　本法ハ公私ノ如何ヲ問ハズ其ノ産業竝職業ニ雇傭サルル凡ユル者ニ適用ス、但シ農場勞働者、出來高拂ヲ望ム勞働者、僕婢及他者ノ爲メ自身勤務ヲナス者及雇傭主ノ家族ニシテ雇傭主ノ爲メ働ク者ニハ適用サレズ。

第四條　作業ハ火災、洪水、颱風、地震、傳染病ノ如キ不意ノ出來事

82

及生命及財産の喪失及公安上ノ大危險ヲ防止スルタメ緊急ヲ要スル場合、若クハ機械、具機又ハ裝置ニシテ之ナクシテハ雇傭主ニ於テ蒙ルベキ重大ナル損失ヲ避ケンガ爲メニスル緊急ノ作業ノ場合、又ハコレト同樣ナル性質ヲ有スル正當ナル理由アル場合ハ一日八時間ヲ超ユル作業ヲナスコトヲ得。

但シ斯ノ如キ場合ニハ總テ其ノ超過作業ニ對シテ勞働者及雇傭者ハ自己ノ規定賃銀又ハ俸給以外ニ最低二五%ヲ附加セル率ニテ支給ヲ受クル權利ヲ有ス。

但シ國家緊急ノ場合ニハ政府ハ工場操業ニ對スル取締規則ヲ制定シ、且ツ勞働者ニ對スル支拂賃銀ヲ決定スルノ權限ヲ有ス。

第五條　雇傭者及勞働者ニ定賃銀以外最低其ノ二五%ノ附加額ヲ支拂フニ非ザレバ、個人、商社、團体、店舗又ハ勞力配給機關ハ該雇傭又ハ勞働者ニ對シ日曜及法定休日中ニ勞働ヲ强制スルコトヲ得ズ。

但シ之等ノ禁止ハ瓦斯、電氣、動力ノ供給及給水又ハ交通運輸機關ノ如キ公益ニ從事セル公共施設ニハ適用セズ。

第六條　上記第二條及第三條ノ規定ノ除外例ハ公益ニ鑑ミ又ハ作業ノ組織及性質上ソレヲ要求シ居ル時、一地方ニアル有能勞働者ノ缺乏スル時、勞働者ノ救濟ガアル狀態ノ下ニ行ハレザルベカラザル際、又ハ其ノ他ノ關係事業若クハ産業ノ特殊事情又ハ條件ノ場合ニハ勞働長官之ヲ許容ス。

但シ之ノ除外ガ許容サレル時ハ雇傭者及勞働者ハ八時間超過ニ對シテ該者ノ規定給料又ハ賃銀以外ニ最低二五%ノ追加支給ヲ受クベシ。

第七條　本法ノ規定ニ反シテ雇傭主ト勞働者又ハ雇傭者間ニ爲サレタル如何ナル協定又ハ契約ト雖モ當初ヨリ無效トス。

第八條　作業ニ對シテ直接ノ支配並ニ監督權ヲ持ツ雇傭者又ハ個人ガ本法ニ違反シタルトキハ一千比以下ノ罰金、一年ヲ超ヘザル禁錮、若クハ兩者ヲ併科セラル。

第九條　前比律賓立法ノ第四一二三條、第四二四二條ハ玆ニ廢止ス。

83

第十條　本法ハ裁可ノ日ヨリ效力ヲ發生ス。

2　大統領非常時特別權限法（一九四〇年成立）重要項目

(三)收穫ノ不能又ハ不良ヲ防止シ及飢餓並窮乏ヲ回避スルタメ農耕地ヲ徵收スルコト。

(四)賃銀及利潤ノ統制ヲ爲シテ正常ノ生産ヲ確保スルタメ生産施設ヲ徵收スルコト。

(八)物資及商品ノ自由ニシテ且滯澁ナキ運送ヲ容易ナラシムルタメ船舶及其他ノ運輸機關ヲ徵用スルコト。

3　最低賃銀其ノ他ニ關スル法規（一九三九年）

(一)一般豫算規則ニ依リ支給サルル、政府傭員ノ最低月給ハ三〇比、政府土木事業ニ從事スル普通勞働者ノ最低日給ハマニラデ一・二五比、地方デハ一・〇〇比ナルベキコト。

(二)雇主ハ勞働者ノ俸給ヲ毎月十五日月末ニ現金ヲ以テ支給スベク、貨幣以外ノ證券又ハ現物ヲ以テスル支給ハ禁止サル。

(三)裁判所ニ於テハ勞働問題係爭事件ニ優先權ヲ與フベキコト。

(四)少年ノ鑛山勞働、並ニ女子ノ坑內從事禁止。

(五)合法勞働關係ハ全テ政府ニ登錄シ、其ノ行動ニハ政府ノ許可ヲ受クルコト。

(六)一定ノ場合ニハ醫療施設ヲ爲サザル可カラズ、並ニ危險防止ヲ遵守スベキコト

3　勞働問題調停裁判所法修正法（一九四〇・七）及小作爭議强制調停ニ關スル法律（一九四〇・八）中主要條項。

(一)政府ノ强制徵用又ハ購入ニ依リ獲得セル土地ヨリ小作人ヲ放逐セントスルコトヲ禁止スル法律。

(二)小作人ニ對シ購賣スル爲メ政府ニ於テ大土地又ハ莊園ヲ購入及小

84

區劃ニ區分セントスル法律。

㈢糖業安定法。

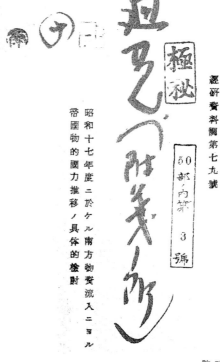

極秘

經研資料調第七九號

50部ノ内第3號

昭和十七年度ニ於ケル南方物資流入ニヨル帝國物的國力推移ノ具体的檢討

昭和十七年六月
陸軍省主計課別班

例言

本研究ハ昭和十七年度ニ於ケル南方物資流入ニヨル帝國物的國力ノ推移ニ對シ具体的檢討ヲ加ヘ、以ッテ今後ニ於ケル大東亞戰爭指導方針確立ニ對シ、一ツノ暗示ヲ與ヘントスルモノデアル。卽チ南方圏確保後ニ於ケル我國物的國力增强ノテンポト、英米、殊ニ米國ノ物的國力增强ノテンポ（當班調査資料調第七八號「今後ニ於ケル米國經濟抗戰力ノ推移檢討」參照）トヲ對比スル時、依然トシテ長期戰ヨリモ短期戰ヲ以ッテ、我國ニ有利ナリト斷ゼザルヲ得ヌ。從ッテ一方ニ於テハ南方建設ニヨル我國物的國力ノ彈撥力ノ育成ニ努ム可キハ勿論ナレド他方ニ於テ現在コソ米英ノ物的國力ニ弱點アルヲ以ッテ、本年下半期ニ於テ米英ニ對シ熾烈ナル攻擊戰ヲ續行シ、以ッテ追擊戰ノ效力ヲ最大限ニ發揮スルヲ要ス。

昭和十七年六月

陸軍省主計課別班

判決

南方ヨリノ物資流入ニヨル帝國物的生產力ハ昭和十七年度ニ於テハ急激ナル增大ヲ期待シ得ズ。從ッテ南方物資ノ流入如何ニ拘ラズ國內生產力ノ維持增强ニ努ムルコトヲ必要トス。

凡ソ南方物資ノ流入ガ帝國生產力ノ增强トシテ現ハレル途ニ二アリ。一ハ例ヘバ米、石油ノ如ク完成財ガ獲得サレルコトニヨッテ直接ニ生產增加ト同一ノ效果ヲモツ場合デアリ、二ハ例ヘバ鐵鑛石、ボーキサイトノ如ク原料資源トシテ生產力ノ增强ニ役立ツ場合デアル。コノ二ツノ途ハ可能性トシテハ何レヲ極メテ有望ナル將來ヲ期待サレテヰル。シカシ昭和十七年度ノ立場ヨリ見レバ差當ッテハ完成財ノ輸入ニ主力ヲオカザルヲ得ナイ事情ニアリ、原料資源ノ獲得ハソレダケ制限セラレルコトヲ覺悟セネバナラヌ。殊ニ船舶ノ不足ハ全体トシテ可輸入物資ノ僅カニ五分ノ一見當ヲ確得シ得ルニスギズ、コノ點ヨリ見テ生產力ノ基礎的増強ハ十分ニ期待シ得ナイト云ハネバナラヌ。

勿論南方物資ノ流入ガ帝國ノ戰略資源ノ問題ヲ解決シタ基本的ナ意義ハ十七年度ノ一ケ年ヲトツテモモトヨリコレヲ認メネバナラナイ。若シ例ヘバ砂糖ノ如キ南方過剰物資ノ利用ニヨツテ我國ノ生産力ヲヨリ有利緊切ナル方面ニ轉用スルコトヲ得レバ、南方物資ノ齎ス間接ノ生産力増強ニハ將來ニ於テ更ニ期待スベキモノガアルデアラウ。タダコレラノ利益ハ今後ノ問題デアル。十七年度ノ當面ノ問題トシテハコレラノ豫想利益ニ漠然タル期待ヲカケルコトナク、ムシロコレラノ利益ノ全面的ナ發現ヲ求メルタメニ、先ヅ國内生産力ノ低下傾向ヲ喰ヒトメ、更ニコレガ積極的ナ伸張ヲ圖ルコトヲ必要トスル。

説明

(一) 帝國ノ生産構造ト南方物資ノ地位

生産構造ハ根本的ニハ勞働ト生産設備ト原材料トノ三ツノ觀點カラ分析サレネバナラヌモノデアルガ、南方物資ノ地位ヲ見ルニ當ツテ最モ重要ナモノハ云フマデモナク原材料關係デアル。

昭和十五年ノ商工省工業統計表ニツイテ帝國工業生産ノ現況ヲ見ルニ、ソノ生産總額二七一億五三百萬圓ニ對シテ、使用原材料ノ總額ハ一四七億四八百萬圓ニ上ル。コノ使用原材料ハ更ニ國内農林鑛業ノ生産物ト輸入生産物トニ分レルノデアルガ、ココデ問題トナルノハ後者デアル。輸入原材料ノ總額ハ工業統計ニヨツテ凡ソ二一億一千二百萬圓、ソレハ使用原材料ノ總額ニ比スレバ一五％ニスギナイヤウニ見エル。シカシ原材料總額ノ六〇％ヲ占メル國内工業生産品原材料ハソノ大部分ヲ再ビ輸入原材料ニ負フモノデアルカラ、我國ノ生産構造ニオイテ輸入原材料ノ占メル重要性ハ極メテ大デアルト云ハネバナラヌ。

今同ジク昭和十五年度ノ物動ニツイテ所要資源供給力ヲ取得方法ノ區分ヲ以テ示セバ次ノ如シ。

昭和十五年度資源供給力區分

國内生産	三四億九六〇九萬圓	五五%
圓ブロツク輸入	二〃三九八六〃	四
第三國輸入	二一〃八八六三〃	三四
回收	一〃八三三六〃	三
在庫補給	二〃六六二五〃	四
合計	六三〃七四一九〃	一〇〇

ソコデ問題ハ、右ニ所謂第三國輸入ト云フモノノ中南方ニ期待サレル資源ガ如何ナル比率ヲ占メルカ、又南方以外ノ第三國ニ對スル輸入期待ガ著シク縮少サレザルヲ得ナイ現狀ニオイテ、南方ヨリノ物資流入ガ果シテコレヲカバーシ得ルカニ集中サレルデアラウ。

先ヅ第一ニ輸入資源中ノ南方物資ノ地位ハ十五年度物動ニ於ケル第三國關係輸入國別輸入金額ニヨツテ推定シ得ヨウ。

昭和十五年度帝國輸入國別集計表

佛印	七六二二萬圓	
泰	四五〇七	
蘭印	一、八六〇五	
比島	六二一二	
馬來	六〇五五	
南方合計	四、二九八一	一六%
北米	一一、二四三六	
加洲	四八八五	
濠洲	一、二四三六	
印度	三、二〇一七	

英本土	一、八〇八一	
敵性國小計	一七、九八五五	六六%
中南米	二、〇四四九	
獨伊	一、五五五四	
其他	一、二八七九	
小計	四、八八八二	一八%
総計	二七、二二四三	一〇〇%

即チ昭和十五年度ニ於テハ南方諸國ヨリノ物資輸入ハ全輸入額ノ一六%ヲ占メルニスギズ、敵性國家ヨリノ輸入六六%ヲ全部南方ニ振替ヘヨウトスレバ、南方資源ノ流入量ハ一躍五倍トナラネバナラヌ。貿易ルートノコノ轉換ハ事實十六年度ニ於テ既ニ行ハレツヽアルトコロデアリ、更ニ十七年度ニ於ケル客觀状況ヨリスレバ南方ノ輸出可能々力ヨリ見テソノ實現ハ決シテ不可能デハナイ。問題ハムシロコノ轉換ガ貿易内容的ニ見テモ以テ帝國ノ生産力ヲ支ヘルニ足ルカト云フ點、並ニ現在ノ輸送力ガ果シテ希望通リノ輸入量ヲ獲得シ得ルカノ點ニアル。ココデハ先ヅ重要物資別ニ見タル南方資源ノ供給力ニツイテ吟味シヨウ。

次表ハ昭和十六年度ノ物動計畫額トノ對比ニオイテ南方期待物資ノ占メル地位ヲ示スモノデアル。

南方期待物資需給關係調

（議會關係資料ニヨル）

物資名	内外地供給力	圓ブロク輸入	泰佛印輸入	南方輸入	計(A)	16年物動計畫(B)	需給率(A)/(B)
鐵鑛石	千屯 六・七二七	千屯 四・五三〇	一〇〇	一・五〇〇	一二・八五七	一〇・三四七	一二五
マンガン鑛	瓲 二〇〇・〇〇〇			一〇〇・〇〇〇	三〇〇・〇〇〇	三一八・六六二	九四
クロム鑛	五五・〇〇〇			五〇・〇〇〇	一〇五・〇〇〇	九八・一〇〇	一〇七
タングステン鑛	五・[illegible]〇〇	六〇〇	九八〇	一・五八〇	八・八六〇	七・七二〇	一一五
ニツケル鑛	九三・〇〇〇			一〇〇・〇〇〇	一九三・〇〇〇	一一八・三〇〇	一六三
電氣銅	六四・〇〇〇			一〇・〇〇〇	七四・〇〇〇	一三一・五六〇	五六
錫	二・〇〇〇		五・一〇〇	二〇・〇〇〇	二七・一〇〇	九・九九八	二七一
ボーキサイト	一五〇・〇〇〇		一〇〇・〇〇〇	三〇〇・〇〇〇	五五〇・〇〇〇	四八三・〇〇〇	一一四
マニラ麻				七五・〇〇〇	七五・〇〇〇	二三・一一五	三二四
黄麻	一三・五〇〇	一三・五〇〇	七六九	五〇〇	二八・二六九	二八・四三八	九九
牛皮	一三・三三七		八・〇〇〇	一三・〇〇〇	三四・三三七	三一・七〇三	一〇八
タンニン材料	一八・九八三		三三・三三三	三五・〇〇〇	五七・三一六	三四・七八三	一六五
生ゴム			五五・〇〇〇	二〇〇・〇〇〇	二五五・〇〇〇	五一・四七五	四九六
工業鹽	七三・〇〇〇	八七七・五一八	五〇・〇〇〇	一〇・〇〇〇	一・〇一〇・五一八	一・〇六三・八〇〇	九五

備考
(1) 供給力ハ十七年度物動第一次案
(2) 内外地供給力ニハ回収ヲ含ム
(3) 電氣銅、錫ハ輸入豫定原鑛ヲ換算計上ス
(4) 鐵鑛石一・五〇〇千瓲ハ凡ソ銑鐵八〇〇千瓲鋼材六五〇千瓲ニ當ル。十七年度計畫銑鐵四八五七千瓲普通鋼鋼材四二五二千瓲ノ約一五%ニ當ル。

コノ表ニヨツテ見レバ、電氣銅ヲ除ケバ南方物資ニヨツテ需給均衡ヲ得ルモノ、鐵鑛石マンガン鑛クロム鑛タングステン鑛ボーキサイト、黄麻牛皮工業鹽ノ八種供給超過五割以上ニ及ブモノニツケル鑛タンニン材料ノ二種、錫ハ二倍半、マニラ麻ハ三倍、生ゴムニ至ツテハ實ニ五倍ノ供給超過ヲ示シテヰル。勿論コノ場合對照ノ基礎トナレル十六年度物動ハ資源獲得ノ困難ニ顧ミテ著シクソノ需要ヲ縮少セルモノモアリ、（註1）コノ需給計畫自体ガ凡ソ均衡ヲ得ルコトヲ目標トシテ樹立セラレタモノト見ルベキデアル故ニ、コノ需給率ノミカラ南方物資ノ地位現状ヲ過大ニ評價スベキデハナイ。ソノ上ニ重要物資中ニハ南方物資ヲ以テ補充シ得ナイ若干ノ種類ガアルコトヲ注意スベキデアル。（註2）カクテ南方物資ノ流入ガ生産力ノ増強ニ及ボス作用ハ一個ノ數字ヲ以テ簡單ニ表現スルコトハ困難デアラウ。シカシ以上ノ考

案ヲ總括スレバ南方物資ガ昭和十六年ニ於テ極メテ窮屈トナレル我國ノ資源供給力ノ展開ニ大ナル光明ヲ與ヘタルコトハコレヲ否定スベキモナク、問題ハコノ資源ヲ如何ニ有效ニトリ入レルカニカカルコトナル。

（註1）各年度ノ物動計畫數字ニ於テ需要量減少ノ顯著ナルモノ次ノ如シ。

資源名	十四年	十五年	十六年	十七年
マンガン	三九四千屯	四二九	三八四	二三九
電氣銅	二三八	二一二	一二九	一一六
工業鹽	一、七六九	一、六〇九	一、六二二	一、二五五
タンニン材料	七〇	五九	四九	三六
牛皮	四二	三一	二〇	二八

詳細ハ附表(1)參照

（註2）重要不足物資ニシテ南方物資ニヨッテ解決シ得ザルモノ

資源名	十七年度供給力	十七年度供給力	A/B
モリブデン	八四〇	一、〇九〇	七七
水銀	四九五一〇〇	五六一、八三八	八八
紡績用綿花	三、七四一、五三三ピクル	五二二七〇七五	七二
羊毛	一五四二六〇俵	二〇四八七四	七五

其他、鉛、石棉・雲母等

以上ハ第三國物資ヲ南方物資ニヨッテ代替スルコトノ可能性ヲ一般的ニ考察シタ結果デアルガ、昭和十七年度現在ノ問題トシテハ進ンデ船舶ノ利用可能性ノ範圍ニオイテ果シテ幾何ノ物資ヲ獲得シ得ルカヲ考ヘネバナラヌ。

コノ數量ハ第一ニハ使用可能ノ船腹ノ見込ニヨリ、第二ニハ輸送物資ノ重要度ノ認定ニヨッテ異ナルコト勿論デアルガ、今當班資料調第四八號「本邦對南方諸地域ノ物資交流問題ノ再検討」ニヨッテ、昭和十七年度ノ船腹ヲ普通船舶約七十萬噸（復航ノ利用ヲ含ム）油槽船約二十萬噸トシ、又物資ノ順位ヲ商工省ノ現定スルトコロニ依レバ、各種物資ノ獲得見込量ハ年間凡ソ次表ノ示ス如クナル。

資源名	獲得見込量	輸出余力（註）
1、鐵鑛石	八〇〇千噸	三、二一四
2、マンガン	一〇〇	八九
3、クロム鑛	五〇	五〇
4、タングステン鑛	[illegible]	[illegible]
5、銅鑛	一〇〇	三三
6、ニッケル鑛	一五〇	八〇
7、錫	二〇	八三
8、亞鉛	三	四
9、ボーキサイト	五〇〇	八〇〇
10、燐鑛石	三〇〇	
11、硅砂	一〇〇	
12、工業鹽	三〇〇	三〇〇
13、米	一、五〇〇	三、一一〇
14、玉蜀黍	三〇〇	五八〇
15、ゴム	二〇〇	九一〇
16、コプラ	二五〇	九二〇
17、パーム油	三〇	二〇〇
18、マニラ麻	七五	一五〇
19、黄麻	三〇	二六
20、キナ皮（純分4%）	一	七
21、キニーネ（純分5%）	〇、一	〇、二
22、ヒマシ	五	四
23、タンニン材料	三五	四五
24、牛皮	一三	一五

25、石　七　四一一　三二〇〇
25　十四　流　二〇〇〇　四八八四

五、三七五

一、一九二二

（註）取得見込數ガ輸出余力ヲ超ニルモノハ勿論從來ノ輸出能力ヲ超エテ開發取得ヲ見込ミタルモノナリ。

甲等種類ノ詳細ハ附表(2)参照

今コノ見込數量ヲ十六年度物動計畫ニ於ケル南方期待物資ニ比較スルニ鐵鑛石ニツイテハ七〇萬屯多ク、タングステンニツイテハ五千屯ノ不足ヲ示シテ居ルガ他方ニッケル鑛ハ五萬屯工業鹽ハ二〇萬屯ボーキサイトハ二〇萬屯ノ増加ヲ示ス故ニ、彼此考察スレバ凡ソ十六年度物動ハ必要トサレタル重要資源ノ需要ヲ充スニ足ルデアラウ。唯ソレハ既ニ見タ如ク十六年度ノ需要ヲ充スニ止マッテ未ダコレガ生産力ノ大ナル伸張ヲ期シ難イ。コノコトハ右ノ物資流入ヲ更ニ完成品ト生産資源トノ二種ニ分チ、ソノ各々ノ影響ヲ吟味スルコトニヨッテ一層明白トナルデアラウ。

（二）南方物資流入ノ具体的効果

（イ）食糧經濟効果

南方ヨリノ食糧關係物資ノ流入ニヨル生産力ノ増強ハ凡ソ次ノ三ツノ途ヲ採ッテ現ハレ得ル。

（一）食糧タル完成財ノ流入ニヨッテ直接ニ帝國ノ食糧經濟ヲ補完スルコト

（二）食糧生産ニ必要ナル生産財ノ輸入ニヨッテ生産力ヲ伸張スルコト。

（三）南方過剰物資ノ利用ガ帝國内ノ耕地利用ノ轉換ヲ可能ナラシメルコト

シカシ以上ノ中、昭和十七年度ニ於テ顯著ニ期待シ得ル効果ハ實質的ニハ（一）ニヨルモノガ主デアッテ（二）以下ハムシロ今後ノ問題デアル。

先ヅ第一ニ完成品トシテノ南方物資ノ流入ガ主トシテ食糧關係ニ於テ必要トサレツヽアルコトハ改メテ云フマデモナイ。

本年度ニ於ケル米ノ内地供給量ハ凡ソ次ノ如クニ推算サレル。

内地生産量	五、五一〇万石
昨年ヨリノ持越量	八三〇
外地ヨリ移入見込量	七〇〇
合計	七、〇四〇万石

一方本年度ノ米ノ必要量ヲ推定スルニ昨年度ノ一消費單位當リ年消費量〇、九六八六石ヲ標準トスレバ總消費單位數ヲ七、六六三萬トシテ、國民消費總量ハ七、四二〇万石トナル。即チ三八〇万石ノ不足トナル。コノ不足量ニ更ニ貯藏用、繰越用ヲ加ヘレバ約一千万石、一五〇〇万屯ノ外米輸入ガ必要トナルデアラウ。コレヲ南方ニ期待シ得ルコトハ勿論帝國經濟力ノ大ナル強點デアルガ、船腹關係ヨリ見レバコノ輸入ガ他ノ生産力擴充基礎物資ノ獲得ヲ壓迫スル事情ヲ考慮セザルヲ得ナイデアラウ。

食糧生産用ノ生産財トシテ南方ニ期待サレルモノハ燐鑛石デアルガ、ソノ効果ハ窒素肥料ノ不十分ナ現状ニ於テハ多クヲ望ムコトガ出來ナイ。戰前五ヶ年平均ニ於テ我内地農業ニ投下サレタ燐酸量ハ自給肥料ヲモ加ヘテ總量約五四万屯デアッタ。現在デハ凡ソ三〇万屯見當デアラウ。燐鑛石三〇万屯ノ輸入ハ燐酸量ニシテ約八・八万屯ノ増給トナル。一方燐酸ノ生産彈性ハ畑麥作ニ於テ〇・三、水稲ニ於テ効果不明デアル故、全体トシテ輸入ニヨル生産増加ノ可能性ハ窒素ガ完全ナラバ四％程度ト見ルコトガ出來ヨウ。シカシ窒素ノ減量甚シキ現状ニ於テハコノ程度ハ期待シ得ナイ。又耕地ヘノ施肥ハ本年度ノ作付ニ間ニ合フト云フヨリモ、ムシロ來年度以降ノ問題トナリ易イ點ニモ注意セネバナラヌ。最後ニ南方過剰物資ノ利用ニヨル生産力増加ノ問題デアルガ南方過剰物資ノ一タル砂糖ノ利用ハ我臺灣ノ甘蔗栽培ヲ水稲作ニ轉換セシメ得ルシ、最大轉換可能量約三〇〇万石、又ハブタノール、アルコール等ノ燃料製造ガ進展スレバ内地ニ於ケル甘藷及ビ馬鈴薯ノ利用ヲヨリ強ク食糧ニ轉換セシメ得ルデアラウ。シカシ[illegible]ノ効果ヲ盛チニ十七年度ニ期待スルコトハ困難デアル。(轉換的ナコノ效果ハ將來ノ問題トシテハ十分ニ注意スベキトコロデアル。例ヘバ滿洲ニ於ケル大豆ハ帝國內殆ド全食糧ノ給源トシテ極メテ重要デアルニモ拘ラズ、ソノ生産力ハ現在戰前ノ七〇％以下ニ減少シテキル。故ソノ他ノ鑛産資源ノ南方ヨリノ取得増加ガ、若シ滿洲ニ於テ大豆ノ生産擴充計畫チ可能ニスルモノトナレバソノ效果ハ將來ニ於テ極メテ大ナルモノチ期待シ得ルデアラウ。)

コレチ要スルニ昭和十七年度ニ於テハ食糧ニ關スル限リ米ノ輸入ガ最大ノ問題デアッテ、流入生産財ニヨル生産力ノ伸張ハ遞類物資ノ利用ニヨル食糧生産ノ增強ノ何レニモ多クチ望ミ難イ。ソウシテコノ場合食糧完成財ノ輸入ガ一般ノ生産基礎資源ノ輸入チ壓迫セサルチ得ナイ事情ハ十分ニ注目セラレネバナラヌ。若シ食糧完成財ノ中ニ米ノ外玉蜀黍(註)、植物油其他チ加ヘレバ一層然リデアル。

(註) 玉蜀黍ノ輸入期待量三〇万屯ハ戰前ノ輸入量二七〇万屯ニ比スレバ一割弱ニ過ギナイ。

(ロ) 鐵鋼生産効果

鑛産物ノ輸入ニヨル生産力ノ基本的擴充ハ既ニ見タ如ク南方物資ニカケラレタ最モ大キナ期待デアルガ、コノ關係ニ於テハ船腹ノ不足チ主因トシテ昭和十七年度ニ於テハ急激ニ多キチ期待シ得ナイ。鑛産物ニツイテモ亦石油ノ如ク一種ノ完成品ノ流入ガ直接ニ生産力ノ增強ニアル一面ガ注目セラレルデアラウ。

コノコトハ最モヨクコレチ鐵鋼ノ生産力ニツイテ見ルコトチ得ル。即チ鐵鋼ノ生産ハ或ハ船舶建造ノ基礎トシテ、又一般機械工業ノ基礎トシテ中心的ナ地位チ占メルモノデアルガ、コノ生産力ノ增強ハ單ナル資源關係ヨリ見テモ尚南方物資チ以テ十分ニ解決シ得ヌ現狀ニアル。吾々ハコヽデ十七年度ニ於ケル物動計畫ガ鐵鋼ニツイテモ亦取得可能ナル資源チ考ヘ併セテ調節セラレテヰルモノデアルコトチ想起セネバナラナイ。從ツテイマ鐵鋼ノ生産計畫チ十六年度ノ基礎案ニツイテ漸定シ、コレニ必要ナル關係資源ノ需要量トコレニ對スル南方物資ノ供給力トチ對比スレバ、右ノ歸結ハ一層明白トナルデアラウ。

需要資源名	一六年物動基礎案	日滿支供給力	南方供給力	一七年獲得豫定	差引
鐵鑛石	一〇〇〇〇〇〇〇	七六三四〇〇〇	三二一四三九九	八〇〇〇〇〇	(-) 一五六六〇〇〇
普通銑	五四八五〇〇〇	三九四〇〇〇〇	三五七六六		(-) 一五〇九二三四
屑鐵	三四一四五〇〇	二九七四五〇〇	五四二九		(-) 四三四五七一
マンガン鑛	三八四五二〇	二五〇〇〇〇	八八三六四	一〇〇〇〇〇	(-) 三四五二〇
クロム鑛	九八九六六	七〇〇〇〇	二八九六六	五〇〇〇〇	(-) 二一〇三四
タングステン鑛	八三二二	五七〇〇	一三三三	二五六〇	(-) 六二
ニッケル鑛	二四〇〇〇〇	六〇〇〇〇	一三〇〇〇〇	一五〇〇〇〇	(-) 三〇〇〇〇
亞鉛	九二五二〇	六九八二〇	四一三〇		(-) 一八五七〇
錫	一二一五九	二六〇〇	一〇〇九八八	二〇〇〇〇〇	(+) 一九〇四四一
銅鑛	二〇九〇〇〇	七五〇〇〇	三〇〇〇〇〇	一〇〇〇〇〇	(-) 三四〇〇〇
アルミニューム	七三三二七	七〇八三〇		ボーキサイト 五〇〇〇〇〇	
鉛	八七四六三	三六一〇四			(-) 五一三五九
コバルト鑛	八四〇				(-) 八四〇
モリブデン鑛	一二八六	二一〇			(-) 一〇七六
ワナジウム鑛	六一六				(-) 六一六

備考　南方供給力ト取得豫定量トガ異ナルモノニツイテハ取得豫定量チトル。

即チ右表ニツイテ見レバ全資源チ通ジテ獲得量ガ需要量チ超過スルモノハ僅カニ錫一種デアリ、他ノ資源ニツイテハ概ネ南方供給力―即チ從來ノ輸出能力―チ以テシテモ足ラズ、取得豫想量チ可成引上ゲテモ尚不足チ見ル現狀ニアル。殊ニ鐵鋼ノ生産ニ於テ基本的ナル鐵鑛石、普通銑、屑鐵ガ著シイ不足チ示スコトハ南方資源ノ獲得ガ少クトモ直接的ニハ鐵鋼基礎生産力ノ增強トシテ多キチ期待シ得ザル事情チ示スモノト云フベキデアラウ。

コレガ現在的ナ對策トシテハ凡ソ次ノ如キモノガ考ヘラレル。

(一) 屑鐵ノ完全利用ニ全力ヲ盡スコト。南方ノ屑鐵ハコレヲ輸出餘力ニ限ラザル限リ相當ノ數量ヲ期待シ得ル故ニ、コレガ獲得ニヨツテ自給的ナ内地生産力ノ補強ヲ企圖スベキデアラウ。

(二) 現地生産設備ヲ極力利用スルコト。特ニ造船ニツイテハ上海。香港、昭南等ニ存在スル設備ヲ利用セネバナラヌ。コレラハ主トシテ修理用ニ用ヒラレルノデアツテ造船用トシテハ五〇〇噸當リノ機帆船ノ建造ニ限ラレルデアラウガ、ソノ利用ハ直接ニ國内ノ鐵鋼需要ヲ緩和シ、ヤガテハ帝國生産力ノ根本的擴大ニ資シ得ルデアラウ。金屬工業一般ニツイテハ差當ツテ利用スベキ精錬設備モ少イノデアルガ、コレニツイテモ例ヘバアルミノ如キ現地精錬ヲ有利トスルモノニツイテハ極力ソノ實現ヲ圖ルコトガ必要デアラウ。

(三) 資源開發ヲ促進スルコト。特ニ近キ將來ニ於テ銑鋼一貫作業ノ實徹ヲ期スルタメニハクロム鑛、タングステン鑛、及ビニツケル鑛ノ南方供給増加ヲ圖ラネバナラナイ。

之ヲ要スルニ昭和十七年度ニ於テ南方資源ガ鐵鋼ヲ中心トスル基礎生産力増強ヘノ貢獻ハ多大トハ云ヒ難イ。ココデモ亦吾々ハ時間的ニ例ヘバ屑鐵ノ輸入ノ如キ一種ノ完成材料ノ輸入ガ重大ナル役割ヲ果スコトヲ見ルベク、基礎生産力ソノモノノ本質的ナ増強ニツイテハムシロ後續年度ノ問題トスベキヲ見ルデアラウ。シカシコノ困難ノ主因ハ云フマデモナク船舶ニアル。從ツテ以上ノ諸對策ニヨツテ一度ビ船ト鐵トノ循環ヲ打切ルコトニ成功スルナラバ南方物資ノ利用ニヨル生産力ノ増強ニハ光明アル將來ガ期待サレルデアラウ。昭和十七年度ハ生産力的ニ見テマサニソノ過渡期ニアルモノデアル。

附表(一)　主要物動物資逐年比較

資源名	單位	一四年	一五年	一六年	一七年
鐵鑛	千噸	七、八五四	八、一五三	一一、〇〇七	一三七九七
マンガン	〃	三九四	四二九	三八四	二三九
クロム鑛	〃	九二	一〇五	九八	一一三
タングステン鑛	〃	一〇	八	八	七
電氣銅	〃	二三八	二一二	一二九	一一六
ニツケル鑛	〃	九七	六二一	二四〇	一一二
錫	〃	一四	一六	一二	九
亞鉛	〃	一一五	一〇二	九二	九六
ボーキサイド	〃	一七二	二六五	九七五	三一〇

工業塩	千瓲	一、七六九	一、六〇九	一、六二二	一、二五三
米	千石	一〇、〇〇〇	一〇、〇〇〇	九〇〇〇	
玉蜀黍	千瓲	三五九	六二九	六八一	
ゴム	〃	五四	五一	四四	五九
マニラ麻	〃	四七	三九	一七	
黄麻	〃	三六	四〇	一五	七〇
棉花（製綿用）	ピルク			三一九	三九五
タンニン材料	千瓲	七〇	五九	四九	三六
牛皮	〃	四二	三一	二〇	二八
石炭	〃	七二、九二七	八四、五一九	九一、〇〇〇	九三、〇〇〇
石油	竏	四〇三九〇〇〇	四三二八〇〇〇	四五六四〇〇〇	

附表（二）

資源名	南方取得物資 数量	南方取得物資 備考	同輸出可能量 数量	同輸出可能量 備考
銑鉱	八〇〇 千瓲	比島 三〇〇、馬來 五〇〇	三二一四 千瓲	比、佛 一、一六六、蘭印、馬來 二、〇四六
マンガン	一〇〇	比島 五〇、馬來 三〇、蘭印 二〇	八九	比、佛印 四三、蘭印、馬來 四六
クロム鉱	五〇	比島 五〇	五〇	比島 五〇
タングステン鉱	二	二		
銅鉱	一〇〇	比島 一〇〇	三三	比島
ニッケル鉱	一五〇	蘭印 一五〇	一八〇	蘭印
錫	二〇	馬來 二〇	八三	馬來 五〇、蘭印 三三
亜鉛	三		四	佛印
ボーキサイド	五〇〇	馬來 二〇〇、ビンタン島 三〇〇	八〇〇	馬來
燐鉱石	三〇〇	佛印 一〇〇、蘭印 二〇〇		
硅砂	一〇〇	佛印 一〇〇		
工業塩	三〇〇	泰 五〇、佛印 五〇、蘭印 二〇〇	三〇〇	泰 九〇、佛印 四五、蘭印 八八
米	一、五〇〇	佛印 一、〇〇〇、泰 五〇〇	二、一一〇	
玉蜀黍	三〇〇	佛印 二〇〇、蘭印 一〇〇	五八〇	
ゴム	二〇〇	馬來 一〇〇、蘭印 一〇〇	九一〇	
コプラ	二五〇	比島 一五〇、蘭印 五〇、馬來 五〇	九二〇	
パーム油	三〇	蘭印 三〇	二〇〇	
マニラ麻	七五	比島 七五	一五〇	比島
黄麻	三〇		二六	
棉花（製綿用）	四（千ピクル）			
キナ皮（純分四%）	一	蘭印 一	七	蘭印
キニーネ（純分三%）	〇・一	蘭印 〇・一	〇・二	蘭印
ヒマシ	五	蘭印 五	四	
タンニン材料	三五	馬來 五、蘭印 三〇	四五	

牛皮	一三	比島 四 馬來 一 蘭印 八	一五	
石炭	四一一		二、二〇〇	
石油	二、〇〇〇	ボルネオ 一、〇〇〇 スマトラ 一、〇〇〇	四、八八四	ボルネオ 二五四 蘭印 四六三〇